COLLECTION
ÉDUCATION
INTERVENTION

DIRIGÉE PAR
NADIA ROUSSEAU

P romouvoir le transfert des connaissances et contribuer à la formation continue des enseignantes et des enseignants et autres professionnelles et professionnels de l'éducation, voilà la raison d'être de la collection Éducation-Intervention des Presses de l'Université du Québec. Appuyée sur les plus récents constats de la recherche dans le domaine de l'éducation, cette collection offre une variété d'ouvrages qui utilisent un langage accessible et qui posent un regard dynamique sur les défis actuels qui caractérisent l'éducation. Juste équilibre entre connaissances et pistes d'intervention, elle saura répondre aux besoins des acteurs de l'éducation désireux de parfaire leurs pratiques.

La collection Éducation-Intervention est dirigée par Nadia Rousseau, forte d'une grande expérience de recherche et de transfert des connaissances et très active dans la valorisation des résultats de la recherche.

L'apprentissage visible pour les enseignants

Presses de l'Université du Québec

Le Delta I, 2875, boulevard Laurier, bureau 450, Québec (Québec) G1V 2M2
Téléphone : 418 657-4399   *Télécopieur :* 418 657-2096
Courriel : puq@puq.ca   *Internet :* www.puq.ca

Diffusion / Distribution :

Canada   Prologue inc., 1650, boulevard Lionel-Bertrand, Boisbriand (Québec) J7H 1N7
Tél. : 450 434-0306 / 1 800 363-2864

France   Sofédis, 11, rue Soufflot, 75005 Paris, France – Tél. : 01 53 10 25 25
Sodis, 128, avenue du Maréchal de Lattre de Tassigny, 77403 Lagny, France – Tél. : 01 60 07 82 99

Belgique   Patrimoine SPRL, avenue Milcamps 119, 1030 Bruxelles, Belgique – Tél. : 02 7366847

Suisse   Servidis SA, Chemin des Chalets 7, 1279 Chavannes-de-Bogis, Suisse – Tél. : 022 960.95.32

Diffusion / Distribution (ouvrages anglophones) :

Independent Publishers Group, 814 N. Franklin Street, Chicago, IL 60610 – Tel. : (800) 888-4741

L'apprentissage visible pour les enseignants

CONNAÎTRE SON IMPACT POUR MAXIMISER LE RENDEMENT DES ÉLÈVES

John Hattie

Préface de
Monique Brodeur
Claude St-Cyr

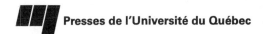

Presses de l'Université du Québec

Catalogage avant publication de Bibliothèque et Archives nationales du Québec et Bibliothèque et Archives Canada

Hattie, John

[*Visible learning for teachers*. Français]

L'apprentissage visible pour les enseignants : connaître son impact pour maximiser le rendement des élèves

(Éducation-intervention ; 43)
Traduction de : *Visible learning for teachers*.
Comprend des références bibliographiques et un index.

ISBN 978-2-7605-4424-6

1. Enseignement réflexif. 2. Enseignement axé sur l'apprenant. I. Titre. II. Titre : Visible learning for teachers. Français. III. Collection : Collection Éducation intervention ; 43.

LB1025.3.H3714 2017   371.102   C2017-940236-6

Financé par le gouvernement du Canada   Funded by the Government of Canada | Canada

Conseil des arts du Canada   Canada Council for the Arts

SODEC
Québec

Coordination : **Claude St-Cyr**
Collaboration scientifique : **Michel Janosz**
Traduction : **Marc Denis**
Révision : **Gislaine Barrette**
Correction d'épreuves : **Julie Pelletier**
Conception graphique : **Michèle Blondeau**
Mise en pages : **Interscript**
Images de couverture : **iStock**

La Fondation André et Lucie Chagnon a gracieusement fourni la traduction française aux Presses de l'Université du Québec

Dépôt légal : 2e trimestre 2017
› Bibliothèque et Archives nationales du Québec
› Bibliothèque et Archives Canada

Visible learning for teachers
First published 2012 by Routledge, 2 Park Square, Milton Park, Abingdon, Oxon OX14 4RN
Simultaneously published in the USA and Canada by Routledge, 711 Third Avenue, New York, NY 10017

Routledge
Taylor & Francis Group
LONDON AND NEW YORK

Imprimé au Canada
D4424-2 [09]

Préface

Optimiser l'effet de l'enseignement sur l'apprentissage des élèves

Monique Brodeur
Doyenne
Faculté des sciences de l'éducation
Université du Québec à Montréal

Claude St-Cyr
Directeur de projet
Fondation Lucie et André Chagnon

Au Québec, un consensus émerge depuis les consultations publiques sur la réussite éducative de l'automne 2016 : l'éducation doit être une priorité nationale. Ces consultations font également ressortir la volonté partagée que chaque Québécoise et Québécois, peu importe ses caractéristiques personnelles et son milieu d'origine, puisse bénéficier dès la naissance et tout au long de sa vie des pratiques éducatives les plus favorables à son développement global, à sa réussite scolaire et éducative ainsi qu'à son accomplissement et à sa participation citoyenne.

En décembre de la même année, les résultats du Programme international pour le suivi des acquis des élèves (PISA, 2016) de l'Organisation de coopération et de développement économiques (OCDE) révélaient qu'à 15 ans, les élèves québécois étaient parmi les meilleurs au monde en lecture, en mathématiques et en sciences ; de quoi être très fiers ! Toutefois, ces résultats sont à considérer avec précaution, le taux de participation des écoles québécoises (52 %) se situant en deçà du taux minimum requis (soit 85 %). Parallèlement, 25 % des jeunes n'ont pas de diplôme ou de qualification d'études secondaires à l'âge de 20 ans, cette situation étant surtout remarquée en milieu défavorisé, chez les francophones et chez les autochtones. Quant au taux d'analphabétisme, il se situe à 53 %. Par conséquent, l'ensemble de ces résultats montre que l'école québécoise permet à plusieurs jeunes d'évoluer avec succès dans leur parcours éducatif, mais qu'elle doit cependant poursuivre ses efforts avec détermination et rigueur afin de mieux soutenir ceux qui ont des besoins éducatifs particuliers.

Dans ce contexte, en vue d'éclairer et de définir ces efforts, la traduction en français de *Visible Learning for Teachers* constitue une ressource assurément pertinente. Hattie présente des éléments de réflexion, des pistes d'action et des outils pour agir, s'appuyant sur des recherches d'une envergure unique. Ces travaux menés depuis plus de 15 ans à partir de plus de 900 méta-analyses portant sur environ 50 000 articles scientifiques, elles-mêmes provenant d'études menées auprès d'environ 240 millions d'élèves de milieux socio-économiques variés, apportent des connaissances visant à optimiser l'effet des pratiques enseignantes sur l'apprentissage des élèves. Il s'agit d'un travail de synthèse colossal, compte tenu des différents domaines couverts, de la quantité des travaux recensés et des défis considérables que présente la production de méta-analyses.

D'entrée de jeu, Hattie met en relief et souligne à grands traits le rôle crucial des enseignants dans l'apprentissage des élèves, tout en reconnaissant la complexité de leur tâche. Il leur propose, ainsi qu'aux autres acteurs du milieu scolaire, de rendre cet apprentissage visible afin de maximiser l'effet de leur enseignement et de faire en sorte que les élèves en viennent à autoréguler eux-mêmes leur apprentissage. Il explique de façon limpide comment mettre en œuvre les principes visant à rendre l'apprentissage visible et à le mesurer. Il rappelle qu'il n'y a pas de recette spécifique ni de solution unique pour tous, mais que certaines pratiques se révèlent plus efficaces que d'autres.

Nourrir et stimuler l'intellect et l'imagination des élèves, les traiter avec humanité et sensibilité, leur apprendre à développer leur plein potentiel comme personnes et comme citoyens : tels sont les principes phares de Hattie. Son analyse d'un ensemble de pratiques et de leur efficacité respective permet aux enseignants de prendre conscience de ce qu'ils font déjà avec brio, de réfléchir à leurs méthodes et de voir s'il y a lieu de faire des ajustements. Hattie invite les enseignants à recourir à des procédés éprouvés, issus de la recherche mais aussi de leurs propres observations, bref, des pratiques gagnantes, délibérées, réfléchies, qui font apprendre leurs élèves.

Tous les travaux de recherche, ceux de Hattie compris, comportent leurs limites. Ainsi, par exemple, compte tenu de la nature de l'ouvrage, seules des études comportant des analyses quantitatives ont été recensées. Les travaux francophones ne sont pas présents. De plus, certains peuvent remettre en question les choix méthodologiques de l'auteur. Il appartient donc à tous ceux qui prennent une part active dans l'éducation d'utiliser cette ressource, comme toutes les autres ressources par ailleurs, en exerçant leur jugement professionnel, avec nuance et discernement, en fonction de leurs élèves, de leur contexte, de leurs ressources, et ce, dans une perspective de développement professionnel continu.

Alors qu'un nombre croissant d'acteurs du milieu éducatif, dont les enseignants en formation initiale et continue, reconnaissent la valeur des connaissances issues de la recherche pour les éclairer dans leurs décisions et pratiques, l'accès à ces connaissances et leur interprétation représente un défi de taille. Ce défi est encore plus grand pour les francophones, la recherche scientifique étant publiée très largement en anglais. La traduction de l'ouvrage de Hattie fournit donc un accès exceptionnel à ces connaissances, enrichissant le corpus des écrits auquel recourir pour bonifier l'effet des pratiques enseignantes sur l'apprentissage des élèves. Il s'agit d'une contribution significative, permettant d'offrir la meilleure éducation possible dans une perspective de respect et d'équité, une responsabilité à la fois individuelle et collective.

Remerciements

L'équipe du laboratoire sur l'apprentissage visible à l'Université d'Auckland a été une immense source d'inspiration pour le présent ouvrage. Nous avons travaillé dans une aire ouverte, discutant de nos idées, de nos problèmes et de nos réussites. Au cours des douze dernières années, nous avons mis au point un important système d'évaluation et de production de rapports pour l'ensemble des écoles primaires et secondaires de la Nouvelle-Zélande, nous avons travaillé avec de nombreuses écoles à l'implantation des idées qui soustendent l'apprentissage visible, et nous avons effectué une foule d'études sur les principaux thèmes de l'apprentissage visible. Plus de 1 000 enseignants ont travaillé avec nous à la mise au point du système d'évaluation ; plus de 100 personnes ont travaillé dans notre laboratoire ; nous avons eu de nombreux visiteurs (universitaires et étudiants) – faisant ainsi du travail une expérience fort agréable. Gavin Brown, Annette Holt, Earl Irving, Peter Keegan, Andrea Mackay et Debra Masters ont tous dirigé l'équipe, et leurs idées, suggestions et rétroactions sont imprégnées dans ces pages. Je remercie toutes les personnes qui ont permis de créer un contexte de travail aussi agréable, enrichissant et valorisant.

De nombreuses personnes ont lu et commenté les ébauches du présent ouvrage, et je les remercie pour les améliorations suggérées, tout en assumant la responsabilité des erreurs qui subsistent. Merci à Kristin Anderson, Janet Clinton, Steve Dinham, Michael Fullan, Patrick Griffin, John Marsden, Brian McNulty, Roger Moses, Geoff Petty, Doug Reeves, Ainsley Rose, Julie Schumacher, Carol Steele et Greg Yates pour leurs commentaires, critiques et précieux conseils. Je suis particulièrement reconnaissant envers les neuf réviseurs qui devaient rendre compte aux éditeurs : Ann Callander,

Rick DuFour, Michael Fullan, Christopher Jones, Geoff Petty, Andrew Martin, Elaine Smitheman, Sebastian Suggate et Huw Thomas. Je suis spécialement redevable à Debra Masters et Janet Rivers pour leur souci du détail, à Earl Irving, qui m'a permis d'utiliser son questionnaire d'évaluation, et à Steve Martin du Howick College, qui m'a autorisé à utiliser le plan de leçon SOLO au chapitre 4. L'équipe de Routledge, dirigée par Bruce Roberts, a permis que le travail de finalisation du présent ouvrage soit un plaisir, et l'équipe de MacMillan Australie, sous la direction de Lee Collie et de Col Gilliespie, a rendu agréables les nombreux déplacements effectués pour propager le message. Je remercie également l'équipe œuvrant à mon nouveau port d'attache universitaire, la Melbourne Graduate School of Education de l'Université de Melbourne, de m'accueillir et de m'offrir de nouveaux défis à relever.

Surtout, je veux remercier ma famille – Janet, Joel, Kyle, Kieran, Billy (décédé), Bobby et Jamie – qui est ma source d'inspiration et ma raison de vivre ; mes sœurs et mes frères ; et tous ces enseignants passionnés qui m'ont invité dans leurs classes au cours des douze dernières années.

Avant-propos

Elliot est maintenant âgé de 10 ans. Alors que la rédaction de *Visible Learning* s'achevait, il a reçu un diagnostic de leucémie. Depuis ce temps, il a passé à travers quatre années de chimiothérapie ; et son propre système doit maintenant prendre le relais. Il a commencé l'école, apprend à lire et à écrire, et se transforme en un préadolescent heureux et aventureux – qui a conservé sa personnalité effervescente tout au long de sa difficile hospitalisation. Le scénario que les médecins avaient élaboré a donné des résultats, et les interventions effectuées ont eu des effets hautement positifs. Tout au long du traitement, l'impact des interventions a été monitoré, a évolué et a influencé les décisions qui font qu'Elliot peut aujourd'hui s'illustrer au *touch rugby* et en vélocross, et jouer le rôle de médiateur auprès de ses pairs à l'école. Il a fait partie d'une communauté de médecins, d'infirmières, d'enseignants, d'amis et de proches. L'impact du dosage et du traitement était continuellement monitoré afin de garantir l'atteinte du critère de réussite. Les décisions ont été prises à la lumière de ce monitorage ; les équipes ont travaillé à comprendre les conséquences des traitements ; et les données probantes recueillies ont été indispensables au processus adaptatif de prise de décisions – le tout dans le but de maximiser l'impact non seulement sur le plan médical, mais aussi sur les plans social et familial. L'impact était connu de tous. Elliot est donc la source d'inspiration du message qui ressort du présent ouvrage, à savoir : connais ton impact !

Pendant de nombreuses années durant ma carrière, j'ai travaillé dans des écoles, rencontré beaucoup d'enseignants fantastiques qui recueillent des preuves de leur impact sur l'apprentissage des élèves, et fait des recherches sur l'expertise pédagogique en collaboration avec certains des plus grands experts au monde. Au cours des dernières années, mon équipe a animé des ateliers pour plus de 3 000 enseignants et leaders scolaires, et travaillé dans plus de 1 000 écoles, principalement en Nouvelle-Zélande et en Australie. Nous avons beaucoup appris de ces écoles au sujet des implications de *Visible Learning*. La question qui revient le plus souvent est : « Par où dois-je commencer ? » L'argument soutenu ici est que la façon dont vous percevez votre rôle constitue le point de départ – qu'il importe de se renseigner, de façon régulière, sur la nature et l'ampleur de votre impact sur l'apprentissage de vos élèves. La deuxième question la plus fréquente est : « À quoi ressemble l'apprentissage visible dans une école ? » – d'où le thème de l'intégration de l'apprentissage visible abordé dans le présent ouvrage. Il n'existe pas de programme, de scénario ni de manuel sur la façon d'implanter l'apprentissage visible ; en revanche, je propose une série de critères pour susciter des débats, recueillir des données probantes et faire une autoévaluation, en vue de déterminer si une école a un impact marqué sur tous ses élèves. Cela souligne l'importance pour les éducateurs d'être des évaluateurs de leur propre impact.

Les deux questions (« Par où dois-je commencer ? » et « À quoi ressemble l'apprentissage visible dans une école ? ») appellent la question suivante : « Quelle est la nature de l'apprentissage sur lequel vous souhaitez avoir un impact ? », et j'espère que votre réponse ne se limite pas à faire passer des tests pour mesurer les apprentissages de surface. Cela implique d'avoir un impact sur le désir d'apprendre, d'inciter les élèves à rester investis dans leur apprentissage, et de cerner les manières dont les élèves peuvent améliorer leur perception d'eux-mêmes ainsi que le respect qu'ils ont pour eux-mêmes et pour les autres – tout en favorisant l'amélioration du rendement. La nature des résultats recherchés devrait faire l'objet d'un débat dans les écoles, les communautés et la société ; à l'heure actuelle, ce sont plutôt les spécifications des tests que des débats animés qui fournissent les réponses à ces questions.

J'aurais pu écrire un livre sur les leaders scolaires, les influences sociales ou les politiques – qui sont tous des sujets valables – mais les enseignants et les élèves m'intéressent davantage en ce moment : la vie quotidienne des enseignants qui préparent, amorcent, donnent et évaluent les leçons ainsi que celle des élèves qui participent à l'apprentissage. On remarquera que j'utilise le pluriel parce que c'est l'ensemble des enseignants qui doivent poser les questions, évaluer les impacts et décider de la prochaine étape ; et c'est l'ensemble des élèves qui doivent collaborer en vue de réaliser des progrès. Ce désir d'évaluer l'impact est le levier le plus important pour assurer l'excellence en enseignement – et il doit s'accompagner d'une volonté de comprendre cet impact ainsi que d'agir en fonction des données probantes et de cette compréhension.

Tout au long de la rédaction de *Visible Learning*, l'importance de la «passion» est ressortie sans cesse ; en tant que disciple de la mesure, ça me dérangeait que cet aspect soit si difficile à mesurer – particulièrement lorsque son évidence était flagrante. Or, il est question d'une forme particulière de passion – d'une passion fondée sur le désir d'avoir un impact positif sur tous les élèves de la classe. Le présent ouvrage s'amorce avec une discussion sur les qualités des enseignants passionnés qui ont un impact significatif sur les élèves. Les données probantes tirées de la synthèse des méta-analyses sont ensuite utilisées pour énoncer d'importants messages dont pourront s'inspirer les enseignants au quotidien. L'ouvrage se conclut par la présentation des postures essentielles qui caractérisent ces éducateurs passionnés et inspirés. L'une des principales prétentions est que ces postures ou façons de penser sont les précurseurs de la réussite dans les écoles, et qu'elles doivent être abordées dans les programmes de formation des maîtres. Ces postures doivent être nourries et appuyées par des ressources, et confèrent le caractère professionnel à ces enseignants et leaders scolaires qualifiés d'«efficaces».

Comme je l'ai mentionné dans la préface de *Visible Learning*, le message concernant les écoles se veut positif. Autant *Visible Learning* que le présent ouvrage reposent sur l'histoire de nombreux enseignants que j'ai rencontrés ou observés, dont certains ont même enseigné à mes fils. Beaucoup d'enseignants pensent déjà de la façon que je préconise dans le présent ouvrage (et dans le précédent) ; nombre d'entre eux cherchent sans cesse à s'améliorer et monitorent constamment leur prestation afin d'avoir un effet significatif ; et beaucoup inspirent le désir d'apprendre qui constitue l'un des principaux objectifs de n'importe quelle école. J'ai terminé *Visible Learning* de la même façon que je commence le présent ouvrage, c'est-à-dire en citant mon ami et collègue Paul Brock (2004, p. 250-251, traduction libre) :

> Je souhaite que tous les futurs enseignants de Sophie et de Millie se conforment à trois principes fondamentaux qui, selon moi, doivent sous-tendre l'enseignement et l'apprentissage dans toutes les écoles publiques.
>
> D'abord, veillez à nourrir et à stimuler l'intellect et l'imagination de mes filles bien au-delà de leurs attentes personnelles minimalistes. N'insultez pas leur intelligence en essayant de faire passer le nivellement vers le bas pour une approche favorisant l'acquisition de savoirs et d'apprentissages

valables ; prenez garde de ne pas anéantir leur désir d'apprendre à coups de pédagogie ennuyeuse. Ne les assommez pas avec du « travail occupationnel » et ne limitez pas l'exploration du savoir, en constante évolution, à la tyrannie des feuilles d'exercices faites en série. Assurez-vous qu'il y a une véritable progression des apprentissages d'une journée, d'une semaine, d'un mois, d'une session et d'une année à l'autre.

En deuxième lieu, traitez Sophie et Millie avec humanité et sensibilité, comme des êtres humains en développement, qui méritent qu'on leur enseigne de façon respectueuse, avec intelligence, discipline et imagination.

Enfin, efforcez-vous de développer leur potentiel au maximum en prévision des apprentissages scolaires, personnels et professionnels à venir, et d'une qualité de vie qui leur permettra de contribuer à la société australienne et d'apprécier le fait de vivre dans une communauté équitable, juste, tolérante, honorable, informée, prospère et heureuse.

Tout compte fait, c'est certainement ce que tout parent et tout élève sont en droit d'attendre de la formation scolaire, non seulement dans chaque école publique de la Nouvelle-Galles du Sud, mais aussi dans toutes les écoles de l'Australie et du monde entier.

Connais ton impact.

John Hattie
Université de Melbourne, 2011

Table des matières

Préface VII
Optimiser l'effet de l'enseignement sur l'apprentissage
des élèves
Monique Brodeur et Claude St-Cyr

Remerciements XI

Avant-propos XIII

Liste des figures XXIII

Liste des tableaux XXV

À propos XXVII

PARTIE 1   L'origine des idées et le rôle des enseignants

CHAPITRE 1   **L'apprentissage visible à l'intérieur** 3

  1.1.   Les résultats de la scolarisation 6

  1.2.   Aperçu des chapitres 8

CHAPITRE 2   **L'origine des idées** 11

  2.1.   Les données probantes 12

  2.2.   Le baromètre et le point charnière 16

  2.3.   L'histoire 19

  Conclusions 24

CHAPITRE 3

Les enseignants 31

Acteurs de premier plan du processus éducatif

3.1.   Pour un enseignant inspiré et passionné 33

3.1.1. Les enseignants experts sont capables de cerner
la meilleure manière de présenter la matière
qu'ils enseignent 35

3.1.2. Les enseignants experts savent établir un climat
optimal d'apprentissage en classe 36

3.1.3. Les enseignants experts monitorent
l'apprentissage et donnent de la rétroaction 37

3.1.4. Les enseignants experts croient que tous les élèves
peuvent atteindre les critères de réussite 37

3.1.5. Les enseignants experts ont une influence
sur les apprentissages de surface
et en profondeur des élèves 38

3.1.6. En quoi les enseignants experts se distinguent-ils
des enseignants expérimentés du point de vue
de ces cinq dimensions ? 40

3.2.   L'enseignant inspiré 42

Conclusions 45

PARTIE 2   Les leçons

CHAPITRE 4

La préparation de la leçon 53

4.1.   Résultats antérieurs/acquis des élèves 54

4.2.   Influence des perceptions de soi des élèves sur la leçon ... 57

4.3.   Apprentissage ciblé 66

4.3.1. Intentions d'apprentissage 67

4.3.2. Critères de réussite 72

4.4.   Cinq composantes des intentions d'apprentissage
et des critères de réussite 73

4.4.1. Défi 73

4.4.2. Engagement 75

4.4.3. Confiance 75

4.4.4. Attentes des élèves 76

4.4.5. Compréhension conceptuelle 77

4.5.   Programme d'études : ce qui devrait être enseigné,
         le choix des ressources et la progression 78

         4.5.1. Choix des ressources 81

         4.5.2. Progression 82

4.6.   Parler de l'enseignement entre enseignants 85

         4.6.1. Amener les enseignants à parler entre eux
                de l'impact de leur enseignement 91

         4.6.2. Une méthode bien connue pour inciter
                les enseignants à parler entre eux
                de leur enseignement 93

Conclusions 96

CHAPITRE 5

L'amorce de la leçon 99

5.1.   Le climat dans la classe 99

5.2.   Les enseignants parlent et parlent encore 103

         5.2.1. Les questions 107

         5.2.2. Les enseignants doivent parler, écouter et agir –
                comme le font les élèves 109

5.3.   Les proportions des apprentissages de surface,
         en profondeur et conceptuels 110

5.4.   Le rôle des pairs et du soutien social 112

5.5.   Connaître les enfants et laisser tomber les étiquettes 114

5.6.   Le choix d'une méthode 120

5.7.   Les enseignants en tant qu'évaluateurs et activateurs 124

Conclusions 126

CHAPITRE 6

Le déroulement de la leçon 133

Accent sur l'apprentissage

6.1.   Diverses phases de l'apprentissage 134

         6.1.1. Aptitudes cognitives 135

         6.1.2. Niveaux de pensée : compréhension de surface
                et en profondeur 137

         6.1.3. Phases de motivation 138

         6.1.4. Stades d'apprentissage 138

         6.1.5. Enseignement différencié 140

         6.1.6. Commentaires au sujet des stades
                d'apprentissage 143

6.2.   Experts adaptatifs 144

6.3. Stratégies d'apprentissage 145

6.4. Conception à rebours 152

6.5. Deux exigences de l'apprentissage 153

　　　6.5.1. Pratique délibérée 154

　　　6.5.2. Concentration 157

6.6. Voir l'apprentissage du point de vue des élèves.................159

Conclusions 161

CHAPITRE 7

Le déroulement de la leçon 165
Place de la rétroaction

7.1. Les trois questions auxquelles doit répondre
　　　la rétroaction..167

　　　7.1.1. Où dois-je me rendre ? 167

　　　7.1.2. Comment y parvenir ? 169

　　　7.1.3. Quelle est la prochaine étape ?...............................169

7.2. Les quatre niveaux de rétroaction....................................170

　　　7.2.1. Niveau de la tâche et du produit 170

　　　7.2.2. Niveau du processus 171

　　　7.2.3. Niveau de l'autorégulation ou des connaissances
　　　　　　conditionnelles..172

　　　7.2.4. Niveau de la personne 173

　　　7.2.5. Commentaires généraux à propos
　　　　　　des quatre niveaux 175

7.3. La fréquence de la rétroaction 175

7.4. Les types de rétroaction...178

　　　7.4.1. L'infirmation peut être plus efficace
　　　　　　que la confirmation 178

　　　7.4.2. Les erreurs doivent être acceptées..........................179

　　　7.4.3. Rétroaction fondée sur l'évaluation
　　　　　　pour les enseignants 181

　　　7.4.4. Évaluation formative rapide 182

　　　7.4.5. Les incitations comme précurseurs
　　　　　　de la rétroaction 185

7.5. Les attributs des élèves et la rétroaction 187

　　　7.5.1. Culture de l'élève..187

　　　7.5.2. Questionner les élèves au sujet de la rétroaction.....188

　　　7.5.3. Le pouvoir des pairs..189

Conclusions 193

CHAPITRE 8

La fin de la leçon..201

8.1.   La leçon du point de vue de l'élève....................................202

8.2.   La leçon du point de vue de l'enseignant............................205

8.3.   La leçon en fonction du programme d'études......................208

8.4.   La leçon d'un point de vue formatif et sommatif 209

Conclusions 211

PARTIE 3   Les postures essentielles

CHAPITRE 9

**Les postures des enseignants, des leaders scolaires
et des systèmes** 217

9.1.   Un modèle systémique...218

9.2.   Un modèle pour les leaders scolaires 224

9.3.   Un modèle pour le changement 229

9.3.1. Préciser les assises de la prestation 230

9.3.2. Comprendre les défis associés à la prestation 231

9.3.3. Planifier la prestation...232

9.3.4. Assurer la prestation...233

9.3.5. Instaurer une culture favorisant l'amélioration
ainsi que la reconnaissance et la fierté
de la réussite 233

9.4.   Huit postures 234

9.4.1. Posture 1 : Les enseignants et les leaders scolaires
croient que la principale tâche des enseignants
consiste à évaluer l'impact de leur enseignement
sur l'apprentissage et le rendement des élèves 235

9.4.2. Posture 2 : Les enseignants et les leaders scolaires
croient que, sur le plan de l'apprentissage,
la réussite ou l'échec de l'élève dépend
de ce qu'ils ont fait ou n'ont pas fait en tant
qu'enseignants ou leaders scolaires...
Nous sommes des agents de changement!.............237

9.4.3. Posture 3 : Les enseignants et les leaders scolaires
veulent parler davantage de l'apprentissage
que de l'enseignement...239

9.4.4. Posture 4 : Les enseignants et les leaders scolaires
perçoivent l'évaluation comme une rétroaction
à propos de leur impact sur les élèves....................240

9.4.5. Posture 5 : Les enseignants et les leaders scolaires favorisent le dialogue et évitent les monologues 240

9.4.6. Posture 6 : Les enseignants et les leaders scolaires aiment relever des défis et ne se contentent pas de faire de leur mieux 242

9.4.7. Posture 7 : Les enseignants et les leaders scolaires croient que leur rôle exige de tisser des liens positifs avec les élèves et le personnel 243

9.4.8. Posture 8 : Les enseignants et les leaders scolaires estiment qu'il est important que tout le monde connaisse le langage de l'apprentissage 243

9.5.   Par où faut-il amorcer ce processus de changement ? 245

Conclusions 246

ANNEXE 1   Apprentissage visible à l'intérieur – Liste de vérification 253

ANNEXE 2   Les 900 et quelques méta-analyses 261

ANNEXE 3   Facteurs qui influencent le rendement scolaire des élèves 319

ANNEXE 4   Rangs et tailles d'effet des facteurs d'influence, d'après les exercices à la fin des chapitres 2 et 6 325

ANNEXE 5   Calcul des tailles d'effet 329

ANNEXE 6   Grille d'évaluation de l'enseignement par les élèves d'Irving 335

Bibliographie 339

Index onomastique 355

Index thématique 359

Liste des figures

Figure 1.1.   Distribution des tailles d'effet pour
               l'ensemble des méta-analyses 5

Figure 1.2.   Connais ton impact 9

Figure 2.1.   Baromètre d'influence des devoirs 17

Figure 2.2.   Ce que voient les enseignants 20

Figure 3.1.   Tailles d'effet des dimensions
               pour illustrer les écarts entre
               les enseignants experts et les enseignants
               expérimentés 41

Figure 3.2.   Pourcentage des travaux scolaires
               reflétant une compréhension de surface
               ou en profondeur 41

Figure 4.1.   Autoefficacité 59

Figure 4.2.   Autohandicap 60

Figure 4.3.   Automotivation 61

Figure 4.4.   Buts personnels 61

Figure 4.5.   Approche et évitement 62

Figure 4.6.   Dépendance aux directives d'autrui 62

Figure 4.7.   Rejet ou déformation de la rétroaction 63

Figure 4.8.   Perfectionnisme 64

Figure 4.9.   Désespoir 65

Figure 4.10.   Comparaison sociale 65

Figure 4.11.   Quatre questions liées à la taxonomie SOLO 77

Figure 4.12.   Rapport *What Next ?* tiré de e-asTTle 82

Figure 5.1.   Résultats (%) en lecture
et en mathématiques selon le niveau
d'implantation du programme Paideia
sur une période de cinq ans 110

Figure 5.2.   Tailles d'effet pour les garçons et les
filles à l'échelle de 66 pays (effets positifs
à l'avantage des garçons ; effets négatifs
à l'avantage des filles)..116

Figure 6.1.   Proportion du temps de classe
et de l'activité en classe selon différentes
façons de regrouper les élèves 143

Figure 7.1.   Niveaux de rétroaction et questions....................167

Figure 7.2.   Grille destinée à aider les élèves à donner
une rétroaction adéquate à leurs pairs...............192

Liste des tableaux

Tableau 2.1. Effet moyen de chacun des principaux facteurs qui contribuent à l'apprentissage 15

Tableau 3.1. Différences dans la perception qu'ont les élèves des enseignants offrant une grande et une faible valeur ajoutée, du point de vue de sept facteurs ayant une influence sur le climat de classe 39

Tableau 4.1. Quatre principaux facteurs influant sur l'orientation des enseignants par rapport à leurs objectifs d'enseignement 71

Tableau 4.2. Exemple d'intentions d'apprentissage et de critères de réussite, classés par catégorie de complexité selon la taxonomie SOLO 79

Tableau 4.3. Distinction entre deux façons d'envisager les progressions d'apprentissage 84

Tableau 4.4. Impact de diverses méthodes de formation sur les résultats 92

Tableau 5.1. Tailles d'effet pour divers programmes..............122

Tableau 6.1. Quatre aspects du processus d'apprentissage qui se recoupent 135

Tableau 6.2. Diverses stratégies métacognitives et leurs tailles d'effet 151

Tableau 7.1. Pourcentage des rétroactions données aux différents niveaux de rétroaction dans le cadre de trois études 178

Tableau 7.2. Exemples de questions incitatives 186

À propos

L'ouvrage révolutionnaire de John Hattie, intitulé *Visible Learning*, est une synthèse des résultats de plus de 15 années de travail auprès de millions d'élèves et constitue la plus imposante recension de recherches empiriques s'intéressant à l'amélioration de l'apprentissage dans les écoles.

L'apprentissage visible pour les enseignants va plus loin en présentant ces concepts révolutionnaires à un tout nouvel auditoire. Rédigé à l'intention des étudiants, des enseignants stagiaires et des enseignants en exercice, cet ouvrage montre comment appliquer les principes énoncés dans *Visible Learning* dans n'importe quelle classe, n'importe où dans le monde. L'auteur résume de façon concise et conviviale les interventions les plus efficaces, et guide pas à pas le lecteur vers une intégration fructueuse des principes de l'enseignement et de l'apprentissage visibles dans la classe.

Cet ouvrage :

- vise une intégration pratique dans la classe des principes mis en relief dans le cadre du plus important projet de recherche sur les stratégies d'enseignement jamais réalisé ;

- valorise le point de vue aussi bien de l'enseignant que de l'élève, et propose un accompagnement par étapes englobant la préparation des leçons, l'interprétation de l'apprentissage et de la rétroaction durant la leçon ainsi que le suivi après les leçons ;

- contient des listes de vérification, des exercices, des études de cas et des scénarios de pratiques exemplaires pour aider à améliorer le rendement des élèves ;

- propose des listes de vérification à l'intention des écoles et offre des conseils aux leaders scolaires en vue de favoriser l'intégration de l'apprentissage visible dans leurs établissements ;

- intègre des méta-analyses supplémentaires, portant ainsi le total de recherches citées à plus de 900 ;

- couvre de manière exhaustive plusieurs aspects de l'activité d'apprentissage, dont la motivation des élèves, le programme d'études, les stratégies métacognitives, le comportement, les stratégies d'enseignement et la gestion de classe.

L'apprentissage visible pour les enseignants est une lecture essentielle pour tout étudiant en enseignement ou enseignant qui souhaite obtenir une réponse appuyée par des données probantes à la question : « Comment faire pour maximiser le rendement des élèves à mon école ? »

PARTIE

1

L'origine des idées et le rôle des enseignants

## CHAPITRE 1

L'apprentissage visible à l'intérieur

Les ordinateurs que nous achetons ont souvent une étiquette portant la mention « Intel inside » (« Intel à l'intérieur » en français). Même si la plupart d'entre nous ne savent peut-être pas exactement ce que cela signifie, l'étiquette est une sorte de garantie que le produit acheté est de bonne qualité et qu'il fonctionne. La mention « Intel à l'intérieur » renvoie au processeur de l'ordinateur, au cerveau de l'appareil – c'est-à-dire l'élément clé qui assure le bon fonctionnement des programmes et des autres composantes matérielles de l'ordinateur. À bien des égards, on pourrait dire que nos écoles mettent l'accent sur les « programmes » (scolaires) et sur le « matériel » (les bâtiments et les ressources), plutôt que sur le processeur (les attributs fondamentaux qui assurent la réussite des écoles). Les « programmes » et le « matériel » sont les principaux éléments utilisés par les politiciens et les directions d'école pour promouvoir la scolarisation, et constituent également des sujets de prédilection dans les débats. Il suffit de soulever la question de la taille des classes, du regroupement des élèves dans les classes, des salaires et des finances, de la nature des environnements d'apprentissage et des bâtiments, des programmes d'études ou de l'évaluation, pour engendrer un débat tout aussi interminable que savoureux. Toutefois, ces éléments *ne* font *pas* partie des attributs fondamentaux qui caractérisent une bonne scolarisation.

Le présent ouvrage s'intéresse à ces attributs fondamentaux – au processeur « Intel à l'intérieur ». Il n'aborde pas les éléments de la scolarisation tels que les « programmes » ou le « matériel », mais s'interroge plutôt sur les attributs qui ont une réelle incidence sur l'apprentissage des élèves – c'est-à-dire qui le rendent visible, qui permettent à une école d'apposer l'étiquette « Apprentissage visible à l'intérieur ».

Le mot *apprentissage* renvoie à la façon dont nous abordons le savoir, la compréhension, puis l'apprentissage des élèves. La nécessité de garder l'apprentissage à l'avant-plan et d'envisager l'enseignement essentiellement du point de vue de son impact sur l'apprentissage des élèves est un thème récurrent dans cet ouvrage. Le mot *visible* renvoie d'abord à la nécessité de rendre l'apprentissage des élèves apparent pour les enseignants, de cerner clairement les facteurs qui ont une incidence manifeste sur l'apprentissage des élèves et de veiller à ce que *tout le monde* dans l'école (élèves, enseignants et direction) ait visiblement conscience de son impact sur l'apprentissage. Il renvoie également à l'importance de rendre l'enseignement visible pour les élèves, de façon à ce qu'ils puissent devenir leurs propres enseignants. Cette posture fondamentale caractérise l'acquisition continue du savoir ou l'autorégulation et entretient le goût d'apprendre que nous souhaitons désespérément que les élèves développent.

Notre argumentaire repose sur les données probantes mises en évidence dans *Visible Learning* (Hattie, 2009), mais le présent ouvrage n'est pas qu'un simple résumé de cette étude. *Visible Learning* portait sur 800 méta-analyses regroupant quelque 50 000 articles de recherche, environ 150 000 tailles d'effet et à peu près 240 millions d'élèves (le chapitre 2 donne un aperçu de ces données). Plus d'une centaine d'autres méta-analyses effectuées depuis la parution de *Visible Learning* ont été ajoutées dans l'annexe 1 – mais les principales conclusions demeurent inchangées.

Le présent ouvrage s'appuie également sur la découverte probablement la plus importante qui est ressortie de *Visible Learning*, à savoir qu'à peu près n'importe quelle intervention peut avoir un effet sur l'apprentissage des élèves. On peut voir à la figure 1.1 la distribution de l'ensemble des tailles d'effet tirées de chacune des 800 et quelques méta-analyses examinées pour la préparation de *Visible Learning*. L'axe des *y* représente le nombre de tailles d'effet dans chaque catégorie, tandis que l'axe des *x* indique l'ampleur des tailles d'effet. Toute taille d'effet supérieure à zéro signifie que l'intervention a permis une amélioration du rendement. La taille d'effet moyenne est de 0,40 et le diagramme montre une courbe de distribution presque normale – c'est-à-dire qu'il y a presque autant de facteurs influant sur le rendement au-dessus de la moyenne qu'en dessous.

La conclusion la plus importante qu'on peut tirer de la figure 1.1 est que «tout fonctionne»: si le critère de réussite est l'«amélioration du rendement», alors plus de 95 % des tailles d'effet en éducation sont positives. Lorsque les enseignants affirment qu'ils ont un effet positif sur le rendement scolaire, ou lorsqu'on prétend

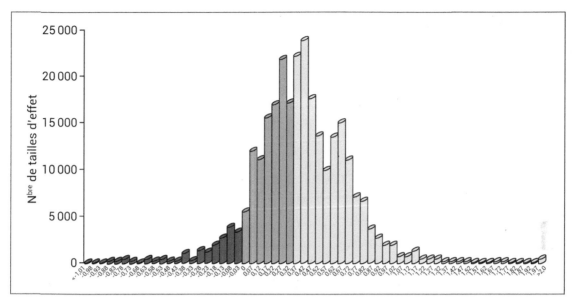

FIGURE 1.1.
Distribution des tailles d'effet pour
l'ensemble des méta-analyses

qu'une politique donnée améliore le rendement, ce sont des déclarations futiles, car à peu près tout fonctionne : le seuil qui détermine « ce qui fonctionne » en matière d'enseignement et d'apprentissage est souvent, et incorrectement, fixé à zéro.

La barre étant placée à zéro, il n'est pas étonnant que n'importe quel enseignant puisse affirmer qu'il a un impact positif. Il n'est pas étonnant non plus qu'autant de façons d'améliorer le rendement scolaire soient proposées ; que des indices démontrent que tous les élèves s'améliorent ; et qu'il n'existe pas d'enseignant dont la performance est « inférieure à la moyenne ». Fixer le seuil à zéro signifie qu'il n'est pas nécessaire d'apporter des changements à notre système ! Nous avons seulement besoin de ce qui est déjà à notre disposition, mais en plus grande quantité – plus d'argent, plus de ressources, plus d'enseignants, plus, plus... Or, selon moi, cette approche n'est pas la bonne.

Il est dangereux de placer la barre à un seuil aussi bas que $d = 0,0$[1]. Nous devons faire preuve de plus de discernement. Pour qu'on puisse dire qu'une intervention vaut la peine, elle doit permettre une amélioration du rendement des élèves au moins équivalente au gain moyen – c'est-à-dire qu'elle doit avoir une taille d'effet minimale de 0,40. Cette taille d'effet de $d = 0,40$ représente ce que j'appelais le point charnière (ou point « c ») dans *Visible Learning*, lequel permet de déterminer ce qui est ou n'est pas efficace.

....

1. *d* représente la « taille d'effet ».

ENCADRÉ 1.1.

Taille d'effet

Calculer une taille d'effet est utile pour comparer les résultats de différentes mesures (tests standardisés, tests créés par les enseignants, travaux des élèves), ou encore de les comparer au fil du temps ou d'un groupe à un autre. L'échelle permet des comparaisons multiples et indépendantes de la notation initiale (par exemple : sur 10 ou sur 100), d'une matière à l'autre et au fil du temps. Cette échelle indépendante est l'un des principaux attraits de l'utilisation des tailles d'effet, parce qu'elle permet une comparaison relative des divers facteurs qui ont une influence sur le rendement des élèves. Il existe de nombreuses sources d'information sur les tailles d'effet, y compris : Glass, McGaw et Smith (1981) ; Hattie, Rogers et Swaminathan (2011), Hedges et Olkin (1985) ; Lipsey et Wilson (2001) ; ainsi que Schagen et Hodgen (2009).

La moitié des facteurs ayant une influence sur le rendement scolaire ont une taille d'effet qui se situe au-dessus du point charnière. Il ne s'agit pas d'un souhait, mais bien d'une réalité. Cela signifie qu'environ la moitié de ce qui est fait pour l'*ensemble* des élèves a un effet supérieur à 0,4. À peu près la moitié des élèves sont donc dans des classes où ils bénéficient d'un effet de 0,40 ou plus, tandis que l'autre moitié sont dans des classes où l'effet est inférieur à 0,4. Tandis que *Visible Learning* faisait état des facteurs qui favorisent une taille d'effet supérieure au point charnière de 0,40, le présent ouvrage vise à transposer ces constatations en information que les enseignants, les élèves et les écoles pourront utiliser dans la pratique, c'est-à-dire à les transformer en une pratique d'enseignement et d'apprentissage.

1.1. Les résultats de la scolarisation

Bien que le présent ouvrage s'intéresse au rendement scolaire, les attentes envers nos écoles ne se limitent pas à cet aspect. Trop se concentrer sur le rendement scolaire risque de nous amener à négliger ce que les élèves savent, ce qu'ils peuvent faire et ce qui les préoccupe. Beaucoup d'élèves aiment apprendre. Ils peuvent consacrer des heures à des réalisations en dehors du milieu scolaire (dans le cadre d'activités socialement désirables ou non) et ils adorent la sensation que procure la quête du savoir. Par exemple, l'une des constatations les plus profondes qui m'a inspiré en tant que père est l'affirmation de Levin, Belfield, Muennig et Rouse (2006) selon laquelle le meilleur garant de la santé, de la richesse et du bonheur plus tard dans la vie *n*'est *pas* le rendement scolaire, mais le nombre d'années d'études. Prolonger l'apprentissage des élèves est hautement souhaitable du point de vue de la scolarisation, et comme beaucoup d'élèves décident de poursuivre ou non leurs études entre 11 et 15 ans, cela signifie que l'expérience scolaire et éducative au cours de cette période doit être productive, stimulante et intéressante afin d'avoir les meilleures chances possible que les élèves poursuivent leurs études.

Selon Levin *et al.* (2006), les jeunes qui décrochent au secondaire ont un revenu annuel moyen de 23 000 $ US, tandis que ceux qui obtiennent un diplôme d'études secondaires gagnent 48 % de plus, qu'une personne ayant entrepris, sans les terminer, des études universitaires touche 78 % de plus et qu'un diplômé universitaire gagne 346 % de plus. Les titulaires d'un diplôme d'études secondaires vivent de six à neuf ans plus longtemps que les décrocheurs, ont une meilleure santé, ont de 10 à 20 % moins de chances d'être impliqués dans des activités criminelles et de 20 à 40 % moins de chances d'être bénéficiaires de l'aide sociale. Ces «coûts» dépassent largement ceux associés aux interventions efficaces en éducation. L'obtention d'un diplôme d'études secondaires se traduit par une hausse des recettes fiscales, une réduction des dépenses en santé publique et une diminution des coûts afférents à la justice pénale et à l'aide sociale, sans oublier qu'une notion de justice est clairement associée au fait de donner la possibilité aux élèves de gagner un revenu plus élevé, de jouir d'une meilleure santé et d'être plus heureux.

Le débat selon lequel le but de l'éducation et de la scolarisation ne se limite pas au rendement dure depuis longtemps – depuis Platon et ses prédécesseurs, jusqu'à Rousseau et aux penseurs modernes. L'un de ses buts les plus importants est le développement d'une capacité d'évaluation critique, en vue de former des citoyens actifs, compétents, et capables d'agir de manière réfléchie et critique dans notre monde complexe. Cela comprend l'évaluation critique des enjeux politiques concernant la communauté et le pays de la personne ainsi que le monde dans son ensemble ; la capacité d'analyser, de réfléchir et d'argumenter en tenant compte de l'histoire et de la tradition, tout en se respectant et en respectant les autres ; le souci de sa propre vie et de son propre bien-être ainsi que de la vie et du bien-être des autres ; et la capacité de réfléchir à ce qui est «bon» pour soi et pour les autres (voir Nussbaum, 2010). La scolarisation devrait avoir un impact majeur non seulement sur l'amélioration du savoir et de la compréhension, mais aussi sur celle du caractère, notamment du point de vue intellectuel, moral et civique ainsi que sur le plan de la performance (Shields, 2011).

Favoriser le développement d'une capacité d'évaluation critique, voilà ce qu'on attend des enseignants et des leaders scolaires. Cette tâche exige des intervenants scolaires qu'ils permettent aux élèves de développer leur capacité à percevoir le monde du point de vue d'autrui, à comprendre les faiblesses humaines et les injustices ainsi qu'à collaborer et à travailler avec les autres. Elle exige des intervenants scolaires qu'ils favorisent, chez leurs élèves, le développement d'un réel souci pour eux-mêmes et l'autre, qu'ils leur enseignent l'importance des preuves pour contrer les préjugés et l'étroitesse d'esprit, qu'ils prônent la responsabilisation de la personne, et qu'ils valorisent fortement l'esprit critique et l'expression des voix dissidentes. Tout cela est tributaire de la connaissance de la matière, parce que l'investigation et l'évaluation critique vont de pair avec le savoir. La notion d'«évaluation critique» est fondamentale dans le présent ouvrage – notamment parce que les enseignants et les leaders scolaires doivent être capables d'évaluer de façon critique l'effet qu'ils ont sur leurs élèves.

1.2. Aperçu des chapitres

Le présent ouvrage repose sur la prémisse qu'il existe une «pratique» de l'enseignement. Nous avons choisi délibérément le mot *pratique* et non le mot *science* parce qu'il n'existe pas de recette précise garantissant que l'enseignement aura le maximum d'effet possible sur l'apprentissage des élèves ni de principes définis s'appliquant à tous les modes d'apprentissage et à tous les élèves. Nous savons toutefois que certaines pratiques sont efficaces et que beaucoup d'autres ne le sont pas. Les théories servent à synthétiser les notions, mais, trop souvent, les enseignants croient que les théories dictent l'action, même lorsque les données probantes quant à son impact n'appuient pas ces théories (la conformité à celles-ci tient alors presque de la religion). Cette inférence empressée de la part des enseignants constitue un obstacle majeur à l'amélioration de l'apprentissage de nombreux élèves. En revanche, à cause de données probantes confirmant ou non leur impact, les enseignants pourraient être obligés de modifier ou de changer considérablement leurs théories de l'action. La notion de «pratique» implique une manière de penser et de faire, et, notamment, de tirer sans cesse des apprentissages de l'enseignement.

Le présent ouvrage est structuré en fonction des principales idées mises en évidence dans *Visible Learning*, mais tient compte de la séquence des décisions que doivent prendre les enseignants sur une base régulière – préparation, amorce, déroulement et conclusion d'une leçon ou d'une série de leçons. Bien que nous ne voulions pas laisser entendre que l'ensemble de ces décisions fait l'objet d'un simple processus linéaire, cette séquence permet de présenter les postures qui constituent les messages les plus importants.

La première partie portant sur la pratique de l'enseignement traite des postures fondamentales que doivent adopter les leaders scolaires et les enseignants. L'origine de ces idées est abordée au chapitre 2, puis les postures sont explorées plus en détail au chapitre 3 et passées de nouveau en revue au chapitre 9. La deuxième partie porte sur les diverses phases de l'interaction entre l'enseignant et les élèves durant la leçon, chaque phase faisant l'objet d'un chapitre distinct :

- préparation de la leçon (chapitre 4) ;
- amorce de la leçon (chapitre 5) ;
- déroulement de la leçon – apprentissage (chapitre 6) ;
- déroulement de la leçon – rétroaction (chapitre 7) ;
- fin de la leçon (chapitre 8).

La figure 1.2 résume les principes généraux soutenus tout au long du présent ouvrage. Je reconnais que cela peut parfois paraître « excessif », mais les tâches d'enseignement et d'apprentissage ne sont

FIGURE 1.2.
Connais ton impact

Je vois l'apprentissage à travers les yeux de mes élèves

État d'esprit
- Je suis un évaluateur/ activateur.
- Je suis un agent de changement.
- Je sollicite la rétroaction.
- Je privilégie le dialogue plutôt que le monologue.
- J'aime les défis
- J'ai des attentes élevées envers tous les élèves.
- Je suis passionné par l'apprentissage et son langage, et j'en fais la promotion.

Un planificateur coopératif et critique
- J'utilise des cibles d'apprentissage et des critères de réussite.
- Je vise des apprentissages de surface et en profondeur.
- Je tiens compte des acquis et des attitudes.
- Je fixe des attentes élevées.
- Je comble les lacunes des élèves sur le plan de l'apprentissage.

Un expert adaptatif
- J'établis un climat de confiance.
- Je connais le pouvoir des pairs.
- J'utilise des stratégies multiples.
- Je sais quand et comment utiliser la différenciation
- Je favorise la pratique délibérée et la concentration.
- Je sais que je peux développer la confiance nécessaire pour réussir.

Un récepteur de rétroaction
- Je sais comment utiliser les trois questions associées à la rétroaction.
- Je sais comment utiliser les trois niveaux de rétroaction.
- Je donne et je reçois de la rétroaction.
- Je surveille et j'interprète mon apprentissage/ enseignement.

J'aide les élèves à devenir leur propre enseignant

jamais simples. Les grandes idées présentées à la figure 1.2, qui peut servir d'organisateur introductif, sont développées dans chaque chapitre. Le but des chapitres est de vous convaincre du bien-fondé de cette logique.

Les éléments d'une liste de vérification destinée à permettre aux écoles d'évaluer leur degré d'intégration de l'apprentissage visible sont développés dans chaque chapitre. Il ne s'agit pas de cocher « oui » ou « non », mais bien de poser des questions qui permettront de déterminer à quel point une école connaît l'impact qu'elle a sur ses élèves. Atul Gawande (2009) a amplement démontré l'utilité de telles listes de vérification, souvent employées dans l'industrie du transport aérien, et les a transposées dans le domaine médical. Il explique comment les listes de vérification aident à atteindre un équilibre entre la capacité individuelle et le travail de collaboration. Il souligne que même si la majorité des chirurgiens s'opposent aux listes de vérification (les trouvant trop contraignantes et peu professionnelles), plus de 90 % d'entre eux les exigeraient si un proche devait subir une chirurgie. La liste de vérification vise à garantir que rien d'important n'est oublié, à orienter les débats dans les salles de personnel et à déterminer si l'école est dotée de bons processus d'évaluation. Michael Scriven (2005) prône également l'utilisation des listes de vérification depuis longtemps. Il en distingue plusieurs types, dont la liste détaillée, la liste séquentielle, l'organigramme et la liste de vérification de la valeur intrinsèque (*merit checklist*). C'est ce dernier type qui est utilisé dans chaque chapitre. La liste de vérification de la valeur intrinsèque se compose d'une série de critères pouvant être évalués individuellement ; les personnes qui étudient les données probantes relatives à chaque critère peuvent alors prendre une décision globale quant à la valeur intrinsèque (*merit*) et à la valeur extrinsèque (*worth*) (voir <http://www.wmich.edu/evaluation/checklists> pour d'autres exemples de listes de vérification). Les listes de vérification de chaque chapitre sont de type EXÉCUTER-CONFIRMER (*do-confirm*) plutôt que de type LIRE-EXÉCUTER (*read-do*), ce qui offre davantage de flexibilité pour recueillir les données probantes et prendre des mesures permettant de s'assurer que l'école travaille à rendre l'apprentissage visible.

## CHAPITRE 2

L'origine des idées

L'ouvrage *Visible Learning* a été publié en 2009. Ce fut le point culminant de plusieurs décennies de travail consacré à la recherche, à la lecture et à l'étude de méta-analyses. J'ai parlé récemment de ce travail à un groupe d'intervenants scolaires à Seattle. C'était un peu comme un retour aux sources puisque c'est là que ma quête s'est amorcée en 1984, alors que j'étais en congé sabbatique à l'Université de Washington. Souvent, dans le cadre de mes travaux sur les méta-analyses, j'ai consulté les articles originaux, rédigé des articles distincts sur les mêmes thèmes et parlé à de nombreux groupes à propos de la signification de ces analyses. La question qui s'imposait était toujours la même : « Qu'est-ce que tout cela *signifie* ? » Trouver la réponse à cette question est la raison pour laquelle il a fallu tant de temps pour rédiger cet ouvrage. Le but de *Visible Learning* était de raconter une histoire, et si l'on en juge par les critiques et les réactions, l'histoire a eu une résonance – même si, comme on pouvait s'y attendre, elle ne fait pas nécessairement l'unanimité.

La publication *Times Educational Supplement* a été la première à en faire l'analyse. Mansell (2008) soutenait que *Visible Learning* constituait « peut-être l'aboutissement de la quête du Graal en éducation – ou la réponse à la grande question sur la vie, l'univers et le reste » (traduction libre). Mansell reconnaissait que le « Graal en éducation » résidait fort probablement dans l'amélioration des interactions entre les élèves et leurs enseignants.

Mon but en écrivant *Visible Learning* n'était pas d'insinuer que l'enseignement est dans un état déplorable ; en fait, c'était plutôt le contraire. La majorité des effets au-dessus de la moyenne sont attribuables à un enseignement efficace, et rien ne me fait plus plaisir que de visiter des écoles et des classes où les idées exprimées dans *Visible Learning* sont nettement apparentes. Comme je l'ai écrit dans la conclusion de *Visible Learning* :

> J'ai vu des enseignants remarquables, qui mettent en pratique les principes énoncés dans cet ouvrage et ont manifestement un effet décisif. Ils tirent leur épingle du jeu en appliquant ces principes. Ils se remettent en cause, se préoccupent des élèves qui ne progressent pas suffisamment, cherchent à confirmer par des données probantes les réussites et les lacunes des élèves, et n'hésitent pas à demander de l'aide lorsqu'ils en sentent le besoin sur le plan pédagogique. L'avenir est rempli d'espoir puisque ces enseignants sont nombreux dans nos écoles. Ils passent souvent inaperçus dans l'école et ne sont pas toujours considérés par les parents comme les meilleurs enseignants, mais les élèves les connaissent et sont heureux d'être dans leurs classes. Le message qui ressort de cet ouvrage en est un d'espoir quant à l'avenir des enseignants et de la pratique enseignante. Il ne repose pas seulement sur mon explication de plus de 146 000 tailles d'effet, mais aussi sur l'idée rassurante qu'un grand nombre d'excellents enseignants exercent déjà notre profession (Hattie, 2009, p. 261, traduction libre).

Quel est donc le propos de ce livre et sur quelles données probantes s'appuie-t-il ? Ce chapitre aborde les principales implications de *Visible Learning* et, plus important encore, les idées qui soustendent cet ouvrage. Sans toutefois offrir une analyse en profondeur des données probantes à l'appui du propos de *Visible Learning*, le chapitre 3 fournit davantage d'information sur ces données.

2.1. Les données probantes

Les unités d'analyse de base sont constituées par plus de 900 métaanalyses. Une méta-analyse implique l'identification d'un résultat spécifique (comme le rendement scolaire) et d'un facteur ayant une influence sur celui-ci (par exemple les devoirs), puis l'exploration systématique des diverses bases de données : grandes revues et livres (p. ex. ERIC, PsycINFO) ; mémoires et thèses (p. ex. ProQuest) ; littérature grise (documents tels que des actes de colloques, des soumissions, des rapports techniques et des documents de travail plus difficiles à trouver par les voies habituelles). Ce processus exige aussi de communiquer avec les auteurs afin d'obtenir des copies de leurs travaux, de vérifier les références dans les articles trouvés et de lire abondamment en vue de trouver d'autres sources. Pour chaque étude, les tailles d'effet sont calculées aux fins de comparaison. En règle générale, il y a deux grands types de taille d'effet : les comparaisons entre différents groupes (par exemple entre les élèves qui *ont eu* des devoirs à faire et ceux qui *n'en ont pas eu*) ou les comparaisons dans le temps (par exemple entre les résultats de départ et les résultats obtenus quatre mois plus tard).

Prenons, par exemple, la méta-analyse de Cooper, Robinson et Patall (2006) sur les devoirs. Ils étaient intéressés par l'effet des devoirs sur le rendement scolaire des élèves selon les recherches effectuées au cours des vingt années précédentes. Ils ont exploré diverses bases de données, communiqué avec les doyens de 77 facultés d'éducation (les invitant également à solliciter le corps professoral), envoyé des demandes à 21 chercheurs ayant publié des articles sur les devoirs ainsi que des lettres à plus de 100 conseils scolaires et directeurs de l'évaluation. Ils ont ensuite examiné chaque titre, résumé et document afin de repérer d'autres travaux de recherche. Ils ont trouvé 59 études et établi que la taille d'effet des devoirs du point de vue du rendement scolaire correspondait à $d = 0,40$; les effets des devoirs étaient plus grands pour les élèves du secondaire ($d = 0,50$) que pour les élèves du primaire ($d = -0,08$). Ils ont avancé que les élèves du secondaire risquaient moins d'être distraits pendant qu'ils faisaient leurs devoirs, qu'il y avait plus de chances qu'ils aient acquis des habitudes d'étude efficaces, et qu'ils avaient peut-être une meilleure capacité d'autorégulation et de contrôle de leur travail et du temps investi. Comme dans le cas de toute bonne recherche, leur étude évoquait les questions qu'il importait désormais de se poser et qualifiait de moins importantes les autres questions.

Comme je l'ai souligné, plus de 800 de ces méta-analyses ont constitué la base de *Visible Learning*. Pour chaque méta-analyse, j'ai créé une base de données où étaient consignées la taille d'effet moyenne et certaines données pertinentes (par exemple l'erreur type). Un aspect important de l'analyse a été la recherche d'une variable modératrice : par exemple, est-ce que les effets des devoirs sur le rendement scolaire varient selon l'âge, les sujets, les types de devoirs, la qualité de la méta-analyse et ainsi de suite ?

Prenons l'exemple de ma synthèse de cinq méta-analyses sur les devoirs (Cooper, 1989, 1994 ; Cooper *et al.*, 2006 ; DeBaz, 1994 ; Paschal, Weinstein et Walberg, 1984). Dans ces cinq méta-analyses, il y avait 161 études menées auprès de plus de 100 000 élèves qui examinaient les effets des devoirs sur le rendement scolaire. La moyenne de toutes les tailles d'effet correspondait à $d = 0,29$, ce qui constitue la taille d'effet la plus représentative de l'influence des devoirs sur le rendement scolaire. Ainsi, par rapport aux groupes où il n'y avait pas de devoirs, l'utilisation des devoirs correspondait à une progression d'environ une année du rendement scolaire des élèves ou à une amélioration du taux d'apprentissage de 15 %. Environ 65 % des effets étaient positifs (c'est-à-dire qu'il y avait une amélioration du rendement scolaire) et 35 % des effets étaient nuls ou négatifs. Le niveau de rendement moyen des élèves faisant partie des groupes où des devoirs étaient prescrits était supérieur à 62 % des niveaux de rendement des élèves qui n'avaient pas de devoirs. Toutefois, selon Cohen (1977), une taille d'effet correspondant à $d = 0,29$ ne serait pas perceptible à l'œil nu et équivaudrait à peu près à la différence de grandeur entre une personne mesurant 1,80 m et une autre mesurant 1,82 m.

Les méta-analyses examinées pour *Visible Learning* (plus de 800) englobaient 52 637 études – concernant environ 240 millions d'élèves – et ont fourni 146 142 tailles d'effet à propos de l'influence de programmes, de politiques ou d'innovations sur le rendement scolaire (petite enfance, primaire, secondaire et postsecondaire). Les annexes 1 et 2 (qui sont tirées de *Visible Learning*) résument ces données. Elles comprennent 115 méta-analyses supplémentaires qui ont été découvertes depuis 2008 (ce qui donne 7 518 études, 5 millions d'élèves et 13 428 tailles d'effet de plus). Il y a quelques grandes catégories supplémentaires (de 138 à 147) et quelques changements mineurs dans le classement des facteurs d'influence, mais les principaux messages demeurent inchangés.

Depuis la parution de *Visible Learning*, j'ai continué à développer cette base de données, ayant repéré 100 méta-analyses de plus – qui ont été ajoutées dans l'annexe 1. Cependant, le classement général des facteurs d'influence a changé de façon négligeable entre cette version et la version précédente ($r > 0,99$ tant pour le classement que pour les tailles d'effet). Les messages sous-jacents n'ont certainement pas changé. La taille estimative de l'échantillon total dépasse les 240 millions élèves (le chiffre de 88 millions ci-dessous ne s'applique qu'aux 345 méta-analyses qui incluaient la taille de l'échantillon).

L'effet moyen pour l'ensemble des méta-analyses correspond à $d = 0,40$. Alors, qu'est-ce que cela veut dire ? Je ne voulais pas attribuer, de façon simpliste, un qualificatif aux tailles d'effet. Bien sûr, le sentiment général est que lorsque $d < 0,20$, l'effet est faible, lorsque d se situe entre 0,3 et 0,6, l'effet est moyen, et lorsque $d > 0,6$, l'effet est grand – mais certaines interprétations peuvent rendre ces qualificatifs trompeurs. Par exemple, un facteur d'influence ayant une faible taille d'effet qui nécessite peu de ressources peut être plus important qu'un facteur ayant un grand effet, mais nécessitant beaucoup de ressources. Ainsi, réduire la taille de la classe de 25-30 élèves à 15-20 élèves a un effet de 0,22 et l'enseignement d'un programme de préparation aux tests a un effet d'environ 0,27. Ces deux tailles d'effet sont plutôt petites, mais les coûts sont beaucoup moins élevés dans le premier cas que dans l'autre. Le rendement relativement meilleur par rapport au coût dans le dernier cas est évident – l'effet relatif de deux valeurs plutôt petites peut avoir des implications différentes.

Tout peut avoir un impact sur l'apprentissage si le seuil est fixé à $d > 0,0$ – comme c'est souvent le cas. La plupart des interventions peuvent avoir un effet de 0,20 et l'influence moyenne est de 0,40 (tableau 2.1). Il est avantageux pour beaucoup d'élèves de fréquenter des classes leur permettant régulièrement de faire un gain supérieur à 0,40 lorsqu'un programme est pris en charge par un enseignant très performant. Le débat devrait fondamentalement porter sur l'attribution de ressources pour appuyer les enseignants qui ont une influence supérieure à 0,40, et devrait s'accompagner d'une réflexion sérieuse sur les changements à apporter lorsque la taille d'effet est plus basse. Bien que la gestion des itinéraires d'autobus et des factures de services publics ainsi que la tenue de longues réunions administratives soient nécessaires au fonctionnement des écoles, le véritable débat devrait porter sur la nature, la qualité et les effets de l'influence que nous avons sur les élèves – et dans le présent ouvrage, nous soutenons qu'il faudrait viser des gains au moins égaux ou supérieurs à la moyenne pour tous les élèves. Cela se produit déjà dans tant de classes, et les écoles performantes se démarquent par les sujets dont elles débattent – par leur désir de « connaître leur impact ».

TABLEAU 2.1. Effet moyen de chacun des principaux facteurs qui contribuent à l'apprentissage

Dimensions	Nombre de méta-analyses	Nombre d'études	Nombre de personnes	Nombre d'effets	TE	ET
Élève	152	11 909	9 397 859	40 197	0,39	0,044
Maison	40	2 347	12 066 705	6 031	0,31	0,053
École	115	4 688	4 613 129	15 536	0,23	0,072
Enseignant	41	2 452	2 407 527	6 014	0,47	0,054
Programmes	153	10 129	7 555 134	32 367	0,45	0,075
Enseignement	412	28 642	52 611 720	59 909	0,43	0,070
Moyenne	**913**	**60 167**	**88 652 074**	**160 054**	**0,40**	**0,061**

Ce qu'il importe de se rappeler lorsqu'on utilise des qualificatifs pour décrire les tailles d'effet, c'est que l'ouvrage *Visible Learning* est un résumé du passé. Prenons l'exemple des devoirs. Le message qu'il faut retenir du fait que $d = 0,29$ est que l'effet des devoirs est faible et qu'il est plus faible encore (près de zéro) dans les écoles primaires. D'une part, ce n'est pas un problème majeur puisque les coûts associés aux devoirs pour les écoles sont négligeables. D'autre part, cette constatation devrait constituer une invitation à *changer* la façon dont nous abordons les devoirs dans les écoles primaires, parce que *la façon traditionnelle d'utiliser les devoirs* (dont il est question dans les 161 études) ne s'est pas révélée très efficace. Quelle occasion en or pour les écoles de faire les choses différemment...

C'est exactement ce qu'ont fait de nombreuses écoles de Nouvelle-Zélande : elles n'ont pas abandonné les devoirs (parce que bien des parents évaluent la qualité d'une école par les devoirs et sont contrariés lorsqu'il n'y en a pas), mais ont essayé des approches différentes. L'une d'elles a travaillé avec les élèves et les parents en vue de créer un site Web proposant divers «défis à faire à la maison» et a évalué les effets de cette nouvelle politique sur la motivation des élèves, le rendement scolaire et la participation des parents à l'apprentissage de leurs enfants. Lorsque les enseignants et les écoles évaluent l'effet de ce qu'ils font sur l'apprentissage des élèves (ce qui constitue le message fondamental de *Visible Learning*), nous pouvons apposer l'étiquette «Apprentissage visible à l'intérieur» sur ces établissements. Celle-ci ne renvoie pas à l'existence d'une initiative particulière, *mais plutôt à l'évaluation de son effet*. Une telle évaluation doit nécessairement tenir compte des conditions, des valeurs modératrices et des interprétations locales. C'est *là* le message fondamental du présent ouvrage : évaluez votre effet. Je vous invite à viser un effet supérieur à 0,40, une moyenne tout à fait réaliste.

2.2. Le baromètre et le point charnière

L'un des défis posés par la rédaction de *Visible Learning* était de présenter les éléments probants sans inonder le lecteur de données. J'avais besoin d'une image pour résumer des masses de données. Ma partenaire a imaginé l'illustration de la figure 2.1 qui constitue un «baromètre d'influence».

À la figure 2.1, la flèche indique l'effet moyen pour les diverses méta-analyses portant sur le sujet (soit $d = 0,29$ pour les cinq méta-analyses traitant des devoirs). La variabilité (ou l'erreur type) des tailles d'effet moyennes pour chaque méta-analyse n'est pas toujours facile à déterminer. Pour l'ensemble des 800 et quelques méta-analyses,

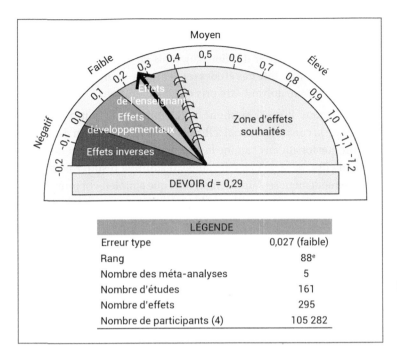

FIGURE 2.1.
Baromètre d'influence des devoirs

l'erreur type est d'environ $d = 0{,}07$. Afin de dresser un portrait général de la variance, toute influence ayant une «dispersion moyenne des tailles d'effet» inférieure à $d = 0{,}04$ était considérée comme faible. Elle était considérée comme moyenne si elle se situait entre $d = 0{,}041$ et $d = 0{,}079$, et comme élevée lorsqu'elle était supérieure à $d = 0{,}08$. Au lieu de mettre l'accent sur ces estimations brutes, il vaudrait mieux *prendre connaissance de la discussion à propos de chacun de ces facteurs d'influence afin de déterminer les sources de variance qui pourraient expliquer les effets différentiels*. L'information sous le baromètre fournit plus de détails sur le degré de confiance que nous pouvons avoir envers les données sommaires : le nombre de méta-analyses pour chaque catégorie (cinq dans le cas de la figure 2.1, regroupant 161 études et 295 tailles d'effet). Les quatre méta-analyses qui fournissaient des renseignements sur la taille de l'échantillon, comptaient 105 282 élèves au total. L'effet moyen est de 0,29, avec une erreur type de 0,027 (ce qui est considéré comme «faible» par rapport à l'ensemble des méta-analyses). Les devoirs se classent au 88e rang sur le plan de l'effet parmi 138 facteurs d'influence.

Comme dans toute synthèse de l'analyse documentaire, la prudence est de mise lorsqu'on interprète les effets. Les nuances et les détails concernant chaque facteur d'influence sont importants, et sont traités plus en profondeur dans *Visible Learning*. Le point charnière de 0,40 est suggéré comme point de départ de la discussion. Évidemment, il existe de nombreux points charnières (par exemple un pour chaque facteur d'influence), mais la variabilité, les valeurs modératrices, la qualité des études (et des méta-analyses) et les coûts de mise en œuvre doivent être pris en considération.

Comme il a été souligné au chapitre 1, il faut aussi tenir compte de la constatation qui a le plus influencé ma façon de penser, à savoir que lorsqu'on examine la distribution des 50 000 et quelques tailles d'effet, *presque tout fonctionne*. Il suffit de respirer pour améliorer le rendement scolaire. Cela signifie que simplement prouver que vous avez un impact positif sur le rendement scolaire n'est pas suffisant ; nous devons aussi établir un niveau de preuve qui pourrait constituer le seuil permettant d'affirmer qu'un facteur a un effet positif significatif. Lorsque j'ai examiné la distribution des effets (voir la figure 1.1), celle-ci m'a semblé à peu près normale, et j'ai donc utilisé l'effet moyen de 0,4 comme «point charnière» pour déterminer les actions qui semblent visiblement «fonctionner» du point de vue de l'amélioration de l'apprentissage des élèves. Du fait qu'il s'agit d'une valeur moyenne, ce point charnière devient réalisable et ne constitue pas un idéal ou une cible utopique.

Le point charnière de 0,40 est également important parce qu'il est proche de l'effet moyen escompté pour une année de formation scolaire. J'ai exploré des bases de données longitudinales et interrogé la US National Education Longitudinal Study (NELS), les Trends in International Mathematics and Science Study (TIMSS)/Tendances de l'enquête internationale sur la mathématique et les sciences (TEIMS), le Programme international pour le suivi des acquis des élèves (PISA), le National Assessment Program in Literacy and Numeracy (NAPLAN) australien, le National Assessment of Educational Progress (NAEP) et le Progress in International Reading Literacy Study/Programme international de recherche en lecture scolaire (PIRLS) ainsi que ma propre base de données longitudinales regroupant près d'un million d'élèves néo-zélandais. Le gain annuel moyen était de 0,4, mais il était un peu plus élevé pour les élèves des niveaux scolaires inférieurs et plus faible pour les élèves des niveaux scolaires supérieurs. Nous pouvons donc nous attendre à une progression équivalant en moyenne à $d = 0,4$ par année de formation scolaire ; 0,4 est aussi la valeur attendue pour toutes les interventions possibles. Hill, Bloom, Black et Lipsey (2008) ont analysé les normes pour 13 importants tests standardisés (aux États-Unis) et déterminé que la progression moyenne en mathématiques et en lecture était d'environ 0,40 – et que, comme dans le cas de l'échantillon néo-zélandais, les effets pour une année étaient plus grands pour les élèves des niveaux scolaires inférieurs et plus faibles pour les élèves des niveaux scolaires supérieurs. Par conséquent, même si la valeur $d = 0,40$ constitue une moyenne valable, il pourrait se révéler nécessaire d'exiger davantage des élèves des niveaux scolaires inférieurs ($d > 0,60$) que des élèves des niveaux scolaires supérieurs ($d > 0,30$). J'ai choisi cette valeur moyenne (0,4) comme point de repère pour évaluer l'influence qu'ont les enseignants sur le rendement scolaire. Dans le cadre de notre travail dans les écoles depuis la publication de *Visible Learning*, nous avons utilisé ce point charnière comme base des discussions. (Remarquez que je *n'ai pas* dit que nous avons utilisé ce point charnière pour *prendre* des décisions, mais bien pour *amorcer des discussions* quant à l'impact des enseignants sur les élèves.)

2.3. L'histoire

Ce qui sous-tend la plupart des synthèses dont il est question dans le présent ouvrage, c'est le « principe de l'enseignement et de l'apprentissage visibles ». L'enseignement et l'apprentissage visibles se produisent lorsque l'apprentissage constitue le but explicite et clair, lorsqu'il pose un défi significatif et lorsque l'enseignant et l'élève cherchent (à leur façon) à déterminer si ce but ambitieux a été atteint et dans quelle mesure. Il y a enseignement et apprentissage visibles lorsqu'une pratique délibérée est instaurée en vue d'atteindre ce but, lorsqu'une rétroaction est donnée et sollicitée, et lorsque des gens actifs, passionnés et enthousiastes (enseignants, élèves, pairs) prennent part à l'acte d'apprendre. Les enseignants voient l'apprentissage du point de vue des élèves et les élèves voient l'enseignement comme la clé d'un apprentissage continu. Ce qui ressort des données probantes est que les effets les plus importants sur l'apprentissage des élèves surviennent lorsque les enseignants deviennent des apprenants face à leur propre enseignement et lorsque les élèves deviennent leurs propres enseignants. Lorsque les élèves deviennent leurs propres enseignants, ils adoptent des comportements d'autorégulation hautement souhaitables pour des apprenants (autosurveillance, autoévaluation, autoenseignement). Ce qui compte, c'est donc que l'enseignement et l'apprentissage soient visibles pour les enseignants et les élèves.

La perception qu'a l'enseignant de son rôle est capitale. Cette importante prémisse reflète l'état d'esprit particulier des enseignants par rapport à leur rôle – et surtout une posture qui les incite à s'interroger à propos de leur effet sur l'apprentissage des élèves. Essentiellement, la meilleure attitude que les enseignants puissent avoir à l'égard de leur rôle est de se voir comme des *évaluateurs* de leur impact sur les élèves. Les enseignants doivent utiliser des méthodes fondées sur les données probantes pour étayer, modifier et soutenir ces croyances par rapport à l'évaluation de leur effet. Celles-ci concernent les allégations relatives à ce que chaque élève est en mesure de faire grâce aux actions de l'enseignant ainsi que la façon dont les ressources (notamment les pairs) peuvent être utilisées pour faire passer les élèves du stade où ils sont actuellement au stade où l'enseignant estime qu'ils devraient être – le tout de la façon la plus efficiente et efficace possible. Ce que font les enseignants compte – mais ce qui compte *le plus* est d'avoir la bonne posture face à l'impact de ce qu'ils font. Une bonne posture jumelée à des actions appropriées permet d'avoir un effet positif sur l'apprentissage.

FIGURE 2.2.
Ce que voient les enseignants

On remarquera que je *ne* dis *pas* que les «enseignants comptent» parce que, selon les données qui ressortent de *Visible Learning*, ce cliché n'est absolument pas fondé. Cette affirmation masque le fait que les enseignants constituent la plus grande source de variance dans notre système (aussi bien entre les enseignants que du point de vue d'un individu, dont l'impact peut varier selon les élèves, les journées et les leçons). Ce qui compte *véritablement*, c'est que les enseignants pensent qu'évaluer leur effet sur l'apprentissage fait partie de leur rôle.

Comme je l'ai soutenu dans *Visible Learning* (Hattie, 2009, p. 22-24), lorsque les enseignants constatent qu'il y a apprentissage ou non, ils interviennent d'une façon calculée et judicieuse dans le but de rediriger l'apprentissage en fonction de l'atteinte d'objectifs communs, précis et ambitieux. Plus particulièrement, ils donnent aux élèves de multiples occasions et possibilités de développer des stratégies favorisant l'apprentissage de surface et en profondeur de certains éléments du contenu ou du domaine, afin qu'ils parviennent à une compréhension conceptuelle de ces apprentissages, laquelle est ensuite mise à profit par les élèves et les enseignants pour la poursuite de l'apprentissage. Les différences entre les apprenants peuvent être si grandes que cela complique l'exécution de ces tâches pour l'enseignant : les élèves peuvent être à des stades d'apprentissage différents à divers moments et utiliser une multitude de stratégies d'apprentissage pour atteindre des objectifs variés et suffisamment ambitieux. L'apprentissage est un parcours des plus personnels pour l'enseignant et pour l'élève, bien qu'il comporte des similitudes remarquables pour bien des enseignants et des élèves. Les enseignants doivent parvenir à faire voir à tous leurs élèves qu'ils comprennent leur « point de vue, communiquer avec eux en tenant compte de celui-ci, et leur fournir une rétroaction utile leur permettant de s'autoévaluer, de se sentir en sécurité et d'apprendre à comprendre les autres et la matière avec le même intérêt et les mêmes préoccupations » (Cornelius-White, 2007, p. 23, traduction libre).

L'acte d'enseigner exige des interventions délibérées pour garantir l'évolution cognitive de l'élève ; il est donc essentiel que l'enseignant soit conscient des intentions d'apprentissage, qu'il sache quand un élève parvient à les atteindre, qu'il ait une compréhension suffisante des acquis de l'élève qui s'apprête à entreprendre la tâche et qu'il connaisse assez bien la matière pour pouvoir offrir des expériences significatives et exigeantes qui favoriseront un développement progressif. Pour ce faire, l'enseignant doit connaître tout un éventail de stratégies d'apprentissage pouvant être proposées à l'élève qui ne semble pas comprendre, être capable d'orienter et de réorienter l'apprentissage pour assurer la compréhension du contenu, maximisant par le fait même l'efficacité de la rétroaction, et savoir quand « se retirer » lorsque l'apprentissage progresse en fonction des critères de réussite.

Bien entendu, il importe que l'apprenant connaisse, prône et comprenne ces intentions d'apprentissage et ces critères de réussite – parce que dans un environnement bienveillant et foisonnant d'idées, l'apprenant peut alors faire des expériences (avoir raison ou avoir tort) avec le contenu et sa réflexion, et faire des liens entre les idées. Un environnement sécurisant pour l'apprenant (et pour l'enseignant) est un environnement dans lequel les erreurs sont acceptées et permises – parce qu'il y a tant à apprendre des erreurs et des rétroactions découlant du fait de se tromper de direction ou de ne pas s'engager assez résolument dans la bonne direction. De même, les enseignants doivent aussi évoluer dans un environnement sécurisant qui leur permettra de prendre conscience de la réussite ou de l'échec de leur enseignement avec l'aide des autres.

Créer un tel environnement, proposer un éventail de stratégies d'apprentissage et connaître les moyens pédagogiques permettant à l'élève d'apprendre demandent des gens dévoués et passionnés. Ces enseignants doivent être conscients des stratégies pédagogiques qui fonctionnent ou ne fonctionnent pas, comprendre les apprenants et leurs situations, les contextes et leurs acquis, et s'y adapter, et partager cette expérience d'apprentissage d'une manière ouverte, honnête et agréable avec les élèves et leurs collègues.

Comme je l'ai souligné dans *Visible Learning*, nous parlons rarement de passion en éducation, comme si cela rendait le travail des enseignants moins sérieux, plus émotionnel que cognitif, moins objectif ou moins important. Lorsqu'il est question de passion, nous limitons normalement cette expression de joie et d'engagement à des contextes isolés qui ne font pas partie de l'espace public comme la profession enseignante (Neumann, 2006). Les éléments clés de la passion du point de vue de l'enseignant et de l'apprenant semblent être le simple plaisir d'être un apprenant ou un enseignant, l'absorption associée au processus d'enseignement et d'apprentissage, la sensation de prendre part à l'activité d'enseignement et d'apprentissage ainsi que le désir de s'engager dans une pratique délibérée favorisant la compréhension. La passion témoigne de l'excitation aussi bien que de la frustration associées à l'apprentissage ; elle peut être contagieuse, elle s'enseigne, elle peut être imitée et elle peut s'apprendre. Le développement de la passion est l'un des effets les plus recherchés de la formation scolaire et, bien que rarement abordée dans les études analysées aux fins du présent ouvrage, la passion sous-tend un bon nombre des facteurs qui influent sur les résultats. Il faut plus que la connaissance de la matière, la compétence pédagogique ou l'engagement des élèves pour avoir un effet décisif (même si cela est utile). Il faut un amour de la matière, une attitude éthique et bienveillante résultant d'un désir de transmettre aux autres une appréciation, voire un amour, de la discipline enseignée et une démonstration non seulement que l'enseignant enseigne, mais aussi qu'il apprend (qu'il découvre essentiellement les processus et les résultats d'apprentissage des élèves). À cause de la conjoncture économique actuelle, les valeurs immobilières ont chuté dans de nombreux pays, entraînant une réduction des ressources budgétaires en éducation. Comme me l'a fait remarquer Doug Reeves, la passion est peut-être la seule ressource naturelle renouvelable à notre disposition.

Apprendre n'est pas toujours agréable et facile ; cela implique un surapprentissage à certains moments, des montées et des descentes le long du continuum des connaissances, la création d'une relation de travail avec les autres en vue de s'attaquer aux tâches difficiles. Les élèves reconnaissent que l'apprentissage n'est pas toujours agréable et facile, et peuvent effectivement trouver plaisir à relever les défis qu'implique l'apprentissage. Tel est le pouvoir de la pratique délibérée et de la concentration. L'apprentissage implique aussi une volonté de chercher d'autres défis – d'où l'important lien qui existe entre le défi et la rétroaction, deux ingrédients essentiels de l'apprentissage. Plus grand est le défi, plus élevée est la probabilité qu'une rétroaction soit sollicitée et nécessaire, et plus il est important qu'un enseignant soit disponible pour donner la rétroaction et s'assurer que l'apprenant est sur la bonne voie pour relever les défis.

La clé de nombreux facteurs d'influence dont l'effet est supérieur au point charnière ($d = 0,40$) est qu'il s'agit d'interventions délibérées visant à améliorer l'enseignement et l'apprentissage. Il est crucial que les enseignants prennent conscience de la réussite ou de l'échec de leurs interventions : les enseignants qui sont aussi des apprenants désireux de connaître leur impact sont ceux qui ont la plus grande influence sur l'amélioration du rendement scolaire des élèves. La recherche d'un impact positif sur l'apprentissage des élèves (soit $d > 0,40$) devrait être une préoccupation constante des enseignants et des directions d'école. Étant donné que cela ne se produit pas par hasard ou par accident, l'enseignant qui vise l'excellence doit être attentif à ce qui fonctionne et *ne* fonctionne *pas* dans la classe – c'est-à-dire qu'il doit être conscient des conséquences, sur l'apprentissage, du climat en classe, de son enseignement ainsi que de la participation de ses élèves à l'enseignement et à l'apprentissage. Il doit aussi évaluer la valeur des gains réalisés au regard des objectifs d'apprentissage.

Il est crucial que l'enseignement et l'apprentissage soient visibles. Il n'y a pas de secret : l'enseignement et l'apprentissage sont visibles dans les classes des enseignants et des élèves qui connaissent du succès ; l'enseignement et l'apprentissage sont visibles dans la passion manifestée par l'enseignant et l'apprenant qui réussissent ; et l'enseignement et l'apprentissage exigent une somme d'habiletés et de connaissances à la fois de l'enseignant et de l'élève (de l'enseignant au départ, puis davantage de l'élève par la suite). L'enseignant doit savoir s'il y a apprentissage ou non, savoir quand faire des expériences et quand tirer des apprentissages de ces expériences, apprendre à surveiller ce qui se passe, solliciter et donner des rétroactions, et savoir quand il convient d'offrir des stratégies d'apprentissage de rechange lorsque les autres stratégies ne fonctionnent pas. Ce qui importe le plus, c'est que l'enseignement soit visible pour l'élève et que l'apprentissage soit visible pour l'enseignant. Plus l'élève assume le rôle d'enseignant et l'enseignant, celui d'apprenant, plus les résultats sont positifs (voir Hattie, 2009, p. 25-26).

Cette explication de l'enseignement visible confère aux enseignants le rôle d'activateurs, d'agents de changement délibéré et de régisseurs de l'apprentissage (Hattie et Clinton, 2011). Cela ne veut pas dire qu'ils sont didactiques, qu'ils passent 80 % ou plus de leur journée à parler et qu'ils s'efforcent de passer à travers le programme ou la leçon, quoi qu'il advienne. Le modèle de l'enseignement et de l'apprentissage visibles combine, au lieu d'opposer, l'enseignement centré sur l'enseignant et l'apprentissage centré sur l'élève, et le savoir.

Outre un apprentissage de surface et en profondeur, l'efficacité et la maîtrise constituent des résultats souhaitables. Le concept de « maîtrise », comme dans le cas d'une langue, peut s'appliquer à n'importe quel apprentissage. Le « surapprentissage » est un facteur qui peut aider à atteindre la maîtrise. Le surapprentissage survient lorsque nous atteignons un stade où ce qui doit être fait nous vient sans y penser, ce qui allège notre fardeau au regard de la réflexion et de la cognition, et permet d'accorder notre attention à d'autres idées. Atteindre le stade de surapprentissage nécessite une pratique délibérée intensive – c'est-à-dire un engagement important dans des activités pertinentes destinées à améliorer la performance (comme lorsqu'un nageur fait longueurs après longueurs dans le but d'assimiler les aspects clés des mouvements, des virages et de la respiration). Cette pratique délibérée n'est pas un simple entraînement répétitif, mais vise à améliorer certains aspects de la performance, de façon à mieux comprendre comment assurer la surveillance, l'autorégulation et l'évaluation de sa propre performance, et à réduire les erreurs.

Conclusions

Le principal argument défendu dans le présent ouvrage est que lorsque l'enseignement et l'apprentissage sont visibles, la probabilité que les élèves atteignent un niveau élevé de rendement scolaire est plus grande. Pour rendre l'enseignement et l'apprentissage visibles, il faut un enseignant accompli « qui assume le rôle d'évaluateur et d'activateur », qui connaît tout un éventail de stratégies d'apprentissage pour développer les connaissances de surface des élèves, leurs connaissances en profondeur ainsi que leur compréhension et leur capacité d'assimiler les concepts. L'enseignant doit orienter et réorienter l'apprentissage pour assurer la compréhension du contenu, et exploiter au maximum le pouvoir de la rétroaction. Il doit également être capable de se retirer lorsque l'apprentissage a lieu et que l'élève progresse en fonction des critères permettant d'établir si l'apprentissage a été fructueux. L'enseignement et l'apprentissage visibles impliquent aussi une volonté de chercher d'autres défis (de la part de l'enseignant et de l'élève) – soulignant l'important lien qui existe entre le défi et la rétroaction, deux ingrédients essentiels de l'apprentissage. Plus grand est le défi, plus élevée est la probabilité qu'une rétroaction soit sollicitée et nécessaire, et plus il est important qu'un enseignant soit disponible pour s'assurer que l'apprenant est sur la bonne voie pour relever les défis.

Ce sont les enseignants qui adoptent une certaine posture qui ont un effet décisif. L'allégation que les enseignants constituent la plus grande source de variance est souvent contestée, mais de combien d'études aurons-nous encore besoin pour démontrer leur impact ? Il existe des études qui portent sur les attributs particuliers des enseignants (comme la scolarité ou l'expérience) ; il y en a d'autres qui évaluent les effets des enseignants dans différentes classes ; et d'autres encore qui examinent le lien entre les pratiques pédagogiques et le rendement scolaire des élèves. Toutes ces méthodes analysent des effets différents du point de vue des élèves (par exemple les résultats antérieurs/acquis des élèves, la situation socioéconomique). Ces diverses études présentent normalement une grande variabilité en raison des effets associés aux enseignants (d'où l'affirmation que « tous les enseignants n'ont pas un effet décisif »), mais la variance est le principal aspect sur lequel nous exerçons un certain contrôle (Alton-Lee, 2003).

Les conclusions dans *Visible Learning* prenaient la forme de six balises vers l'excellence en éducation, à savoir :

1. Les enseignants figurent parmi les facteurs d'influence les plus importants pour l'apprentissage.

2. Les enseignants doivent être directifs, influents, bienveillants, et engagés de façon active et passionnée dans le processus d'enseignement et d'apprentissage.

3. Les enseignants doivent être conscients de ce que chacun des élèves de leurs classes pense et sait, être capables d'offrir des expériences enrichissantes et d'en dégager le sens, en fonction des connaissances des élèves, et avoir une connaissance

et une compréhension suffisantes de la matière pour donner une rétroaction adéquate et significative qui permettra à chaque élève de progresser dans les différents niveaux du programme.

4. Les enseignants et les élèves doivent *connaître les intentions d'apprentissage* et les critères de réussite des leçons, savoir *dans quelle mesure* ces critères sont atteints pour tous les élèves et connaître *les étapes suivantes* selon l'écart qui existe entre les connaissances actuelles et la compréhension des élèves, et les critères de réussite par rapport à la cible, au processus et à la prochaine étape.

5. Les enseignants doivent passer de l'idée unique aux idées multiples, faire des liens entre ces idées et les développer, de façon à ce que les apprenants conceptualisent et reconceptualisent les connaissances et les idées. Ce ne sont pas les connaissances ou les idées qui sont cruciales, mais leur conceptualisation par l'apprenant.

6. Les directions d'école et les enseignants doivent créer des environnements (écoles, salles du personnel, classes) où les erreurs sont perçues comme des occasions d'apprentissage, où le rejet des inexactitudes et des interprétations erronées est acceptable, et où les enseignants peuvent, en toute sécurité, apprendre, réapprendre et explorer les connaissances et les conceptions.

Dans ces six balises, le mot *enseignants* est utilisé de façon délibérée, parce qu'un des grands thèmes concerne les enseignants qui se réunissent pour discuter de leur enseignement, l'évaluer et le planifier à la lumière de la rétroaction obtenue sur la réussite ou l'échec de leurs stratégies pédagogiques et de leur conception de ce qui constitue des progrès et un défi approprié. Il ne s'agit pas d'une simple réflexion critique, mais d'une *réflexion critique à la lumière des données probantes* concernant leur enseignement.

Les messages véhiculés dans *Visible Learning* ne constituent pas une autre recette de succès, une autre quête de certitude, un autre dévoilement de la vérité. Il n'existe pas de recette, pas de cahier de développement professionnel, pas de nouvelle méthode d'enseignement et pas de solution de fortune. Il s'agit d'une façon de penser : « mon rôle en tant qu'enseignant consiste à évaluer l'effet que j'ai sur mes élèves ». Il s'agit de « connaître mon impact », de le comprendre, et d'agir en fonction de ce savoir et de cette compréhension. Cela exige des enseignants qu'ils recueillent des données probantes fiables et justifiables auprès de nombreuses sources et qu'ils tiennent des discussions, dans un esprit de collaboration, avec leurs collègues et les élèves au sujet de ces données, rendant ainsi l'effet de leur enseignement visible pour eux-mêmes et pour les autres.

Les enseignants très performants, passionnés et accomplis sont ceux qui :

- focalisent sur l'engagement cognitif des élèves avec le contenu enseigné ;

- focalisent sur le développement d'une façon de penser et de raisonner axée sur des stratégies de résolution de problèmes et d'enseignement liées au contenu que les élèves doivent apprendre ;

- focalisent sur la transmission d'un nouveau savoir et d'une nouvelle compréhension, puis surveillent comment les élèves acquièrent une maîtrise et une conscience de ce nouveau savoir ;

- s'assurent de donner une rétroaction d'une manière appropriée et en temps opportun, afin d'aider les élèves à atteindre les principaux objectifs de la leçon ;

- sollicitent une rétroaction à propos de leur effet sur les progrès et le niveau de compétence de *tous* leurs élèves ;

- ont une compréhension profonde de la manière dont nous apprenons ;

- focalisent sur l'apprentissage du point de vue des élèves, ont conscience de l'évolution saccadée de leur l'apprentissage et de leur progression souvent non linéaire vers les objectifs, encouragent la pratique délibérée, donnent des rétroactions au sujet de leurs erreurs et de leurs méprises, et se soucient que les élèves atteignent les objectifs et qu'ils partagent la passion des enseignants pour la matière à apprendre.

Cette focalisation doit être soutenue, inébranlable et partagée par tout le monde dans l'école. Comme l'a démontré Reeves (2011), il existe un lien très fort entre, d'une part, une focalisation soutenue sur un nombre limité d'objectifs par l'ensemble des parties prenantes dans une école et, d'autre part, l'amélioration du rendement scolaire des élèves. Les aspects énumérés ci-dessus sont les « éléments centraux » qui peuvent favoriser une amélioration soutenue.

> Sans focalisation, les meilleures idées proposées par un directeur, les meilleures initiatives fondées sur la recherche et les efforts des leaders les plus généreux et sincères sont voués à l'échec. Pis encore, sans focalisation de la part des leaders de l'éducation, les élèves et les enseignants vont échouer (Reeves, 2011, p. 14 ; traduction libre).

EXERCICES

Remettez la liste suivante à tous les enseignants (et parents) et demandez-leur d'indiquer s'ils ont, en moyenne, un impact faible, moyen ou élevé sur le rendement scolaire des élèves. Une fois la tâche terminée, précisez les tailles d'effet (voir l'annexe 4) et demandez-leur d'indiquer ce qu'il conviendrait peut-être de changer dans l'école et dans la classe. (Indice : Il y a onze effets élevés, neuf effets moyens et dix effets faibles.)

Facteur d'influence	Impact		
Regroupement par habiletés/parcours/classes homogènes	Élevé	Moyen	Faible
Accélération (p. ex. sauter une année)	Élevé	Moyen	Faible
Programmes de compréhension	Élevé	Moyen	Faible
Schématisation conceptuelle	Élevé	Moyen	Faible
Apprentissage coopératif ou individuel	Élevé	Moyen	Faible
Enseignement direct	Élevé	Moyen	Faible
Rétroaction	Élevé	Moyen	Faible
Sexe (différences entre garçons et filles)	Élevé	Moyen	Faible
Milieu familial	Élevé	Moyen	Faible
Enseignement individualisé	Élevé	Moyen	Faible
Influence des pairs	Élevé	Moyen	Faible
Adaptation de l'enseignement aux styles d'apprentissage des élèves	Élevé	Moyen	Faible
Stratégies métacognitives	Élevé	Moyen	Faible
Enseignement phonétique	Élevé	Moyen	Faible
Développement professionnel	Élevé	Moyen	Faible
Évaluations formatives offertes aux enseignants	Élevé	Moyen	Faible
Accès à des exemples résolus	Élevé	Moyen	Faible
Enseignement réciproque	Élevé	Moyen	Faible
Réduction de la taille des classes	Élevé	Moyen	Faible
Redoublement	Élevé	Moyen	Faible
Contrôle de l'élève sur l'apprentissage	Élevé	Moyen	Faible
Prédictions et attentes des élèves	Élevé	Moyen	Faible
Crédibilité de l'enseignant aux yeux des élèves	Élevé	Moyen	Faible

Facteur d'influence	Impact		
Attentes de l'enseignant	Élevé	Moyen	Faible
Connaissances disciplinaires de l'enseignant	Élevé	Moyen	Faible
Relations maître-élèves	Élevé	Moyen	Faible
Utilisation de simulations et de jeux	Élevé	Moyen	Faible
Programmes de vocabulaire	Élevé	Moyen	Faible
Méthode globale	Élevé	Moyen	Faible
Regroupement des élèves à l'intérieur de la classe	Élevé	Moyen	Faible

## CHAPITRE 3

Les enseignants

Acteurs de premier plan du processus éducatif

On aurait tendance à penser qu'il serait plus simple de commencer par les élèves, mais ce ne serait pas la bonne piste à suivre ! Nous affirmons souvent toutes sortes de choses à propos des élèves, de leurs styles d'apprentissage, de leurs attitudes, de leur intérêt ou de leur aversion pour l'école, de leurs familles, de leurs parcours et de leur culture. Dans bien des cas, c'est pour expliquer pourquoi nous parvenons ou ne parvenons pas à avoir un effet sur leur apprentissage.

Nous nous préoccupons tellement de savoir qui ils sont. Bien que les élèves constituent effectivement la plus grande source de variance du point de vue des résultats d'apprentissage, cela ne veut pas dire qu'il faille s'arrêter à ce qu'ils peuvent ou ne peuvent pas faire. Nous inventons tant de façons d'expliquer pourquoi les élèves n'apprennent pas : c'est à cause de leurs styles d'apprentissage ; c'est parce qu'ils utilisent davantage l'hémisphère droit ou gauche de leur cerveau ; c'est à cause d'un manque d'attention ; c'est parce qu'ils refusent de prendre leurs médicaments ; c'est à cause d'un manque de motivation ; c'est parce que leurs parents ne les soutiennent pas assez ; c'est parce qu'ils ne travaillent pas, et ainsi de suite. Ce n'est pas que ces explications soient fausses (même si certaines le sont – rien n'appuie la thèse des styles d'apprentissage, par exemple) ou exactes (les attentes et les encouragements des parents sont fort souhaitables), mais ce qui sous-tend essentiellement ces allégations est la conviction que nous, les intervenants scolaires, ne pouvons pas changer les élèves. C'est cette croyance qui est au cœur du discours axé sur les manques des élèves. L'idée que les antécédents de l'élève ont la plus grande influence sur l'apprentissage est un argument qui justifierait de consacrer davantage de ressources à la lutte contre la pauvreté et aux programmes d'aide aux familles plutôt qu'à la formation scolaire. Nous *devons* nous percevoir comme des agents de changement positifs pour les élèves qui fréquentent nos classes. Pour la plupart, ils sont obligés de venir à l'école et, parfois, ils le font à contrecœur, mais dans l'ensemble (au début du moins), les élèves sont désireux d'apprendre. Ce que je veux dire, c'est que les croyances et l'engagement des enseignants sont les plus importants facteurs qui influencent la réussite des élèves (voir l'annexe 3) *sur lesquels nous avons un certain pouvoir* – et le présent ouvrage met en évidence ces croyances et ces engagements.

Nous nous préoccupons souvent de ce que font les enseignants. Il serait facile de dire que ce sont les « enseignants qui ont un effet décisif positif ». En fait, ce n'est *pas* la thèse défendue dans cet ouvrage. Il y a à peu près autant d'effets attribuables à l'enseignant au-dessous du seuil de 0,40 qu'au-dessus, et dans la plupart des systèmes scolaires, la variance est plus grande à l'intérieur d'une école qu'entre les écoles. Cette variance intra-école met en relief la variance de l'effet enseignant, et même si nous voulons croire que tous les enseignants sont excellents, ce n'est pas toujours l'opinion de leurs élèves. On constate plutôt que certains enseignants font certaines choses qui ont un effet positif important. La différence d'effet entre un enseignant très performant et un enseignant peu performant est d'environ 0,25. Cela signifie qu'un élève dans la classe d'un enseignant très performant a près d'une année d'avance sur ses pairs dont l'enseignant est peu performant (Slater, Davies et Burgess, 2009). Une idée importante défendue dans le présent chapitre est que la différence entre les enseignants qui ont un effet élevé et ceux qui ont un effet moindre est essentiellement attribuable aux attitudes et aux attentes des enseignants lorsque vient le temps de prendre des décisions pédagogiques clés – c'est-à-dire au sujet du contenu à enseigner et du degré de difficulté – ainsi qu'à leur compréhension de la notion de « progrès » et des effets de leur enseignement. C'est le fait que certains enseignants accomplissent certaines choses en adoptant certaines attitudes ou croyances qui a un effet décisif positif. Cela m'amène à parler des premiers attributs qui caractérisent l'intégration de l'« apprentissage visible à l'intérieur » d'une école : les enseignants doivent être inspirés et passionnés.

Commençons par parler des postures des enseignants et des directions d'école. Par exemple, Samantha Smith (2009) a instauré un programme très ambitieux axé sur l'établissement de cibles à atteindre dans une grande école secondaire urbaine. Beaucoup d'enseignants ont refusé d'y prendre part, alléguant que l'atteinte des cibles ou non par les élèves n'était pas leur responsabilité : «S'ils ne font pas leurs devoirs, n'exécutent pas leurs travaux, ne se présentent pas en classe, alors pourquoi les enseignants devraient-ils être tenus responsables de l'atteinte des objectifs des élèves ? » Les enseignants estimaient que leurs objectifs visaient davantage à assurer la couverture du contenu du programme, à proposer des ressources et des activités utiles, et à maintenir l'ordre et l'équité dans la classe.

Russell Bishop (2003) a proposé une des interventions les plus efficaces concernant les élèves issus des minorités dans les classes régulières, qui s'attaque d'abord aux croyances des enseignants. Il allègue que les enseignants ont des théories bien ancrées par rapport aux élèves lorsqu'ils arrivent en classe et qu'ils font souvent fi des données démontrant que leurs élèves ne sont pas conformes à ces théories. Ces enseignants ont des théories concernant la race, la culture, l'apprentissage, le développement ainsi que le rendement et le niveau de progression des élèves. L'un des premiers aspects de l'intervention de Bishop consiste à questionner les élèves sur ces théories. Il montre ensuite aux enseignants la différence entre les croyances des élèves et celles des enseignants. C'est à partir de ce moment seulement que Bishop peut amorcer l'intervention qui concerne, d'abord et avant tout, les croyances des enseignants.

APPRENTISSAGE VISIBLE

Liste de vérification ✔ pour un enseignement inspiré et passionné

1. Tous les adultes de l'école reconnaissent :
    a. que l'impact des enseignants sur l'apprentissage et le rendement des élèves est variable ;
    b. qu'il est important pour tous (direction, enseignants, parents, élèves) d'avoir un impact positif majeur sur l'apprentissage de l'ensemble des élèves ;
    c. que tous doivent veiller à développer une expertise qui aura un impact positif sur le rendement de l'ensemble des élèves.

3.1. Pour un enseignant inspiré et passionné

APPRENTISSAGE VISIBLE

Liste de vérification ✔ pour un enseignement inspiré et passionné

2. L'école peut démontrer de façon convaincante que l'ensemble de ses enseignants sont passionnés et inspirés – aspect qui devrait être le principal attribut mis en évidence pour faire la promotion de l'école.

J'ai vécu l'une des périodes les plus stimulantes de ma recherche lorsque j'ai travaillé à l'Université de la Caroline du Nord avec Richard Jaeger, Lloyd Bond et bien d'autres sur les enjeux techniques du

National Board for Professional Teaching Standards (NBPTS). Laurence Ingvarson et moi avons publié un ouvrage sur ces travaux et les percées réalisées sur le plan de l'évaluation du rendement en éducation, de l'élaboration de grilles d'évaluation et de la psychométrie applicable à ces enjeux, qui ont complètement changé notre manière de voir les enseignants, les classes et l'excellence (voir Ingvarson et Hattie, 2008). Le NBPTS demeure, à mon avis, le meilleur système pour repérer de façon fiable les enseignants qui font preuve d'excellence, même si beaucoup d'améliorations sont encore nécessaires. Utiliser des indicateurs multiples pour déterminer l'effet des enseignants sur les élèves, éviter d'évaluer les corrélats au lieu des effets réels sur les élèves et s'assurer que les méthodes d'évaluation servent également d'outils de développement professionnel sont les principes au cœur du modèle NBPTS. Le présent chapitre ne se veut toutefois pas une analyse du NBPTS, parce que d'autres sources et sites Web fournissent cette information. En revanche, une étude qui souligne l'importance de pouvoir compter sur des enseignants passionnés et inspirés est mise en relief.

Richard Jaeger et moi avons commencé par examiner les écrits (d'une manière plus traditionnelle que dans le cas d'une méta-analyse) en faisant la distinction entre les enseignants experts et les enseignants expérimentés, plutôt qu'entre les enseignants expérimentés et les enseignants novices, comme c'est le cas habituellement. Nous avons fait parvenir nos résultats à plusieurs chercheurs éminents dans ce domaine et à des enseignants experts, afin d'obtenir leurs commentaires, leurs suggestions de changements et leur avis. Nous avons cerné cinq principaux aspects qui caractérisent les excellents enseignants ou enseignants « experts ». Les enseignants experts ont une grande connaissance et une grande compréhension des matières qu'ils enseignent ; ils peuvent guider l'apprentissage vers l'atteinte d'objectifs de surface et en profondeur ; ils peuvent monitorer l'apprentissage et offrir une rétroaction pour aider les élèves à progresser ; ils peuvent s'occuper des aspects de l'apprentissage qui sont plus liés à l'attitude (notamment le développement de l'autoefficacité et la motivation à la maîtrise) ; et ils peuvent fournir la preuve que leur enseignement a un impact positif sur l'apprentissage des élèves. Telle est la distinction entre les termes *expert* et *expérimenté*.

3. L'école dispose d'un programme de développement
   professionnel qui :
   a. favorise une compréhension approfondie de la matière
      de la part des enseignants ;
   b. soutient l'apprentissage grâce à l'analyse des interactions
      en classe entre les enseignants et les élèves ;
   c. apprend aux enseignants comment donner une
      rétroaction efficace ;
   d. tient compte des attributs affectifs des élèves ;
   e. permet de développer la capacité des enseignants à influer
      sur l'apprentissage de surface et en profondeur des élèves.

Liste de vérification ✔
pour un enseignement
inspiré et passionné

3.1.1. Les enseignants experts sont capables de cerner la meilleure manière de présenter la matière qu'ils enseignent

Dans *Visible Learning*, on a constaté que la connaissance disciplinaire des enseignants avait peu d'effet sur la qualité des résultats des élèves ! La distinction réside moins dans l'« ampleur » du savoir et la « connaissance du contenu pédagogique » que dans la façon de concevoir l'apprentissage de surface et en profondeur des matières enseignées, ainsi que dans les croyances des enseignants sur la manière d'enseigner et dans leur capacité à déterminer quand les élèves apprennent et ont assimilé la matière. Les enseignants experts et les enseignants expérimentés ne sont pas différents du point de vue de l'ampleur de leur savoir disciplinaire ou de leur connaissance des stratégies d'enseignement – mais les enseignants experts se distinguent par la façon dont ils organisent et utilisent ces connaissances. Le savoir des enseignants experts est plus intégré, en ce sens qu'ils relient la nouvelle matière aux acquis des élèves ; qu'ils parviennent à lier le contenu de la leçon en cours à d'autres éléments du programme ; et qu'ils personnalisent les leçons en changeant et en combinant les leçons, et en y ajoutant des éléments, en fonction des besoins des élèves et de leurs propres objectifs pédagogiques.

Avec la façon dont ils perçoivent et organisent leurs approches, les enseignants experts sont capables de reconnaître rapidement les séquences d'événements qui surviennent dans la classe et qui ont une incidence sur l'apprentissage et l'enseignement d'un sujet. Ils parviennent à cerner l'information la plus pertinente et à se concentrer sur celle-ci ; ils sont en mesure de faire de meilleures prédictions à partir de leurs observations concernant la classe ; et ils peuvent proposer un plus large éventail de stratégies aux élèves pour résoudre un problème donné. Ils peuvent donc prédire et déterminer le genre d'erreurs que les élèves pourraient commettre, et sont ainsi beaucoup plus en mesure de s'adapter aux élèves. Cela permet aux enseignants experts de comprendre comment et pourquoi les élèves connaissent du succès. Ils sont plus en mesure de réorganiser la résolution de problèmes à la lumière des activités courantes en classe ; ils peuvent proposer un éventail beaucoup plus vaste de solutions possibles ; et ils sont plus en mesure de vérifier leurs hypothèses ou leurs stratégies. Ils sont attentifs aux indices négatifs concernant leur impact (quels élèves n'ont pas appris ou progressé) dans le tohu-bohu de la classe, et se servent de cette information pour s'adapter et résoudre les problèmes.

Ces enseignants sont profondément convaincus que les élèves peuvent apprendre la matière et les notions visées par les intentions d'apprentissage de la leçon. Cette affirmation concernant la capacité à comprendre en profondeur les diverses relations en jeu permet d'expliquer pourquoi certains enseignants restent accrochés aux détails et éprouvent de la difficulté à voir au-delà des particularités de leurs classes et de leurs élèves. La généralisation n'est pas toujours un de leurs points forts.

3.1.2. Les enseignants experts savent établir un climat optimal d'apprentissage en classe

Un climat optimal d'apprentissage en classe fait naître un sentiment de confiance – il s'agit d'un climat dans lequel il est accepté que des erreurs soient commises, parce que les erreurs sont au cœur de l'apprentissage. Pour les élèves, la reconceptualisation de leurs acquis afin qu'ils puissent acquérir une nouvelle compréhension peut vouloir dire de cerner leurs erreurs et de se défaire de leurs anciennes idées. Dans beaucoup de classes, la principale raison pour laquelle les élèves n'aiment pas mettre en relief leurs erreurs est la réaction de leurs pairs : ceux-ci peuvent être méchants, durs et virulents ! Les enseignants experts établissent un climat dans la classe qui favorise l'admission des erreurs ; ils y parviennent en développant un climat de confiance entre l'enseignant et l'élève, et entre les élèves eux-mêmes. Il s'agit d'un climat où apprendre est une activité « chouette », qui vaut la peine et à laquelle tout le monde – enseignant et élèves – participe. Il s'agit d'un climat où l'on reconnaît que le processus d'apprentissage est rarement linéaire, nécessite un engagement et des efforts, et est parsemé de hauts et de bas par rapport à ce qu'on sait, à ce qu'on ne sait pas et à la confiance en sa propre *capacité* d'apprendre. Il s'agit d'un climat où l'erreur est acceptée, où les interrogations des élèves sont nombreuses, où l'engagement est la norme et où les élèves ont la possibilité d'acquérir la réputation d'être des apprenants efficaces.

3.1.3. Les enseignants experts monitorent l'apprentissage et donnent de la rétroaction

La capacité des enseignants experts à résoudre les problèmes, à faire preuve de souplesse et à trouver des façons pour permettre aux élèves de réaliser les intentions d'apprentissage signifie qu'ils doivent exceller dans l'art de solliciter de la rétroaction à propos de leur enseignement et d'utiliser cette information – qui concerne leur effet sur l'apprentissage.

D'ordinaire, une leçon ne se déroule jamais comme prévu. Les enseignants experts sont habiles à suivre la progression des élèves sur le plan de la compréhension et de l'apprentissage, par rapport aux critères de réussite, et ils sollicitent et donnent de la rétroaction adaptée à la compréhension actuelle des élèves (voir le chapitre 7 pour obtenir de plus amples explications). Grâce à une collecte d'information sélective et à l'attention portée aux besoins des élèves, ils sont en mesure d'anticiper le moment où l'intérêt risque de s'estomper, de savoir quels élèves ne comprennent pas ainsi que d'élaborer et de vérifier des hypothèses au sujet de l'effet de leur enseignement sur tous leurs élèves.

3.1.4. Les enseignants experts croient que tous les élèves peuvent atteindre les critères de réussite

Pour cela, il faut que les enseignants croient que l'intelligence est modifiable et non fixe (même si certaines données tendent à prouver que ce n'est peut-être pas le cas – voir Dweck, 2006). Il faut que les enseignants aient un immense respect pour leurs élèves et qu'ils montrent avec enthousiasme que tout le monde peut réussir. La manière dont l'enseignant traite les élèves, interagit avec eux, témoigne son respect sur le plan scolaire et personnel, exprime sa bienveillance et manifeste son engagement doit également être transparente aux yeux des élèves.

La notion de « passion » constitue l'essence de tant de choses et bien qu'elle puisse nous sembler difficile à mesurer, elle est facile à reconnaître :

> Les enseignants profondément engagés sont ceux qui adorent ce qu'ils font. Ils cherchent sans cesse à trouver des moyens plus efficaces de rejoindre leurs élèves, de s'approprier le

contenu du programme et les méthodes. Ils se sentent personnellement investis d'une mission [...] qui consiste à en apprendre le plus possible sur le monde, les autres et eux-mêmes – et à aider les autres à faire de même (Zehm et Kotler, 1993, p. 118, traduction libre).

Être passionné de l'enseignement consiste non seulement à faire preuve d'enthousiasme, mais aussi à agir de façon intelligente en fonction de principes et de valeurs. Tous les enseignants efficaces sont passionnés par leur matière, ont une passion pour leurs élèves et croient profondément que leur façon d'être et leur manière d'enseigner peuvent avoir un effet décisif positif sur la vie de leurs élèves, tant dans le moment présent que dans les journées, les semaines, les mois et même les années qui suivront (Day, 2004, p. 12, traduction libre).

Les élèves le voient. Dans le cadre du Measures of Effective Teaching Project (Gates Foundation, 2010), on a évalué la valeur ajoutée de 3 000 enseignants et demandé à leurs élèves de répondre à des questionnaires pour rendre compte de leurs expériences en classe. Pour les sept facteurs présentés au tableau 3.1, on constate une différence marquée de perception entre les élèves qui fréquentent des classes «offrant une grande valeur ajoutée», dont les gains de rendement sont plus élevés que prévus (75e rang centile), et les élèves qui fréquentent des classes «offrant une faible valeur ajoutée», dont les gains sont beaucoup plus faibles (25e rang centile). Par exemple, les enseignants dont les élèves affirment que ces derniers «essaient vraiment de comprendre ce que pensent les élèves» sont plus susceptibles de se classer au 75e rang centile qu'au 25e rang centile, compte tenu de la valeur ajoutée que ces enseignants apportent à l'apprentissage.

Ainsi, la réalité des enseignants experts en est une d'implication et de respect envers les élèves, de volonté de s'adapter aux besoins des élèves, de sens des responsabilités face au processus d'apprentissage et de désir profond de s'assurer que les élèves apprennent.

3.1.5. Les enseignants experts ont une influence sur les apprentissages de surface et en profondeur des élèves

La qualité fondamentale d'un enseignant expert est sa capacité à exercer une influence positive sur les résultats des élèves – et comme il a été mentionné dans le premier chapitre, ces résultats ne se limitent pas aux notes et sont des plus diversifiés : les élèves demeurent à l'école et investissent dans leur apprentissage ; les élèves font des

TABLEAU 3.1. Différences dans la perception qu'ont les élèves des enseignants offrant une grande et une faible valeur ajoutée, du point de vue de sept facteurs ayant une influence sur le climat de classe

Dimensions	Exemples d'énoncés	Au 25e rang centile	Au 75e rang centile
Fait preuve de bienveillance	J'ai le sentiment que mon enseignant/enseignante se soucie de moi.	40 %	73 %
	Mon enseignant/enseignante essaie vraiment de comprendre ce que pensent les élèves.	35 %	68 %
Contrôle	Dans cette classe, les élèves traitent l'enseignant/enseignante de façon respectueuse.	33 %	79 %
	Notre classe est toujours occupée et ne perd pas de temps.	36 %	69 %
Explique	Mon enseignant/enseignante a plusieurs bonnes façons d'expliquer chaque sujet vu en classe.	53 %	82 %
	Mon enseignant/enseignante explique les choses difficiles de façon claire.	50 %	79 %
Propose des défis	Dans cette classe, nous apprenons beaucoup de choses presque tous les jours.	52 %	81 %
	Dans cette classe, nous apprenons à corriger nos erreurs.	56 %	83 %
Suscite l'intérêt	Mon enseignant/enseignante rend les leçons intéressantes.	33 %	70 %
	J'aime la façon dont nous apprenons dans cette classe.	47 %	81 %
Consulte	Les élèves s'expriment et partagent leurs idées au sujet du travail à faire en classe.	40 %	68 %
	Mon enseignant/enseignante respecte mes idées et mes suggestions.	46 %	75 %
Consolide	Mon enseignant/enseignante vérifie si nous avons compris pendant qu'il ou elle nous enseigne.	58 %	86 %
	Dans cette classe, les commentaires que je reçois au sujet de mon travail m'aident à comprendre comment m'améliorer.	46 %	74 %

apprentissages de surface, en profondeur et conceptuels ; les élèves développent de multiples stratégies d'apprentissage et le désir de maîtriser les connaissances ; les élèves sont prêts à prendre des risques et apprécient le défi que pose l'apprentissage ; les élèves ont du respect envers eux-mêmes et envers les autres ; les élèves deviennent des citoyens exigeants, actifs, compétents, critiques et réfléchis, prêts à affronter notre monde complexe. Pour que les élèves montrent de tels résultats, les enseignants doivent fixer des objectifs ambitieux et inviter les élèves à s'engager à relever ces défis et non pas seulement « à faire leur possible ».

3.1.6. En quoi les enseignants experts se distinguent-ils des enseignants expérimentés du point de vue de ces cinq dimensions ?

Les cinq dimensions de l'enseignant expert ont été établies à partir d'une analyse documentaire et ont servi à préparer le terrain en vue d'une étude au cours de laquelle nous avons comparé des enseignants experts, c'est-à-dire détenant la National Board Certification (NBC), à des enseignants expérimentés, c'est-à-dire ayant demandé, mais pas obtenu, la NBC. Même si l'échantillon comptait plus de 300 enseignants, l'étude finale s'est concentrée sur ceux ayant obtenu un résultat près de la « note de passage ». Nous avons choisi 65 enseignants (dans les catégories « généralistes/moyenne enfance » ou « anglais langue maternelle/préadolescence ») ; la moitié d'entre eux avaient obtenu un résultat tout juste au-dessus de la note de passage et l'autre moitié, un résultat tout juste au-dessous. Pour chacune des cinq dimensions de l'enseignant expert, nous avons préparé une série de tâches pour les élèves, de calendriers d'observation en classe, d'entrevues avec l'enseignant et les élèves, et de questionnaires, et nous avons recueilli des éléments représentant l'enseignement observé (voir Smith, Baker, Hattie et Bond, 2008, pour de plus amples détails). On constate des écarts importants entre les moyennes des deux groupes pour toutes les dimensions.

La meilleure façon d'illustrer l'ampleur ou l'importance de ces écarts de moyennes est de représenter dans un diagramme la taille d'effet de chacune des dimensions (figure 3.1). Les enseignants plus accomplis proposaient des tâches ayant un degré supérieur de difficulté ; ils tenaient davantage compte du contexte et avaient une meilleure compréhension de la matière enseignée. Plus important encore, il y avait peu d'écart entre les classes des enseignants experts et des enseignants expérimentés du point de vue des apprentissages de surface, mais il y avait des écarts marqués dans la proportion des apprentissages de surface et en profondeur : on a estimé que 74 % des échantillons de travaux d'élèves dont l'enseignant avait une NBC reflétaient une compréhension en profondeur, comparativement à 29 % des échantillons de travaux d'élèves dont l'enseignant n'avait pas de NBC (voir la figure 3.2). Les élèves des enseignants experts sont beaucoup plus aptes à développer une compréhension aussi bien en

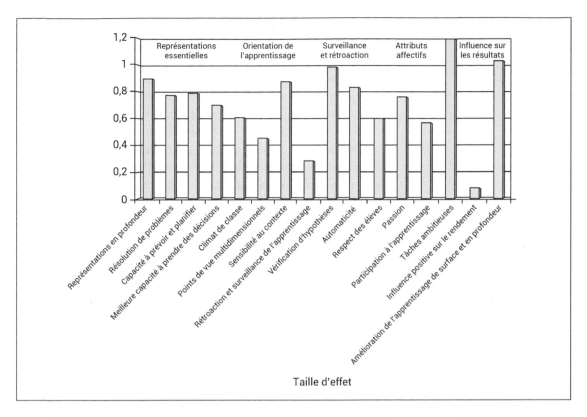

FIGURE 3.1.
Tailles d'effet des dimensions pour illustrer les écarts entre les enseignants experts et les enseignants expérimentés

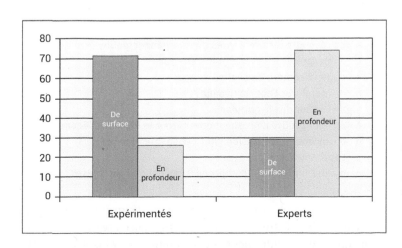

FIGURE 3.2.
Pourcentage des travaux scolaires reflétant une compréhension de surface ou en profondeur

profondeur que de surface. Or, les enseignants expérimentés favo-risent autant l'apprentissage de surface, mais moins la compréhension en profondeur.

Bien qu'il existe toutes sortes d'affirmations à propos de ce qui caractérise un enseignant efficace, elles sont trop peu nombreuses à s'inspirer de données probantes fondées sur la pratique en classe. On a trop souvent dressé des listes de caractéristiques à partir de simples analyses de certains éléments de l'enseignement, d'un petit nombre d'enseignants et de l'observation d'enseignants n'ayant pas encore fait l'objet d'un processus d'évaluation exhaustif et rigoureux permettant de confirmer leur statut d'experts. L'étude mentionnée précédemment a débuté par une analyse documentaire exhaustive et une synthèse de plusieurs milliers d'études. Une spécification très détaillée de l'information recueillie dans les classes pendant de nom-breuses années a suivi. Cette information a ensuite été codée de façon indépendante, en fonction de nouvelles avancées emballantes concer-nant l'observation en classe. Les résultats sont clairs : les enseignants experts *diffèrent effectivement* des enseignants expérimentés – notam-ment par l'ampleur des défis qu'ils proposent aux élèves et, surtout, par le degré de profondeur du traitement de l'information relevé chez les élèves. Ainsi, les élèves qui ont un enseignant expert affichent une compréhension conceptuelle plus intégrée et plus cohérente, et sont capables d'atteindre un degré d'abstraction plus élevé que les élèves dont l'enseignant est expérimenté, mais n'est pas un expert.

3.2. L'enseignant inspiré

✔ Liste de vérification **pour un enseignement inspiré et passionné**

4. Le programme de développement professionnel de l'école vise aussi à aider les enseignants à trouver des façons :
   a. de résoudre les problèmes d'ordre pédagogique ;
   b. d'interpréter les événements en cours ;
   c. de tenir compte du contexte ;
   d. de monitorer l'apprentissage ;
   e. de vérifier des hypothèses ;
   f. de faire preuve de respect envers tout le monde à l'école ;
   g. d'exprimer leur passion pour l'enseignement et l'apprentissage ;
   h. d'aider les élèves à comprendre les notions complexes

Steele (2009) s'est servie de nos études pour créer un modèle d'« ensei-gnement inspiré ». Cette auteure fait la distinction entre les enseignants « non informés », « informés », « compétents » et « inspirés » ; cette inspiration provient à la fois du fait que les enseignants sont des évaluateurs de leur propre effet et qu'ils s'inspirent des élèves – de leurs réactions, de leur apprentissage et de leurs défis. Elle trace la voie à suivre pour chacune des dimensions : pour résoudre des problèmes d'ordre pédagogique ; pour interpréter les événements en cours ; pour s'adapter au contexte ; pour monitorer l'apprentissage ; pour vérifier des hypothèses ; pour faire preuve de respect ; pour exprimer la passion pour l'enseignement et l'apprentissage ; et pour aider les élèves à comprendre les notions complexes.

Prenons, par exemple, l'expression de la passion pour l'enseignement et l'apprentissage. Steele souligne que la passion n'a rien de mystérieux : elle est liée au degré d'enthousiasme manifesté par l'enseignant, à l'ampleur de son engagement envers chaque élève, l'apprentissage et l'enseignement en tant que tel, et elle est perceptible lorsqu'on entend les enseignants parler de l'apprentissage des élèves. « Ces enseignants sont fondamentalement convaincus que l'apprentissage des élèves est leur responsabilité et ils s'efforcent de toujours faire mieux chaque jour » (Steele, 2009, p. 185, traduction libre). Ces enseignants trouvent de meilleures façons d'enseigner à leurs élèves ; ils croient que la manière dont ils parlent du sujet et orientent l'expérience des élèves par rapport à celle-ci peut rendre chaque leçon plus intéressante ; et ils estiment être directement responsables de l'apprentissage des élèves. La plupart d'entre nous se souviennent de leurs enseignants préférés parce qu'ils tenaient profondément à ce que nous partagions leur passion et leur intérêt pour leur matière ; ils semblaient redoubler d'efforts pour s'assurer que nous comprenions ; ils acceptaient nos erreurs et en tiraient des leçons ; et ils se réjouissaient lorsque nous parvenions à atteindre les critères de réussite. Ces enseignants passionnés disposaient du même temps, avaient le même programme, étaient assujettis aux mêmes contraintes pour les examens, travaillaient dans le même environnement matériel et avaient des groupes de même taille que les autres enseignants, mais ils savaient sans contredit communiquer leur enthousiasme pour les défis ainsi que leur engagement et leur intérêt à l'égard de l'apprentissage.

Steele affirme que presque toutes les personnes qui intègrent la profession enseignante sont animées d'un idéalisme et d'un sens du devoir. Face aux réalités et aux défis de l'école et de la classe, nous pouvons emprunter quatre voies : abandonner (comme le font environ 50 % des enseignants au cours des cinq premières années) ; décrocher et simplement exécuter notre tâche d'enseignement ; améliorer nos compétences en vue d'obtenir une promotion en dehors de la classe ; ou apprendre à découvrir les joies de l'enseignement inspiré. La différence entre l'enseignant inspiré et l'enseignant compétent est énorme. Je reconnais que certaines personnes préfèrent parler d'*enseignement* inspiré (plutôt que d'*enseignant*), alléguant qu'un enseignant peut être inspiré certains jours, mais pas nécessairement tous les jours – et peut-être pas pour tous les élèves en même temps. C'est effectivement le cas. Nous savons, par exemple, que le joueur de tennis Roger Federer n'est pas brillant à tous les coups – mais cela ne veut pas dire qu'on doive parler uniquement de jeu inspiré et pas de joueur inspiré. Federer est inspirant et la plupart d'entre nous n'hésiteraient pas à le qualifier de joueur de tennis expert. De même, les enseignants inspirés ne donnent pas toujours un enseignement inspiré, mais les probabilités générales sont telles que nous pouvons parler d'enseignants inspirés. Il est possible que dans un match de tennis, je réussisse parfois un coup brillant comme Roger Federer et, dans ces moments-là, je pourrais être considéré comme un joueur inspiré (du moins dans mon esprit), mais de façon générale, je ne suis pas un joueur de tennis expert.

Il y a certainement beaucoup de choses que les enseignants inspirés *ne* font *pas* : ils *n'*utilisent *pas* les notes comme un châtiment ; ils *n'*assimilent *pas* le comportement au rendement scolaire ; ils *ne* favorisent *pas* l'obéissance silencieuse au détriment du travail scolaire ; ils *n'*utilisent *pas* de façon excessive les feuilles d'exercices ; ils *ne* fixent *pas* des attentes peu élevées et *ne* prônent *pas* l'apprentissage médiocre que sous-entend l'expression «faire de son mieux» ; ils *n'*évaluent *pas* leur impact en fonction de la conformité aux règles ou de la couverture du programme, et *ne* cherchent *pas* d'excuses pour expliquer la raison pour laquelle ils ont peu ou pas d'impact sur leurs élèves ; et ils *ne* privilégient *pas* la perfection dans les devoirs au détriment de la prise de risques qui peut entraîner des erreurs.

Il est normal de s'attendre à ce que les enseignants et les écoles aient une influence considérable sur la progression scolaire des élèves. Nous avons de telles attentes envers les entraîneurs sportifs – nous ne nous attendons pas à ce qu'ils gagnent tout le temps, mais plutôt à ce qu'ils enseignent aux joueurs et aident à améliorer les habiletés de chacun d'eux, à ce qu'ils leur montrent à jouer dans les règles de l'art, à ce qu'ils leur apprennent à travailler individuellement et en équipe, à ce qu'ils cultivent l'engagement et le désir de s'améliorer, et à ce qu'ils se montrent justes envers tous les joueurs en fonction des deux critères de réussite s'appliquant à la plupart des sports pratiqués par les enfants (soit la participation et le désir de gagner). Il n'y pas de raison que nos attentes dans les écoles soient différentes.

Le fil conducteur des cinq dimensions de l'enseignant expert qui ont été abordées dans le présent chapitre concerne l'impact qu'ont les enseignants – et non les caractéristiques ou les traits de personnalité des enseignants (Kennedy, 2010). Si seulement les programmes de formation des maîtres s'intéressaient davantage aux façons dont les enseignants en devenir peuvent comprendre leur effet, et moins à la découverte de qui ils sont et des manières d'enseigner, nous pourrions alors espérer obtenir de meilleurs résultats. Le but ultime est que les enseignants développent la capacité d'évaluer l'effet qu'ils ont sur leurs élèves. Il n'est pas à ce point nécessaire, par exemple, de se soucier que les enseignants débutants *connaissent* la notion de « diversité » ; il est plus important de veiller à ce qu'ils connaissent leur effet sur les élèves issus de cultures diversifiées auxquels ils devront probablement enseigner. Ils doivent être capables de réagir aux situations, aux élèves, et cela, sur-le-champ. Les enseignants travaillent dans des situations très diversifiées, ont des interactions avec de nombreux élèves différents et font face à des conditions très variables dans les écoles (temps de planification, interruptions, possibilités de collaboration). Avoir un effet soutenu sur une base régulière est trop leur demander – mais ce qui ressort du présent ouvrage est que les enseignants doivent sans cesse se préoccuper de la nature et de la qualité de l'effet qu'ils ont sur chacun des élèves.

Conclusions

5. À l'école, le professionnalisme s'exprime par les efforts de collaboration déployés par les enseignants et les leaders scolaires en vue d'implanter l'apprentissage visible.

APPRENTISSAGE VISIBLE

Liste de vérification ✔
**pour un enseignement
inspiré et passionné**

On constate si souvent une urgence de régler « le problème des enseignants », mais il s'agit de la mauvaise cible. Il ne faut pas se méprendre sur le message du présent ouvrage et croire qu'il faille évaluer les enseignants, mieux payer les meilleurs enseignants, changer la formation ou contrôler l'accès à la profession – bien qu'il s'agisse là de questions importantes et fascinantes. Ce message porte plutôt sur la nécessité d'aider chaque enseignant à mieux comprendre son effet sur ses élèves et de permettre aux enseignants de développer une posture évaluative qui les aidera à intégrer le groupe des enseignants très efficaces (c'est-à-dire qui ont régulièrement un impact de $d > 0,40$), groupe que nous devrions tous aspirer à rejoindre.

C'est ainsi que fonctionne une profession : elle aide à cerner les critères d'excellence (lesquels sont rarement simples, unidimensionnels et évalués par un simple test, comme le montrent clairement les résultats de l'éducation décrits précédemment) ; elle vise à encourager la collaboration avec tous les intervenants de la profession, afin de la faire évoluer ; et elle valorise les personnes qui font preuve de compétence. Trop souvent, nous assimilons la nature essentielle de notre profession à l'autonomie – autonomie d'enseigner du mieux que nous pouvons, autonomie de choisir les ressources et les méthodes que nous considérons être les meilleures, et autonomie de revenir le lendemain et de répéter ce que nous avons déjà fait de nombreuses fois. Comme je l'ai souligné dans *Visible Learning*, il semble évident que la majorité, voire la totalité, de nos méthodes, de nos ressources et de nos stratégies d'enseignement ont un effet positif sur le rendement scolaire – supérieur à la moyenne dans bien des cas. La profession doit définir ce qu'on entend par connaître du succès en enseignement, favoriser la collaboration entre tous en vue de l'atteinte de l'excellence et reconnaître les effets importants lorsqu'ils sont évidents. Cependant, nous n'avons pas le droit d'enseigner régulièrement d'une manière qui se traduise, pour les élèves, par des gains correspondant à un effet inférieur à $d = 0,40$ en une année.

Il est clair que cette approche consistant à évaluer les effets de l'enseignement met davantage l'accent sur l'apprentissage des élèves ; nous nous préoccupons souvent beaucoup plus de l'enseignement que de l'apprentissage. Au mieux, pour certains, l'apprentissage survient si les élèves accomplissent la tâche, sont intéressés et engagés, et réussissent les épreuves. Toutefois, mieux comprendre l'apprentissage suppose de s'intéresser d'abord au monde privé de chaque élève et au monde semi-privé des interactions entre pairs, ainsi qu'à l'effet davantage public de l'enseignant sur les élèves. Nuthall (2007) relève que l'assimilation de 25 % des concepts spécifiques et des principes vus par les élèves dépend fortement des interactions privées entre pairs ou du choix des ressources mises à la disposition des élèves. La clé réside dans ce qui se passe dans l'esprit de chaque élève – le but de la leçon étant d'influencer ces esprits !

Lorsqu'on demande aux élèves ce qu'ils veulent obtenir des enseignants, le même thème ressort, soit comprendre ce qu'ils apprennent. McIntyre, Pedder et Rudduck (2005) ont analysé de nombreuses recherches sur l'opinion des élèves et conclu qu'ils souhaitaient une focalisation constructive sur l'apprentissage. Les élèves ne cherchaient pas à s'écarter du sujet en se plaignant d'injustices ou en relevant les caractéristiques personnelles des enseignants ; ils voulaient simplement parler de leur apprentissage et des façons de s'améliorer. Comme on pourra le voir au chapitre 7, nos études font ressortir l'importance que les élèves accordent à leur « progression ». Les élèves préféraient que les enseignants donnent des explications concises, reconnaissent qu'ils peuvent apprendre à des rythmes différents, leur proposent des tâches leur permettant de relier les nouvelles connaissances aux acquis et leur accordent plus d'indépendance et d'autonomie du point de vue de l'apprentissage en classe. Comme l'ont souligné McIntyre *et al.* (2005), il est aussi facile que légitime pour les enseignants d'affirmer que les suggestions des élèves tiennent rarement compte de la complexité de la tâche de l'enseignant, mais ce sont les enseignants qui croient que les perceptions des élèves sont importantes qui déploient des efforts soutenus pour amener les élèves à participer davantage au processus d'apprentissage.

EXERCICES

1. Sur une échelle de Likert en six points (allant de « Pas du tout d'accord » à « Tout à fait d'accord »), mesurez les progrès réels en fonction des sept dimensions abordées précédemment. Utilisez les résultats comme base d'une discussion sur la façon dont vous pourriez modifier votre façon d'enseigner afin qu'un plus grand nombre d'élèves vous accordent la note de 5 ou 6 pour l'ensemble des dimensions.

2. Examinez les modes de preuve utilisés par le NBPTS (http://www.nbpts.org) pour évaluer la qualité de l'enseignant. Discutez de la façon dont vous pourriez utiliser ces éléments probants pour améliorer votre enseignement ou recueillez des données probantes, puis discutez avec vos collègues de la façon dont vous pourriez modifier votre enseignement afin d'accroître votre impact sur *tous* les élèves.

3. Invitez tous les enseignants à rédiger une description de « vous en tant qu'enseignant ». Rassemblez toutes les réponses (anonymes) et réunissez-vous afin de décider si les descriptions cadrent avec la définition d'un enseignant inspiré et passionné.

4. Surveillez les sujets de discussion durant les réunions du personnel, les pauses-café et les rencontres de développement professionnel, puis classez-les par domaine (par exemple structure, enseignement, programme d'études, évaluation ou élèves). S'ils ne concernent pas l'impact de l'enseignement, discutez de ce qui devrait être fait dans votre école pour orienter les discussions vers l'impact de l'enseignement sur les élèves – et pour ensuite enclencher de tels débats.

5. Demandez à vos enseignants (ou à vos stagiaires en enseignement) d'interroger les élèves (de préférence ceux d'un autre enseignant afin de réduire le risque de biais ou le sentiment de contrainte) autour de la question suivante : Que veut dire « être un bon apprenant » dans cette classe ? Partagez les résultats (sans les noms des élèves) avec vos collègues enseignants.

6. Avec d'autres enseignants, apprenez à utiliser les catégories d'apprentissage de surface et en profondeur du modèle SOLO (voir Hattie et Brown, 2004) pour élaborer les intentions d'apprentissage, les critères de réussite, les questions pour les travaux et les questions pour les échanges enseignant-élèves en classe, et pour donner des rétroactions sur le travail des élèves. Assurez-vous que les enseignants s'entendent sur les catégories qui relèvent de l'apprentissage de surface et sur celles qui concernent l'apprentissage en profondeur.

7. Demandez à chaque enseignant de réfléchir à la dernière fois où il a manifesté de la passion dans son enseignement. Posez la même question aux élèves (à propos de leurs enseignants). Comparez ces exemples d'enseignement passionné.

PARTIE

Les leçons

L'objectif des cinq prochains chapitres n'est pas d'insinuer que le parcours est linéaire entre la planification et l'impact, mais plutôt de présenter les constatations de *Visible Learning* dans le cadre des étapes clés du processus décisionnel qui sous-tend le travail des enseignants engagés dans le staccato de l'enseignement et de l'apprentissage. Les décisions sont très souvent prises dans le but d'engager les élèves dans des activités intéressantes, de les inciter à s'investir dans leur apprentissage et de s'assurer qu'au son de la cloche, ils ont accompli les tâches prévues en y prenant un certain plaisir. D'aussi ternes aspirations pourront peut-être séduire les élèves bien disposés, les élèves brillants et ceux qui ont une « capacité d'inhibition » élevée, mais elles ne suffiront pas à les inciter à réinvestir dans leur formation scolaire. Lingard (2007) et son équipe ont observé 1 000 leçons et constaté le faible degré de stimulation intellectuelle. En outre, de nombreuses études observationnelles ont mis en relief l'écrasante utilisation de l'exposé magistral par les enseignants et l'attente passive des élèves. Nous prétendons que ces comportements n'ont pas cours dans toutes les classes. En revanche, nous estimons qu'il importe que les enseignants adoptent une posture qui favorise l'effort intellectuel, les défis et l'apprentissage, parce que ces aspects sont plus propices à susciter l'intérêt et l'engagement des élèves, et à stimuler les processus mentaux complexes et la pensée conceptuelle qui les inciteront à réinvestir dans leur apprentissage.

L'accent est mis sur la planification des leçons, sur une compréhension claire des objectifs et des résultats escomptés (du point de vue tant des enseignants que des élèves), sur ce que devraient être les attentes ou les cibles, puis sur l'évaluation continue de l'impact de l'enseignant sur l'apprenant. Il importe toutefois de souligner que même si l'accent est vraiment mis sur l'enseignant dans le présent ouvrage, cela ne signifie pas que les élèves ne peuvent pas apprendre d'autres sources (telles que l'Internet, leurs pairs, leurs familles) ou qu'ils ne peuvent pas devenir leurs propres enseignants. L'autoapprentissage est certainement un objectif de l'enseignement.

Les méthodes et processus décrits dans les prochains chapitres renvoient souvent à l'importance pour les enseignants d'émettre des commentaires critiques les uns envers les autres, de participer conjointement à la planification et à l'évaluation, et de chercher toutes sortes d'autres façons de travailler ensemble. Je reconnais que cela peut être exigeant du point de vue des ressources. L'idée est de trouver des manières de soutenir collectivement cet apprentissage, à même les ressources des écoles. Cela constituerait une utilisation beaucoup plus efficace et efficiente du financement en éducation qui est d'ordinaire consacré aux enjeux périphériques et structuraux de la formation scolaire – lesquels ont très souvent un effet moindre sur le rendement des élèves – par exemple : offrir des cours d'été ($d = 0,23$), réduire la taille des classes ($d = 0,21$), regrouper les élèves par habiletés ($d = 0,12$), créer des communautés d'apprentissage ($d = 0,01$), proposer des programmes parascolaires ($d = 0,17$) ou imposer le redoublement ($-0,16$). Pour avoir un impact maximal sur l'apprentissage des élèves, les enseignants doivent travailler ensemble, avec le soutien de leaders ou d'accompagnateurs compétents, convenir de résultats d'apprentissage valables, fixer des attentes élevées, connaître le niveau de départ des élèves et les cibles de réussite, chercher sans cesse à recueillir des preuves de leur impact sur tous les élèves, accepter de modifier leur enseignement à la lumière de cette évaluation, et s'efforcer d'avoir un véritable effet décisif sur les résultats des élèves.

## CHAPITRE 4

La préparation de la leçon

La planification peut se faire de bien des manières, mais la méthode la plus efficace consiste à miser sur la collaboration entre les enseignants pour élaborer des plans, établir une compréhension commune de ce qui vaut la peine d'être enseigné, cerner leurs croyances par rapport aux défis et aux progrès, et évaluer ensemble l'impact de leur planification sur les résultats des élèves.

Nous devons d'abord examiner quatre volets essentiels de la planification : le *niveau de rendement* des élèves au départ (résultats antérieurs), le *niveau de rendement souhaité* à la fin d'une série de leçons (d'une session ou d'une année) (apprentissage ciblé) ainsi que le *taux de progrès* entre le début et la fin de la série de leçons (progression). Le quatrième volet concerne *la collaboration entre les enseignants et les commentaires critiques lors de la planification.*

APPRENTISSAGE VISIBLE

✔ **Liste de vérification pour la planification**

6. L'école met à la disposition des enseignants des méthodes dont le choix peut être justifié pour :

   a. monitorer, consigner et proposer en temps opportun des interprétations concernant les résultats antérieurs, actuels et futurs des élèves ;

   b. monitorer les progrès des élèves de façon régulière, tout au long de l'année et au fil des ans, et ces informations seront utilisées pour la planification et l'évaluation des leçons ;

   c. établir des cibles relatives à l'impact que les enseignants devraient avoir sur l'apprentissage de l'ensemble des élèves

4.1. Résultats antérieurs/acquis des élèves

David Ausubel a déclaré : « si je devais ramener la psychopédagogie à un seul grand principe, ce serait celui-ci : "Les acquis de l'apprenant constituent le facteur ayant la plus grande influence sur l'apprentissage. Il faut les mesurer et enseigner à l'élève en conséquence" » (Ausubel, 1968, p. vi, traduction libre).

En effet, les résultats antérieurs des élèves constituent un important indicateur des résultats ultérieurs ($d = 0,67$).

Ce qu'un élève apporte en classe chaque année est fortement lié à son rendement au cours des années précédentes : les élèves plus brillants tendent à accomplir plus de choses que les élèves moins brillants. Notre tâche en tant qu'enseignants est de bousculer les règles du jeu, en trouvant des façons d'accélérer la progression des élèves qui accusent du retard, de manière à ce qu'ils atteignent le plus efficacement possible les objectifs du programme et de la leçon en même temps que les élèves les plus brillants. Cela suppose de connaître leurs trajectoires d'apprentissage et les stratégies utilisées, et d'établir à quel point ils sont disposés et prêts à investir dans leur apprentissage. Alors, avant de planifier la leçon, l'enseignant doit déterminer ce que l'élève sait et peut faire déjà. Cela permet à l'enseignant d'adapter la leçon, de façon à ce que l'élève puisse combler l'écart entre ses acquis et les cibles d'apprentissage. Il est donc essentiel d'avoir une vision claire de la situation de l'élève au départ et des objectifs à atteindre.

La planification de toute leçon repose donc sur une compréhension en profondeur de ce que chaque élève sait déjà et peut faire, et de ce qui doit être fait par l'enseignant pour accélérer la progression et augmenter le niveau de rendement de chacun des élèves. La principale préoccupation est d'offrir une valeur ajoutée à l'ensemble des élèves, quel que soit leur point de départ, et d'amener *tous* les élèves à atteindre les résultats ciblés.

La façon de penser de chaque élève est l'un des aspects importants que doivent comprendre les enseignants. Il n'est pas question ici de cerner les styles d'apprentissage (visuel, kinesthésique, etc.) pour mieux s'y adapter, puisque l'efficacité de cette méthode n'est appuyée par aucune donnée probante, mais plutôt de comprendre les stratégies employées par l'élève dans sa réflexion, de façon à pouvoir l'aider à évoluer sur le plan de la pensée. Une des théories les plus connues en matière d'apprentissage – soit celle de Piaget – est encore l'une des plus éloquentes. Même si bien des progrès ont été réalisés en ce qui a trait à notre façon de penser depuis que Piaget a publié le fruit de ses importantes recherches, il vaut la peine de revenir sur ses travaux pour faire ressortir au moins un point : pour que les enseignants puissent aider les élèves à « construire » leur savoir et leur compréhension, ils doivent connaître leurs différentes façons de penser.

Piaget (1970) allègue que les enfants développent leur pensée à travers une succession de stades :

1. Le premier est le stade « sensorimoteur » qui s'étend de la naissance à deux ans. L'enfant recueille l'information par ses sens et sa motricité (voir, toucher, sucer des objets) et découvre la relation entre son corps et son environnement. Il acquiert la permanence de l'objet – c'est-à-dire que les objets continuent d'exister à l'extérieur de lui, même lorsqu'ils sortent de son champ de vision.

2. Le deuxième est le stade « préopératoire » (de 2 à 7 ans), au cours duquel l'enfant croit que tout le monde pense comme lui et éprouve de la difficulté à percevoir la vie d'un autre point de vue que le sien. Au cours de ce stade, l'enfant apprend à former des concepts et à utiliser des symboles, et acquiert donc les habiletés nécessaires au langage. La pensée est concrète et irréversible ; d'où la difficulté pour l'enfant de penser en termes abstraits ou de renverser les événements dans son esprit.

3. C'est au cours du stade suivant, soit celui des « opérations concrètes » (de 7 à 12 ans), qu'émerge la pensée logique, que la réversibilité apparaît et que les enfants peuvent commencer à explorer les concepts.

4. Au stade des « opérations formelles » (de 12 ans jusqu'à l'âge adulte), les enfants peuvent penser en termes abstraits ou hypothétiques, sont capables de formuler des hypothèses, et peuvent raisonner par analogie et métaphore.

Bien sûr, ces travaux ont fait l'objet de nombreuses critiques, modifications et améliorations. La critique la plus sévère concerne la notion de « stades » fixes fondés sur l'âge : on objecte que les élèves peuvent se situer à de multiples stades en même temps (ce avec quoi Piaget était aussi d'accord), que les stades ne sont pas nécessairement liés à ces âges (Piaget considérait qu'il s'agissait de guides) et qu'il n'y a pas de séquence stricte. Case (1987, 1999) a montré que les stades du développement cognitif ne sont pas atteints au même rythme pour tous les domaines de connaissances, et que le fait d'améliorer les capacités d'un enfant sur le plan du traitement de l'information et de la mémoire de travail pourrait favoriser une meilleure compréhension générale.

L'aspect crucial réside dans le fait que les enfants peuvent penser différemment des adultes/enseignants, ce qui signifie qu'il faut accorder de l'attention à *la manière* dont ils apprennent et pas seulement à *la matière*. À partir des notions mises de l'avant par Piaget, Shayer (2003) a élaboré un programme d'«accélération cognitive» fondé sur trois grands piliers : l'esprit se développe en réaction à un défi ou à un déséquilibre, ce qui signifie que toute intervention doit susciter un certain *conflit cognitif* ; l'esprit évolue au fur et à mesure que nous prenons conscience des processus mentaux et que nous apprenons à les maîtriser ; et le développement cognitif est un processus social stimulé par un dialogue de qualité entre les pairs, soutenu par les enseignants. Le programme de Shayer a produit des tailles d'effet de 0,60 et plus.

Shayer (2003) évoque deux principes fondamentaux à l'intention des enseignants. D'abord, les enseignants doivent reconnaître que leur rôle consiste à faire des interventions permettant d'accroître la proportion d'enfants qui atteindront un niveau de pensée plus élevé, de manière à ce que les élèves puissent utiliser et travailler leur capacité de raisonnement tout au long de la leçon – c'est-à-dire que les enseignants doivent d'abord se préoccuper de *la manière* dont les élèves pensent.

> Si vous n'êtes pas en mesure de déterminer les niveaux mentaux des enfants dans votre classe et, simultanément, le niveau d'exigences cognitives de la leçon, comment pouvez-vous planifier et mettre en œuvre – en tenant compte des réactions des élèves – des interventions qui inciteront tout le monde à s'investir de façon féconde ? (Shayer, 2003, p. 481, traduction libre.)

Ensuite, l'apprentissage est collaboratif et nécessite un dialogue. Cela exige des enseignants qu'ils portent attention à tous les aspects de la médiation et de la construction du savoir entre pairs – notamment durant les discussions en grand groupe, en encourageant et en permettant les commentaires, les critiques et l'expression de tous les points de vue. Cela permet aux enseignants de prendre davantage conscience à la fois des niveaux de traitement impliqués par les différents aspects de l'activité et du fait que la réponse de chaque élève indique le niveau auquel il traite l'information – ce qui veut dire que les enseignants doivent aussi écouter en plus de parler.

On constate une tendance inquiétante au Royaume-Uni, à savoir que l'âge moyen des élèves qui atteignent le stade opératoire formel de Piaget semble être à la hausse (Shayer, 2003). Shayer soutient que cela pourrait découler de l'ampleur de l'attention accordée aux épreuves destinées à mesurer les connaissances accumulées. (S'il s'agit d'un résultat recherché par les pouvoirs publics, alors les enseignants et les élèves développent des moyens d'obtenir les résultats exigés des écoles par ces pouvoirs publics, au détriment du développement de niveaux de pensée supérieurs !) De plus, les niveaux de traitement d'un enfant de 11 ans ou de 12 ans qui s'apprête à entrer au secondaire couvrent environ 12 années de développement (en moyenne, entre les âges de 6 et 18 ans), et moins de 50 % des élèves qui sont dans leur 11e ou 12e année scolaire ont atteint le stade opératoire formel.

Le message à retenir est que nous devons connaître les acquis des élèves, savoir comment ils pensent, puis entreprendre de faire progresser tous les élèves vers l'atteinte des critères de réussite de la leçon.

4.2. Influence des perceptions de soi des élèves sur la leçon

7. Les enseignants sont conscients que les attitudes et les dispositions des élèves ont une incidence sur la leçon, et ils s'efforcent de les exploiter de façon positive au profit de l'apprentissage.

APPRENTISSAGE VISIBLE

Liste de vérification ✔
pour la planification

Outre leurs acquis, les élèves se présentent en classe avec une multitude d'autres dispositions, notamment en ce qui concerne la motivation, les stratégies d'apprentissage et la confiance en leur capacité à apprendre. À mes débuts dans le monde universitaire, j'ai passé de nombreuses années à étudier la notion de « concept de soi » et sa mesure (Hattie, 1992) : Comment les élèves se perçoivent-ils eux-mêmes ? Qu'est-ce qu'ils considèrent comme étant le plus important ? Et quelle influence cela a-t-il sur leur apprentissage et leurs résultats ? Deux grandes orientations se dégageaient de la recherche : il y avait les études portant sur la structure du concept de soi (Quelles sont les différentes façons dont nous nous percevons et comment ces perceptions sont-elles assimilées pour créer un concept de soi général ?) ; et les études traitant des processus qui sous-tendent le concept de soi (Comment traitons-nous l'information à propos de nous-mêmes ?). J'ai proposé un modèle permettant de réunir ces deux orientations et je l'ai appelé le « modèle de la corde » (Hattie, 2008).

La métaphore de la corde vise à faire ressortir que notre concept de soi n'est pas constitué d'un fil unique, mais de multiples perceptions entremêlées. La solidité de la corde « ne dépend pas d'une seule fibre s'étendant sur toute sa longueur, mais de l'enchevêtrement de nombreuses fibres » (Wittgenstein, 1958, section 67, traduction libre). La notion de « fibres » renvoie aux différents processus associés au concept de soi – notamment en ce qui concerne l'autoefficacité, l'anxiété, l'orientation des buts de performance ou de maîtrise – que nous utilisons pour sélectionner et interpréter l'information que nous recevons, et pour nous présenter aux autres. Les enseignants doivent savoir comment les élèves traitent l'information qui nourrit leurs perceptions d'eux-mêmes, afin qu'ils puissent les aider à développer la confiance nécessaire pour accomplir les tâches exigeantes, leur résilience face à l'erreur et à l'échec, leur ouverture d'esprit et leur volonté de partager avec leurs pairs ainsi que leur fierté à consacrer de l'énergie à l'atteinte de résultats probants.

Un aspect important de ce modèle est que les élèves font des choix en vue d'imposer un peu d'ordre, de cohérence et de prévisibilité à leur monde ; nous faisons des choix dans la manière dont nous interprétons les événements, lorsque nous envisageons divers plans d'action et lorsque nous accordons de l'importance aux décisions que nous prenons ou non (c'est pourquoi certains enfants désobéissants font tout pour confirmer la perception de chenapans qu'ils ont d'eux-mêmes). Ces choix visent à *protéger*, *présenter*, *préserver* et *promouvoir* notre image de soi, de façon à « étayer notre perception » – c'est-à-dire à maintenir une certaine estime de soi. Un objectif important de la formation scolaire consiste à permettre aux élèves d'« étayer leur perception » d'eux-mêmes en tant qu'apprenants capables d'acquérir des connaissances que nous jugeons valables.

Nous avons travaillé pendant de nombreuses années avec des détenus adolescents ; eux aussi s'efforçaient d'étayer leur perception d'eux-mêmes et utilisaient des stratégies semblables pour atteindre un certain niveau de connaissance et de compréhension – bien entendu, en vue de commettre des méfaits (Carroll, Houghton, Durkin et Hattie 2009). Nous avons constaté qu'ils valorisaient eux aussi les défis, l'engagement et la passion, et qu'ils élaboraient de nombreuses stratégies d'apprentissage pour réussir dans les domaines qui les intéressaient en tant qu'apprenants. Les enseignants et les directions doivent faire en sorte que les écoles soient de bons endroits pour acquérir les connaissances que nous jugeons importantes, mais ils ne doivent jamais penser que tous les élèves qui viendront à l'école partageront ces valeurs. Les intervenants scolaires doivent inviter les élèves à s'engager dans l'apprentissage de connaissances jugées importantes – ce qui implique d'offrir des défis appropriés et d'aider les élèves à prendre conscience de l'importance de la pratique délibérée dans l'apprentissage des matières scolaires (Purkey, 1992).

Parmi les processus auxquels les enseignants doivent porter attention et modifier au besoin, il y a l'autoefficacité, l'autohandicap, l'automotivation, les buts personnels, la dépendance aux directives d'autrui, le rejet ou la déformation de la rétroaction, le perfectionnisme et la comparaison sociale.

Autoefficacité. Ce concept désigne la confiance ou la foi que nous avons en notre capacité à apprendre. Les élèves dont l'autoefficacité est élevée sont plus susceptibles de percevoir les tâches difficiles comme des défis et de ne pas essayer de les éviter, et perçoivent les échecs comme des occasions d'apprendre et de déployer un plus grand effort ou de chercher à se renseigner davantage la prochaine fois. Ceux dont l'autoefficacité est faible risquent davantage d'éviter les tâches difficiles, qu'ils perçoivent comme des menaces personnelles ; ils sont susceptibles d'afficher un faible engagement envers la réalisation des objectifs et, en cas d'échec, de s'apitoyer sur leurs carences personnelles ou d'invoquer les obstacles rencontrés, ou de nier leur pouvoir d'action ; ils sont également lents à retrouver leur confiance.

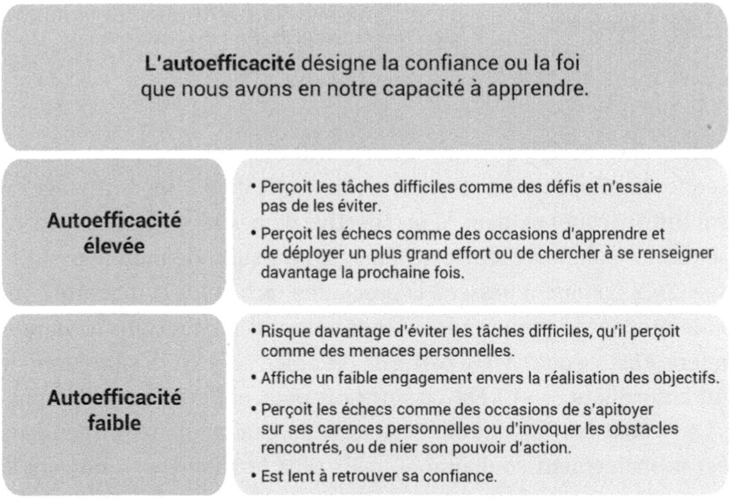

FIGURE 4.1.
Autoefficacité

Autohandicap. Ce phénomène survient lorsque l'élève crée des handicaps ou des obstacles à sa performance qui lui permettent d'imputer un échec non pas à son manque de compétence, mais à des causes externes. On peut donner comme exemple la procrastination, le choix de conditions non propices (p. ex. «le chien a mangé mon devoir»), le fait de se préparer peu ou pas du tout en vue des tâches à accomplir, le choix d'objectifs faciles à atteindre, l'exagération des obstacles à franchir pour réussir et la diminution stratégique de l'effort. En cas d'échec, l'élève a une excuse toute prête. Nous pouvons réduire l'autohandicap en offrant aux élèves plus d'occasions de réussir dans leur apprentissage, en diminuant l'incertitude face aux résultats d'apprentissage et en enseignant aux élèves à mieux monitorer leur propre apprentissage.

L'autohandicap survient lorsque l'élève crée des handicaps ou des obstacles à sa performance qui lui permettent d'imputer un échec non pas à son manque de compétence, mais à des causes externes.

Exemples	• Procrastination • Choix de conditions non propices • Peu ou pas de préparation en vue des tâches à accomplir • Choix d'objectifs faciles à atteindre • Exagération des obstacles à franchir pour réussir • Diminution stratégique de l'effort
Moyens de réduire le phénomène	• Offrir aux élèves davantage d'occasions de réussir dans leur apprentissage. • Diminuer l'incertitude face aux résultats d'apprentissage. • Enseigner aux élèves à mieux monitorer leur propre apprentissage.

FIGURE 4.2.
Autohandicap

Automotivation. Elle peut avoir une attribution intrinsèque ou extrinsèque: la source de satisfaction réside-t-elle dans l'apprentissage en soi (intrinsèque) ou dans la perspective de bénéfices perçus (extrinsèque)? «Comment réinvestir dans la poursuite de mon apprentissage?», «Comment passer à la prochaine tâche plus stimulante?» et «Maintenant je comprends...» sont autant d'illustrations de la première. «Est-ce que ça fera partie de l'examen?», «Est-ce que j'obtiens un autocollant?» et «Est-ce suffisant pour obtenir la note de passage?» sont des illustrations de la seconde. Une combinaison des deux est probablement souhaitable, mais plus le balancier tend vers la motivation intrinsèque, plus l'investissement dans l'apprentissage est grand et plus les gains sont importants. Une motivation trop extrinsèque peut donner lieu à un apprentissage d'éléments de surface, et à l'exécution du travail sans égard à la norme, dans le but d'obtenir des félicitations ou autres récompenses similaires.

L'automotivation peut avoir une attribution intrinsèque ou extrinsèque :
la source de satisfaction réside-t-elle dans l'apprentissage
en soi (intrinsèque)ou dans la perspective de bénéfices
perçus (extrinsèque) ?

Intrinsèque
- Plus l'investissement dans l'apprentissage est grand, plus les gains sont importants.
- Comment réinvestir mon temps et mon énergie dans mon apprentissage ?
- Comment passer à la prochaine tâche plus stimulante ?
- Maintenant je comprends...

Extrinsèque
- Apprentissage d'éléments plus superficiels, et exécution du travail sans égard à la norme et dans le but d'obtenir des félicitations ou autres récompenses similaires.
- Est-ce que ça fera partie de l'examen ?
- Est-ce que j'obtiens un autocollant ?
- Est-ce suffisant pour obtenir la note de passage ?

FIGURE 4.3.
Automotivation

Buts personnels. Les écrits traitant des buts que les élèves peuvent avoir sont nombreux. Il existe trois principaux types de buts :

- On parle de *buts de maîtrise* lorsque les élèves s'efforcent de développer leurs compétences et considèrent la «capacité» comme quelque chose qui peut être amélioré par un effort accru.

- On parle de *buts de performance* lorsque les élèves s'efforcent de mettre en évidence leurs compétences, notamment en faisant mieux que leurs pairs, et considèrent la «capacité» comme quelque chose de fixe plutôt que de malléable ou pouvant être modifié.

- On parle de *buts d'interaction sociale* lorsque les élèves sont plus préoccupés par leur façon d'interagir et d'entrer en relation avec les autres personnes de la classe.

Buts de maîtrise
- Les élèves s'efforcent de développer leurs compétences et considèrent la «capacité» comme quelque chose qui peut être amélioré par un effort accru.

Buts de performance
- Les élèves s'efforcent de mettre en évidence leurs compétences, notamment en faisant mieux que leurs pairs, et considèrent la «capacité» comme quelque chose de fixe plutôt que de malléable ou pouvant être modifié.

Buts d'interaction sociale
- Les élèves sont davantage préoccupés par leur façon d'interagir et d'entrer en relation avec les autres personnes de la classe.

FIGURE 4.4.
Buts personnels

Approche

- L'approche de la maîtrise consiste à s'efforcer d'apprendre les compétences.
- L'approche de la performance consiste à s'efforcer de faire mieux que les autres.
- L'approche de l'interaction sociale consiste à s'efforcer de travailler avec les autres pour apprendre.

Évitement

- L'évitement de la maîtrise consiste à s'efforcer d'éviter les échecs d'apprentissage.
- L'évitement de la performance consiste à s'efforcer de ne pas faire pire que les autres.
- L'évitement de l'interaction sociale consiste à s'efforcer de travailler avec les autres pour éviter d'apprendre.

FIGURE 4.5.
Approche et évitement

Les buts peuvent être d'«approche» (lorsque l'élève s'efforce d'apprendre ou de maîtriser les cibles de la leçon) ou d'«évitement» (lorsque l'élève s'efforce de ne pas faire pire que la dernière fois ou que les autres). La relation avec l'accomplissement est plus grande dans le cas de l'approche que dans celui de l'évitement.

Dépendance aux directives d'autrui. Le phénomène survient lorsque l'élève compte trop sur les directives des adultes. Dans beaucoup de classes de douance, notamment, les élèves peuvent s'efforcer de faire tout ce que l'enseignant demande, à tel point qu'ils n'apprennent pas à s'autoréguler, à s'automonitorer ou à s'autoévaluer. Bien que l'élève puisse gagner en estime et réussisse à accomplir les tâches en respectant les directives, sa réussite à plus long terme est loin d'être assurée en l'absence de telles directives. J'ai rencontré tellement d'élèves

La dépendance survient lorsque :

- L'élève compte trop sur les directives des adultes.
- L'élève s'efforce de faire tout ce que l'enseignant demande, à tel point qu'il n'apprend pas à s'autoréguler, à s'automonitorer ou à s'autoévaluer.

Implications

- Bien qu'il puisse gagner en estime et réussisse à accomplir les tâches en respectant les directives, sa réussite à plus long terme est loin d'être assurée en l'absence de telles directives.
- Beaucoup d'élèves travaillent pour des raisons extrinsèques, développent des stratégies dépendantes des directives d'autrui et connaissent des échecs lorsqu'ils doivent réguler leur propre apprentissage (surtout à l'université).

FIGURE 4.6.
Dépendance aux directives d'autrui

brillants qui travaillent pour des raisons extrinsèques, développent des stratégies dépendantes des directives d'autrui et connaissent des échecs lorsqu'ils doivent réguler leur propre apprentissage (surtout à l'université).

Rejet ou déformation de la rétroaction. Ce phénomène survient lorsque l'élève ne tient pas compte de données telles que des félicitations, une sanction ou une rétroaction parce qu'il ne considère pas l'information comme valable, exacte ou utile. Par exemple, lorsqu'une enseignante dit à un élève qu'il fait du bon travail, l'élève peut rejeter cette rétroaction, alléguant que l'enseignante dit toujours la même chose, qu'elle essaie seulement de le rassurer, que c'est seulement parce que le travail est proprement fait, pas parce qu'il est bien fait.

Le rejet ou la déformation de la rétroaction survient lorsque :

- L'élève ne tient pas compte de données telles que des félicitations, une sanction ou une rétroaction parce qu'il ne considère pas l'information comme valable, exacte ou utile.

Exemples

- Un enseignant dit à un élève qu'il fait du bon travail, mais l'élève rejette cette rétroaction, alléguant que :
- l'enseignant dit toujours la même chose ;
- l'enseignant essaie seulement de rassurer l'élève ;
- c'est seulement parce que le travail est proprement fait, pas parce qu'il est fait correctement.

FIGURE 4.7.
Rejet ou déformation de la rétroaction

Perfectionnisme. Le phénomène revêt plusieurs formes : nous pouvons nous fixer des objectifs si élevés que nous ressentons un sentiment d'échec lorsqu'ils ne sont pas atteints ; nous pouvons nous attendre à ce que les ressources soient parfaites et rejeter la faute sur l'absence de ressources (p. ex. le manque de temps) lorsque nous échouons ; nous pouvons procrastiner parce que les conditions ne sont pas parfaites pour assurer notre réussite ; nous pouvons nous attarder à des détails futiles et consacrer un temps exagéré à des tâches qui ne méritent peut-être pas un tel investissement ; ou nous pouvons adopter l'approche du «tout ou rien», estimant que la tâche ne vaut pas du tout la peine d'être réalisée ou doit l'être absolument. Bien que déployer tant d'efforts puisse procurer un certain plaisir, il est plus probable que les conséquences soient négatives.

> **Perfectionnisme**
>
> Nous pouvons nous fixer des objectifs si élevés que nous ressentons un sentiment d'échec lorsqu'ils ne sont pas atteints.
>
> Nous pouvons nous attendre à ce que les ressources soient parfaites et rejeter la faute sur le manque de ressources (p. ex. le temps) lorsque nous échouons.
>
> Nous pouvons procrastiner parce que les conditions ne sont pas parfaites pour assurer notre réussite.
>
> Nous pouvons nous attarder à des détails futiles et consacrer un temps exagéré à des tâches qui ne méritent peut-être pas un tel investissement.
>
> Nous pouvons adopter l'approche du «tout ou rien», estimant que la tâche ne vaut pas du tout la peine d'être accomplie ou qu'elle en vaut absolument la peine.

FIGURE 4.8.
Perfectionnisme

Désespoir. Le phénomène renvoie au fait que l'élève s'attend à ne réaliser aucun progrès scolaire et se sent impuissant face à cette situation. En pareil cas, l'élève évite les tâches scolaires, protège son image de soi en se faisant une réputation ou en obtenant du succès dans la poursuite d'autres activités (p. ex. en adoptant un comportement espiègle) et ne se rend pas compte que ses progrès scolaires dépendent de ses actions ou qu'il a du pouvoir sur ceux-ci. Un tel désespoir est vraisemblablement attribuable à des échecs scolaires passés, à la croyance que le rendement ne peut être amélioré facilement et est probablement relié à un faible degré d'autoefficacité, à la non-valorisation de l'apprentissage scolaire, à l'absence de stratégies d'apprentissage adaptées à la tâche ainsi qu'à un contexte difficile, trop exigeant ou punitif (Au, Watkins, Hattie et Alexander, 2009).

Comparaison sociale. Il s'agit d'un phénomène omniprésent dans les classes. Les élèves étudient souvent les comportements des autres afin de trouver des éléments permettant d'expliquer ou d'améliorer la conception qu'ils ont d'eux-mêmes. Par exemple, un élève très performant en mathématiques pourrait avoir un concept de soi en mathématiques très positif dans une classe de niveau moyen, mais après un transfert dans une classe d'enfants surdoués en mathématiques, son concept de soi pourrait s'effondrer du fait de la comparaison avec ses nouveaux compagnons. Marsh et ses collaborateurs (2008) ont parlé de l'effet du « gros poisson dans une petite mare » [*big-fish-little-pond effect*]. Il est essentiel d'enseigner à ces élèves qu'ils peuvent avoir de multiples sources de comparaison, de façon à atténuer tout effet négatif (Neiderer, 2011). Les élèves ayant une faible estime de soi utilisent fréquemment la comparaison sociale – particulièrement par rapport aux personnes moins favorisées qu'eux – et essaient souvent d'afficher

Désespoir	
Renvoie au fait que :	• L'élève s'attend à ne réaliser aucun progrès scolaire et se sent impuissant face à cette situation.
On le constate lorsque :	• L'élève évite les tâches scolaires. • L'élève protège son image de soi en se faisant une réputation ou en tâchant d'avoir du succès dans d'autres activités (p. ex. en adoptant un comportement espiègle). • L'élève ne se rend pas compte que ses progrès scolaires dépendent de ses actions ou qu'il a du pouvoir sur ceux-ci. • L'élève croit que le rendement ne peut être amélioré facilement. • L'élève apprend à déprécier l'apprentissage scolaire. • Le contexte est difficile, trop exigeant ou punitif.

FIGURE 4.9.
Désespoir

Comparaison sociale	• Les élèves étudient souvent les comportements des autres afin de trouver des éléments permettant d'expliquer ou d'améliorer la conception qu'ils ont d'eux-mêmes.
Gros poisson dans une petite mare	• Un élève très performant en mathématiques peut avoir un concept de soi en mathématiques très positif dans une classe de niveau moyen. • Après un transfert dans une classe d'enfants surdoués en mathématiques, son concept de soi pourrait s'effondrer du fait de la comparaison avec ses nouveaux compagnons. • Nous devons enseigner à ces élèves qu'ils peuvent avoir de multiples sources de comparaison.
Vantardise	• Les élèves se comparent à ceux qui sont moins favorisés qu'eux et affichent souvent une plus grande confiance en soi afin d'impressionner les autres, voire de s'impressionner eux-mêmes. • Elle peut créer une impression de compétence et susciter de l'aversion chez les pairs – surtout s'ils prennent conscience de la piètre performance de l'élève qui en fait usage.

FIGURE 4.10.
Comparaison sociale

une plus grande confiance en soi afin d'impressionner les autres, voire de s'impressionner eux-mêmes. Toutefois, la vantardise peut donner une impression de compétence et susciter de l'aversion chez les pairs – surtout s'ils prennent conscience de la piètre performance de l'élève qui utilise ce stratagème.

Lorsque les élèves font appel à des stratégies axées sur l'apprentissage plutôt que sur la performance, acceptent la rétroaction au lieu de la rejeter, se donnent des objectifs difficiles plutôt que faciles, comparent leur rendement à des critères disciplinaires plutôt qu'à celui des autres élèves, acquièrent un degré élevé d'efficacité pour l'apprentissage, et misent sur l'autorégulation et le contrôle personnel au lieu de subir un désespoir acquis dans les situations d'apprentissage scolaire, il est beaucoup plus probable qu'ils fassent des progrès scolaires et qu'ils s'investissent dans leur apprentissage. De telles dispositions peuvent être enseignées et peuvent être apprises.

Plus les objectifs d'apprentissage de l'enseignant sont transparents, plus l'élève est susceptible de s'engager dans les tâches à accomplir pour les réaliser. En outre, plus l'élève est conscient des critères de réussite, plus il peut comprendre les actions qui doivent être prises pour les remplir. Bien entendu, l'élève peut décider de ne pas s'engager, d'être activement désengagé ou d'adopter simplement une approche attentiste. Si l'enseignant n'énonce pas clairement les intentions d'apprentissage, alors le premier réflexe d'un élève est souvent de se comparer aux autres élèves – et quoi de plus facile que de choisir quelqu'un qui ne performe pas aussi bien que soi pour se donner à coup sûr le sentiment d'avoir réussi ! Schunk (1996) a montré que lorsque les objectifs sont clairs au début de la leçon, les élèves ont davantage confiance de parvenir à les atteindre. Leur confiance augmente au fur et à mesure qu'ils acquièrent des compétences et ce sentiment de confiance nourrit leur motivation et leur performance. Les évaluations formatives rapides (voir le chapitre 7) utilisées tout au long des leçons aident également les élèves à « voir » leurs progrès et, par le fait même, à monitorer leur investissement et leur confiance dans l'apprentissage.

4.3. Apprentissage ciblé

8. Les enseignants de l'école planifient conjointement des séries de leçons, avec des intentions d'apprentissage et des critères de réussite liés à des éléments pertinents du programme d'études.

L'apprentissage ciblé comporte deux aspects : le premier consiste à être clair en ce qui concerne les apprentissages qui doivent être tirés de la leçon (l'intention d'apprentissage) ; le deuxième consiste à prévoir un moyen de déterminer si les apprentissages escomptés ont été réalisés (les critères de réussite). L'apprentissage ciblé suppose que l'enseignant sait où il s'en va avec la leçon et s'assure que les élèves savent où ils s'en vont également. *La voie à suivre doit être claire pour les élèves*. La clarté de l'enseignant est essentielle, mais j'entends ici la clarté du point de vue des élèves. Les enseignants doivent savoir comment garder tous les élèves sur la bonne voie pour atteindre les objectifs d'apprentissage et être capables d'évaluer dans quelle mesure ils sont parvenus à faire progresser tout le monde vers ces objectifs. Des intentions d'apprentissage claires peuvent aussi contribuer à raffermir la confiance entre les élèves et l'enseignant, incitant les deux parties à s'impliquer davantage dans le travail à accomplir et à s'investir encore plus dans l'atteinte des cibles. Il ne s'agit pas de savoir « si » et « quand » les élèves parviendront à mener à bien les activités, mais de déterminer s'ils ont assimilé les concepts et les notions en lien avec les intentions de la leçon.

4.3.1. Intentions d'apprentissage

Les objectifs (c'est-à-dire les intentions d'apprentissage) de n'importe quelle leçon doivent combiner l'apprentissage de surface, en profondeur et conceptuel, la combinaison exacte étant tributaire des décisions de l'enseignant, lesquelles dépendent à leur tour de la façon dont la leçon s'insère dans le programme d'études. Les objectifs peuvent être à court terme (pour une leçon ou une partie de leçon) ou à plus long terme (pour une série de leçons), et leur suivi peut donc être assuré en fonction de l'importance et de l'efficacité, selon la complexité de l'apprentissage recherché et la durée de la leçon ou des leçons. Les intentions d'apprentissage valables indiquent clairement aux élèves le niveau de rendement à atteindre, de façon à ce qu'ils comprennent où et quand ils doivent s'investir (énergie, stratégies, réflexions), et où ils se situent dans leur cheminement vers la réussite scolaire. De cette façon, ils savent quand les apprentissages visés ont été réalisés. Les enseignants efficaces planifient efficacement en choisissant des objectifs suffisamment exigeants et en structurant ensuite la situation de façon à ce que les élèves puissent atteindre ces objectifs. Si les enseignants encouragent les élèves à s'investir dans l'atteinte de ces objectifs exigeants et donnent des rétroactions sur la façon de connaître du succès dans leur apprentissage, il y a alors plus de chances que les objectifs soient atteints.

Les intentions d'apprentissage décrivent ce que nous souhaitons que les élèves apprennent et leur clarté est au cœur de l'évaluation formative. Si les enseignants n'expriment pas clairement ce qu'ils souhaitent que les élèves apprennent (et à quoi ressemblent les résultats de cet apprentissage), il est peu probable qu'ils parviennent à bien évaluer cet apprentissage.

Clarke, Timperley et Hattie (2003) ont mis en relief quelques éléments importants concernant les intentions d'apprentissage et la planification :

- Faire connaître les intentions d'apprentissage aux élèves, de façon à ce qu'ils les comprennent et saisissent en quoi consiste la réussite. Il ne s'agit pas simplement de demander aux élèves de réciter les intentions d'apprentissage au début de la leçon, mais de s'assurer qu'ils ont une bonne compréhension de ce qu'on attend d'eux, de ce qui constitue les critères de réussite et des liens qui existent entre les tâches et les intentions.

- Tous les élèves de la classe ne travailleront pas au même rythme ou ne commenceront pas au même niveau, d'où l'importance d'adapter le plan concernant les intentions de façon à inclure l'ensemble des élèves.

- Le cheminement entre les objectifs de programme, les objectifs de rendement et les intentions d'apprentissage est parfois complexe parce que les documents des programmes d'études n'ont pas tous le même format et que l'apprentissage ne survient pas selon une séquence nette et linéaire.

- Les activités et les intentions d'apprentissage peuvent être regroupées, parce qu'une activité peut servir à plus d'une intention d'apprentissage ou qu'une intention d'apprentissage peut nécessiter plusieurs activités pour permettre aux élèves de bien comprendre.

- Les intentions d'apprentissage représentent ce que nous souhaitons que les élèves apprennent. Ils peuvent aussi apprendre des choses non planifiées (aussi bien positives que négatives) et les enseignants doivent être conscients des conséquences inattendues.

- Il convient de terminer chaque unité ou leçon en revenant sur les intentions d'apprentissage et d'aider les élèves à prendre conscience des progrès réalisés par rapport aux critères de réussite.

Les élèves ont souvent besoin qu'on leur enseigne explicitement les intentions d'apprentissage et les critères de réussite. Sandra Hastie (2011) a étudié la nature des objectifs que se fixent les élèves des niveaux scolaires intermédiaires. Elle a découvert qu'au mieux les élèves se donnent des buts de performance du genre : «Mon objectif est de terminer le travail plus vite, de faire un meilleur travail ou de produire un travail plus long.» Elle a ensuite effectué une série d'études en vue d'enseigner aux élèves à se fixer des buts de maîtrise («Mon objectif est de comprendre les concepts»), mais cette démarche n'a pas été aussi concluante que celle consistant à enseigner aux enseignants la façon d'aider les élèves à se donner des buts de maîtrise. Des stratégies ont été fournies aux enseignants afin qu'ils montrent aux élèves comment se fixer et rédiger des objectifs de surpassement de soi ; la valeur des objectifs SMART (*specific, measurable, ambitious, results-oriented, timely*[1]) ; la façon de subdiviser les buts en micro-objectifs ; ce qu'on entend par objectif exigeant ; ce que représente la réussite par rapport aux objectifs ; et l'utilité de remplir un questionnaire d'autoévaluation. Dans un journal, les élèves étaient invités, avec l'aide de leurs enseignants, à rédiger trois objectifs pour la leçon qu'ils s'apprêtaient à entreprendre. On leur fournissait ensuite des exemples de réussite par rapport à chaque objectif et on leur demandait d'évaluer leur prestation après chaque leçon.

Exemples de questions à poser avant la leçon :

- «Quels sont les objectifs d'aujourd'hui ? »
- «Qu'est-ce que je sais déjà en ce qui concerne les objectifs d'aujourd'hui ? » («Rien du tout » – «Beaucoup de choses »)
- «Je crois que les objectifs d'aujourd'hui seront... » («Très difficiles » – «Très faciles »)
- «Quel effort vais-je déployer pour atteindre les objectifs d'aujourd'hui ? » («Aucun » – «Beaucoup »)

Exemples de questions à poser après la leçon :

- «Quels étaient les objectifs d'aujourd'hui ? »
- «Ai-je atteint ces objectifs ? » («Pas du tout » – «Tout à fait »)
- Quel effort ai-je déployé ? («Pas beaucoup » – «Beaucoup »)

On a ensuite fourni aux élèves une liste de raisons qu'ils devaient cocher pour expliquer pourquoi ils estimaient avoir atteint les objectifs. Par exemple :

- «Je voulais apprendre le contenu de la leçon d'aujourd'hui. »
- «Je voulais atteindre les objectifs d'aujourd'hui. »
- «J'ai été attentif. »
- «J'ai vérifié mes réponses. »
- «J'ai trouvé pourquoi j'avais commis une erreur. »
- «J'ai consulté les exemples dans mon manuel. »

De même, ils ont indiqué les raisons pour lesquelles ils n'avaient pas atteint les objectifs. Par exemple :

- «J'étais distrait. »
- «J'ai abandonné. »
- «C'était trop difficile. »

---

1. Spécifique, Mesurable, Atteignable, axé sur les Résultats et limité dans le Temps (Communauté d'apprentissage professionnelle – CAP, 2014, p. 3).

- « C'était trop facile. »
- « Je ne comprenais pas ce que je devais faire. »
- « Je me suis dépêché parce que je voulais terminer rapidement. »
- « L'enseignant était trop occupé avec les autres. »

Pour les 339 élèves, la taille d'effet concernant les résultats en mathématiques entre le groupe ayant établi des objectifs et le groupe témoin, sur une période de huit semaines, a été de 0,22 – soit un rendement raisonnable pour un investissement modeste. Fait tout aussi important, des gains beaucoup plus considérables ont été réalisés du point de vue de l'attention et de la motivation, de l'engagement envers l'atteinte des objectifs ainsi que de l'information recueillie par les enseignants sur les raisons pour lesquelles les élèves ont ou n'ont pas atteint les objectifs. Lorsque les enseignants montrent aux élèves la façon d'établir des buts de maîtrise et à quoi ressemble l'atteinte de ces objectifs, l'attention et la motivation à réussir augmentent, tout comme le degré de réussite. Il s'agit de compétences apprises, aux conséquences considérables.

Une autre façon de se fixer des objectifs consiste à viser le surpassement de soi. Andrew Martin (2006) a démontré l'utilité de cette méthode et comment les objectifs de surpassement de soi peuvent améliorer le plaisir d'apprendre, la participation en classe et la persévérance. Il a cerné deux dimensions pour les objectifs de surpassement de soi (OSS), à savoir la spécificité et le degré de difficulté. Les objectifs de surpassement de soi peuvent atténuer l'ambiguïté par rapport à ce qui doit être accompli, et le degré de difficulté associé à un OSS doit être plus élevé que celui du meilleur niveau de rendement atteint dans le passé. Fait plus important encore, les OSS sont liés à l'atteinte de normes *personnelles*, et c'est ce qui les distingue de beaucoup d'autres objectifs. Il y a un aspect de compétition (par rapport aux meilleurs résultats déjà atteints) et d'amélioration personnelle (la réussite mène à l'amélioration du rendement).

Martin souligne que les OSS stimulent la motivation. Il en résulte une conscience des objectifs, de leur accessibilité, des ajustements à apporter ainsi que des diverses stratégies pouvant permettre à l'élève de les atteindre. En outre, il semble que viser des OSS peut favoriser la réussite scolaire, qu'il s'agisse de buts de performance ou de maîtrise.

> Les interventions [axées sur le surpassement de soi] pourraient avoir pour but d'aider les élèves à développer leur capacité à se fixer des objectifs personnalisés, spécifiques et

plus exigeants que ceux qu'ils ont déjà atteints, ainsi qu'à développer des stratégies pour atteindre ces objectifs (Martin, 2006, p. 269, traduction libre).

Les objectifs sont importants pour les enseignants. Butler (2007) a constaté que les enseignants ont différentes orientations par rapport aux objectifs d'enseignement. Elle a d'abord demandé aux enseignants de préciser ce qui constituait pour eux une « journée fructueuse » ; elle a cerné quatre principaux facteurs qui ont permis d'établir quatre formes de motivation (voir le résumé du tableau 4.1).

Un corrélat important de ces motivations était la sollicitation d'aide de la part des élèves : uniquement dans l'approche de la maîtrise percevait-on la sollicitation d'aide de la part des élèves comme une façon utile de stimuler l'apprentissage. Ces enseignants ont fait savoir aux élèves que poser des questions était une bonne façon d'apprendre ; ils ont prévu des occasions de poser des questions ; ils ont invité les élèves à prendre conscience de leurs erreurs et à agir en vue de les corriger ; ils ont propagé le message que la sollicitation d'aide n'est pas un signe d'incompétence, mais traduit un désir d'apprendre, et qu'ils étaient ouverts à répondre aux questions. Ces enseignants avaient le sentiment d'être performants lorsqu'ils apprenaient de nouvelles choses, lorsque quelque chose dans la classe suscitait

TABLEAU 4.1. Quatre principaux facteurs influant sur l'orientation des enseignants par rapport à leurs objectifs d'enseignement

Quatre principaux facteurs	Exemple	Motivations des enseignants
Approche de la maîtrise	« J'ai appris quelque chose de nouveau sur moi ; les questions des élèves m'ont fait réfléchir. »	Démontrer une compétence pédagogique supérieure.
Approche de la compétence	« Mon groupe a obtenu de meilleurs résultats que les autres groupes ; mon plan de leçon était le meilleur. »	Apprendre et acquérir des connaissances et des compétences professionnelles.
Approche d'évitement du travail	« Mes élèves n'ont pas posé de questions difficiles ; mon groupe n'a pas fait pire à l'examen. Mon groupe n'est pas celui qui accuse le plus de retard. »	Éviter la démonstration de compétences inférieures.
Approche d'évitement de la compétence	« Je n'ai pas eu besoin de préparer mes leçons ; je m'en suis tiré sans travailler dur ; je n'avais pas de travaux à corriger. »	Passer à travers la journée sans trop faire d'efforts.

leur réflexion, lorsqu'ils parvenaient à surmonter des difficultés et qu'ils se rendaient compte que leur enseignement s'améliorait. Ils étaient plus susceptibles de convenir que leur façon d'enseigner orientait les élèves vers des buts de maîtrise, et leur proposait des tâches plus exigeantes et stimulantes favorisant le développement de la pensée critique et indépendante (Retelsdorf, Butler, Streblow et Schiefele, 2010).

Les deux dernières motivations (évitement du travail et évitement de la compétence), en particulier, étaient associées à la non-sollicitation d'aide – voire au découragement de toute démarche en ce sens. Les élèves de ces enseignants ont relevé qu'ils avaient plus tendance à tricher, qu'ils étaient moins susceptibles de demander de l'aide à leurs enseignants, qu'on leur proposait plutôt des tâches faciles pour lesquelles les notes étaient élevées, et qu'ils pensaient que les élèves qui posaient des questions ou sollicitaient de l'aide étaient considérés comme moins intelligents par les enseignants.

Le monde de l'éducation a besoin de plus d'enseignants qui adoptent des approches axées sur la maîtrise.

4.3.2. Critères de réussite

Les critères de réussite sont liés à la connaissance des objectifs – c'est-à-dire comment sait-on que les objectifs ont été atteints ? L'intention d'apprentissage « *Apprendre à utiliser les adjectifs* », par exemple, n'indique pas aux élèves les critères de réussite ou la façon dont ils seront évalués. Imaginons que je vous demande simplement de monter à bord de votre voiture et de vous mettre en route, vous laissant savoir à un moment donné que vous êtes arrivé à destination (si tant est que vous y arriviez). Pour beaucoup trop d'élèves, c'est ainsi qu'ils se sentent par rapport à l'apprentissage. Au mieux, ils savent que lorsqu'ils auront atteint les objectifs, on leur en demandera davantage (c'est-à-dire de « poursuivre leur route »). Il n'est donc pas étonnant qu'un grand nombre d'élèves se lassent de l'apprentissage scolaire. Dans l'exemple des « *adjectifs* », on pourrait donner les critères de réussite suivants : « *Il faut que tu aies utilisé au moins cinq adjectifs.* » ou « *Il faut que tu aies utilisé un adjectif devant un nom à au moins quatre reprises de façon à dresser un portrait détaillé qui aidera le lecteur à visualiser la jungle et la lumière qui la baigne.* » Les élèves peuvent participer activement à l'établissement des critères de réussite avec l'enseignant.

Il ne faut pas commettre l'erreur de lier les critères de réussite à la simple participation à l'activité ou au fait qu'une leçon a été intéressante et agréable ; l'idée principale est plutôt d'inciter les élèves à relever et à apprécier le défi de l'apprentissage. Ce sont les défis qui nous incitent à continuer à poursuivre des objectifs et à nous engager à les réaliser.

4.4. Cinq composantes des intentions d'apprentissage et des critères de réussite

9. Il existe des preuves que les leçons planifiées :
   a. proposent des défis appropriés qui incitent les élèves à s'investir dans leur apprentissage ;
   b. exploitent et développent la confiance des élèves, en vue de réaliser les intentions d'apprentissage ;
   c. reposent sur des attentes suffisamment élevées à l'égard des résultats des élèves ;
   d. amènent les élèves à se fixer des objectifs à maîtriser et à vouloir réinvestir leurs acquis dans leur apprentissage ;
   e. comportent des intentions d'apprentissage et des critères de réussite qui sont bien connus des élèves.

APPRENTISSAGE VISIBLE

Liste de vérification ✔
pour la planification

Il existe cinq composantes essentielles dans les intentions d'apprentissage et les critères de réussite : le défi, l'engagement, la confiance, les attentes élevées et la compréhension conceptuelle.

4.4.1. Défi

La notion de « défi » est relative – puisqu'elle tient compte à la fois du rendement et du niveau de compréhension actuels de l'élève ainsi que des critères de réussite découlant des intentions d'apprentissage. Le défi ne devrait pas être difficile au point que l'objectif paraisse inatteignable compte tenu des résultats antérieurs/acquis de l'élève, de son autoefficacité ou de son niveau de confiance ; l'enseignant et l'élève doivent plutôt être capables de percevoir la possibilité d'atteindre un objectif exigeant – notamment grâce à des stratégies permettant de mieux comprendre l'objectif ou l'intention, à des plans de mise en œuvre et (de préférence) à une volonté de le réaliser.

Il est fascinant de constater comment le défi est lié à ce qu'on sait déjà : dans le cas de la plupart des tâches scolaires, on doit savoir à peu près 90 % de ce qu'on cherche à maîtriser pour pouvoir apprécier le défi et en tirer le maximum (Burns, 2002). En lecture, la cible est un peu plus élevée : on doit connaître de 95 à 99 % des mots sur une page pour pouvoir apprécier le défi que présente la lecture d'un texte particulier (Gickling, 1984). En bas de 50 %, il est presque assuré que les élèves se désengageront et que leur réussite sera limitée.

Les enseignants considèrent souvent que le défi réside dans l'activité elle-même – c'est-à-dire que la tâche est exigeante – alors qu'il se trouve dans la difficulté d'accomplir la tâche pour les élèves (Inoue, 2007). Une tâche peut être foncièrement exigeante, mais si l'élève ne s'engage pas et n'investit pas dans sa réalisation, il se peut qu'elle ne soit pas difficile pour lui. Même si le défi constitue l'un des ingrédients essentiels de l'apprentissage, la clé consiste à s'assurer qu'il est adapté à l'élève. D'où l'importance de relier une tâche aux apprentissages déjà faits.

Il existe aussi une relation de réciprocité entre la difficulté des objectifs et la puissance de la rétroaction. Si les objectifs sont plus exigeants, alors la rétroaction est plus puissante. Si les objectifs sont faciles, alors la rétroaction a un effet moindre. Si vous savez déjà quelque chose, alors la rétroaction a peu de valeur.

Le problème avec la notion de «défi» est son caractère individuel : ce qui dépasse un élève peut être facilement compris par un autre. Carol Tomlinson (2005, p. 163-164, traduction libre) a très bien résumé la chose :

> Veiller à ce qu'un défi soit adapté aux besoins particuliers d'un apprenant à un moment donné est l'un des rôles essentiels de l'enseignant qui semble être non négociable du point de vue de la progression de l'élève. Nos connaissances actuelles laissent entendre qu'un élève ne peut apprendre que si le travail est moyennement exigeant pour lui et que s'il a de l'aide pour acquérir une maîtrise qui semblait inatteignable au départ.

Les défis engendrent souvent de la dissonance, un déséquilibre et le doute. La plupart d'entre nous ont besoin de filets de sécurité pour accepter de prendre le risque de relever le défi, particulièrement lorsque notre compréhension conceptuelle sous-jacente est peut-être en péril.

Beaucoup d'enseignants trouvent que favoriser la dissonance, le déséquilibre et le doute peut être décourageant pour les élèves. Le but n'est certainement pas de rendre la vie difficile aux élèves, de les rebuter et de les amener à se désengager. Cette création positive de tension fait ressortir l'importance pour les enseignants de favoriser et d'accepter les erreurs, puis d'aider les élèves à comprendre la valeur de ces erreurs pour assurer leur progression ; telle est l'essence d'un enseignement de grande qualité. Être capable de détourner l'attention de l'individu vers la tâche, vers la nature de l'erreur et vers les stratégies permettant d'en tirer profit témoigne de la compétence de l'enseignant. Réussir quelque chose qui vous semblait difficile est le meilleur moyen d'améliorer l'autoefficacité et l'image de soi en tant qu'apprenant.

4.4.2. Engagement

Créer des leçons qui susciteront l'engagement des élèves dans leur apprentissage est moins crucial que s'assurer que la tâche pose un défi – ce qui veut dire que l'engagement vient au second plan. L'engagement renvoie au désir ou à la détermination d'un élève (ou d'un enseignant) à atteindre un objectif : plus l'engagement est grand, meilleur sera le rendement.

L'engagement a un effet plus grand lorsqu'il s'agit d'investir dans l'accomplissement de tâches difficiles. Lorsqu'on s'efforce de rendre les activités intéressantes, pertinentes, authentiques et engageantes, il faut faire attention de ne pas tomber dans l'occupationnel en négligeant l'apprentissage et les défis. L'engagement est plus grand dans les classes où les élèves perçoivent l'enseignement comme exigeant et où des pairs font face aux mêmes défis (Shernoff et Czsikzenhmilayi, 2009). Il ne s'agit pas de sous-estimer le pouvoir de l'engagement dans l'équation d'apprentissage : de façon générale, lorsqu'ils sont combinés, les facteurs d'engagement et de défi constituent de puissants ingrédients du point de vue de la planification et de l'apprentissage.

Tout au long du parcours des élèves au primaire, les pairs sont une source importante de stimulation de cet engagement envers l'apprentissage scolaire – par le biais de la pression exercée, de l'exemple et de la compétition (Carroll *et al.*, 2009). Le but de l'enseignant est donc d'aider les élèves à acquérir une réputation de bons apprenants auprès de leurs pairs.

4.4.3. Confiance

Avoir confiance en sa capacité d'atteindre les objectifs d'apprentissage est essentiel. Cette confiance peut venir de l'élève lui-même (en raison de succès scolaires antérieurs), de l'enseignant (en offrant un enseignement et des rétroactions de qualité pour assurer la réussite de l'élève), des tâches à accomplir (par un étayage approprié à tous les échelons de la réussite) et des pairs (par les rétroactions, le partage et l'absence de distraction). Dans tous les cas, le mantra est : « Je pense que je suis capable… Je pense que je suis capable… Je *sais* que je suis capable… », suivi de « Je pensais que j'étais capable… Je pensais que j'étais capable… Je *savais* que j'étais capable… ». Une telle confiance peut se transformer en résilience – particulièrement face à l'échec. La résilience est la capacité de réagir à l'adversité, aux défis, à la tension ou à l'échec de manière adaptative et productive. La capacité à s'adapter à ces situations découle un peu du même principe que lorsqu'on procède à l'injection d'un pathogène pour stimuler le développement d'une résistance et surmonter ainsi la maladie.

4.4.4. Attentes des élèves

Les prédictions/attentes des élèves par rapport à leurs résultats sont le facteur qui a la plus grande influence selon *Visible Learning*. Dans l'ensemble, les élèves ont une perception raisonnablement exacte de leur niveau de rendement scolaire. Pour les six méta-analyses (concernant environ 80 000 élèves), l'effet (*d*) était de 1,44, soit une corrélation d'à peu près 0,80 entre l'estimation des élèves et leur rendement subséquent dans l'exécution des tâches scolaires.

> D'un côté, cela révèle le caractère hautement prévisible du rendement en classe (et devrait remettre en question la nécessité d'imposer autant d'épreuves puisque les élèves semblent déjà posséder une grande partie de l'information qu'elles sont censées fournir). D'un autre côté toutefois, ces attentes par rapport à leur réussite (qui sont parfois inférieures à ce que les élèves sont capables d'atteindre) pourraient devenir une entrave pour certains élèves susceptibles de viser uniquement un rendement conforme à la perception qu'ils ont déjà de leur capacité (Hattie, 2009, p. 44, traduction libre).

Deux groupes au moins ne sont pas aussi aptes à prédire leur rendement et tendent à donner une orientation pas toujours souhaitable à leurs prédictions : les élèves issus des minorités et les élèves moins performants. Leurs estimations ou leurs perceptions en matière de rendement sont moins précises. Ils ont tendance à sous-estimer leur rendement et, au fil du temps, finissent par croire que ces estimations sont vraies et par perdre confiance en leur capacité à accomplir des tâches plus difficiles. De nombreuses études ont examiné les moyens de corriger cette orientation et d'inciter les élèves à avoir davantage confiance en leur capacité ou à faire preuve d'une plus grande efficacité. Changer la propension des élèves à faire de telles prédictions concernant leur rendement s'est révélé fort difficile, souvent parce que ce manque de confiance en soi et ce sentiment d'impuissance se sont développés et ont été nourris sur une longue période. Au moment d'entrer dans l'adolescence, ces élèves envisagent souvent une autre solution : abandonner ce lieu que les adultes appellent l'« école ».

Le fait de refléter aux élèves leur rendement ne change rien. Il est plus efficace d'insister sur la réalisation d'une évaluation exacte que de récompenser l'amélioration du rendement. Le message à retenir est que les enseignants doivent donner aux élèves des occasions de prédire leur rendement. Plus précisément, exposer les intentions d'apprentissage et les critères de réussite, établir des attentes élevées mais adéquates et offrir des rétroactions appropriées (voir le chapitre 7) sont des aspects essentiels pour renforcer la confiance d'un élève en sa capacité d'accomplir des tâches exigeantes. Faire prendre conscience aux élèves de la nécessité de se fixer des attentes élevées, exigeantes, mais adéquates est l'un des aspects du travail de l'enseignant qui a la plus grande influence sur l'amélioration du rendement scolaire.

4.4.5. Compréhension conceptuelle

La nature de la réussite soulève des questions quant à celle des résultats. Il existe au moins trois niveaux de compréhension : de surface, en profondeur et conceptuel (Hattie, 2009, p. 26-29). Le meilleur modèle permettant de comprendre ces trois niveaux et de les intégrer dans les intentions d'apprentissage et les critères de réussite est le modèle SOLO (*Structure of Observed Learning Outcomes*) élaboré par Biggs et Collis (1982).

Ce modèle comporte quatre niveaux : «unistructurel» (traiter une idée), «multistructurel» (traiter plusieurs idées), «relationnel» (comprendre les relations entre les idées) et «abstrait étendu» (transférer les idées). Les deux premiers niveaux concernent un apprentissage de surface et les deux derniers, un traitement de l'information plus en profondeur (voir l'exemple de la figure 4.11). Ensemble, les compréhensions de surface et en profondeur amènent l'élève à développer une compréhension conceptuelle.

Compréhension de surface
- Unistructurel
- Multistructurel

- Qui a peint l'œuvre intitulée *Guernica* ?
- Donne au moins deux principes compositionnels utilisés par Picasso dans la création de *Guernica*.

Compréhension en profondeur
- Relationnel
- Abstrait étendu

- Relie le thème de *Guernica* à un événement d'actualité.
- Selon toi, qu'est-ce que Picasso a voulu exprimer en peignant *Guernica* ?

FIGURE 4.11.
Quatre questions liées à la taxonomie SOLO

Nous avons utilisé le modèle SOLO pour l'élaboration de notre système d'évaluation (voir Hattie et Brown, 2004 ; Hattie et Purdie, 1998) et avons découvert que la plupart des épreuves (aussi bien celles élaborées par les enseignants que les tests standardisés) sont dominées par les apprentissages de surface. En fait, la plupart des questions posées par les enseignants en classe sont superficielles (et souvent fermées également). Au minimum, il faut viser un équilibre entre les apprentissages de surface et en profondeur. Nous avons aussi utilisé la distinction entre la compréhension de surface et en profondeur pour la notation de tâches ouvertes telles que des dissertations, des réalisations et des expériences (voir Glasswell, Parr et Aikman, 2001 ; Coogan, Hoben et Parr, 2003), pour la classification des programmes en techniques d'étude (Hattie, Biggs et Purdie, 1996), pour l'identification des enseignants experts (Smith *et al.*, 2008) et pour l'évaluation des programmes de douance (Maguire, 1988).

Steve Martin est un enseignant de sciences au Howick College (Auckland, Nouvelle-Zélande) qui utilise les intentions d'apprentissage, les critères de réussite et la complexité (selon la taxonomie SOLO) pour la préparation de toutes les unités de travail. Prenons, par exemple, une série de leçons sur la lumière et le son. Martin débute par des prétests – parfois sous la forme d'une discussion en classe, d'une épreuve écrite ou de questions posées à trois élèves (aux habiletés différentes). Il parcourt ensuite les intentions d'apprentissage présentées au tableau 4.2 avec les élèves. Il jette ainsi les bases d'un excellent système qui lui permet de suivre la progression des élèves au fil des diverses intentions d'apprentissage, à partir du stade où ils étaient au début de la leçon, tout en étant conscient (comme les élèves) de ce que représente la réussite – à différents niveaux de complexité. Il accompagne chaque feuille d'intentions d'apprentissage de ressources, de mots clés et ainsi de suite.

4.5. Programme d'études : ce qui devrait être enseigné, le choix des ressources et la progression

APPRENTISSAGE VISIBLE

✔ Liste de vérification pour la planification

10. Tous les enseignants connaissent très bien le programme d'études – du point de vue du contenu, des niveaux de difficulté, des progrès escomptés – et partagent des interprétations communes à l'égard de celui-ci.

Maintenant que les ingrédients clés de la planification ont été cernés, il convient d'aborder une question évaluative cruciale sur laquelle les enseignants doivent se pencher : Quelles connaissances et notions devraient être enseignées ? S'ensuivent immédiatement deux sous-questions : 1) Quelles connaissances et notions sont importantes ? 2) Quelles connaissances et notions procureront les gains et les apprentissages cognitifs les plus importants ?

Le point de départ pour déterminer ce qui doit être enseigné, le degré de complexité approprié ainsi que les objectifs souhaitables, devrait être le programme d'études – lequel fait normalement l'objet

TABLEAU 4.2. Exemple d'intentions d'apprentissage et de critères de réussite, classés par catégorie de complexité selon la taxonomie SOLO

Intentions d'apprentissage		Critères de réussite	
SOLO 1 : RECONNAÎTRE QUE LA LUMIÈRE ET LE SON SONT DES TYPES D'ÉNERGIE DÉTECTÉS PAR LES OREILLES ET LES YEUX			
Uni/multistructurel	Reconnaître que la lumière et le son sont des formes d'énergie et ont des propriétés.	Je peux nommer au moins une propriété de la lumière et du son.	❑
Relationnel	Savoir que la lumière et le son peuvent être transformés en d'autres formes d'énergie.	Je peux expliquer comment la lumière et le son peuvent être transformés en d'autres formes d'énergie.	❑
Abstrait étendu	Comprendre comment la lumière et le son nous permettent de communiquer.	Je peux discuter de la manière dont la lumière et le son nous permettent de communiquer.	❑
SOLO 2 : ÊTRE CAPABLE DE TRACER UNE NORMALE, DE MESURER DES ANGLES ET DE DÉFINIR LA LOI DE LA RÉFLEXION			
Uni/multistructurel	Être capable de tracer des diagrammes de rayons, y compris la normale, avec les bons angles.	Je peux tracer un diagramme de rayons avec les bons angles.	❑
Relationnel	Être capable de définir la loi de la réflexion et de faire le lien entre les notions d'«incidence» et de «rayon réfléchi».	Je suis capable de définir la loi de la réflexion et de faire le lien entre les notions d'«incidence» et de «rayon réfléchi», de «normale» et de «surface lisse».	❑
Abstrait étendu	Reconnaître que la loi de la réflexion est vraie pour toutes les surfaces planes et permet de prédire ce qui arrivera si la surface est rugueuse.	Je peux prédire ce qui arrivera si la lumière est réfléchie par une surface rugueuse et expliquer pourquoi cela se produit.	❑
SOLO 3 : ÊTRE CAPABLE D'UTILISER DES BOÎTES À RAYONS POUR COMPRENDRE LE COMPORTEMENT DES MIROIRS CONCAVES ET CONVEXES			
Uni/multistructurel	Savoir que le fait de changer la distance d'un objet par rapport à un miroir concave modifie l'aspect de l'image.	Je peux reconnaître qu'une image réfléchie par un miroir concave change lorsqu'on approche ou qu'on éloigne l'objet du miroir.	❑
Relationnel	Être capable d'expliquer pourquoi les miroirs concaves sont appelés «miroirs convergents» et les miroirs convexes, «miroirs divergents».	Je peux expliquer (à l'aide de diagrammes) pourquoi les miroirs concaves et les miroirs convexes sont appelés respectivement «miroirs convergents» et «miroirs divergents».	❑
Abstrait étendu	Reconnaître le tracé des rayons réfléchis par des miroirs concaves et convexes, et être capable de faire une généralisation.	Je peux rédiger une généralisation à propos du tracé des rayons réfléchis par des miroirs concaves et convexes.	❑

de vifs débats. Les programmes d'études peuvent être locaux, natio-naux ou internationaux (comme le baccalauréat international), et ils sont tous différents. Toutefois, ils diffèrent davantage par rapport à la focalisation des sujets et des thèmes de premier ordre que sur le fond – du moins en ce qui concerne la lecture et les mathématiques. La plus grande différence ne se situe souvent pas dans les apprentis-sages de second ordre des programmes d'études, plus superficiels, mais bien dans les apprentissages de premier ordre. Par exemple, dans le cadre de notre travail d'évaluation, nous avons cerné 140 objectifs spécifiques en lecture pour la Nouvelle-Zélande ; lorsque nous avons adapté notre outil d'évaluation (asTTle) aux écoles de la ville de New York, les mêmes 140 objectifs étaient présents, mais regroupés en notions de premier ordre d'une manière bien différente. De même, lorsque la Nouvelle-Zélande a entrepris une révision majeure de son programme en lecture, les notions de premier ordre ont changé, pas-sant de l'inférence, de la recherche d'information, de la compréhen-sion, des liens, des connaissances et des caractéristiques de surface (grammaire, ponctuation et orthographe), au langage, à l'inférence, aux objectifs, aux processus et aux caractéristiques de surface – mais les mêmes 140 objectifs ont seulement été réarrangés.

Les programmes d'études peuvent être différents du point de vue de l'ordre ou de la progression : certains objectifs arrivent avant ou après d'autres. Il existe trop peu de données probantes au sujet de ce qui constitue l'ordre optimal et, dans certains domaines, de l'exis-tence même d'un ordre. Par exemple, en mathématiques au secon-daire, les élèves sont appelés à apprendre plusieurs notions, mais l'ordre de cet apprentissage n'est probablement pas si crucial (comme l'illustrent les nombreuses différences sur le plan de l'ordre qui existent d'un système à l'autre). Ce qui semble plus important est le niveau de difficulté croissant que peut impliquer le choix des sujets enseignés dans le cadre des programmes d'études. C'est la notion de « défi », surtout, qui est intimement liée au choix des activités, des leçons et des résultats d'apprentissage. D'où l'argument que bien que « le programme d'études constitue l'élément le plus important » en ce qui concerne le choix de la matière, il est tout aussi essentiel de tenir compte des notions de « défi », d'« engagement », de « confiance » et de « compréhension conceptuelle ».

Il semble qu'à bien des endroits on constate actuellement une certaine obsession pour les contrôles et l'élaboration de standards de plus en plus précis – les programmes d'études sont donc conçus de bas en haut, à partir des standards jusqu'aux « idées maîtresses sous-jacentes ». L'accent semble être mis sur l'alignement de ce qui est évalué avec ce qui est enseigné, de ce qui est déclaré (c'est-à-dire les résultats) avec ce qui est enseigné, de ce que devraient être les standards (donc ce qui est enseigné) avec ce qui est assujetti à des questions de valeur ajoutée ou de reddition de comptes. La solution aux enjeux concernant l'élaboration de programmes d'études communs, l'ordre approprié des contenus d'enseignement et, plus important encore, la matière qui devrait être enseignée dans une société démocratique est souvent fournie par des questions basées sur les résultats à des épreuves plutôt que par des discussions sur ce qui vaut la peine d'être préservé dans notre société et ce qu'il faut savoir pour être en mesure de mener une « bonne vie ».

4.5.1. Choix des ressources

Bien souvent, la planification porte beaucoup plus sur les ressources et les activités. Or, l'approche de l'*apprentissage visible* prône de ne s'attaquer à ces questions qu'une fois le cycle de planification bien entamé. Il y a des millions de ressources accessibles sur Internet et en créer encore davantage semble être un moyen de perdre du temps auquel les enseignants adorent s'adonner. De nombreux systèmes offrent maintenant des banques de ressources et, dans notre propre outil d'évaluation, nous avons eu beaucoup de succès avec la cartographie de ressources dans un tableau bidirectionnel – succès confirmé par la façon dont les enseignants continuent de se connecter au site. Le site What Next, qui fait partie de notre portail d'évaluation (e-asTTle), est organisé en fonction des niveaux (de difficulté) des programmes d'études (niveaux 2 à 6) et des thèmes des programmes d'études (« idées maîtresses »).

Sur ce site, si les enseignants choisissent la moyenne actuelle (c'est-à-dire le point foncé dans le carré), ils pourront accéder à du matériel correspondant au niveau scolaire de l'élève moyen du groupe. Nous recommandons que les enseignants ne continuent pas à ce niveau, mais qu'ils choisissent plutôt des ressources associées à un niveau de difficulté plus élevé. Les enseignants devraient donc choisir un bouton *au-dessus* de la moyenne actuelle pour au moins la moitié du groupe. Si un ou deux élèves sont au niveau 4P tandis que la majorité de la classe est au niveau 3B, l'enseignant peut sélectionner du matériel convenant à ces deux élèves parmi le matériel des niveaux 4A ou 5B, tout en proposant du matériel de niveau 3P ou 3A au reste de la classe. Les objectifs de rendement peuvent demeurer les mêmes pour la classe, si l'enseignant le souhaite, mais le niveau scolaire du matériel sera adapté aux individus ou aux groupes (figure 4.12).

What Next Report for Test : help guide-customis
Group : All Test Candidates   Date Tested : 08 December 2006

	Processes and Strategies	Purposes and Audiences	Ideas	Language Features	Structure
		Reading			
6 Advanced		●			
6 Proficient	○	●	○	○	○
6 Basic		●			
5 Advanced	○	●	○	○	○
5 Proficient		●			
5 Basic	○	●	○	○	○
4 Advanced		●			
4 Proficient	○	●	○	○	○
4 Basic		●			
3 Advanced	○	●	○	○	○
3 Proficient		●			
3 Basic	○	●	○	○	○
2 Advanced		[●]			
2 Proficient	○	●	○	○	○
2 Basic		●			

http://asttle.org.nz/whatnext/reading

FIGURE 4.12.
Rapport *What Next ?*
tiré de e-asTTle

En cliquant sur le bouton voulu, l'enseignant ou l'élève sera dirigé vers divers sites Web offrant des plans de leçon, des ressources pour les enseignants et les élèves, des exemples de tâches correspondant à ce niveau de difficulté, des liens Web, de plus amples questions ouvertes et des liens vers des stratégies d'enseignement. La page offre aussi une description des compétences et des stratégies escomptées à chaque niveau, et vise à réduire la variabilité de l'interprétation que font les enseignants de ces niveaux. Si les enseignants ne semblent pas éprouver de difficulté à produire et à trouver des ressources, le truc est d'adapter les ressources au prochain niveau de difficulté pour l'élève – et c'est là que le site What Next se révèle un atout puissant.

4.5.2. Progression

Il y a quelques années, notre équipe a analysé la situation relative au rendement en lecture, en écriture et en mathématiques dans les écoles de Nouvelle-Zélande (Hattie, 2007). Cette dernière se classe bien dans ces domaines à l'échelle internationale, et les «niveaux» de rendement ne sont donc pas particulièrement préoccupants ; le principal problème que nous avons mis en relief concernait plutôt la nécessité pour les enseignants d'avoir une compréhension commune de la notion de « progression ». Beaucoup trop enseignants semblent se valoriser en rejetant les données relatives aux progrès qui sont fournies par les enseignants précédents. Ainsi, chaque fois qu'un élève arrive dans une nouvelle classe ou une nouvelle école, sa progression est « mise en suspens » pendant que le nouvel enseignant fait sa propre évaluation du niveau de cet élève. Le prétendu « effet des vacances estivales », qui se traduirait par une réduction du rendement des élèves durant l'été ($d = -0,10$), est probablement tout aussi attribuable à cette « mise en suspens » par les nouveaux enseignants pendant qu'ils font leurs propres évaluations qu'au fait que les élèves ont été en congé. (Pour les enseignants, cela signifie « partir de zéro » ou « repartir à neuf » ; pour les élèves, cela veut souvent dire « répéter la même chose ».) Cela engendre une sous-estimation de ce que les élèves peuvent accomplir et des doutes concernant les apprentissages en profondeur réalisés « à l'école précédente » ; la continuité du programme d'études est ainsi rompue. S'il existait des plans de transfert qui inciteraient les enseignants à considérer comme valable et utile l'information provenant des enseignants précédents, cette baisse de rendement pourrait être atténuée (voir Galton, Morrison et Pell, 2000).

Une compréhension commune de ce qu'est la progression signifie que les enseignants, à l'intérieur d'une école et, de préférence, d'une école à l'autre, ont la même compréhension des notions de « défi » et de « difficulté » lorsqu'ils mettent en œuvre le programme d'études. Cela garantit que des défis suffisamment exigeants sont proposés aux élèves : les enseignants doivent savoir à quoi ressemblent les progrès des élèves du point de vue des défis et du niveau de difficulté, de sorte que s'il fallait échanger des enseignants d'un niveau à un autre ou d'une école à une autre, leur interprétation de ce qui constitue un défi serait synchronisée avec la compréhension de la notion de « progression » des autres enseignants. Cela ne signifie pas qu'il n'existe qu'une seule bonne trajectoire de progression pour tous les élèves.

La façon dont l'apprentissage progresse est trop souvent décidée par un comité : les programmes d'études sont remplis de recommandations ou d'interdictions par rapport à l'ordre d'enseignement du contenu ou des concepts. Il y a des recommandations concernant « la séquence à suivre pour l'élaboration de stratégies en numératie, pour l'apprentissage de données historiques, pour l'introduction de notions mathématiques » et ainsi de suite. Toutefois, il est plus important d'examiner de près la façon dont les élèves progressent réellement. Steedle et Shavelson (2009) ont montré que la progression peut varier en fonction de ce que les élèves savent déjà (même si les connaissances sont erronées). Dans une étude sur la progression effectuée dans le cadre d'un module traitant de la force et du mouvement, Steedle et Shavelson ont relevé que la progression était différente chez les élèves dont la compréhension était (presque) scientifiquement exacte et chez les élèves qui croyaient que la vélocité est liée de façon linéaire à la force.

En outre, on observe des développements très intéressants en ce qui concerne la détermination des trajectoires de progression dans les travaux de nombreuses équipes de recherche. Popham (2011) fait la distinction entre deux sortes de progressions d'apprentissage qu'il a baptisées *uppercase* et *lowercase*[2] (tableau 4.3). Les progressions de type «*uppercase*» sont dites primaires et peuvent nourrir les apprentissages de type «*lowercase*» (voir Confrey et Maloney, 2010 ; Clements et Sarama, 2009 ; Daro, Mosher et Corcoran, 2011). Confrey et Maloney (2010), par exemple, ont interrogé de nombreux élèves et observé leur apprentissage, et, à partir des données recueillies, ils ont élaboré diverses trajectoires d'apprentissage pour certains aspects des mathématiques. Ils ont ensuite créé des évaluations pour aider l'enseignant à déterminer sur quelle trajectoire se situe un élève, où il se situe le long de celle-ci et quelles sont les erreurs commises par l'élève qui entravent sa progression.

TABLEAU 4.3. Distinction entre deux façons d'envisager les progressions d'apprentissage

Progressions d'apprentissage de type «*uppercase*»	Progressions d'apprentissage de type «*lowercase*»
1 Décrivent comment l'apprentissage de certaines choses évolue au cours d'une période de temps.	Décrivent comment l'apprentissage de quelque chose évolue – à cause de l'enseignement – au cours d'une période relativement courte (p. ex. quelques semaines ou une session).
2 Mettent l'accent sur l'atteinte d'objectifs curriculaires particulièrement significatifs (p. ex. es «grandes ou riches idées sous-jacentes» dans un domaine).	Concernent la maîtrise d'objectifs curriculaires significatifs mais pas essentiels.
3 Confirmées par la recherche, en ce sens que la nature et la séquence des éléments qui sous-tendent la progression d'apprentissage ont été confirmées par des études empiriques rigoureuses.	Fondées sur l'analyse conceptuelle, par les intervenants scolaires, des préalables nécessaires à un objectif curriculaire, plutôt que sur les résultats de la recherche.

Source : Popham (2011).

....

2. NDT : Les mots *uppercase* et *lowercase* sont utilisés ici par analogie avec l'écriture en lettres «majuscules» et «minuscules».

Tant de systèmes d'évaluation semblent accorder une importance exagérée au niveau de rendement scolaire. Je ne dis pas que le niveau de rendement scolaire n'est pas important, mais il faut aussi s'interroger sur la manière de faire progresser chaque élève, quel que soit son point de départ, en passant par ces différents niveaux de rendement scolaire (progression de l'apprentissage). Les deux sont en effet nécessaires : l'atteinte des niveaux de rendement *et* la réalisation de niveaux de progression valables. Toutefois, si une importance excessive est accordée à l'atteinte des niveaux de rendement, les écoles dont les élèves sont au-dessus de la normale sembleront être les plus efficaces et, inversement, celles dont les élèves se classent au départ bien au-dessous de la normale sembleront être moins efficaces. Or, nous envoyons les élèves à l'école afin qu'ils fassent des progrès par rapport à leurs acquis de départ ; c'est pourquoi les *progrès* figurent parmi les dimensions les plus importantes pour évaluer la réussite des écoles.

4.6. Parler de l'enseignement entre enseignants

11. Les enseignants parlent entre eux de l'impact de leur enseignement, qui est évalué en fonction des progrès réalisés par les élèves, et de façons de maximiser celui-ci pour l'ensemble des élèves.

APPRENTISSAGE VISIBLE

Liste de vérification ✔
pour la planification

L'un des principaux messages qui ressort de *Visible Learning* concerne l'importance pour les enseignants d'apprendre les uns des autres et de parler entre eux de la planification – que ce soit au sujet des intentions d'apprentissage, des critères de réussite, de ce qui constitue un apprentissage utile, de la progression, de ce que signifie « être bon » dans une matière. Black, Harrison, Hodgen, Marshall et Serret (2010) ont découvert que demander ce que voulait dire « être bon » (en français, en mathématiques, etc.) était un moyen efficace de déclencher une discussion à propos de questions concernant la validité et les programmes d'études. Ils ont remarqué que les enseignants s'engageaient d'emblée dans le débat et « de ce fait, ont commencé à se rendre compte qu'ils avaient omis, dans leur pratique, de critiquer leur propre travail à la lumière de leurs croyances et de leurs valeurs concernant le but de l'apprentissage dans leur domaine » (Black *et al.*, 2010, p. 222, traduction libre). C'est seulement en ayant une compréhension commune de ce que signifie « être bon » dans quelque chose que les débats au sujet des modes de preuve, de la qualité de l'enseignement et des résultats des élèves peuvent avoir du sens. Cela peut alors permettre d'avoir une discussion plus éclairée sur la notion de «progression» – qui est au cœur d'un enseignement et d'un apprentissage efficaces. Partager une compréhension commune de la notion de progression est le facteur de réussite le plus important dans n'importe quelle école ; sans cela, c'est le règne de l'individualisme, des opinions personnelles et du «n'importe quoi» qui s'installe (normalement en silence dans les salles du personnel, mais de façon vigoureuse et retentissante derrière les portes closes des classes). Miller (2010) parle d'«essaim intelligent» pour décrire un ensemble d'individus qui avancent dans la bonne direction en s'appuyant sur une critique collaborative, la résolution de problèmes distribuée et des interactions multiples.

Trouver des façons de déclencher cette discussion à propos de la progression constitue le point de départ et est indispensable à la survie de n'importe quelle école. Cela nécessite de faire appel à de nombreuses méthodes : l'animation ; le partage d'indicateurs de performances marquantes (comme des exemples de travaux d'élèves) ; le partage des notes d'une classe à l'autre ; la planification préliminaire collaborative entre les cohortes et à l'intérieur de celles-ci. La méthode la plus efficace qu'il m'ait été donnée de voir est celle du modèle des «équipes de collaboration centrées sur les données». Une petite équipe se réunit au moins une fois toutes les deux ou trois semaines pour désagréger les données, analyser le rendement des élèves, établir des objectifs progressifs, engager le dialogue sur l'enseignement explicite et délibéré, et élaborer un plan pour monitorer l'apprentissage des élèves et l'enseignement. Ces équipes peuvent être créées à l'échelle des classes, du programme d'études, du ministère, de l'établissement, voire du système tout entier. Elles permettent la focalisation des efforts et une mise en œuvre en profondeur des solutions retenues. Selon Reeves (2010, p. 36, traduction libre) : «[...] faire une mise en œuvre timide était pire en fait que de mettre en œuvre le minimum ou de ne rien faire du tout».

McNulty et Besser (2011) soutiennent que les équipes de collaboration centrées sur les données relatives aux élèves devraient être formées en fonction de trois critères :

• tous les enseignants qui font partie de l'équipe ont un idéal ou un centre d'intérêt commun ;

- tous les enseignants qui font partie de l'équipe utilisent une évaluation commune qui débouche sur des interprétations formatives régulières ;

- tous les enseignants qui font partie de l'équipe mesurent l'apprentissage au moyen d'une grille ou d'un guide d'évaluation commun.

Les auteurs perçoivent le modèle des équipes de collaboration centrées sur les données comme s'inscrivant dans un processus en quatre étapes.

1. La première étape consiste à recueillir les données et à créer des graphiques, dans le but de rendre les données visibles, d'attribuer un nom à chaque chiffre, d'établir un climat de confiance et de respect qui favorisera l'amélioration de tous, et surtout d'énoncer les questions fondamentales auxquelles devra répondre l'équipe.

2. Ensuite, l'équipe se sert des données probantes pour établir les priorités et pour fixer des objectifs progressifs, les étudier et les réviser. Cela demande de préciser à quoi ressemble la réussite, les attentes élevées qui doivent être fixées et le degré d'accélération requis pour permettre à tous les élèves de remplir les critères de réussite.

3. À cette étape, l'équipe remet en question ses stratégies pédagogiques et leur impact sur chaque élève, examine ce qui doit ou ne doit pas changer et surtout détermine les résultats les plus susceptibles de convaincre l'équipe-école de faire ou non certains changements. Ces indicateurs permettent aux équipes-écoles d'apporter des correctifs à mi-parcours.

4. Enfin, l'équipe monitore l'impact de ces stratégies et l'effet sur l'apprentissage des élèves.

Puis le cycle se répète.

> La prise de décisions fondées sur les données ne vise ni la perfection ni la popularité. L'objectif est plutôt de prendre la décision la plus susceptible d'améliorer le rendement scolaire, d'engendrer les meilleurs résultats pour la plupart des élèves, et de promouvoir les objectifs à long terme d'équité et d'excellence (Reeves, 2011, p. 24, traduction libre).

Aujourd'hui, de nombreuses sources décrivent de telles équipes en action (p. ex. Anderson, 2010, 2011).

Il existe bien d'autres systèmes qui, comme les équipes centrées sur les données, se concentrent sur les données probantes relatives à l'apprentissage des élèves, et encouragent des discussions à propos de l'impact, de l'effet et des conséquences. Darling-Hammond (2010) a approfondi le concept des équipes de collaboration centrées sur les données ; DuFour, DuFour et Eaker (2008) soutiennent que ces équipes travaillent ensemble en vue de clarifier les intentions d'apprentissage, de monitorer chaque élève de façon opportune, d'assurer une intervention systématique et de vérifier si tous les élèves atteignent les critères de réussite.

Le modèle de « réponse à l'intervention » et les tournées d'observation pédagogique proposées par Elmore, Fiarmen et Teital (2009) concernent l'élève et l'enseignant en présence d'une matière. Le modèle repose sur sept principes.

1. L'apprentissage des élèves ne s'améliore que lorsque le niveau du contenu, le savoir et la compétence des enseignants ainsi que l'engagement des élèves augmentent.

2. Lorsqu'on change l'une de ces trois composantes de base, on doit modifier les deux autres.

3. Ce qui n'est pas observable dans les composantes de base ne s'y trouve pas.

4. La tâche demandée permet de prédire le rendement.

5. Le véritable système de responsabilisation repose sur les tâches que les élèves doivent accomplir.

6. C'est en travaillant qu'on apprend à faire le travail, et non en déléguant le travail à d'autres, en l'ayant déjà fait dans le passé ni en faisant appel à des experts qui nous servent de substituts pour montrer la façon d'accomplir le travail.

7. La description vient avant l'analyse ; l'analyse, avant la prédiction ; la prédiction, avant l'évaluation.

Il ne s'agit pas de savoir si nous formons des communautés d'apprentissage professionnelles, si nous utilisons des outils intelligents ou si nous mettons sur pied des équipes de collaboration centrées sur les données. Le message vise plutôt à inciter les enseignants à faire preuve d'ouverture en ce qui concerne leur impact sur les élèves, à discuter de façon critique de l'impact de chacun à la lumière des données probantes, et à émettre des avis professionnels sur la façon dont ils doivent – et peuvent – influer sur l'apprentissage de tous les élèves de leurs classes. Souvent, le processus se transforme en une récitation de mantra, donnant lieu à d'agréables rencontres peu utiles au cours desquelles les personnalités loquaces peuvent s'adonner à des envolées lyriques. C'est sur l'impact que porte le message.

L'un des premiers réviseurs de l'ouvrage (Rick DuFour) a cerné trois « idées maîtresses » dans *Visible Learning*.

1. L'objectif fondamental des écoles est de s'assurer que tous les élèves apprennent, et pas uniquement qu'ils reçoivent tous un enseignement. L'apprentissage des élèves doit être le prisme à travers lequel les intervenants scolaires examinent l'ensemble de leurs pratiques, politiques et méthodes.

2. Les écoles ne peuvent aider tous les élèves à apprendre si les intervenants scolaires travaillent en vase clos. Elles doivent établir des structures et des cultures qui favorisent la collaboration efficace entre les intervenants scolaires – une collaboration axée sur les facteurs relevant de notre sphère d'influence qui peuvent avoir un impact positif sur l'apprentissage des élèves.

3. Les écoles ne sauront pas si les enseignants apprennent ou non, à moins d'avoir une idée claire de ce que les élèves doivent apprendre et à moins de recueillir sans cesse des preuves de cet apprentissage, puis d'utiliser ces données probantes pour :

   a. mieux répondre aux besoins des élèves au moyen d'un enseignement systématique et d'un enrichissement ;

   b. étayer et améliorer la pratique professionnelle individuelle et collective des intervenants scolaires.

DuFour a ensuite offert des arguments parallèles en ce qui concerne l'importance de la responsabilité collective, les sujets de discussion lors des communautés d'apprentissage professionnelles ainsi que la concrétisation de ces trois « idées maîtresses » à travers un processus récursif centré sur quatre questions essentielles.

1. « Que voulons-nous que nos élèves sachent et soient capables de faire à la fin de cette unité ? » (Apprentissage essentiel)

2. « Comment vont-ils montrer qu'ils ont acquis les connaissances et les compétences essentielles ? Avons-nous convenu des critères qui seront utilisés pour évaluer la qualité du travail des élèves et pouvons-nous appliquer ces critères de façon systématique ? » (Indicateurs de réussite)

3. « Comment allons-nous intervenir auprès des élèves qui éprouvent des difficultés et enrichir l'apprentissage des élèves qui performent bien ? »

4. « Comment pouvons-nous utiliser les données probantes relatives à l'apprentissage des élèves pour améliorer notre pratique professionnelle individuelle et collective ? »

Ces questions sont essentielles pour les communautés d'apprentissage professionnelles, les équipes de collaboration centrées sur les données ou n'importe quel système de responsabilisation collective implanté dans nos écoles. Telles sont les propositions de valeur qu'il faut mettre en relief pour traiter de l'impact de nos écoles. Il s'agit des stratégies les plus prometteuses pour le développement de la capacité des intervenants scolaires à assumer la responsabilité collective d'améliorer l'apprentissage des élèves et des adultes.

Il ne s'agit pas de laisser entendre dans ces pages que les enseignants sont entièrement responsables de l'apprentissage des élèves. Compte tenu de la diversité des élèves dont les écoles ont la charge, des attentes grandissantes envers les écoles sur le plan pédagogique et social, et de l'attention aiguë que portent les médias à la reddition de comptes dans les écoles, il n'est pas raisonnable de croire qu'un seul enseignant puisse tout savoir. C'est la responsabilité collective de toute l'école de s'assurer que tous les élèves connaissent une progression d'au moins un an après une année d'effort, et de travailler à établir un diagnostic, à recommander des interventions, et à évaluer collectivement l'impact des enseignants et des programmes.

Il serait intéressant de se préoccuper non seulement des différences dans la conception de progression des enseignants à l'intérieur des écoles, mais aussi des différences de méthodes entre les écoles. Dans le cadre de notre travail, mes collègues et moi avons invité les enseignants à participer à un exercice normatif faisant appel à des « signets ». Nous avons fourni aux enseignants des livrets contenant une cinquantaine de questions classées en fonction du rendement des élèves (du « plus facile » au « plus difficile »). Nous leur avons d'abord demandé d'y répondre individuellement, puis de mettre un « signet » (une étiquette autocollante) pour indiquer l'élément de démarcation entre les ensembles de questions, à des points de référence clés. (En Nouvelle-Zélande, les points de référence sont les niveaux puisque les programmes d'études nationaux sont établis en fonction des niveaux scolaires au lieu des années – mais les points de référence pourraient correspondre aux années scolaires ou à d'autres jalons.) Nous avons ensuite rétroprojeté la question choisie comme point de démarcation par chaque enseignant, et déclenché une discussion sur la nature des compétences et des stratégies qui leur ont permis d'affirmer que les éléments précédant et suivant cette question différaient. Cela a certainement donné lieu à une solide discussion, à la suite de laquelle on a demandé aux enseignants de répéter la tâche – mais en groupes de trois à cinq personnes cette fois – puis de reprendre la discussion. Cette méthode est efficace pour amorcer des débats (dans un environnement raisonnablement sûr) à propos de la perception qu'ont les enseignants de la progression, et de ce qu'ils considèrent comme les compétences et les stratégies qui sous-tendent cette progression. Elle a aussi l'avantage de favoriser une plus grande cohérence dans les évaluations entre les écoles.

Par exemple, nous avons tenu une série d'ateliers (N = 438 enseignants) dans le but de déterminer le niveau de rendement pour un ensemble de tâches en lecture. On a demandé aux enseignants de répondre à 100 et quelques questions, puis de mettre des signets entre les ensembles de questions qui représentaient le mieux leur conception du niveau 2 du programme d'études de la Nouvelle-Zélande (lesquelles s'adressent normalement aux élèves de 4e et 5e année) et du niveau 3 (6e et 7e années), jusqu'au niveau 6 (11e et 12e années). Au cours du premier tour, la tâche a été accomplie individuellement, et les résultats ont ensuite été présentés à tous les enseignants du groupe. Après avoir écouté le raisonnement de chacun au sujet des compétences et des stratégies qui sous-tendaient leurs décisions, les enseignants ont effectué un deuxième tour en groupes de quatre ou cinq.

La question choisie à chaque niveau changeait peu d'un enseignant à l'autre – ce qui indiquait qu'en *moyenne*, les enseignants en Nouvelle-Zélande avaient la même conception des *niveaux* du programme d'études. Toutefois, la *variabilité* entre les enseignants diminuait sensiblement (de 45 %) après avoir écouté leurs collègues. Simplement en faisant cet exercice, les opinions des enseignants sur la nature du travail des élèves aux différents niveaux du programme d'études sont devenues beaucoup plus cohérentes. Ainsi, les évaluations des niveaux de rendement ne reposeraient plus sur les croyances individuelles des enseignants et l'on pourrait désormais avoir l'assurance d'une plus grande cohérence des conceptions de compétence et de progression.

4.6.1. Amener les enseignants à parler entre eux de l'impact de leur enseignement

Parler est une chose, agir en est une autre. Par exemple, traduire les idées du présent ouvrage en actions nécessite d'avoir l'intention de changer les choses, de savoir à quoi ressemble un changement fructueux et d'avoir la possibilité d'expérimenter de nouvelles méthodes d'enseignement en toute sécurité. Cela exige souvent un accompagnement particulier. Les personnes qui servent d'accompagnateurs «parlent avec franchise, offrant à chaque leader une rétroaction objective destinée à favoriser leur progression» (Sherman et Frea, 2004, traduction libre). L'accompagnement est donc orienté vers les résultats des élèves. Il ne s'agit pas d'un processus de counseling pour adultes, ni de réflexion, ni de prise de conscience de soi, ni de mentorat, ni de jumelage. L'accompagnement consiste en des actions délibérées en vue d'aider les adultes à obtenir des résultats de la part des élèves – souvent en aidant les enseignants à interpréter les données probantes concernant l'effet de leurs actions et en leur offrant des choix permettant de produire ces effets de façon plus efficace. Trois éléments sont impliqués : l'accompagnateur, la personne accompagnée et les objectifs explicitement convenus de la démarche.

Joyce et Showers (1995) ont mis en relief l'impact puissant de l'accompagnement, en comparaison d'autres méthodes, sur la compréhension, l'acquisition des compétences et la mise en application (tableau 4.4). Reeves (2009) s'est beaucoup servi de l'accompagnement pour faciliter le changement dans les écoles, partant du principe que tout accompagnement n'est pas efficace. Selon lui, il est plus efficace lorsqu'il est convenu que la focalisation porte sur l'amélioration du rendement, lorsque les plans de leçon comportent des objectifs d'apprentissage et de rendement clairs et établis d'un commun accord, lorsque des rétroactions précises et pertinentes sont données en temps opportun, et lorsque le dénouement de l'accompagnement est convenu en fonction des conclusions planifiées. L'accompagnement implique de renforcer l'autonomie des gens en favorisant l'apprentissage autodirigé, le développement individuel et l'amélioration du rendement.

TABLEAU 4.4. Impact de diverses méthodes de formation sur les résultats

Élément de la formation	Compréhension	Acquisition des compétences	Application
Compréhension de la théorie	85 %	15 %	5-10 %
Démonstration	85 %	18 %	5-10 %
Entraînement et rétroaction	85 %	80 %	10-15 %
Accompagnement	90 %	90 %	80-90 %

4.6.2. Une méthode bien connue pour inciter les enseignants à parler entre eux de leur enseignement

L'une des méthodes les plus efficaces pour maximiser l'impact de l'enseignement et permettre aux enseignants de parler de péda- gogie entre eux est l'enseignement direct. Je sais que l'idée que s'en font beaucoup d'enseignants ne cadre pas avec leur conception d'une méthode recommandable, mais c'est parce qu'ils confondent cette méthode avec l'enseignement par transmission ou didactique (ce qu'elle n'est pas). C'est dommage que la mise en œuvre de l'ensei- gnement direct soit souvent fondée sur l'achat de leçons toutes faites, ce qui vient indéniablement miner l'un de ses principaux avantages – à savoir l'incitation des enseignants à travailler ensemble à la plani- fication des leçons. Le but n'est pas de dire ici qu'il s'agit de « la méthode » (même si sa taille d'effet moyenne de 0,59 la range parmi les plus efficaces que nous connaissions), mais plutôt de la présenter comme une méthode illustrant l'impact des enseignants qui plani- fient et commentent de façon critique les leçons, partagent une conception commune de la progression, expriment clairement les intentions d'apprentissage et les critères de réussite, et se préoccupent des effets sur l'apprentissage des élèves et des enseignants.

Cette méthode est expliquée de façon détaillée dans de nom- breux ouvrages (dont Hattie, 2009, p. 204-207). D'abord décrit par Adams et Engelmann (1996), l'enseignement direct comporte sept grandes étapes.

1. Avant d'entreprendre la préparation de la leçon, l'enseignant doit avoir une idée claire des *intentions d'apprentissage* : Qu'est-ce que l'élève devrait être capable de faire, qu'est-ce qu'il devrait comprendre et à quoi devrait-il s'intéresser à la suite de l'enseignement ?

2. L'enseignant doit connaître les *critères de réussite* qui s'appli- queront et à quel moment ils devront être atteints, et quelles seront les responsabilités des élèves pour la leçon ou l'activité. Surtout, les élèves doivent être mis au courant des exigences de rendement.

3. Il importe de *susciter l'engagement* envers la tâche d'appren- tissage – par une amorce qui attirera l'attention des élèves, afin de les inciter à souscrire à l'intention d'apprentissage et de leur montrer à quoi ressemble la réussite.

4. Il doit y avoir des guides expliquant *comment l'enseignant devrait présenter la leçon* – notamment les notions de « présentation de l'information », de « modelage » et de « vérification de la compréhension ».

5. La *pratique guidée* est l'occasion pour chaque élève de démontrer sa compréhension des nouveaux apprentissages dans le cadre d'une activité ou d'un exercice – de manière à ce que les enseignants puissent offrir des rétroactions et proposer des correctifs individuels au besoin.

6. La *conclusion* implique des actions ou des indications visant à laisser savoir aux élèves qu'ils ont atteint un point important de la leçon ou la fin de celle-ci, en vue d'aider à organiser les notions apprises, à dresser un portrait cohérent, à consolider les acquis, à éviter la confusion et le découragement, et à renforcer les principaux points à retenir.

7. La *pratique autonome* suit la maîtrise du contenu, en particulier dans de nouveaux contextes. Par exemple, si la leçon a pour but de faire une inférence à partir de la lecture d'un passage sur les dinosaures, alors la pratique autonome devrait consister à faire une inférence à partir de la lecture d'un passage sur un autre sujet, par exemple les baleines. Les défenseurs de l'enseignement direct affirment que l'omission de cette septième étape explique la plupart des cas où les élèves sont incapables d'appliquer les notions apprises.

L'enseignement direct illustre l'importance d'énoncer les intentions d'apprentissage et les critères de réussite dès le départ, puis de susciter l'engagement des élèves envers l'atteinte de ceux-ci. L'enseignant doit convier les élèves à apprendre, faire un usage accru de la pratique délibérée et du modelage, et offrir une rétroaction appropriée ainsi que de multiples occasions d'apprendre. Les élèves doivent avoir des occasions de se livrer à la pratique autonome. Ils doivent ensuite avoir la possibilité d'utiliser dans d'autres contextes les compétences ou les connaissances qui sont implicites dans l'intention d'apprentissage.

Deux messages importants ressortent de *Visible Learning* au sujet de l'enseignement direct. Le premier concerne le pouvoir des *enseignants commentant ensemble de façon critique leur planification*. Cela soulève une question quant à la façon de créer des écoles où les enseignants peuvent parler entre eux de pédagogie – pas des programmes ni des élèves, ni de l'évaluation, ni des activités sportives, mais de leur conception des notions de « défi », de « progression » et de « preuve des effets escomptés et réalisés des leçons ». C'est la critique qui a un effet puissant ; acheter des leçons toutes faites neutralise un atout important de cette méthode.

Le second message concerne l'importance de participer à la conception et à l'évaluation des leçons. Fullan, Hill et Crévola (2006) parlent des « parcours fondamentaux d'enseignement et d'apprentissage » (PFEA). Ils englobent des parcours quotidiens détaillés entre des points particuliers de la progression des élèves. Les élèves peuvent avoir des points de départ différents et progresser différemment le long de ces parcours. Les parcours doivent être établis en fonction des multiples façons dont les élèves peuvent apprendre et permettre les déviations afin qu'il soit possible de revenir en arrière et d'essayer un parcours différent pour assurer une progression. Il est nécessaire d'offrir à l'enseignant et à l'élève une interprétation formative rapide des progrès réalisés ainsi que des rétroactions sur l'efficacité de la méthode d'enseignement, de façon à assurer une progression de l'apprentissage tout au long du parcours. Il est évident que les PFEA nécessitent une compréhension poussée de l'apprentissage dans un domaine ainsi qu'une étude collaborative des progrès des élèves pour l'établissement de ces parcours, et ainsi de suite. Le professionnalisme des enseignants repose sur leur capacité aussi bien à comprendre l'effet de leurs interventions, qu'à déterminer la situation et la progression de tous leurs élèves. (Voir, à la section 4.4.5 du présent chapitre, l'exemple de planification de leçon de Steve Martin.)

Il existe des synthèses intéressantes de divers programmes d'intervention favorisant une orientation vers des scénarios de leçon davantage axés sur les données probantes. Brooks (2002) a effectué une analyse systématique des effets d'environ 50 programmes de lecture scénarisés au Royaune-Uni. Snowling et Hulme (2010) montrent comment faire le lien entre l'excellent diagnostic d'un problème en lecture et l'intervention optimale. Ils indiquent comment repérer les élèves qui « répondent mal » à l'intervention, et font ressortir la valeur d'une approche par niveaux pour que l'intervention tienne compte de l'évolution de l'élève au cours du traitement, l'importance de l'ampleur ou du dosage de l'intervention, et la façon d'utiliser les résultats de l'intervention pour parfaire les théories de l'enseignant concernant les difficultés en lecture. Elliot (voir l'avant-propos du présent ouvrage) serait ravi.

Conclusions

La coplanification des leçons est l'une des tâches les plus susceptibles d'avoir un effet positif majeur sur l'apprentissage des élèves. Dans ce chapitre, nous avons relevé un certain nombre de facteurs qui, ensemble, ont un impact sur la qualité de cette planification : disposer d'un bon système de consignation permettant aux enseignants de connaître les résultats antérieurs/acquis et la progression de chaque élève – « connaître les résultats antérieurs/acquis » implique de tenir compte non seulement de la performance cognitive des élèves, mais aussi de leurs façons de penser, de leurs niveaux de pensée, de leur résilience et des autres perceptions de soi (confiance, réaction face à l'échec et à la réussite, etc.). D'autres facteurs sont aussi importants, par exemple l'établissement de cibles souhaitables pour chaque élève, la focalisation sur les données prouvant la progression des élèves en fonction des résultats antérieurs/acquis et des cibles à atteindre, et le travail avec les autres enseignants avant la tenue des leçons, afin d'obtenir des commentaires critiques qui permettront d'optimiser leur impact sur l'apprentissage. Très souvent, la planification implique le travail en solitaire d'un enseignant à la recherche de ressources, d'activités et d'idées ; ces plans sont rarement partagés avec les autres enseignants. Si les enseignants collaborent pour la planification, il y a de fortes chances qu'ils partageront aussi les données concernant leur impact et la compréhension des élèves, et qu'ils feront ainsi le lien entre ces résultats et la planification.

S'assurer de connaître les intentions d'apprentissage et les critères de réussite de la leçon, et de les communiquer aux élèves sont deux façons efficaces d'amplifier l'impact des enseignants. Les élèves sont ainsi plus susceptibles de travailler à la maîtrise des critères de réussite, de savoir où ils se situent sur le parcours conduisant à la réussite, et d'avoir une bonne chance d'apprendre à monitorer et à autoréguler leur progression.

Beaucoup d'autres aspects sont liés aux intentions d'apprentissage et aux critères de réussite : établir des cibles, fixer des attentes élevées, soutenir l'établissement de buts de maîtrise et de performance, établir des objectifs de surpassement de soi, s'assurer que les intentions d'apprentissage et les critères de réussite offrent un niveau de difficulté suffisant pour tous les élèves – et comme on l'a compris dans ce chapitre, toutes ces notions s'appliquent autant à l'enseignant qu'aux élèves. Les intentions peuvent viser des apprentissages de surface et en profondeur, et le choix dépend de la position des élèves dans le cycle novice-compétent-expert.

1. *Avec vos élèves*, faites une schématisation conceptuelle des intentions d'apprentissage, des relations entre celles-ci ainsi que des idées et des ressources qu'ils vont découvrir, et décrivez à quoi devrait ressembler la réussite dans le cadre des leçons.

2. Organisez une réunion où les enseignants sont invités à apporter leurs plans de leçon. En équipes de deux, choisissez une intention d'apprentissage et son activité connexe, puis adaptez-la ainsi que le critère de réussite pertinent «dans des mots d'enfants». Demandez à chaque équipe d'enseignants de lire à haute voix l'intention d'apprentissage originale, puis le critère de réussite et peaufinez-les jusqu'à ce que tout le monde soit satisfait. Ensuite, appariez les intentions d'apprentissage et les ressources (sont-elles compatibles, efficaces, etc.?).

3. À peu près à mi-parcours, organisez une rencontre de rétroaction au cours de laquelle chaque enseignant fait une présentation sur l'effet du partage des intentions d'apprentissage et des critères de réussite (exercice 2), y compris les réussites, les problèmes et les stratégies utilisées pour surmonter les difficultés.

4. Sélectionnez trois élèves qui ne semblent «pas comprendre» dans une matière que vous enseignez. Dressez un profil des processus du soi – autoefficacité, autohandicap, automotivation, buts personnels, dépendance aux directives d'autrui, rejet ou déformation de la rétroaction, perfectionnisme et comparaison sociale. Choisissez un élève pour qui ces processus ne sont pas optimaux, élaborez une intervention, puis monitorez l'impact sur les élèves et leur apprentissage.

5. Mettez en évidence et valorisez les intentions d'apprentissage et les critères de réussite dans l'école en faisant en sorte d'en parler lors des assemblées, afin que les élèves et les enseignants puissent voir que la démarche s'étend à l'ensemble de l'école et s'appuie sur un langage commun.

6. Questionnez les élèves sur ce que le mot *défi* signifie pour eux. Demandez-leur de donner des exemples de leçons qui ont présenté des défis et de préciser l'ampleur de leur engagement à les relever lorsqu'ils ont été appelés à y faire face. Posez les mêmes questions aux enseignants et repérez les recoupements.

7. Déterminez le niveau de progression de chaque élève avant d'entreprendre une série de leçons. Dans chaque cas, établissez une cible à atteindre en termes de résultats. Assurez-vous qu'elle se situe suffisamment au-dessus du niveau du rendement actuel de l'élève et que les mesures (travaux, projet, examens) tiennent compte de celui-ci. Surveillez ensuite la progression vers les cibles.

## CHAPITRE 5

L'amorce de la leçon

Chaque leçon doit être «fluide» du point de vue des élèves. Or, cette fluidité est tributaire de plusieurs facteurs, dont une bonne planification, comme il a été démontré au chapitre précédent. Parmi les autres aspects ayant une incidence sur la fluidité de la leçon figurent l'établissement d'un contexte d'apprentissage optimal, le temps de parole de l'enseignant et des élèves, la connaissance qu'a l'enseignant de ses élèves et le choix des méthodes d'enseignement.

5.1. Le climat dans la classe

APPRENTISSAGE VISIBLE

✔ Liste de vérification pour l'amorce de la leçon

12. Les élèves perçoivent le climat dans la classe comme étant juste; ils ont le sentiment qu'il est acceptable de dire qu'ils ne connaissent pas la réponse ou qu'ils ont besoin d'aide; le degré de confiance est élevé, et les élèves estiment qu'on est à leur écoute; les élèves savent que les cours ont pour but de leur faire apprendre des choses et de les faire progresser.

Dans *Visible Learning*, le climat de la classe ressort comme l'un des facteurs primordiaux pour favoriser l'apprentissage. Les facteurs contribuant à l'établissement d'un climat positif dans la classe comprennent la capacité de l'enseignant à limiter la perturbation du processus d'apprentissage de chaque élève, et la pleine conscience de ce qui se passe en classe ou la capacité à repérer les problèmes de comportement ou d'apprentissage potentiels et à intervenir rapidement. Il y a donc une certaine conscience de la part des enseignants que ce qui se passe ou risque de se passer peut avoir une incidence sur le processus d'apprentissage de chaque élève.

Pour comprendre comment un tel contrôle positif peut être exercé sur la classe, il faut examiner la relation entre l'enseignant et les élèves. Celle-ci fait appel à des dispositions comme la bienveillance, la confiance, la collaboration, le respect et l'esprit d'équipe parce qu'elles favorisent la création de classes où les erreurs sont non seulement tolérées, mais aussi acceptées. Les enseignants et les élèves doivent avoir une idée claire du but de la leçon et comprendre que l'apprentissage est un processus irrégulier, foisonnant d'erreurs, et qu'il importe que tout le monde dans la classe y participe. Encore une fois, cela demande d'expliciter les intentions d'apprentissage et les critères de réussite, d'établir des intentions d'apprentissage présentant un défi significatif, et d'offrir du soutien, de manière à combler l'écart entre les acquis de chaque élève et ce qui est attendu de lui à la fin d'une série de leçons.

Lorsqu'on nous demande de nommer des enseignants qui ont eu un effet positif important sur nous, nous parvenons normalement à en désigner deux ou trois, invoquant d'ordinaire comme raison leur bienveillance à notre égard ou le fait qu'ils « croyaient en nous ». Cela tient essentiellement au fait que ces enseignants avaient à cœur que nous assimilions leur matière et partagions leur passion – s'efforçant toujours de « stimuler » notre intérêt. Les élèves sont capables de déceler si les enseignants sont suffisamment intéressés, engagés et compétents pour les amener à apprécier le côté stimulant et captivant de la matière (qu'il soit question de sport, de musique, d'histoire, de mathématiques ou de technologies).

Un climat positif où règnent la bienveillance et le respect est une condition indispensable à l'apprentissage. Si les élèves n'ont pas le sentiment que l'enseignant exerce un « contrôle » raisonnable, que l'apprentissage peut se faire en toute sécurité, dans le respect et l'équité, il y a peu de chance qu'il se produise quoi que ce soit de positif. Cela ne veut pas dire qu'il faille aménager de belles rangées bien droites d'élèves admiratifs, assis en silence et attentifs, qui travaillent ensemble à résoudre les problèmes et participent à des activités intéressantes ; cela veut dire que les élèves sont à l'aise de montrer qu'ils ne savent pas quelque chose, et qu'ils ont confiance que les interactions avec les autres élèves et avec l'enseignant seront équitables et, à bien des égards, prévisibles (surtout lorsqu'il s'agit de demander de l'aide).

Les enseignants doivent donc être très attentifs – c'est-à-dire être capables de déceler les problèmes potentiels et d'intervenir rapidement, et avoir pleinement conscience de ce qui se passe en classe (« avoir des yeux tout le tour de la tête », comme on dit). Les élèves doivent connaître les limites de ce qui est acceptable (et savoir à quoi s'attendre s'ils les dépassent) ; il faut leur enseigner comment travailler en groupe (ce qui veut dire de ne pas se comporter en simple spectateur) et, par conséquent, comment s'impliquer avec les autres dans le processus d'apprentissage. Plus important encore, les élèves doivent connaître les intentions de la leçon et les critères de réussite qui y sont rattachés. Les témoignages ne manquent pas pour attester de l'importance pour les élèves d'avoir un sentiment d'équité, de comprendre les règles d'engagement, de faire partie d'une équipe et de sentir que tout le monde (enseignants et élèves) travaille à faire progresser leur apprentissage.

APPRENTISSAGE VISIBLE

Liste de vérification ✔
pour l'amorce de la leçon

13. Au moment de prendre des décisions relatives aux politiques et à l'enseignement, on constate un niveau de confiance élevé entre les membres du personnel (respect du rôle de chacun sur le plan de l'apprentissage, respect de l'expertise, respect personnel envers les autres et degré d'intégrité élevé).

Établir un tel climat nécessite que chaque élève soit ouvert aux défis, adhère à la tâche à accomplir, et s'investisse dans l'exécution et la réussite de celle-ci ; pour ce faire, il faut une orientation vers un but, des relations interpersonnelles positives et un soutien social. Plus le sentiment de confiance est fort dans une école, plus celle-ci remportera du succès. L'étude la plus fascinante sur le pouvoir de la confiance est probablement l'analyse de 400 écoles primaires effectuée par Bryk et Schneider (2002) sur une période de sept ans. Ils ont découvert que plus le niveau de confiance relationnelle est élevé dans une école (direction, enseignants, élèves, parents), meilleurs sont les résultats aux tests standardisés. Ils soutiennent que la confiance relationnelle est un aspect essentiel d'une gouvernance scolaire efficace et positive qui s'appuie sur des politiques d'amélioration de l'école. La confiance est le ciment qui maintient les relations dans la classe et entre les membres du personnel lorsque vient le temps de prendre des décisions au sujet de politiques concernant l'éducation et le bien-être des élèves.

La notion de « confiance relationnelle » évoquée par Bryk et Schneider renvoie aux échanges sociaux interpersonnels qui ont lieu dans un milieu scolaire (c'est-à-dire dans la classe et dans la salle du personnel), et repose sur quatre critères :

• Le *respect* implique la reconnaissance du rôle de chacun dans l'apprentissage.

- La *compétence* dans l'exécution d'un rôle renvoie à la capacité d'une personne à obtenir les résultats voulus.

- La *considération* pour les autres renvoie à la perception qu'une personne va au-delà de ce qui est attendu d'elle dans ses rapports avec l'autre.

- L'*intégrité* renvoie à la cohérence entre ce que les gens disent et ce qu'ils font.

Comment évalueriez-vous les cinq énoncés de l'échelle de confiance des enseignants proposée par Bryk et Schneider ?

1. Les enseignants de cette école ont confiance les uns envers les autres.

2. Il est acceptable dans cette école de parler de ses sentiments, de ses inquiétudes et de ses frustrations avec les autres enseignants.

3. Les enseignants respectent les autres enseignants qui prennent des initiatives en vue d'améliorer l'école.

4. Les enseignants de l'école respectent leurs collègues qui maîtrisent l'art d'enseigner.

5. Les enseignants se sentent respectés par les autres enseignants.

Lorsqu'il existe un climat de confiance, l'expertise est reconnue et les erreurs sont non seulement tolérées, mais aussi acceptées. Quand on examine les facteurs clés de la réussite scolaire mis en évidence dans le présent ouvrage, un dénominateur commun ressort, soit le fait de se sentir à l'aise de commettre des erreurs. Savoir ce qu'on ne sait pas nous permet d'apprendre ; si nous ne commettons aucune erreur, nous sommes moins susceptibles d'apprendre (voire de ressentir le besoin d'apprendre). De plus, il n'y a probablement pas de défis à relever s'il n'y a pas de risque d'erreur et d'échec. Permettre aux enseignants et aux élèves de voir les erreurs comme des occasions d'apprendre ne relève pas d'un discours axé sur les manques. Le climat de classe et la confiance sont donc les ingrédients qui permettent de tirer le meilleur parti des erreurs commises et, par le fait même, favorisent un impact accru de notre enseignement sur les élèves.

L'un des aspects les plus difficiles à établir est la confiance entre les pairs (aussi bien en ce qui concerne les élèves que les enseignants). Les élèves peuvent être cruels envers leurs pairs qui montrent leur ignorance ; il appartient donc aux enseignants d'organiser les classes de manière à ce que « le fait de ne pas savoir » n'ait pas une connotation négative et n'engendre pas d'attributions ou de réactions négatives, et à ce que les élèves puissent travailler ensemble à combler leurs lacunes, dans le but de progresser plus efficacement vers la réussite. (Il en va de même pour les directions scolaires face aux enseignants.)

5.2. Les enseignants parlent et parlent encore

14. Entre les membres du personnel et dans les classes, l'apprentissage est abordé sous forme de dialogue plutôt que de monologue.

Liste de vérification ✔
pour l'amorce de la leçon

L'enseignement magistral prédomine dans les classes. Or, l'un des thèmes qui ressort de *Visible Learning* est la nécessité de changer la proportion entre la parole et l'écoute, de façon à ce que l'enseignant parle moins et écoute davantage.

Yair (2000) a demandé à 865 élèves de la 6e à la 12e année de porter des montres-bracelets numériques qui avaient été programmées pour émettre des signaux huit fois par jour – soit 28 193 expériences au total. On leur a demandé d'indiquer où ils se trouvaient lorsqu'ils ont entendu les signaux sonores et à quoi ils pensaient. On a constaté que les élèves étaient engagés dans leurs leçons seulement la moitié du temps ; cet engagement variait peu selon les capacités des élèves ou les matières. L'enseignement était essentiellement magistral et ce monologue suscitait le plus faible engagement des élèves. En moyenne, les enseignants parlent entre 70 et 80 % du temps en classe. La proportion de l'enseignement magistral augmente au fil des années scolaires et lorsque la taille de la classe diminue ! Dans l'ensemble des classes, lorsque l'enseignement présentait des défis, était pertinent et exigeant sur le plan scolaire, l'engagement de tous les élèves était plus intense, et les enseignants parlaient moins – et ceux qui en ont profité le plus étaient les élèves à risque.

Le discours magistral suit une séquence particulière : *initiation* de l'enseignant, *réponse* de l'élève et *évaluation* de l'enseignant – IRE (Meehan, 1979). Cet échange en trois phases favorise la prédominance du discours magistral. Cela incite l'enseignant à continuer à parler et à suivre la séquence IRE, qui est propice à des apprentissages cognitifs de moins haut niveau (parce que très souvent la question introductive comporte des indices visant à aider l'élève à se rappeler des faits et implique de confirmer des connaissances déclaratives). Cette séquence limite également les échanges entre les élèves et les dissuade de parler entre eux de leur apprentissage (Alexander, 2008 ; Duschl et

Osborne, 2002 ; Mercer et Littleton, 2007). On consacre si peu du temps de classe (moins de 5 %) aux discussions en groupe ou aux interactions enseignant-élèves impliquant des discussions significatives à propos d'idées (Newton, Driver et Osborne, 1999). En outre, très souvent, l'enseignant a déjà entamé le volet suivant de son monologue avant que les élèves n'aient eu le temps de répondre à la question précédente. Les enseignants parviennent à impliquer l'ensemble des élèves dans la séquence IRE, mais la réponse est habituellement donnée en chœur. Or, de nombreux élèves apprennent « à jouer le jeu » et sont donc présents physiquement, passivement engagés, mais psychologiquement absents. Les enseignants aiment parler – donner des éclaircissements, résumer les choses, émettre des réflexions, partager des expériences personnelles, expliquer, corriger, répéter, féliciter. Seulement 5 à 10 % du discours de l'enseignant favorise une conversation ou un dialogue impliquant les élèves. Notons que ce n'est pas ainsi que les enseignants *perçoivent* ce qui se passe dans leurs classes, mais que c'est pourtant ce qui se passe *réellement* – analyse de vidéos, observations en classe et échantillonnage événementiel à l'appui.

La prédominance du discours magistral conduit à l'instauration de relations particulières dans la classe – lesquelles visent essentiellement à faciliter ce même discours et à contrôler la transmission des connaissances : « Taisez-vous, conduisez-vous convenablement, écoutez et répondez à mes questions factuelles lorsque je vous le demande. » Pour l'enseignant, l'« interaction » se résume à demander aux élèves de lui répéter ce qu'il vient de dire afin qu'il puisse vérifier s'ils ont écouté et poursuivre ensuite son monologue. Ce déséquilibre doit être corrigé, et les enseignants peuvent très bien demander que soit faite une analyse indépendante pour vérifier le temps qu'ils passent à parler aux élèves. Bien entendu, une certaine transmission didactique d'informations et d'idées est nécessaire – mais trop souvent, il faudrait que l'enseignant parle moins, et que les élèves parlent et participent davantage.

Hardman, Smith et Wall (2003) ont largement contribué au regain d'intérêt pour l'observation en classe. Ils ont mis au point des appareils portatifs permettant d'enregistrer en continu les interactions dans la classe, puis utilisé un logiciel perfectionné pour produire des analyses en temps réel. Par exemple, dans une de leurs études portant sur 35 classes de littératie et 37 classes de numératie au Royaume-Uni, chaque leçon se déroulait à 60 % en grand groupe, et était essentiellement constituée de questions fermées (69 par heure), d'évaluations (65 par heure), d'explications (50 par heure) et de consignes (39 par heure) ; en outre, 15 % des enseignants n'ont jamais posé de question ouverte. En ce qui concerne les élèves, ils ont le plus souvent répondu à des questions de l'enseignant (118 par heure), donné des réponses en chœur (13 par heure) ou fait des exposés (13 par heure) ; seulement neuf fois par heure ont-ils eu l'occasion d'offrir une contribution spontanée. Lorsqu'une comparaison a été faite entre les enseignants très performants et les autres, on a constaté que les premiers tenaient un discours plus général et moins directif.

En fait, l'important est que les enseignants écoutent. Parker (2006) considère que l'écoute exige de l'humilité (être conscients que quelque chose peut nous échapper), de la prudence (ne pas exprimer tout ce qui nous passe par la tête) et de la réciprocité (comprendre le point de vue des élèves). L'écoute a besoin d'un dialogue – ce qui implique que les élèves et l'enseignant s'unissent pour répondre aux questions ou aborder des préoccupations communes, en examinant et en évaluant les différentes façons de les traiter ou de se renseigner sur celles-ci, en partageant et en reconnaissant les points de vue de chacun, et en travaillant collectivement à résoudre les problèmes. Non seulement l'écoute nécessite de respecter les opinions des autres et d'évaluer les points de vue des élèves (qui ne sont pas toujours valables ou judicieux), mais elle permet aussi de communiquer une véritable profondeur de pensée et de traitement dans nos questions, et de susciter le dialogue si nécessaire pour favoriser une participation fructueuse des élèves à l'apprentissage. L'écoute peut renseigner l'enseignant (et les autres élèves) sur la contribution d'un élève à l'apprentissage, sur ses stratégies et ses acquis ainsi que sur la nature et l'ampleur de l'écart qui existe entre son niveau actuel et celui qu'il doit atteindre. L'écoute donne l'occasion d'entendre l'élève et de s'inspirer de cette « voix » pour trouver une manière plus efficace de lui enseigner de meilleures stratégies et notions pouvant lui permettre de réaliser les intentions de la leçon.

L'un des problèmes que pose un discours magistral d'une telle ampleur est que cela montre aux élèves que l'enseignant est le maître de la matière, et le gestionnaire du rythme et de la séquence de l'apprentissage. Cela diminue les occasions pour les élèves de faire valoir leurs acquis, leur compréhension, leurs questions et leur idée de ce que devrait être la séquence. Burns et Myhill (2004) ont analysé 54 leçons destinées aux élèves de la 2e à la 6e année au Royaume-Uni (après l'introduction des tests standardisés nationaux – SAT) et constaté que, dans 84 % du temps, les enseignants monologuaient ou posaient des questions. L'enseignant parlait beaucoup plus qu'il n'écoutait et était bien davantage en action que les élèves. L'engagement des élèves consistait principalement à se soumettre et à obéir aux demandes de l'enseignant. Dans la plupart des classes observées, les interactions et les questions étaient d'ordre factuel ou consistaient à donner des directives. English (2002) a répertorié en moyenne trois interventions d'élèves par heure consacrée à la littératie, et constaté que la plupart des interactions ressemblaient à un match de tennis de table où la balle allait de l'enseignant à l'élève, puis revenait à l'enseignant. On pourrait dire que les élèves viennent à l'école pour voir les enseignants travailler !

Soulignons qu'inciter les enseignants à « se taire » ne signifie pas de laisser les élèves s'adonner à du travail inutile (ou pis encore, remplir des feuilles d'exercices) ; il s'agit plutôt d'initier un dialogue productif au sujet de l'apprentissage.

Bakhtin (1981) établit une distinction fort pertinente entre le discours « monologique » et le discours « dialogique ». L'enseignant qui utilise le discours monologique est essentiellement préoccupé par la transmission de connaissances, et il maintient résolument une emprise sur son objectif, instaure une discussion de type récitation-réponse-réponse avec les élèves et vérifie si au moins une partie des élèves ont acquis, au minimum, certaines connaissances de surface. Le but est de s'assurer que les élèves acquièrent, autant que possible, les connaissances recherchées par l'enseignant. En revanche, le discours dialogique vise à promouvoir la communication avec et entre les élèves, à faire valoir leurs points de vue et à aider les participants à échanger et à renforcer leur compréhension de façon collaborative. Dans le premier cas, l'enseignement magistral prédomine, et les questions ne commandent normalement que des réponses d'au plus trois mots – ou de moins de cinq secondes – de la part des élèves, 70 % du temps (Hardman *et al.*, 2003). Les élèves constatent que la voix et le point de vue de l'enseignant prédominent. Il s'agit du modèle de savoir privilégié par les personnes auxquelles celui-ci réussit. Mercer et Littleton (2007) ont étudié ces classes où prédominent la récapitulation (revoir ce qui s'est passé), l'élicitation (poser des questions pour stimuler le rappel des connaissances préalables), la répétition (répéter les réponses des élèves), la reformulation (paraphraser la réponse d'un élève de façon à l'améliorer pour le reste de la classe) et l'exhortation (encourager les élèves à réfléchir ou à se rappeler ce qui a été dit plus tôt).

Lorsque nous examinons une conversation normale (même entre des enfants), nous constatons que les échanges sont négociés, participatifs et créateurs de sens – qu'ils se déroulent en tête-à-tête ou entre plusieurs pairs – et que l'écoute prend souvent presque autant de place que la parole. Or, dans la classe, le discours est normalement contrôlé par l'enseignant qui explique, corrige et donne des consignes ; les réponses des élèves sont brèves, réactives, mais rarement interactives. Les erreurs sont souvent perçues comme gênantes. C'est pourquoi les enseignants s'efforcent de réduire au minimum les erreurs publiques afin d'éviter que l'enfant « perde la face ». Les enseignants éliminent ainsi des occasions importantes d'explorer collectivement ces erreurs et ces malentendus.

Alexander (2008) a étudié la classe dialogique et constaté que celle-ci a un effet puissant sur la participation et l'apprentissage des élèves, soulignant la manière dont les enseignants testent la réflexion et la compréhension des élèves. Les élèves posent des questions (plus que les enseignants) et émettent des commentaires sur les idées exprimées. Cette classe est essentiellement collective (les élèves exécutent les tâches d'apprentissage ensemble) ; elle est axée sur la réciprocité (les élèves s'écoutent les uns les autres, échangent des idées, examinent les solutions de rechange) ; elle offre un environnement solidaire (les élèves explorent les idées sans craindre de subir des répercussions négatives s'ils commettent des erreurs) ; l'apprentissage y est cumulatif (les élèves mettent à profit leurs idées et celles des autres) ; et elle a un but (les enseignants planifient en fonction d'intentions d'apprentissage et de critères de réussite clairs). Le dialogue est perçu comme un outil essentiel à l'apprentissage, et les élèves s'expriment tout au long d'un échange, pas seulement « à la fin ». Les enseignants peuvent apprendre beaucoup à propos de leur effet sur l'apprentissage des élèves en écoutant leurs réflexions exprimées à voix haute. Il s'agit de faire un usage efficace du discours en le mettant au service de l'apprentissage plutôt que de l'enseignement, comme c'est le cas dans beaucoup de classes.

5.2.1. Les questions

15. Dans les classes, ce sont les questions des élèves et non des enseignants qui prédominent.

Liste de vérification ✔
pour l'amorce de la leçon

Les enseignants posent beaucoup de questions. Brualdi (1998) en a dénombrées de 200 à 300 par jour, et la majorité d'entre elles étaient de bas niveau cognitif : 60 % étaient factuelles ; 20 % étaient procédurales. Pour les enseignants, les questions sont souvent la clé du bon déroulement de la leçon. Ils considèrent qu'elles permettent de maintenir une participation active des élèves durant la leçon, d'éveiller leur intérêt, de modeler le questionnement et de confirmer à l'enseignant que « la plupart » des élèves progressent. Or, la majorité des questions sont factuelles, et tous les élèves savent que l'enseignant connaît la réponse. Les enseignants sont les mieux placés pour choisir les élèves qui connaissent ou ne connaissent pas les réponses et opèrent cette sélection de manière à assurer le bon déroulement de la leçon. Les élèves disposent en moyenne d'une seconde ou moins pour réfléchir, analyser leurs idées et répondre (Cazden, 2001) ; les élèves plus brillants disposent de plus de temps pour répondre que les plus faibles, ce qui fait que les élèves qui en ont le plus besoin sont les moins susceptibles de bénéficier de plus de temps. Pas étonnant qu'autant d'élèves dans chaque classe espèrent qu'on ne leur posera pas de questions ! Il importe de faire des efforts supplémentaires pour concevoir des questions qui valent la peine d'être posées – des questions qui amorcent le dialogue en classe et permettent ainsi à l'enseignant d'«entendre» les élèves proposer des stratégies.

Rich Mayer et ses collaborateurs (Mayer, 2004, 2009 ; Mayer *et al.*, 2009) se sont intéressés à l'utilisation du questionnement en classe pour promouvoir l'apprentissage actif, le but étant d'amener les élèves à se concentrer sur les éléments importants du contenu, à les organiser mentalement et à intégrer les nouveaux apprentissages à leurs acquis, afin qu'ils améliorent leurs connaissances et leur compréhension. Mayer *et al.* ont constaté les effets positifs engendrés par le fait de poser des questions complémentaires pendant la lecture d'un texte, de poser des questions à la fin plutôt qu'au début du processus d'apprentissage, d'enseigner aux élèves l'art de poser des questions durant l'apprentissage, de soumettre les élèves à un test préparatoire et de les encourager à expliquer à voix haute ce qu'ils lisent. Ils ont effectué une série d'études sur l'effet d'une réponse immédiate à la rétroaction – dans leur cas, cela se passait dans de grandes salles de conférence. Les enseignants posaient des questions et demandaient aux élèves de donner leurs réponses au moyen de télévoteurs ; en l'espace de quelques secondes, un diagramme s'affichait, indiquant la bonne réponse et le pourcentage d'élèves ayant voté pour chacun des choix. La taille d'effet des questions complémentaires est de 0,40, ce qui montre que des gains importants peuvent être obtenus grâce à un petit changement apporté au processus magistral classique. Mayer soutient que ce gain (procuré par une rétroaction immédiate) était probablement attribuable au fait que les élèves étaient plus concentrés sur les propos de l'enseignant parce qu'ils anticipaient de devoir répondre à des questions, organisant mentalement et interprétant les apprentissages en prévision de celles-ci. Il soutient également que les élèves développaient des capacités métacognitives leur permettant d'évaluer leur niveau de compréhension de la matière présentée dans le cadre de l'exposé magistral et de comprendre comment répondre à des questions d'examen de ce genre dans l'avenir. Il relève que cela a aidé les élèves à adapter leurs habitudes d'études en fonction des questions d'examen probables, et engendré une hausse de l'assiduité qui s'est traduite par une exposition accrue aux idées. Il pourrait y avoir à cela une autre raison importante : l'enseignant enseigne différemment parce qu'il doit réfléchir, avant le début du cours, à la fois aux questions qui permettront d'obtenir des résultats optimaux par rapport aux intentions de la leçon et aux erreurs courantes que les élèves risquent de commettre, ce qui exige qu'il soit plus ouvert à la rétroaction concernant son enseignement.

5.2.2. Les enseignants doivent parler, écouter et agir – comme le font les élèves

16. Le temps que passent les enseignants à parler, à écouter et à agir est équilibré ; on constate le même équilibre entre la parole, l'écoute et l'action chez les élèves.

APPRENTISSAGE VISIBLE

Liste de vérification ✔
pour l'amorce de la leçon

Le monologue et le dialogue ne sont peut-être pas des formes de discours contradictoires ; il s'agit de savoir quand il convient d'opter pour l'un ou pour l'autre. Quelles sont les proportions optimales ? Il est difficile de trouver des données probantes sur ce qui constitue un équilibre optimal. Le meilleur exemple est probablement la recherche sur le programme Paideia.

Le programme Paideia figure parmi les plus efficaces auxquels j'ai participé (en tant qu'utilisateur aussi bien qu'évaluateur). Il vise à orienter l'attention des enseignants davantage vers le processus et les compétences que seulement vers le contenu. Le programme implique un équilibre entre trois modes d'enseignement et d'apprentissage : 1) des cours théoriques dans lesquels les élèves apprennent les concepts et le contenu ; 2) des laboratoires dans lesquels les élèves s'exercent en vue de maîtriser les compétences enseignées dans le cadre des cours théoriques ; 3) des séminaires dans lesquels un questionnement de type socratique conduit les élèves à poser des questions, à écouter, à réfléchir de façon critique et à communiquer leurs idées de manière cohérente aux autres membres du groupe (Hattie *et al.*, 1998 ; Roberts et Billings, 1999).

Le programme a été instauré dans 91 écoles d'un même district aux États-Unis. Celles qui avaient poussé le plus loin la mise en œuvre du programme Paideia bénéficiaient d'un climat plus positif dans les classes et dans l'ensemble de l'école (par exemple, $d = 0,94$

pour la satisfaction et 0,70 pour l'absence de conflits); les élèves de ces écoles estimaient être plus autonomes ($d = 0,81$) et plus concentrés sur la tâche ($d = 0,67$); il y a également eu des améliorations sur le plan de la cohérence ($d = 0,36$) et de la clarté ($d = 0,36$) des règles. Les élèves bénéficiant du programme Paideia s'adonnaient moins à l'autohandicap et à la comparaison sociale, et témoignaient davantage de respect envers les idées des autres, même lorsqu'ils n'étaient pas d'accord avec celles-ci. Ils étaient plus susceptibles de travailler en équipe, d'écouter les idées et les opinions des autres, et d'assumer la responsabilité de leurs propres actions. Ce qui est plus important encore, les effets ont été positifs sur les résultats en lecture et en mathématiques pendant les cinq années d'implantation, comme on peut le voir à la figure 5.1.

FIGURE 5.1.
Résultats (%) en lecture et en mathématiques selon le niveau d'implantation du programme Paideia sur une période de cinq ans

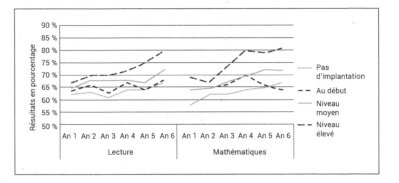

5.3. Les proportions des apprentissages de surface, en profondeur et conceptuels

APPRENTISSAGE VISIBLE

✔ Liste de vérification pour l'amorce de la leçon

17. Les enseignants et les élèves sont conscients que les intentions de la leçon impliquent un équilibre entre l'apprentissage de surface, en profondeur et conceptuel.

Il y a trois principaux niveaux de résultats dont les enseignants doivent tenir compte lorsqu'ils préparent, enseignent et évaluent leurs leçons : les connaissances de surface nécessaires pour comprendre les concepts; la compréhension plus en profondeur des liens qui existent entre les idées et avec les autres apprentissages; et la réflexion conceptuelle permettant de transformer les apprentissages de surface et en profondeur en conjectures et en concepts qui permettront de forger une nouvelle compréhension. Ces distinctions ne sont pas toujours nettes : un tel développement du savoir implique notamment de penser à d'autres possibilités, de réfléchir aux critiques, de proposer des tests expérimentaux, de déterminer un objet à partir d'un autre, de proposer un problème, de proposer une solution et de critiquer la solution (Bereiter, 2002).

Une grande partie de l'enseignement en classe concerne les apprentissages de surface, d'où l'importance de se demander si l'accent est mis sur le bon niveau de compréhension. Il est probable qu'un changement majeur s'impose : il faudrait cesser de se préoccuper à l'excès des connaissances de surface au détriment de l'objectif de l'éducation qui est l'acquisition d'une compréhension en profondeur et le développement d'une capacité de réflexion, et favoriser plutôt un équilibre entre les apprentissages de surface et en profondeur, de façon à permettre aux élèves d'élaborer avec plus de succès des théories valables concernant le savoir et la réalité (niveau conceptuel). Il n'y a pas de place pour le bourrage de crâne, pour l'enseignement de surface axé sur les tests, pour les écoles qui insistent sur l'enseignement de la pensée critique – pour M. Gradgrind, le personnage de Dickens dans *Les temps difficiles*, décrit comme « une espèce de canon bourré, jusqu'à la gueule, de faits ». Au lieu de cela, il faut un équilibre entre les connaissances de surface et les processus en profondeur, afin de favoriser la compréhension conceptuelle. Le choix de méthodes pédagogiques et d'activités d'apprentissage visant à maximiser les résultats témoigne d'un enseignement de qualité (Kennedy, 2010).

Toutefois, les élèves sont perspicaces et capables de déterminer ce qui importe vraiment aux enseignants à partir des questions qu'ils posent en classe ainsi que des devoirs et des examens qu'ils donnent (tant par leur nature que par les commentaires sur ceux-ci). Les élèves savent, par expérience, que ce qui compte réellement dans beaucoup trop de classes, c'est la compréhension de surface : « Donnez-moi seulement les faits. » C'est pourquoi des stratégies comme le bourrage de crâne, l'assimilation de grands volumes de connaissances et l'adoption d'approches de surface, pour comprendre comment et quoi apprendre, remportent du succès. Je recommande donc aux enseignants de mieux définir à quoi ressemble la réussite du point de vue des apprentissages de surface et en profondeur *avant* d'entreprendre la leçon ; ils doivent exprimer clairement ces proportions aux élèves, faire de nombreuses évaluations formatives pour bien comprendre la manière dont les élèves acquièrent des apprentissages aux deux niveaux, et s'assurer que les évaluations et les questions posées par les élèves (et les enseignants) favorisent l'équilibre voulu entre les connaissances de surface, en profondeur et conceptuelles.

Les autres objectifs de l'apprentissage peuvent être la compétence, l'efficacité et le réinvestissement. Souvent, pour atteindre une compréhension en profondeur et conceptuelle, il faut faire un surapprentissage de certaines connaissances de surface. Cela nous permet alors d'utiliser nos ressources cognitives pour nous attaquer à la relation entre les idées et d'autres apprentissages plus en profondeur. Au fur et à mesure que nous devenons plus compétents, nous risquons moins de fonctionner par essais et erreurs dans notre apprentissage, et nous sommes plus susceptibles de développer une compréhension plus stratégique pouvant être appliquées dans les situations d'«ignorance». Le débutant vise la production de données, tandis que l'expert s'intéresse davantage à l'interprétation de celles-ci ; la collecte précède l'interprétation des données. C'est le cas aussi bien pour l'apprenant que pour l'enseignant. Lorsque nous sommes compétents et, par le fait même, plus efficaces, nous sommes plus susceptibles de réinvestir dans une compréhension plus poussée des connaissances acquises.

5.4. Le rôle des pairs et du soutien social

APPRENTISSAGE VISIBLE

✔ Liste de vérification pour l'amorce de la leçon

18. Les enseignants et les élèves utilisent le pouvoir des pairs de façon positive afin de faire progresser l'apprentissage.

Même si l'apprentissage et l'évaluation dans nos écoles sont orientés essentiellement vers l'individu, nous apprenons et vivons plus souvent en collectivité. L'effet des pairs sur l'apprentissage est élevé ($d = 0,52$) et peut l'être encore plus si certaines influences négatives de ceux-ci sont atténuées. Les pairs peuvent avoir une influence positive sur l'apprentissage en offrant leur aide, en faisant du tutorat, en prodiguant leur amitié, en donnant de la rétroaction, et en faisant de la classe et de l'école un lieu que les élèves ont envie de fréquenter tous les jours (Wilkinson, Parr, Fung, Hattie et Townsend, 2002). Les pairs peuvent contribuer à la comparaison sociale, au soutien affectif, à la facilitation sociale, à la restructuration cognitive ainsi qu'à la répétition ou à l'entraînement délibéré. Ils peuvent offrir bienveillance, soutien et aide, et faciliter la résolution de conflits. Tout cela peut créer de plus amples occasions d'apprentissage et favoriser une amélioration du rendement scolaire (Anderman et Anderman, 1999). Les élèves, particulièrement au début de l'adolescence, souhaitent se faire une réputation auprès de leurs pairs, et l'un de nos objectifs devrait être d'aider à ce que ce soit en fonction de la réussite scolaire (voir Carroll *et al.*, 2009).

Toutefois, pour beaucoup d'élèves, l'école peut être un lieu de solitude, et la faible acceptation par les pairs peut se traduire plus tard par un désengagement et une baisse du rendement scolaire. Il faut un sentiment d'appartenance, lequel peut être insufflé par les pairs. Chose certaine, lorsqu'un élève a des amis à l'école, sa perception du lieu est meilleure et différente. Dans les études examinant ce qui arrive aux élèves qui changent d'écoles, le meilleur garant de la réussite ultérieure de ces élèves est le fait de parvenir à se lier d'amitié au cours du premier mois (Galton, Morrison et Pell, 2000 ; Pratt et George, 2005). Il est donc du devoir des écoles de se préoccuper de l'amitié entre les élèves, de s'assurer que les nouveaux arrivants se sentent les bienvenus dans leurs classes et, à tout le moins, de veiller à ce que tous les élèves aient un sentiment d'appartenance.

L'apprentissage coopératif est indéniablement une intervention puissante. Son effet dépasse celui des autres solutions possibles : l'apprentissage coopératif comparé aux classes hétérogènes donne $d = 0,41$; comparé à l'apprentissage individuel, $d = 0,59$; et comparé à l'apprentissage compétitif, $d = 0,54$; et l'apprentissage compétitif comparé à l'apprentissage individuel donne $d = 0,24$. L'apprentissage coopératif et l'apprentissage compétitif (surtout lorsque l'aspect compétitif concerne le surpassement de soi et l'atteinte d'objectifs personnels plutôt qu'un meilleur classement que les autres élèves) sont tous les deux plus efficaces que les méthodes d'apprentissage individuel – ce qui fait à nouveau ressortir l'importance des pairs dans l'équation d'apprentissage. L'apprentissage coopératif a un effet plus puissant une fois que les élèves ont acquis suffisamment de connaissances de surface pour pouvoir participer aux discussions et aux activités d'apprentissage avec leurs pairs – normalement d'une manière relativement structurée. La méthode se révèle alors très utile pour apprendre les concepts, résoudre les problèmes verbalement, créer des catégories, résoudre les problèmes spatiaux, retenir et mémoriser la matière ainsi que deviner-évaluer-prédire. Comme le concluaient Roseth, Fang, Johnson et Johnson (2006, p. 7, traduction libre) : « si vous voulez améliorer le rendement scolaire, faites en sorte que chaque élève ait un ami ».

Le tutorat est une autre forme d'apprentissage par les pairs ($d = 0,54$) et l'effet est tout aussi puissant sur le tuteur que sur l'élève tutoré. Rien d'étonnant à cela puisque nous ne cessons de répéter dans le présent ouvrage que les élèves apprennent beaucoup lorsqu'ils deviennent leurs propres enseignants (et l'enseignant des autres). Si l'objectif est d'apprendre à l'élève à s'autoréguler et à contrôler son apprentissage, alors il doit passer du stade d'élève à celui d'enseignant pour lui-même. De plus, la plupart d'entre nous sont conscients d'apprendre énormément lorsqu'on nous demande d'enseigner quelque chose au lieu de rester assis à écouter les autres nous parler. Même si le tutorat par les pairs est bénéfique pour les élèves qui s'occupent d'élèves plus jeunes et moins doués, il peut aussi avoir des bienfaits importants dans un contexte d'apprentissage coopératif, surtout lorsque les enseignants aident les tuteurs à établir des buts de maîtrise, à monitorer le rendement, à évaluer les effets et à donner de la rétroaction. Par conséquent, lorsque des élèves deviennent les enseignants d'autres élèves, ils apprennent autant que ceux à qui ils enseignent.

5.5. Connaître les enfants et laisser tomber les étiquettes

APPRENTISSAGE VISIBLE

✔ Liste de vérification pour l'amorce de la leçon

19. Dans les classes et dans l'ensemble de l'école, l'étiquetage des élèves est rare.

Nous semblons beaucoup aimer les étiquettes – du genre «déficience cognitive», «en difficulté», «dyslexique», «TDAH», «autiste», «kinesthésique» (styles d'apprentissage), «TOC» et ainsi de suite. Nous ne voulons pas dire que ces attributs ne sont pas réels (ils le sont bel et bien), mais souligner à quel point nous sommes prompts à médicaliser les situations ou à apposer des étiquettes (parfois en vue d'obtenir plus de financement), puis à nous servir de celles-ci pour expliquer pourquoi nous ne pouvons enseigner à ces élèves ou pourquoi ces élèves ne peuvent apprendre (Hattie, Biggs et Purdie, 1996). Lorsqu'un parent ou un collègue déclare qu'un élève (il s'agit souvent de garçons) a tel ou tel diagnostic, cela devrait être le point de départ de l'enseignement et non la raison pour ne pas enseigner.

L'établissement du «style d'apprentissage» des élèves est une entreprise tout à fait inutile. L'engouement pour les styles d'apprentissage, qu'il ne faut pas confondre avec les multiples stratégies d'apprentissage, repose sur l'hypothèse que différents élèves n'ont pas les mêmes préférences en ce qui concerne la méthode d'apprentissage (Pashler, McDaniel, Rohrer et Bjork, 2009; Riener et Willingham, 2010). On allègue souvent que lorsque l'enseignement est harmonisé avec le style d'apprentissage privilégié ou dominant (par exemple, auditif, visuel, tactile ou kinesthésique), alors le rendement s'améliore. Bien qu'il puisse y avoir de nombreux avantages à enseigner la matière au moyen de plusieurs méthodes différentes (visuelle, parlée, etc.), il ne faut pas penser que les élèves ont des capacités cognitives différentes selon les styles.

Tout indique que différents enseignants attribuent des styles fort différents aux élèves (Holt, Denny, Capps et De Vore, 2005), et il est bien connu que les mesures couramment utilisées pour déterminer ces styles ne sont pas fiables et ne permettent pas de prédire grand-chose. Une analyse très complète effectuée par Coffield, Moseley, Ecclestone et Hall (2004) n'a permis de trouver que quelques études conformes à leurs critères minimaux d'acceptabilité. Les auteurs ont émis de nombreuses critiques à ce sujet, notamment à propos des exagérations, de la piètre qualité des questions et des évaluations, de la faible validité, de l'effet négligeable sur la pratique et de la promotion trop commerciale. Les stratégies d'apprentissage et le plaisir d'apprendre sont importants, mais pas les styles d'apprentissage. Plus important encore, les enseignants qui parlent de «styles d'apprentissage» attribuent aux élèves une étiquette correspondant à la façon dont ils (les enseignants) croient que les élèves pensent, négligeant ainsi le fait que les élèves peuvent changer et apprendre de nouvelles façons de penser, et sont capables de relever les défis associés à l'apprentissage.

La forme d'étiquetage qui est peut-être la plus simpliste présuppose qu'il existe seulement deux façons d'apprendre, soit la manière masculine et la manière féminine ! La différence dans les tailles d'effet entre les garçons et les filles est faible ($d = 0,15$ en faveur des garçons) – plus précisément : pour le langage, $d = 0,03$; pour les mathématiques, $d = 0,04$; pour les sciences, $d = 0,07$; pour l'affectif, $d = 0,04$; pour la motivation, $d = -0,03$ – mais les écarts sont beaucoup plus grands pour les activités motrices, $d = 0,42$ (figure 5.2). Janet Hyde (2005) a mené l'étude la plus imposante, résumant 124 méta-analyses sur ce sujet qui impliquaient plusieurs millions d'élèves ; elle avance l'hypothèse de *similarité des genres*. Pour les quatre principaux résultats d'apprentissage, les différences sont légèrement à l'avantage des filles pour la communication ($d = -0,17$) et des garçons pour le rendement ($d = 0,03$) ainsi que pour l'aspect social et la personnalité ($d = 0,20$). En ce qui concerne les garçons, ils sont plus agressifs ($d = 0,40$) et plus susceptibles d'aider les autres ($d = 0,30$) et de négocier ($d = 0,09$), mais les plus grandes différences sont liées à la sexualité (pour l'excitation, $d = 0,30$; pour la masturbation, $d = 0,95$). Les résultats des filles étaient beaucoup plus élevés pour l'attention ($d = -0,23$), le contrôle volontaire ($d = -1,10$) et la capacité d'inhibition ($d = -0,42$) – c'est-à-dire que les filles parviennent mieux à gérer et à réguler leur attention, et à maîtriser leurs impulsions, des qualités très utiles dans une classe.

Il faut se garder de faire des généralisations pour l'ensemble des pays, parce que ces études visent essentiellement les pays occidentaux ou plus développés (où les recherches sont plus nombreuses).

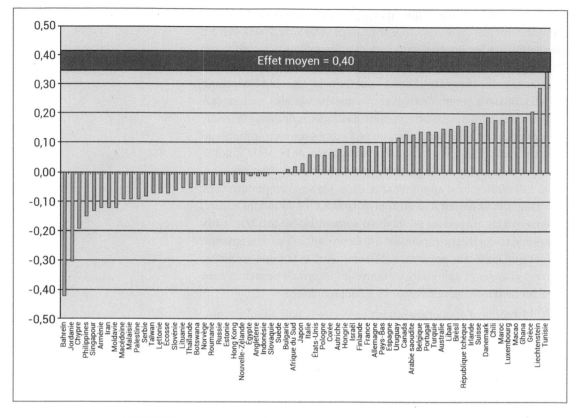

FIGURE 5.2.

Tailles d'effet pour les garçons et les filles à l'échelle de 66 pays (effets positifs à l'avantage des garçons ; effets négatifs à l'avantage des filles)

Lorsque je calcule les tailles d'effet à partir des diverses études internationales (TIMSS, PISA) regroupant 66 pays, la variabilité est marquée – les principales différences étant en faveur des filles à Bahreïn et en Jordanie, et des garçons en Tunisie et au Liechtenstein.

Il est clair que la variabilité chez les garçons et chez les filles est très grande – beaucoup plus grande, en fait, que la différence moyenne entre les garçons et les filles. Les différences dans la façon dont les élèves apprennent ne sont pas liées au fait d'être un garçon ou une fille, et bien que la caractérisation de l'apprentissage au moyen de ces étiquettes puisse en rassurer certains, elle n'est fondée sur aucune véritable différence.

De même, le concept d'«intelligences multiples» offre peu d'avantages. Prendre conscience que les élèves ont des habiletés, des talents et des intérêts différents est évidemment essentiel, mais la rhétorique entourant la notion d'intelligences multiples n'a pas de raison d'être. Nul besoin d'aller au-delà de ce message qui est en lui-même éloquent, notoire et presque simpliste, mais si percutant. De plus, il existe en général dans notre société une hiérarchie des intelligences multiples proposées par Gardner : nous privilégions les compétences verbales et numériques aux dépens des habiletés kinesthésiques, musicales, sportives, etc. Je dis bien « en général », car il y a évidemment des exceptions (les sportifs, les musiciens), mais la probabilité de réussir dans ces domaines est plus faible. En revanche, beaucoup d'activités quotidiennes et professionnelles reposent sur des compétences verbales ou numériques. De plus en plus, nous devons être capables d'évaluer et de synthétiser, et avoir une intelligence sociale de haut niveau – qui implique le respect de soi et des autres. Il ne faut pas seulement avoir des compétences et des connaissances de niveau supérieur, mais aussi être capable de réfléchir, d'évaluer et de communiquer sa réflexion (voir Fletcher et Hattie, 2011) – et tous les élèves ont besoin de ces « intelligences ». Gardner (2009) a fait une mise en garde contre les implications trompeuses, en signalant que ses arguments comportaient deux grandes implications : porter attention aux différences individuelles et décider ce qui est important dans votre discipline ; et l'enseigner et le communiquer de plusieurs façons différentes. Cela reprend le point soulevé précédemment selon lequel il est souhaitable d'avoir de *multiples façons d'enseigner* et qu'il n'est pas nécessaire de classer les élèves dans différentes catégories d'« intelligence ».

APPRENTISSAGE VISIBLE

Liste de vérification ✔
pour l'amorce de la leçon

20. Les enseignants ont des attentes élevées envers tous les élèves, et cherchent constamment à vérifier et à rehausser celles-ci. L'objectif de l'école est d'aider tous les élèves à se dépasser.

Une autre forme d'étiquetage peut découler des *attentes des enseignants*. Nous connaissons depuis longtemps les effets qu'ont les attentes dans la classe ($d = 0,43$). Toutefois, la question n'est pas de savoir si les enseignants ont des attentes, mais plutôt s'ils ont des attentes erronées ou trompeuses pouvant entraîner une diminution de l'apprentissage ou des progrès – et envers quels élèves. Mieux encore : « Les enseignants ont-ils des attentes élevées qui tiennent compte de ce que les élèves savent et peuvent faire ? »

On cherche depuis longtemps à identifier les élèves qui sont affectés différemment par les attentes des enseignants – en fonction de leur sexe, de leurs comportements antérieurs, de leur classe sociale, de leur beauté physique, de l'historique de l'enseignant avec un frère ou une sœur, des préjugés liés au prénom, du cheminement qui leur a été imposé ou de leur origine ethnique. Toutefois, ces attentes différentielles ne constituent pas le principal problème. En revanche, lorsque les enseignants ont des attentes élevées, celles-ci tendent à s'appliquer à tous les élèves ; et il en va de même lorsque les attentes sont faibles. Rubie-Davies (2007 ; Rubie-Davies, Hattie et Hamilton, 2006) a demandé à des enseignants (après un mois de travail avec leurs élèves) de prédire où les élèves se situeraient à la fin de l'année en mathématiques, en lecture et en éducation physique. Lorsque les élèves ont été évalués à la fin de l'année, on a constaté que les prédictions des enseignants avaient été raisonnablement exactes. Le hic, c'est que même si les objectifs fixés par certains enseignants étaient en deçà des capacités des élèves évaluées au début de l'année, très peu ambitieux ou encore établis de façon relativement aléatoire, les élèves ont satisfait aux attentes des enseignants.

Le rôle joué par les attentes est un bon exemple de l'importance de la posture adoptée par les enseignants. Les progrès des élèves varient selon que les enseignants *croient* que le rendement est difficile à changer, qu'il est fixe et revêt un caractère intrinsèque, ou qu'il est modifiable (ces derniers enseignants permettant de réaliser des progrès plus importants). Les enseignants doivent cesser d'insister exagérément sur la capacité et commencer à mettre l'accent sur l'effort et la progression (la possibilité de progresser doit être offerte à tous les élèves, quelles que soient leurs capacités de départ) ; ils doivent arrêter de chercher à prouver qu'ils avaient raison en établissant leurs attentes, et plutôt tenter de trouver des données qui les étonneront ainsi que des façons de rehausser le rendement de tous les élèves. Les leaders scolaires doivent cesser de créer des écoles qui restreignent le recours aux acquis et aux expériences. En revanche, ils doivent colliger des données probantes qui les renseignent sur les talents et la progression de tous les élèves, accueillir la diversité et rendre des comptes à l'égard de tout le monde (quelles que soient les attentes des enseignants et des écoles). « Attendez-vous à être surpris », voilà un mantra qui pourrait aider à contrer l'effet des attentes négatives. Si les enseignants et les écoles ont des attentes (ce qui est *effectivement* le cas), elles doivent être stimulantes, appropriées et vérifiables, de façon à ce que tous les élèves puissent atteindre les critères jugés importants.

Weinstein (2002) a montré que les élèves ont conscience d'être traités différemment en classe selon les attentes des enseignants et sont capables de déceler avec suffisamment d'exactitude les cas où les enseignants favorisent certains élèves au détriment d'autres, du fait qu'ils ont des attentes plus élevées. Elle a aussi démontré que beaucoup de pratiques institutionnelles (comme les parcours éducatifs ou les classes homogènes) peuvent engendrer des croyances qui enlèvent de nombreuses possibilités d'apprentissage : « Les attentes ne sont pas que "dans la tête des enseignants", mais constituent plutôt des processus intégrés au plus profond de nos institutions et de notre société » (Weinstein, 2002, p. 290, traduction libre).

21. Les élèves se fixent des attentes élevées en ce qui concerne leur apprentissage.

Une autre « étiquette » concerne l'effet potentiellement négatif pour les élèves de *se fixer des attentes*, qu'elles soient trop basses ou trop élevées, et de ne pas avoir suffisamment confiance en leur capacité de surpasser celles-ci. Les élèves ont une compréhension raisonnablement exacte de leur niveau de rendement, mais il en va autrement de leur progrès. D'un côté, cela fait ressortir le niveau de prévisibilité remarquablement élevé du rendement en classe ; d'un autre côté, il se peut que les élèves se fixent des attentes qu'ils sont convaincus de pouvoir atteindre sans trop faire d'efforts et, par le fait même, n'essaient pas de dépasser leurs limites.

Dans *Visible Learning*, l'effet le plus grand lié aux attentes des élèves concerne les prédictions des élèves ($d = 1,44$). Imaginons que je dise aux élèves de ma classe qu'ils vont subir un contrôle relatif aux intentions d'apprentissage des dernières leçons et que je leur demande de prédire leurs résultats. Les élèves sont très doués pour faire de telles prédictions. Cela devrait nous faire réfléchir, et nous amener à nous demander pourquoi nous faisons des contrôles ; or, la meilleure réponse à cette question est que « cela nous permet, en tant qu'enseignants, d'identifier les élèves qui ont bien compris et ceux qui ont fait des gains modestes ou importants, de cerner les notions qui ont été maîtrisées ou non et celles qui doivent être revues ». Les contrôles visent principalement à aider les enseignants à recueillir des données formatives à propos de leur impact. Dans cette optique, les élèves en récoltent les dividendes.

L'inconvénient avec le fait que les prédictions des élèves soient aussi exactes est que les attentes de ceux-ci sont souvent fondées sur le principe du « juste assez » – c'est-à-dire produire une note maximale avec un effort minimal. Les élèves font souvent des prédictions « prudentes », et notre rôle en tant qu'intervenants est de rehausser les attentes des élèves. Notre rôle n'est pas de permettre aux élèves de réaliser leur potentiel ou de répondre à leurs besoins ; notre rôle est de découvrir ce que les élèves sont capables de faire, et de les amener à aller au-delà de leur potentiel et de leurs besoins. Notre rôle est d'ouvrir aux élèves de nouveaux horizons en matière de réussite, puis de les aider à atteindre ces objectifs. Nous pouvons être modestes dans nos aspirations ou encore nous fixer des objectifs que nous pensons à notre portée ; or, le but de l'école est de cerner de façon fiable les talents des élèves et de leur donner ensuite des occasions de les réaliser. Beaucoup de ces talents ne sont pas nécessairement pris en compte dans les attentes des élèves.

5.6. Le choix d'une méthode

22. Les enseignants choisissent les méthodes d'enseignement à l'étape finale du processus de planification de la leçon et évaluent leurs choix du point de vue de l'impact sur les élèves.

Nous passons beaucoup trop de temps à parler des méthodes d'enseignement. Le débat semble très souvent porter sur telle méthode ou telle autre : l'enseignement direct, le constructivisme, l'enseignement coopératif ou individuel, et ainsi de suite. Or, notre attention devrait plutôt porter sur l'effet que nous avons sur l'apprentissage des élèves. Il nous faut parfois faire appel à de multiples stratégies et, bien souvent, certains élèves ont besoin que nous utilisions des stratégies d'enseignement différentes de celles employées jusque-là. Un point important qui ressort de *Visible Learning* est que, plus souvent qu'autrement, lorsque les élèves n'apprennent pas, ce n'est pas de « plus » d'enseignement dont ils ont besoin, mais d'un enseignement « différent ».

Un certain nombre de méthodes d'enseignement efficaces ont été répertoriées dans *Visible Learning*, mais cet ouvrage a également fait ressortir l'importance de ne pas s'empresser de mettre en œuvre seulement les stratégies de premier plan ; il importe plutôt de comprendre les raisons sous-jacentes de la réussite de ces stratégies et de s'en servir pour prendre les décisions quant aux méthodes d'enseignement. Les programmes qui ont remporté le plus de succès sont l'accélération scolaire ($d = 0,88$), l'enseignement réciproque ($d = 0,72$), l'enseignement de la résolution de problèmes ($d = 0,61$) et l'autoverbalisation/autoquestionnement ($d = 0,64$). Ces méthodes efficaces reposent sur l'influence des pairs, la rétroaction, des intentions d'apprentissage et des critères de réussite clairs, l'enseignement de multiples stratégies ou l'utilisation de diverses stratégies d'enseignement, et le souci de l'apprentissage de surface et en profondeur. Il semble que les méthodes les moins efficaces ne misent pas sur l'influence des pairs, se concentrent trop sur l'apprentissage en profondeur, sans se préoccuper d'abord de l'acquisition des connaissances de surface ou du développement des compétences, mettent trop l'accent sur les technologies, et ne tiennent pas compte des similitudes tout en accordant une importance excessive aux différences (tableau 5.1).

Il ne s'agit pas de choisir une méthode parmi les plus efficaces, mais de choisir une méthode et d'en évaluer ensuite l'impact sur l'apprentissage des élèves. Bien souvent, l'évaluation se traduit par des phrases comme : « Elle a fonctionné pour moi », « Les élèves semblent avoir aimé ça », « Les élèves semblaient intéressés » ou encore, « Elle m'a permis de parcourir l'ensemble du programme ». Le seul véritable enjeu est l'impact de la méthode d'enseignement sur l'apprentissage de tous les élèves. J'ai visité un groupe d'intervenants scolaires dévoués qui souhaitaient avoir un impact décisif sur les élèves issus des minorités dans une région rurale éloignée. Ils avaient décidé d'implanter l'enseignement direct – une décision qui augmentait certainement la probabilité d'avoir un impact sur l'apprentissage des élèves. Toutefois, la mesure de réussite ne réside pas dans le dosage de l'enseignement direct, mais dans l'attestation de son impact sur la progression des élèves. J'ai encouragé ces intervenants à examiner d'abord les données probantes relatives aux progrès réalisés par les élèves qui ont été fournies à la direction scolaire par les enseignants et les écoles (en s'assurant de la qualité de celles-ci ainsi que des intentions de l'école par rapport à cette information). Alors seulement, ils pourraient parler du dosage et des effets de l'enseignement direct. Nous passons beaucoup de temps dans le cadre de notre travail à concevoir des tableaux de bord pour présenter des données probantes concernant l'impact de l'enseignement (qui ne reposent jamais uniquement sur les résultats aux examens, mais tiennent aussi compte du jugement de l'enseignant, des données recueillies en classe, des bulletins d'élève, etc.), puis à nous demander ce qu'il convient de faire pour améliorer ou, s'il y a lieu, changer les méthodes afin de produire l'impact recherché (par exemple, d = > 0,40 en une année).

Convaincre les enseignants de changer leurs méthodes d'enseignement est l'une des tâches les plus difficiles qui soient, parce que beaucoup d'entre eux adoptent une méthode et l'utilisent durant toute leur carrière, en y apportant quelques modifications. Étant donné qu'ils utilisent ces méthodes depuis très longtemps, les enseignants ont souvent accumulé une foule de preuves anecdotiques expliquant pourquoi ces méthodes fonctionnent pour eux – alors pourquoi prendre le risque de changer quelque chose qui semble fonctionner ? Les enseignants ne sont peut-être pas dérangés par le changement, mais ils n'apprécient guère de devoir changer. Toutefois, il

TABLEAU 5.1. Tailles d'effet pour divers programmes

Programmes	Nombre de méta-an.	Nombre d'études	Nombre de participants	Nombre d'effets	TE	ET	Rang
Enseignement réciproque	2	38	677	53	0,74		9
Programmes de vocabulaire	10	442		1 109	0,67	0,108	15
Programmes de lecture répétée	2	54		156	0,67	0,080	16
Techniques d'étude	19	1 278	135 778	3 450	0,63	0,090	20
Enseignement de la résolution de problèmes	6	221	15 235	719	0,61	0,076	22
Programmes de compréhension	16	657	38 393	3 146	0,60	0,056	24
Schématisation conceptuelle	7	325	8 471	378	0,60	0,051	25
Apprentissage coopératif *vs* individuel	4	774		284	0,59	0,088	26
Enseignement direct	4	304	42 618	597	0,59	0,096	27
Pédagogie de la maîtrise	10	420	9 323	374	0,58	0,055	29
Exemples de problèmes résolus	1	62	3 324	151	0,57	0,042	30
Tutorat par les pairs	14	767	2 676	1 200	0,55	0,103	32
Apprentissage coopératif ou compétitif	7	1 024	17 000	933	0,54	0,112	33
Enseignement phonétique	19	523	21 134	6 453	0,54	0,191	34
Pédagogie de l'enseignement personnalisé de Keller	3	263		162	0,53		38
Méthodes vidéo interactives	6	441	4 800	3 930	0,52	0,076	44
Programmes de jeux	2	70	5 056	70	0,50		47
Programmes de deuxième/ troisième chance	2	52	5 685	1 395	0,50		48

TABLEAU 5.1. Tailles d'effet pour divers programmes (*suite*)

Programmes	Nombre de méta-an.	Nombre d'études	Nombre de participants	Nombre d'effets	TE	ET	Rang
Enseignement assisté par ordinateur	100	5 947	4 239 997	10 291	0,37	0,059	76
Simulations	10	426	10 934	550	0,33	0,081	85
Enseignement inductif	2	97	3 595	103	0,33	0,035	86
Pédagogie par investigation	4	205	7 437	420	0,31	0,092	90
Préparation aux tests et accompagnement	11	275	15 772	372	0,27	0,024	97
Apprentissage compétitif ou individuel	4	831		203	0,24	0,232	103
Enseignement programmé	8	493		391	0,23	0,084	104
Enseignement individualisé	10	638	9 380	1 185	0,22	0,060	108
Méthodes visuelles/ audiovisuelles	6	359	2 760	231	0,22	0,070	109
Programmes parascolaires	8	2 161		1 036	0,19	0,055	115
Coenseignement/ enseignement en équipe	2	136	1 617	47	0,19	0,057	117
Enseignement basé sur l'Internet	3	45	22 554	136	0,18	0,124	123
Apprentissage par résolution de problèmes	9	367	38 090	747	0,15	0,085	126
Programmes de combinaison de phrases	2	35		40	0,15	0,087	127
Programmes de formation perceptivomotrice	1	180	13 000	637	0,08	0,011	136
Méthode globale	4	64	630	197	0,06	0,056	137
Somme/moyenne	**330**	**20 339**	**4 699 961**	**42 054**	**0,41**	**0,080**	**–**

importe de se demander si la méthode utilisée fonctionne pour tous les élèves. Plusieurs des méthodes fonctionnent peut-être raisonnablement bien pour les élèves performants (qui vont quand même apprendre, quels que soient les efforts que nous déploierons), mais la qualité de l'enseignement est primordiale pour les élèves moins performants (et toute méthode qui fonctionne pour ces élèves donne aussi de meilleurs résultats avec les élèves plus performants). Comme nous le verrons au chapitre 6, lorsqu'un élève apprend quelque chose de nouveau (qu'il soit faible ou brillant), l'accent doit être mis sur le développement des compétences et sur le contenu ; au fur et à mesure que l'élève progresse, il doit miser plus sur les liens, les relations et les schémas conceptuels pour structurer les compétences acquises et le contenu appris ; ensuite, il a davantage recours à l'autorégulation pour déterminer la façon de poursuivre l'apprentissage du contenu et des idées. Les méthodes ayant les plus grands effets sont particulièrement performantes avec les élèves qui en sont aux premiers stades de l'apprentissage. Toutefois, ce qui est important pour les enseignants n'est pas de recommander une méthode d'enseignement particulière, mais d'évaluer les effets des méthodes qu'ils choisissent. Lorsque les élèves n'apprennent pas avec une méthode, il est plus probable qu'il faille enseigner la matière de nouveau au moyen d'une méthode différente ; il ne suffira pas de répéter la matière encore et encore en utilisant la même méthode. Ce sont les enseignants qui doivent changer lorsqu'il n'y a aucun changement dans l'apprentissage des élèves.

5.7. Les enseignants en tant qu'évaluateurs et activateurs

23. Les enseignants se perçoivent fondamentalement comme des évaluateurs et des activateurs de l'apprentissage.

Un « activateur » est un agent de changement, « une substance qui augmente l'activité d'une enzyme ou une protéine qui stimule la transcription d'un gène ». Il s'agit d'une analogie fort appropriée pour décrire le rôle principal de l'enseignant. L'autre rôle est celui d'« évaluateur ». Ce rôle exige de l'enseignant qu'il s'attarde à la valeur de la démarche d'activation. Les enseignants qui ont une posture d'évaluateur et d'activateur se concentrent davantage sur l'impact de leur enseignement sur tous les élèves et sur la qualité des résultats recherchés. Cette posture leur permet de constater leur impact du point de vue des conséquences pour les élèves, plutôt que parce qu'ils sont parvenus à passer à travers le programme, que les élèves ont réussi les examens ou qu'ils ont donné d'excellentes leçons riches en activités intéressantes.

La meilleure façon de choisir la méthode d'enseignement la plus efficace (et d'amener les enseignants à changer afin qu'ils l'adoptent) est d'accorder davantage d'attention à l'évaluation de l'effet sur l'apprentissage dans le cadre de la leçon et d'utiliser cette information comme point de départ pour une discussion visant à déterminer si les méthodes d'enseignement les plus optimales ont été employées. Cette « traduction des preuves en actions » peut influencer les croyances des enseignants au sujet de l'apprentissage, de la planification, de la motivation et de la régulation de l'apprentissage. Soulignons cependant que cette approche incite seulement à poser la bonne question, mais ne donne pas la réponse quant à la méthode d'enseignement la plus efficace. Trouver cette réponse requiert discernement, écoute et compétence. Il se peut très bien qu'une méthode convienne mieux à tel élève ou à tel contenu plutôt qu'à tel autre – or, c'est l'impact qui est la clé, pas la méthode.

Les programmes de formation des maîtres devraient moins mettre l'accent sur la promotion de certaines stratégies d'enseignement et sur la diversité. En revanche, ils devraient insister davantage sur la façon dont les nouveaux enseignants peuvent évaluer l'impact de leur enseignement, sur la manière d'utiliser de multiples stratégies ainsi que sur la nécessité de prendre conscience des similitudes et de tenir compte de la diversité de leur impact sur le groupe. Cette approche, qui consiste à choisir la méthode d'enseignement en fonction des données relatives à l'impact sur les élèves, comporte des étapes précises (voir l'annexe 5 pour plus de détails).

1. Exprimez clairement les résultats (critères de réussite) de la leçon ou de la série de leçons. (Il est probable que certains résultats concernent le rendement, mais il y a évidemment bien d'autres genres de résultats.)

2. Déterminez, de préférence avant d'entreprendre la leçon, la meilleure façon de mesurer les résultats. (La première fois que vous utilisez une méthode, il est recommandé d'employer une évaluation standardisée. Plus tard, vous pourrez passer à des évaluations conçues par des enseignants.)

3. Faites l'évaluation avant de commencer la leçon. Celle-ci permet de déterminer ce que les élèves savent et peuvent faire, et peut aider à cerner leurs forces et leurs lacunes. (Bien sûr, il se peut que les élèves apprennent quelque chose en même temps – et pourquoi pas ?)

4. Enseignez la leçon.

5. Refaites une évaluation à la fin de la leçon ou des leçons.

    a. Calculez la moyenne et l'écart type (mesure de dispersion) pour les résultats initiaux et finaux.

    b. Calculez la taille d'effet pour la classe (voir l'annexe 5 pour déterminer comment estimer les tailles d'effet).

        i. Si elle est supérieure à 0,40, réfléchissez aux caractéristiques de cette série de leçons qui semblent optimales.

        ii. Si elle est inférieure à 0,40, réfléchissez aux caractéristiques de cette série de leçons qui semblent moins optimales. Apportez ensuite les changements nécessaires aux leçons, à la méthode d'enseignement, aux activités et ainsi de suite. (Continuer à faire sans cesse la même chose est rarement la solution.)

    c. À l'aide de la mesure de dispersion (*sd*) et en supposant qu'elle puisse être appliquée à tous, calculez la taille d'effet pour chaque élève.

        i. Si elle est supérieure à 0,40, réfléchissez aux caractéristiques de cette série de leçons qui semblent optimales pour ces élèves.

        ii. Si elle est inférieure à 0,40, réfléchissez aux caractéristiques de cette série de leçons qui semblent moins optimales. Apportez ensuite les changements nécessaires aux leçons, à la méthode d'enseignement, aux activités et ainsi de suite pour ces élèves.

Conclusions

L'idée que les enseignants (et les leaders scolaires) sont des évaluateurs et des activateurs implique une volonté de changement, une orientation de l'apprentissage tout en ayant un impact décisif évident sur les expériences et les résultats, tant du point de vue des élèves que de celui des enseignants – or, la clé de cette activation est une ouverture au rôle d'évaluateur. Voici quelques questions essentielles que l'enseignant doit se poser :

• « Comment puis-je savoir que ça fonctionne ? »

• « Comment puis-je comparer ceci à cela ? »

• « Quelle est la valeur de cette influence sur l'apprentissage ? »

- « Quelle est l'ampleur de l'effet ? »
- « Quelles données pourraient me convaincre que j'ai tort ? »
- « Qu'est-ce qui prouve que cette méthode est supérieure aux autres ? »
- « Où ai-je vu l'instauration de cette pratique donner des résultats positifs ? »
- « Ai-je une conception de la notion de "progrès" semblable aux autres enseignants ? »

Le rôle de l'« enseignant évaluateur » ne se limite pas à l'utilisation de compétences et d'outils particuliers associés au monde des sciences humaines ou de l'évaluation ; il s'agit essentiellement de déterminer les analyses qui doivent être menées et de s'assurer qu'elles le sont au regard de l'impact sur l'apprentissage des élèves. Nous ne prétendons pas qu'il existe un seul modèle ou une seule méthode d'évaluation, car cette question fait l'objet de vifs débats ; en revanche, nous soutenons que l'« enseignant évaluateur » doit introduire la notion de « validité » dans les questions et les décisions qui permettent d'établir la valeur des meilleures méthodes choisies, de façon à ce qu'il puisse appuyer avec une rigueur suffisante les données probantes et les interprétations qui sous-tendent ses prétentions évaluatives. (Pour en savoir davantage sur le rôle d'activateur des leaders scolaires, voir Hattie et Clinton, 2011.)

L'objectif est d'impliquer activement les élèves dans la quête de ces données probantes : leur rôle ne consiste pas simplement à exécuter les tâches décidées par les enseignants, mais plutôt à gérer activement et à comprendre leur progression. Cela comprend l'évaluation de leurs progrès, une plus grande prise en charge de leur apprentissage et une prise de conscience des gains réalisés avec les pairs. Pour que les élèves deviennent des évaluateurs actifs de leurs propres progrès, les enseignants doivent leur fournir une rétroaction appropriée. Van den Bergh, Ros et Beijaard (2010, p. 3, traduction libre) décrivent ainsi la tâche :

> Cultiver l'apprentissage actif semble être une tâche très difficile et exigeante pour les enseignants. Celle-ci nécessite une connaissance des processus d'apprentissage mis en œuvre par les élèves ainsi que la capacité de donner des conseils et des rétroactions, et d'assurer une gestion de classe efficace.

Les élèves doivent s'impliquer dans cette même tâche difficile et exigeante.

Dans le présent chapitre, nous suggérons d'amorcer la leçon en aidant les élèves à bien comprendre les intentions de celle-ci et en leur montrant à quoi peut ressembler la réussite. Bien souvent, les enseignants cherchent une façon intéressante d'entreprendre la leçon – une amorce et une question qui motivera les élèves. Dan Willingham (2009) a fait valoir un excellent argument pour ne pas agir ainsi. Il prône d'amorcer la leçon en fonction de ce qui risque d'occuper l'esprit des élèves. Les amorces intéressantes, les démonstrations, les faits fascinants et autres techniques du genre peuvent sembler captivants (et c'est souvent le cas), mais il soutient que d'autres moments de la leçon sont probablement plus propices à l'utilisation de l'accroche. Le meilleur moment pour utiliser l'accroche est probablement la fin de la leçon, parce qu'elle aidera à consolider ce qui a été appris. Plus important encore, Willingham demandent aux enseignants de bien réfléchir à la façon dont ils font le lien entre l'accroche et le point qu'elle doit faire ressortir ; de préférence, ce point sera l'idée maîtresse de la leçon.

L'utilisation excessive d'activités ouvertes (apprentissage par la découverte, recherches sur Internet, préparation de présentations PowerPoint) permet difficilement de diriger l'attention des élèves vers ce qui est important – parce qu'ils aiment souvent explorer les détails, les futilités et les choses sans importance lorsqu'ils font des activités de ce genre. Selon Willingham, pour être efficace, toute méthode d'enseignement doit s'accompagner de rétroactions fréquentes et promptes visant à indiquer à l'élève s'il aborde un problème de la bonne façon. De même, il soutient que les travaux devraient principalement porter sur ce à quoi l'enseignant aimerait que les élèves réfléchissent (et non servir à démontrer «ce qu'ils savent»). Les élèves excellent à ignorer ce que dit l'enseignant («Les liens, les idées et vos réflexions sont importants pour moi») et à percevoir ce qui est vraiment important pour lui (les corrections grammaticales, les commentaires au sujet des références, de l'exactitude des faits ou de l'absence de ceux-ci). C'est pourquoi l'enseignant doit élaborer la grille d'évaluation d'un travail au préalable et la montrer aux élèves afin qu'ils sachent ce qui est important pour lui. Une telle rétroaction formative peut aider à renforcer les « idées maîtresses » ainsi que les apprentissages importants, et contribuer à valider les efforts investis. Elle est davantage susceptible de favoriser des apprentissages cognitifs, et de réduire le risque que les élèves empruntent des fausses pistes ou accordent trop d'importance aux connaissances de surface – tout en étant plus enrichissante pour tout le monde.

1. Présentez les cinq énoncés de l'«Échelle de confiance des enseignants» de Bryk et Schneider (voir la p. 71) aux enseignants de l'école (de façon anonyme) et discutez entre collègues de la façon dont le niveau de confiance pourrait être maximisé.

2. Lors de visites d'observation en classe, vérifiez le temps que les enseignants et les élèves passent à parler et à poser des questions. Combien d'élèves posent des questions à leurs compagnons et répondent aux questions d'autres élèves? L'enseignant prend-il une place prépondérante du point de vue de l'initiation, de la réponse et de l'évaluation? S'agit-il de questions de surface ou en profondeur?

3. Examinez les deux extraits suivants tirés du roman *Les temps difficiles* de Charles Dickens. Comment l'enseignement et la formation des maîtres ont-ils changé depuis les années 1800?

   [M. Gradgrind:] «Or, ce que je veux, ce sont des faits. Enseignez des faits à ces garçons et à ces filles, rien que des faits. Les faits sont la seule chose dont on ait besoin ici-bas. Ne plantez pas autre chose et déracinez-moi tout le reste. Ce n'est qu'au moyen des faits qu'on forme l'esprit d'un animal qui raisonne: le reste ne lui servira jamais de rien. C'est d'après ce principe que j'élève mes propres enfants, et c'est d'après ce principe que j'élève les enfants que voilà. Attachez-vous aux faits, monsieur!» [...]

   Sur ce, M. Mac Choakumchild commença dans son meilleur style. Lui et quelque cent quarante autres maîtres d'école avaient été récemment façonnés au même tour, dans le même atelier, d'après le même procédé, comme s'il se fût agi d'autant de pieds tournés de pianos-forte. On lui avait fait développer toutes ses allures, et il avait répondu à des volumes de questions dont chacune était un vrai casse-tête. L'orthographe, l'étymologie, la syntaxe et la prosodie, la biographie, l'astronomie, la géographie et la cosmographie générale, la science des proportions composites, l'algèbre, l'arpentage et le nivellement, la musique vocale et le dessin linéaire, il savait tout cela sur le bout de ses dix doigts glacés. Il était arrivé par une route rocailleuse jusqu'au très honorable Conseil privé de Sa Majesté (section B), et avait effleuré les diverses branches des mathématiques supérieures et de la physique, ainsi que le français, l'allemand, le latin et le grec. Il savait tout ce qui a trait à toutes les forces hydrauliques du monde entier (pour ma part, je ne sais pas trop ce que c'est), et toutes les histoires de tous les peuples et les noms de toutes les rivières et de toutes les montagnes, et tous les produits, mœurs et coutumes de tous les pays avec toutes leurs frontières et leur position par rapport aux trente-deux points de la boussole. Ah! vraiment il en savait un peu trop, M. Mac Choakumchild. S'il en eût appris un peu moins, comme il en aurait infiniment mieux enseigné beaucoup plus!

4. Tenez une séance de questionnement de type socratique (programme Paideia). Après une période d'enseignement, réunissez environ 15 élèves en cercle (s'il y a plus de 15 élèves, demandez aux autres de s'asseoir derrière ceux qui forment le cercle et donnez-leur l'occasion, plus tard, de devenir un membre actif du cercle). Commencez en posant une question ouverte (c'est-à-dire qui suscitera une discussion ou un débat), puis permettez aux élèves de se poser des questions les uns les autres, de répondre à celles-ci et d'entamer un dialogue. *À aucun moment* vous ne devez intervenir en posant des questions, ou en donnant des indices ou des réponses. Après 10 à 20 minutes, récapitulez la séance.

Et surtout, servez-vous des questions et des réponses des élèves comme données formatives pour étayer ce que vous ferez ensuite en tant qu'enseignant. Si vous avez besoin d'aide pour élaborer des questions ouvertes, pour éviter de vous impliquer dans la discussion ou pour enseigner aux élèves à faire preuve de plus de respect les uns envers les autres, consultez Roberts et Billings (1999).

5. Observez une classe et «écoutez» ce que disent l'enseignant et les élèves. Répétez ensuite aux participants dans vos propres mots ce que vous avez entendu. Une telle écoute empathique nécessite que vous adoptiez une posture qui vous permettra de comprendre l'autre; en répétant dans vos propres mots, vous montrez à l'autre personne que vous respectez ce qu'elle a dit. Permettez à l'autre d'autocorriger ce que vous avez entendu et, ainsi, de partager ses moments d'apprentissage, de méprise, d'inactivité, de découverte de soi et de défi. L'autre personne a-t-elle maintenant le sentiment d'être comprise?

6. Googlez l'expression «pédagogie productive», notion qui suppose que les enseignants doivent prendre «sur le tas», durant la leçon, des décisions très complexes concernant l'impact de leur enseignement. Évaluez votre leçon – surtout le début – en vous servant des questions suivantes.

Questions concernant l'exigence et la qualité intellectuelle

Processus cognitifs de plus haut niveau	La leçon implique-t-elle des processus cognitifs de plus haut niveau et une analyse critique?
Connaissances en profondeur	Est-ce que la leçon aborde les aspects pratiques en profondeur, dans les détails ou de façon précise?
Compréhension en profondeur	Est-ce que le travail et les réponses des élèves confirment leur compréhension des concepts ou des idées?
Conversation de fond	Est-ce que les conversations en classe rompent avec la séquence IRE et donnent lieu à un dialogue soutenu entre les élèves ainsi qu'entre l'enseignant et les élèves?
Connaissance problématique	Est-ce que les élèves critiquent et remettent en question les textes, les idées et les connaissances?
Métalangage	Est-ce que les aspects du langage, de la grammaire et du vocabulaire technique sont mis au premier plan?

Questions concernant la pertinence et la cohérence

Intégration des connaissances	Est-ce que la leçon implique des domaines, des disciplines et des paradigmes variés?
Acquis	Est-ce qu'on tente de faire un lien avec les acquis des élèves?
Lien avec le monde	Est-ce que les leçons et les travaux scolaires ont un lien avec la vraie vie?
Programme axé sur les problèmes	Est-ce que l'accent est mis sur la constatation et la résolution de problèmes intellectuels ou concrets?

Questions concernant l'accompagnement des élèves

Contrôle des élèves	Est-ce que les élèves ont leur mot à dire au sujet du rythme, de l'orientation ou du résultat de la leçon ?
Soutien social	Est-ce que la classe est un environnement positif et socialement sécurisant ?
Engagement	Est-ce que les élèves sont engagés et concentrés sur les tâches à accomplir ?
Critères explicites	Est-ce que les critères de réussite pour les élèves sont exprimés de façon explicite ?
Autorégulation	Est-ce que la régulation du comportement des élèves est implicite et autonome ou explicite ?

Questions concernant la valorisation de la différence

Connaissances culturelles	Est-ce qu'on fait appel à des connaissances culturelles variées ?
Inclusion	Est-ce que des efforts délibérés sont faits en vue d'accroître la participation de tous les élèves ayant des antécédents différents ?
Approche narrative	L'enseignement est-il principalement de style narratif ou expositif ?
Identité collective	L'enseignement favorise-t-il un sentiment d'appartenance à la communauté et d'identité ?
Citoyenneté	Est-ce que des efforts sont faits en vue de favoriser une citoyenneté active ?

## CHAPITRE 6

Le déroulement de la leçon

Accent sur l'apprentissage

La notion d'«apprentissage» a souvent une connotation «abstraite» et l'objectif de l'enseignant est de contribuer à rendre ce processus visible. L'apprentissage se déroule habituellement en plusieurs phases. Il n'existe pas de méthode universelle ni de clé permettant d'en percer les mystères ; ce processus implique plutôt une combinaison de phases. Pour qu'il y ait apprentissage, une certaine forme de tension, une prise de conscience de son «ignorance», et une volonté de savoir et de comprendre sont souvent nécessaires – ou, comme le disait Piaget, il doit exister un certain «état de déséquilibre». En pareil cas, la plupart d'entre nous ont besoin d'aide (de la part d'une personne compétente ou d'une autre ressource) pour apprendre de nouvelles choses et forger une nouvelle compréhension. Les stratégies pouvant être empruntées pour accomplir cet apprentissage sont nombreuses, et nous devons certainement avoir la capacité de faire les bons choix et de bien utiliser ces stratégies. Toutefois, il importe encore davantage de prendre conscience que l'utilisation des stratégies nécessite de la concentration, beaucoup d'entraînement et des habiletés. Pour les enseignants, la clé pour améliorer l'apprentissage est d'adopter le point de vue des élèves.

Trop souvent, les enseignants débutants et les activités de développement professionnel mettent l'accent sur l'enseignement et non sur l'apprentissage. Il faudrait se concentrer moins sur la façon d'enseigner et plus sur la façon d'apprendre – et c'est seulement une fois que l'enseignant a compris comment chaque élève apprend qu'il peut prendre des décisions éclairées au sujet de sa façon d'enseigner. Certains seront peut-être étonnés d'apprendre qu'il existe plusieurs théories de l'apprentissage et de nombreux ouvrages récents qui traitent de celles-ci (p. ex. Alexander, 2006). Par exemple, Schunk (2008) explore les théories suivantes : conditionnement ; théorie sociocognitive ; traitement de l'information ; processus cognitifs d'apprentissage ; constructivisme. Il traite également, dans certains chapitres, du développement et de l'apprentissage, de la cognition et de l'enseignement, de la neuroscience de l'apprentissage, de l'apprentissage axé sur les domaines d'intérêts ainsi que de la motivation.

L'observation des classes révèle qu'on enseigne peu « comment apprendre » ou comment développer et utiliser diverses stratégies d'apprentissage. Moseley *et al.* (2004), par exemple, ont visité 69 classes afin de recueillir des données probantes au sujet de l'enseignement des stratégies d'apprentissage. Globalement, 80 % des cours impliquaient la lecture de livres, et la transmission d'informations ou de consignes relatives à la tâche ; 65 % des leçons reposaient sur la sollicitation de réponses à des questions et près du tiers, sur la transmission d'informations spécifiques. L'enseignement comportant l'utilisation ou la suggestion de stratégies était peu fréquent, et 10 % des enseignants n'ont jamais abordé la question. Ornstein, Coffman, McCall, Grammer et San Souci (2010) ont passé en revue des données d'observation concernant l'enseignement de stratégies d'apprentissage et ils ont conclu qu'il y a très peu de conversations explicites sur l'usage des stratégies. C'est plutôt la mémoire qui prédomine : la moitié des intervalles d'observation renfermaient sous une forme ou une autre une sollicitation délibérée de la mémoire. Proposer aux élèves des stratégies dans un contexte d'apprentissage de la matière est certes une méthode efficace ; toutefois, il importe ensuite de leur donner l'occasion de mettre en pratique ces stratégies, puis de s'assurer de leur efficacité. Cela est au cœur du processus permettant d'apprendre à apprendre, lequel s'appuie sur l'*intention* d'utiliser les stratégies, sur un usage judicieux et *constant* de celles-ci, et sur la capacité de déterminer si les stratégies choisies sont *efficaces*. Cette capacité d'apprendre à apprendre est souvent appelée « autorégulation », terme qui met en relief les décisions que l'élève est appelé à prendre dans le cadre du processus d'apprentissage.

Le présent chapitre porte sur l'apprentissage, sur la manière de le rendre visible et de le développer.

6.1. Diverses phases de l'apprentissage

L'apprentissage doit d'abord s'appuyer sur une « conception à rebours » – plutôt que sur les manuels ou sur certaines leçons privilégiées et activités éprouvées. Au départ, l'enseignant (et de préférence l'élève également) doit connaître les résultats visés (qui sont exprimés sous forme de critères de réussite liés aux intentions d'apprentissage). Il doit ensuite remonter jusqu'au niveau de l'élève au début de la leçon – tant au regard de ses acquis qu'à celui du processus d'apprentissage. L'objectif est de réduire l'écart entre le niveau de l'élève au début de la leçon et les critères de réussite. Cela nécessite une compréhension approfondie non seulement des acquis de chaque élève, mais aussi de sa façon de penser et du niveau de développement des processus cognitifs. Pour bien enseigner, il faut donc bien comprendre comment les élèves apprennent.

24. Les enseignants comprennent très bien comment l'apprentissage progresse à travers une variété d'aptitudes, de capacités, de catalyseurs et de compétences.

APPRENTISSAGE VISIBLE

Liste de vérification ✔ pour le déroulement de la leçon (accent sur l'apprentissage)

L'apprentissage peut être considéré sous l'angle de quatre aspects qui se recoupent (tableau 6.1). Malheureusement, il n'y a pas de lien direct entre chacune de ces façons de considérer l'apprentissage, mais tous ces facteurs jouent un rôle dans le processus.

TABLEAU 6.1. Quatre aspects du processus d'apprentissage qui se recoupent

	Aptitude	Capacité	Catalyseur	Compétence
	Niveaux de Piaget	Niveaux SOLO	Motivation	Processus
1	Sensorimoteur	Une idée	Constater un écart	Débutant
2	Préopératoire	Plusieurs idées	Fixer des objectifs	Compétent
3	Opératoire concret	Relations entre les idées	Mettre en œuvre des stratégies	Performant
4	Opératoire formel	Transférer les idées	Combler l'écart	

6.1.1. Aptitudes cognitives

Piaget (1970) a remarqué que les enfants délaissaient les réponses plus intuitives au profit de réponses plus scientifiques et socialement acceptables, notamment lorsqu'ils étaient exposés à des pairs et à des adultes intéressés à leur parler (voir aussi le chapitre 4). Il établit quatre grands stades de développement cognitif qui expliquent comment la pensée de l'élève se développe qualitativement au fil du temps.

- *Stade sensorimoteur.* L'élève perçoit le monde essentiellement par sa motricité et par ses sens, et ne peut adopter un autre point de vue que le sien.

- *Stade préopératoire.* Par l'acquisition d'habiletés motrices et du langage, l'élève parvient plus facilement à utiliser les symboles, il est capable de se servir d'un objet ou du jeu de rôles pour représenter quelque chose, mais est encore incapable de manipuler mentalement l'information ou d'adopter le point de vue des autres.

- *Stade opératoire concret.* L'élève commence à développer une pensée logique, mais en termes très concrets.

- *Stade opératoire formel.* L'élève développe une capacité d'abstraction et est capable de raisonner de façon plus logique.

Le stade de développement de l'élève et sa capacité à naviguer parmi les différents niveaux de pensée sont des informations essentielles. Non seulement ces données aident l'enseignant à optimiser le point de départ de l'élève, mais aussi elles sont cruciales pour déterminer le prochain niveau cognitif supérieur que l'élève devrait atteindre. Shayer et Adey (1981) ont nommé « accélération cognitive » cette assistance qui repose sur trois des principaux catalyseurs du développement cognitif selon Piaget :

1. l'esprit se développe en réponse à un défi ou à un déséquilibre, ce qui signifie que l'intervention doit engendrer un certain *conflit cognitif* ;

2. l'esprit a de plus en plus la capacité d'acquérir une conscience de ses propres processus et, par le fait même, de les prendre en charge, ce qui signifie que l'intervention doit encourager les élèves à faire appel à la *métacognition* ;

3. le développement cognitif est un processus social stimulé par des discussions de qualité entre les pairs et appuyé par un enseignant ou une autre personne plus mûre, ce qui signifie que l'intervention doit encourager la *construction sociale.*

Les auteurs ont pris soin de ne pas associer ces catalyseurs à des âges, car il n'y a pas de relation directe entre l'âge et les stades piagétiens. De plus, il n'est pas question ici d'apprentissage par la découverte ou de collaboration entre pairs sans intervention :

> rappelez-vous que la gestion de la leçon implique qu'à tout moment l'enseignant soit conscient à la fois du niveau de traitement exigé par les différents aspects de l'activité et du fait que la réponse de chaque élève indique son niveau cognitif et, par conséquent, le niveau vers lequel il tend (Shayer, 2003, p. 484, traduction libre).

Leurs programmes d'intervention ont régulièrement produit des tailles d'effet entre 0,3 et 1,0 sur le plan du rendement.

Un message important qui ressort de la recherche de Shayer concerne le rôle des enseignants. Ceux-ci doivent veiller à structurer l'apprentissage de manière à ce que les élèves puissent apprendre par eux-mêmes et conjointement avec leurs pairs, surtout lorsque l'acquisition des concepts importants de la leçon doit se faire en deux ou trois étapes exigeant un niveau cognitif correspondant à celui de l'élève ou légèrement supérieur. Cela signifie qu'un enseignant doit savoir comment chaque élève pense et connaître les exigences cognitives de chaque étape de la leçon pour l'élève et les pairs avec lesquels il travaille. Selon lui, cela empêche l'apprentissage par les pairs ou l'apprentissage collaboratif de dégénérer en une situation où «l'aveugle conduit l'aveugle». Les enseignants doivent intervenir pour assurer la progression de l'apprentissage par rapport aux exigences de la matière enseignée. Cette notion d'enseignement «en fonction du niveau cognitif de l'élève ou du niveau juste au-dessus» est un thème important du présent chapitre.

6.1.2. Niveaux de pensée : compréhension de surface et en profondeur

25. Les enseignants savent que les élèves ont besoin de stratégies d'apprentissage multiples pour parvenir à une compréhension de surface et en profondeur.

APPRENTISSAGE VISIBLE

Liste de vérification ✔
pour le déroulement
de la leçon (accent
sur l'apprentissage)

Les quatre niveaux de la taxonomie SOLO ont été présentés au chapitre 4. Au fil des leçons, les élèves font des apprentissages, puis s'efforcent d'intégrer et de transférer les idées. À la différence des modèles cognitifs (tels que celui de Piaget), les élèves peuvent débuter à n'importe quel de ces niveaux, mais la capacité d'intégration et de transfert des apprentissages dépend de la connaissance des idées à intégrer et à transférer. Trop souvent, on demande aux élèves de faire l'intégration et le transfert alors qu'ils ont une connaissance insuffisante des idées – et l'apprentissage en profondeur s'en trouve appauvri. C'est pourquoi beaucoup d'écoles favorisent «une démarche d'investigation», comme si l'intégration et le transfert pouvaient se faire sans une bonne compréhension des idées. Comme il a été souligné, le transfert d'une matière à l'autre est très difficile. Or, le simple fait d'apprendre à «investiguer», sans s'appuyer sur une riche compréhension des idées, est une stratégie indéfendable. Nous prétendons plutôt que l'enseignant doit savoir à quelle phase de l'apprentissage l'élève est davantage susceptible d'assimiler un grand nombre d'idées de surface, puis d'intégrer et de transférer ces apprentissages. Il s'agit de s'assurer que la tâche correspond au niveau cognitif de l'élève ou au niveau juste au-dessus.

6.1.3. Phases de motivation

La motivation des élèves n'est pas constante ! Cela demande donc de connaître la phase de motivation et de travailler en fonction de celle-ci ou de la phase suivante. Winne et Hadwin (2008) ont élaboré un modèle de motivation en quatre étapes.

1. *Constater un écart.* L'élève doit constater un écart entre ses acquis et les apprentissages visés. À la première étape – soit la définition de la tâche –, l'élève traite l'information concernant celle-ci.

2. *Fixer des objectifs.* Une fois que l'élève a acquis assez d'information (mais pas nécessairement toute l'information), il entre dans la deuxième phase, soit l'étape d'établissement d'objectifs et de planification ; l'apprenant se fixe des objectifs et élabore un plan en vue de les atteindre (avec de l'aide au besoin).

3. *Mettre en œuvre des stratégies.* Une fois les objectifs et le plan établis, l'élève peut chercher des stratégies qui lui permettront de s'approcher de l'intention d'apprentissage. Cette troisième étape implique la mise en œuvre de ces stratégies.

4. *Combler l'écart.* L'élève évalue d'un œil critique s'il est parvenu à combler suffisamment l'écart pour pouvoir parler de réussite et aller de l'avant.

C'est souvent le passage de la première à la deuxième étape qui peut se révéler le plus difficile (pour les enseignants et les élèves). Certains élèves ne parviennent jamais à dépasser la première étape. Par ailleurs, Winne et Hadwin ont constaté que certains enseignants semblaient réticents à permettre aux élèves de franchir celle-ci. Cette transition implique de connaître les objectifs de la leçon et la nature de l'écart, d'élaborer des stratégies cognitives ainsi qu'un plan, et d'avoir la motivation nécessaire pour combler cet écart.

6.1.4. Stades d'apprentissage

Une récente étude portant sur la façon dont les élèves apprennent (Bransford, Brown et Cocking, 2000) a mis en relief trois principaux stades : débutant, compétent et performant.

1. Les élèves arrivent en classe avec des idées préconçues concernant la façon dont le monde fonctionne, et les enseignants doivent en tenir compte ; autrement, les élèves risquent de ne pas comprendre les nouvelles notions qui leur sont présentées.

2. Pour que les enseignants puissent développer la compétence des élèves, ces derniers doivent posséder de solides assises factuelles, comprendre les idées dans le contexte d'un cadre conceptuel, et organiser ce savoir d'une façon qui en facilite la récupération et l'application.

3. S'appuyant sur ces compétences, une approche métacognitive pourrait permettre d'enseigner aux élèves à prendre en charge leur apprentissage en définissant leurs objectifs et en monitorant leur progression vers l'atteinte de ceux-ci.

L'apprentissage repose sur la connaissance des acquis des élèves au départ, puis sur une acquisition équilibrée de connaissances de surface et en profondeur, et enfin sur le soutien des élèves dans la prise en charge de leur apprentissage. Ces trois principes font ressortir les faits suivants : l'apprentissage nécessite la participation active de l'apprenant ; apprendre est essentiellement une activité sociale ; le nouveau savoir est créé à partir de ce qui est déjà compris et accepté ; et l'apprentissage se développe au moyen de stratégies souples et efficaces qui nous aident à comprendre, à raisonner, à mémoriser et à résoudre les problèmes. En somme, il faut enseigner aux apprenants comment planifier et monitorer leur apprentissage, établir leurs propres objectifs et corriger leurs erreurs.

L'objectif d'« apprentissage » de toute série de leçons est d'apprendre aux élèves à s'autoenseigner le contenu et à développer leur propre compréhension – c'est-à-dire à *autoréguler* leur apprentissage. Cela implique d'aider les élèves à développer de multiples stratégies d'apprentissage, et à comprendre l'importance d'investir dans la pratique délibérée et de se concentrer sur l'apprentissage. Le processus nécessite aussi d'utiliser des stratégies d'apprentissage pour passer d'une compréhension de surface à une compréhension en profondeur ; de réduire la charge cognitive afin que l'attention puisse être portée au développement des stratégies d'apprentissage ; de donner aux élèves de multiples occasions de s'approprier les idées et d'exercer une pratique délibérée ; et de fournir aux élèves un environnement leur permettant de se concentrer sur leur apprentissage. Tout dépend des attentes et de la posture par rapport à la « capacité » d'apprendre des élèves, de l'existence de défis adéquats et de l'utilisation de rétroactions appropriées tenant compte du stade d'apprentissage de l'élève.

Il existe au moins trois stades d'apprentissage qui se recoupent : débutant, compétent et performant. L'apprentissage peut se produire à plusieurs de ces étapes : lorsqu'on apprend quelque chose de nouveau ; lorsqu'on apprend de nouvelles notions qui étayent ou modifient notre compréhension actuelle ; et lorsqu'on devient performant et qu'on doit s'attaquer à de nouvelles idées plus complexes.

1. Au cours de la première étape, soit celle de *débutant*, nous essayons de comprendre les exigences de l'activité et de trouver des façons d'avancer sans commettre d'erreur majeure.

2. Ensuite, nous acquérons une certaine *compétence*. Nous sommes en mesure de réduire les erreurs ; notre rendement s'améliore ; et nous n'avons plus besoin de nous concentrer avec autant d'attention sur chaque aspect de la tâche ou du savoir.

3. À l'étape finale, soit celle de *performant*, nos réactions face aux nouvelles idées deviennent plus automatiques, l'exécution de chaque tâche nécessite un effort moins grand et, du fait que nous avons développé davantage d'automatismes, nous exerçons d'une certaine manière un moins grand contrôle sur la mise en œuvre des habiletés.

6.1.5. Enseignement différencié

APPRENTISSAGE VISIBLE

✔ Liste de vérification pour le déroulement de la leçon (accent sur l'apprentissage)

26. Les enseignants assurent une différenciation afin que l'apprentissage soit signifiant et cible efficacement tous les élèves pour qu'ils réalisent les intentions de la leçon.

Les stades d'apprentissage mentionnés précédemment supposent que les enseignants connaissent les niveaux des élèves et s'efforcent de les aider à passer au niveau suivant ; il est donc peu probable que l'enseignement « magistral » permette de présenter la leçon convenablement à tous les élèves. C'est ici que la capacité des enseignants à reconnaître les similitudes entre les élèves et à tenir compte des différences devient si importante. La différenciation renvoie essentiellement au fait de structurer les classes de façon à ce que tous les élèves puissent travailler « à leur niveau cognitif ou au niveau juste au-dessus », de manière à ce qu'ils aient toutes les occasions possibles d'atteindre les critères de réussite de la leçon.

Une chose est évidente dans la plupart des écoles, à savoir que le niveau scolaire reflète essentiellement la disparité des aptitudes. En 5e année, la disparité des aptitudes des élèves dans la classe risque probablement d'être multipliée au moins par cinq, et en 10e année, ce sera vraisemblablement par dix. Comment composer avec cette disparité est une question très préoccupante à laquelle de nombreuses réponses ont été offertes, notamment par le biais de la personnalisation, de la différenciation ou de la prise en compte des différences individuelles. Bien des écoles (surtout au secondaire) se rabattent sur des méthodes structurelles (parcours/classes homogènes, classes-ressources, etc.), mais malgré ces mesures, toutes les classes sont des plus hétérogènes (ce qui est la plupart du temps avantageux parce que les élèves ont la possibilité d'apprendre les uns des autres). Enseigner en fonction de ces différences est devenu un mantra pour certains et la diversité est parfois portée à l'extrême. Or, cela veut simplement dire que tous les élèves sont différents. S'il ne fait aucun doute que chaque élève de la classe est probablement différent, l'art d'enseigner consiste à voir les points communs dans la diversité, à faire travailler les élèves ensemble, surtout lorsque leur apport en termes de talents, d'erreurs, d'intérêts et de disposition est différent, et à comprendre que la différenciation concerne davantage les stades d'apprentissage – de débutant à compétent puis à performant – que la simple proposition d'activités différentes à des élèves ou à des groupes d'élèves différents.

Pour que la différenciation soit efficace, les enseignants doivent savoir où se situe chaque élève au départ ainsi que tout au long de son cheminement vers l'atteinte des critères de réussite de la leçon. L'élève est-il un débutant, plutôt compétent ou performant ? Quelles sont ses forces et ses faiblesses du point de vue des connaissances et de la compréhension ? Quelles stratégies d'apprentissage utilise-t-il et comment est-il possible de l'aider à développer d'autres stratégies utiles ? Selon les stades d'apprentissage des élèves, leur capacité de compréhension de surface et en profondeur, les phases de motivation et leurs stratégies d'apprentissage, l'enseignant devra leur offrir différentes façons de montrer leur maîtrise et leur compréhension jusqu'à ce qu'ils atteignent les critères de réussite. Il va sans dire qu'une rétroaction formative rapide constitue un outil puissant qui permet aux enseignants de déterminer le stade d'apprentissage et d'aider ensuite les élèves à obtenir des résultats d'un niveau supérieur.

Tomlinson (1995) a cerné quatre caractéristiques de l'enseignement différencié efficace.

1. La première est que *tous* les élèves doivent avoir la possibilité d'explorer et d'appliquer les concepts clés de la matière, et de réussir.

2. Une rétroaction formative fréquente est nécessaire afin de monitorer le cheminement des élèves vers l'atteinte des intentions d'apprentissage. Cette activité, plus que toute autre, contribuera à assurer la plus grande probabilité de réussite du point de vue de l'enseignement et de l'apprentissage.

3. Un regroupement flexible des élèves afin qu'ils puissent travailler individuellement, en équipe ou en grand groupe, selon les besoins, permet de tirer le maximum des occasions engendrées par les différences et les similitudes.

4. Autant que possible, il faut inciter activement les élèves à explorer et à atteindre les critères de réussite.

J'ajouterais une cinquième caractéristique : souvent, il conviendrait de mieux relier la différenciation aux progrès réalisés – les élèves qui font davantage de progrès pourraient avoir besoin d'un enseignement différent de ceux qui progressent moins. Autrement dit, au lieu d'envisager la différenciation en termes de différence entre les élèves brillants et moins doués, il faudrait l'aborder en termes d'élèves ayant fait des progrès et d'élèves n'ayant pas progressé ; ceux qui n'ont pas fait de progrès (peu importe leur point de départ) sont plus susceptibles d'avoir besoin d'un enseignement différent.

Ces cinq caractéristiques aident à garantir que les intentions d'apprentissage et les critères de réussite sont clairs pour tous les élèves. La clé pour les enseignants est d'avoir une raison claire d'utiliser la différenciation, et de relier ce qu'ils font *différemment* au stade où se situe l'élève dans sa progression de débutant à compétent, en fonction des intentions d'apprentissage et des critères de réussite.

L'aspect du regroupement est souvent mal compris. Le but n'est pas nécessairement de regrouper les élèves selon le stade d'apprentissage, etc., mais plutôt de constituer un mélange d'élèves se situant au même stade d'apprentissage ou au stade juste au-dessus, de façon à ce que la médiation par les pairs puisse contribuer à la progression de tous. Ce mélange peut aider les élèves à progresser parce qu'ils sont appelés à discuter et à travailler avec leurs pairs, et à voir le monde du point de vue des autres.

L'erreur consiste à croire que parce que les élèves sont «réunis en groupes», il y a apprentissage en groupes. Galton et Patrick (1990) ont montré que le simple fait de réunir les élèves en groupes se traduit rarement par du travail en groupes impliquant une quelconque forme de différenciation. On peut voir à la figure 6.1 que même si la plupart du temps les classes sont organisées sous forme de groupes ou de paires, l'activité se déroule essentiellement dans un cadre individuel ou magistral.

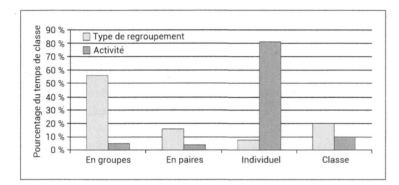

FIGURE 6.1.
Proportion du temps de classe et de l'activité en classe selon différentes façons de regrouper les élèves

Une méthode utilisée pour la différenciation structurée est la stratégie dite «*jigsaw*» ou de la classe en *puzzle* (Aronson, 2008). Des groupes d'élèves sont formés, et chacun des membres doit accomplir une tâche particulière (soit une partie du *puzzle* ou casse-tête). Les élèves de chaque groupe affectés à la même tâche se réunissent ensuite pour faire des recherches ensemble ou échanger des idées à propos de la tâche, puis ils reviennent dans leurs groupes respectifs pour communiquer leur savoir. Un compte rendu de groupe est ensuite rédigé.

6.1.6. Commentaires au sujet des stades d'apprentissage

Il ressort des sections précédentes qu'il est crucial pour les enseignants de connaître les différents stades d'apprentissage et de savoir où se situe chaque élève dans le continuum d'apprentissage. Enseigner à un niveau qui ne convient pas à l'élève ne sert à rien ; ce n'est ni efficace ni rentable. Il s'agit d'enseigner à un niveau juste au-dessus du niveau cognitif de l'élève, dans le but de le faire progresser d'un niveau. Cela signifie que l'enseignant est en meilleure posture non seulement lorsqu'il connaît les acquis de l'élève, mais aussi lorsqu'il sait comment chaque élève traite l'information, qu'il est capable de maintenir un bon équilibre entre les apprentissages de surface et en profondeur ainsi que de motiver les élèves (constatation d'un écart, établissement d'objectifs et élaboration de stratégies), et qu'il comprend bien la manière dont les élèves apprennent.

6.2. Experts adaptatifs

27. Les enseignants sont des experts adaptatifs de l'apprentissage, qui savent où se situent leurs élèves dans le continuum débutant-compétent-performant, quand les élèves apprennent ou non et ce qu'il faut faire ensuite, et qui peuvent établir un climat propice à l'atteinte des objectifs d'apprentissage dans la classe.

Les enseignants doivent donc être des « experts adaptatifs », qui utilisent non seulement une multitude de stratégies efficaces, mais qui sont aussi capables de faire preuve d'une grande souplesse leur permettant d'innover lorsque les méthodes habituelles ne suffisent pas (Bransford *et al.*, 2000). Les experts adaptatifs savent quand les élèves n'apprennent pas et ce qu'il faut faire ensuite, sont capables d'adapter les ressources et les stratégies pour aider les élèves à réaliser les intentions d'apprentissage, et peuvent reproduire ou modifier le climat de classe pour permettre l'atteinte des objectifs. « Les experts adaptatifs développent sans cesse leur expertise, et savent restructurer leurs connaissances et leurs compétences en vue de relever de nouveaux défis » (Darling-Hammond, 2006, p. 11, traduction libre).

Ces enseignants font preuve d'une grande empathie et sont capables de « voir l'apprentissage du point de vue des élèves ». Ils montrent aux élèves qu'ils comprennent leur façon de penser et comment leur compréhension peut être améliorée. Cela exige que les enseignants soient particulièrement attentifs à la façon dont les élèves définissent, décrivent et interprètent les phénomènes ainsi que les situations de résolution de problèmes, afin qu'ils puissent comprendre ces expériences du point de vue unique des élèves (Gage et Berliner, 1998). En fait, un moyen efficace de voir l'apprentissage à travers les yeux des élèves est d'écouter leurs questions et de porter attention à la façon dont ils répondent aux questions de leurs pairs. (Voir Roberts et Billings, 1999, qui traitent de la méthode Paideia, pour obtenir plus de détails sur la façon de s'y prendre.)

Ce n'est pas à une *expertise routinière* qu'il faut faire appel, mais bien à une *expertise adaptative*. L'expertise routinière des enseignants ou des élèves permet d'établir ce que nous souhaitons atteindre et nous aide à y parvenir ; les enseignants ou les élèves déterminent ce qui a fonctionné par le passé et utilisent donc cette méthode de nouveau. L'idée est qu'« il faut résoudre le problème le plus efficacement possible afin de passer à autre chose ». Toutefois, lorsque l'expertise routinière ne fonctionne pas, beaucoup d'élèves sont laissés pour compte. En revanche, les experts adaptatifs monitorent l'apprentissage afin de déterminer le moment où il convient d'intervenir (ou non) pour assurer la progression. Parfois, ils doivent perturber l'équilibre, bousculer les habitudes ou percevoir les erreurs comme des occasions d'intervenir. Les enseignants et les élèves qui sont des experts adaptatifs se perçoivent comme des évaluateurs fondamentalement engagés dans la réflexion et la résolution de problèmes.

6.3. Stratégies d'apprentissage

28. Les enseignants sont capables d'enseigner de multiples méthodes d'acquisition des connaissances et d'interaction avec les idées, et donnent de nombreuses occasions d'apprendre.

APPRENTISSAGE VISIBLE

Liste de vérification ✔
pour le déroulement
de la leçon (accent
sur l'apprentissage)

Récemment, un groupe d'environ 35 éminents chercheurs ont fait une synthèse de certains des principes de l'apprentissage appuyés par des données empiriques (Greasser, Halpern et Hakel, 2008). Leurs constatations, enrichies de quelques ajouts, concernent les multiples méthodes d'acquisition des connaissances, les multiples méthodes d'interaction avec les idées, les multiples occasions d'apprendre et l'utilisation abondante de la rétroaction pour favoriser une prise de conscience de l'apprentissage.

Multiples méthodes d'acquisition des connaissances. Il s'agit essentiellement de présenter la matière de plusieurs manières, de façon contiguë et avec le moins de distractions possible. Étant donné que nous ne pouvons assimiler qu'une quantité limitée d'informations à la fois, les nouvelles idées doivent être présentées par de multiples méthodes, en évitant de surcharger la mémoire de travail :

- Les idées nécessitant d'être associées entre elles devraient être présentées de manière contiguë dans l'espace et dans le temps.

- Les contenus présentés sous forme verbale, visuelle et multimédia constituent des représentations plus riches que lorsqu'on fait appel à une seule technique.

- La flexibilité cognitive s'améliore lorsqu'on présente des points de vue multiples reliant faits, habiletés, procédures et concepts profonds.

- Les contenus présentés sous forme multimédia devraient relier explicitement les idées et réduire au minimum les distractions et l'information non pertinente.

- L'information présentée à l'apprenant ne devrait pas surcharger sa mémoire de travail.

Multiples méthodes d'interaction avec les idées. L'apprentissage est à son meilleur lorsqu'on peut avoir une interaction avec les idées, les reformuler délibérément et utiliser des compréhensions conceptuelles pour les relier aux acquis (ou à des exemples) – particulièrement lorsqu'il y a un conflit entre ce que l'on sait et les nouvelles idées présentées. Il faut enseigner explicitement aux élèves comment aborder un tel apprentissage :

- Décrire, intégrer et synthétiser l'information permettent de mieux apprendre que simplement relire les contenus ou utiliser d'autres stratégies passives.

- Les histoires et les exemples sont mieux retenus que les faits décontextualisés et les principes abstraits.

- Le raisonnement et l'apprentissage en profondeur sont stimulés par les problèmes qui engendrent un déséquilibre cognitif tels que les obstacles qui entravent l'atteinte de buts, les contradictions, les conflits et les anomalies – et on doit informer les élèves que cela fait partie du processus normal d'apprentissage.

- Pour que le transfert de l'information puisse s'effectuer de façon fluide et flexible, il faut une compréhension en profondeur des « idées maîtresses » qui sous-tendent les connaissances de surface. Il faut pouvoir relier notre compréhension à des concepts de plus haut niveau, peu importe les problèmes, les situations et les domaines de contenu.

- La plupart des élèves ont besoin qu'on leur apprenne à autoréguler leur apprentissage et leurs autres processus cognitifs.

Multiples occasions d'apprendre. La plupart des élèves, qu'ils soient doués ou non, doivent bénéficier de multiples occasions d'assimiler les nouvelles idées, de préférence au fil du temps, et prendre conscience de l'utilité de la pratique délibérée :

- L'utilisation d'exemples multiples et variés permet une meilleure compréhension des concepts abstraits.

- La répartition des périodes d'étude dans le temps favorise une meilleure mémorisation à long terme que la tenue d'une séance d'étude unique.

- Pour assurer un apprentissage engagé et soutenu, les élèves doivent prendre conscience de la valeur et de l'utilité de la pratique délibérée, et développer un sentiment de confiance face aux défis que peut poser cet apprentissage.

Prise de conscience de l'apprentissage. Au cours du processus d'apprentissage, les élèves peuvent commettre de nombreuses erreurs, s'orienter dans de mauvaises directions, acquérir de l'information erronée et faire face à une foule de défis – et ils comptent donc souvent sur une rétroaction opportune et personnalisée pour s'assurer qu'ils progressent efficacement vers l'atteinte des critères de réussite :

- La rétroaction est plus efficace lorsqu'elle tient compte du niveau de compétence de l'élève (de débutant à performant).

- Faire des erreurs est souvent nécessaire pour qu'il y ait apprentissage ; les élèves ont besoin d'un environnement sécurisant où ils peuvent sortir de leur zone de confort, faire des erreurs et apprendre de celles-ci, et prendre conscience du fait qu'ils se trompent.

- Les élèves ont moins tendance à faire des apprentissages erronés lorsque la rétroaction est immédiate.

- Les défis facilitent l'apprentissage et ont donc un effet positif sur la mémorisation à long terme.

L'ouvrage intitulé *How People Learn* de Bransford *et al.* (2000) est une extraordinaire ressource qui peut aider les enseignants à comprendre plusieurs des constatations et des débats récents au sujet de l'apprentissage. Ces constatations sont étayées et reliées à trois idées maîtresses : « cerner les acquis des élèves » ; « utiliser ce savoir pour faire des liens » ; et « réfléchir à la réflexion ».

- *Cerner les acquis des élèves.* D'abord, nous utilisons nos connaissances antérieures pour comprendre et assimiler les nouvelles informations. Lorsque les élèves acquièrent de nouvelles connaissances, ils s'appuient sur leurs acquis et font des liens avec leurs connaissances ou compréhensions antérieures. D'où l'importance pour les enseignants de cerner ce que les élèves savent déjà et peuvent faire – parce que c'est ce qui permet de faire le lien avec les nouveaux savoirs. Il faut parfois désapprendre ces acquis (par exemple, s'ils sont erronés ou mal compris), mais les connaissances antérieures constituent les assises des apprentissages futurs.

- *Faire des liens entre les acquis et les nouvelles connaissances.* Bien que nous ayons au départ certains acquis, le nouveau savoir ne vient pas simplement se greffer aux connaissances antérieures – d'où l'importance des liens établis entre les anciens et les nouveaux apprentissages. Nous acquérons des idées, puis nous sommes appelés à les intégrer et à les transférer. Il en résulte une compréhension conceptuelle qui peut donner naissance à une nouvelle idée – et le cycle continue ainsi. Ces compréhensions conceptuelles servent à interpréter et à assimiler les nouvelles idées, et nous permettent de les intégrer et de les transférer. Toutefois, il peut arriver qu'elles soient imparfaites, ce qui peut entraîner le rejet ou l'incompréhension des nouvelles idées ; notre compréhension antérieure peut ainsi devenir une entrave à l'acquisition de nouvelles connaissances. Les enseignants doivent donc tenir compte des savoirs de surface et en profondeur de chaque élève ainsi que de ses préconceptions, et ils doivent continuellement vérifier si les nouvelles idées sont accommodées et assimilées par l'apprenant.

- *Réfléchir à la réflexion*. L'élève doit développer une conscience de ce qu'il fait, de sa destination et de la façon dont il entend l'atteindre ; il doit savoir quoi faire lorsqu'il ne sait pas quoi faire. Cette capacité d'autorégulation ou de métacognition est l'un des buts ultimes de l'apprentissage : c'est ce qu'on entend souvent par « apprentissage tout au long de la vie » et c'est la raison pour laquelle il est souhaitable que les « élèves deviennent leurs propres enseignants ». La régulation de son propre apprentissage ne se produit pas en vase clos et elle est décidément fondée sur la compréhension de surface et en profondeur de l'élève. Il n'est pas possible d'enseigner l'autorégulation en dehors des domaines de contenu.

Nous avons fait une méta-analyse sur les effets de l'enseignement de diverses aptitudes pour étudier et développer une capacité d'autorégulation (Hattie, Biggs et Purdie, 1996). L'idée était notamment de déterminer si les programmes en techniques d'étude doivent être associés aux domaines de contenu ou créés à part – autrement dit, est-ce que les stratégies d'étude peuvent être enseignées à même les domaines de contenu ou peuvent-elles être généralisées à l'ensemble des domaines ? Il semble que les stratégies simples (moyens mnémotechniques, systèmes mnémoniques, etc.) puissent être enseignées à part, mais que la plupart des stratégies doivent être enseignées à même les domaines de contenu – encore une fois, le transfert entre les contenus ne va pas de soi. Les programmes enseignés indépendamment de la matière (c'est-à-dire les programmes plus généraux axés sur les techniques d'étude) étaient efficaces seulement pour les connaissances de surface ; ceux offerts en contexte (c'est-à-dire fortement associés à la matière) étaient plus efficaces à des niveaux à la fois de surface et plus en profondeur.

Il est probable que les programmes de type « apprendre à apprendre » qui ne sont pas intégrés au contenu aient peu de valeur. Nos recommandations étaient que la formation relative à la capacité de raisonnement et aux techniques d'étude devrait :

a. être donnée en contexte ;

b. miser sur des tâches associées au domaine de contenu visé ;

c. favoriser une activité intense de la part de l'apprenant et le développement de sa conscience métacognitive.

Les élèves doivent connaître diverses stratégies pouvant convenir à la tâche à accomplir – c'est-à-dire qu'ils doivent savoir « comment », « quand », « où » et « pourquoi » les utiliser. L'apprentissage des stratégies doit être intégré dans le contexte d'enseignement lui-même.

Compte tenu de ces arguments, Bransford *et al.* (2000) soutiennent que les classes doivent être :

- *centrées sur l'apprenant* – parce que ce qui importe, c'est où se situe l'élève dans le continuum débutant-compétent-performant ;

- *centrées sur les connaissances* – il faut des connaissances pour pouvoir faire des liens et établir des relations ;

- *centrées sur l'évaluation* – pour que les élèves puissent mieux comprendre et exprimer ce qu'ils savent et peuvent faire déjà, et pour qu'ils soient conscients de leur progression vers le stade performant et sachent quelle est la prochaine étape ;

- *centrées sur la communauté* – comme il n'y a pas qu'une seule façon d'atteindre le stade performant, les élèves doivent échanger avec leurs pairs et apprendre des autres (surtout pour prendre conscience des difficultés auxquelles chacun se heurte dans sa progression), et saisir la pertinence de ce qu'ils cherchent à apprendre.

29. Les enseignants et les élèves font appel à de multiples stratégies d'apprentissage.

APPRENTISSAGE VISIBLE

Liste de vérification ✔
**pour le déroulement
de la leçon (accent
sur l'apprentissage)**

On peut facilement se sentir dépassé lorsqu'on passe en revue les diverses stratégies d'apprentissage. Lavery (2008) a comparé les effets relatifs d'un bon nombre de ces stratégies et a établi l'effet global à 0,46, ce qui est très élevé – il serait probablement encore plus élevé si les stratégies tenaient davantage compte du stade d'apprentissage de chaque élève.

Elle a découvert que les effets étaient plus élevés pour les stratégies visant la phase d'anticipation de l'apprentissage, qui comprend l'établissement d'objectifs et la planification, l'auto-instruction et l'autoévaluation (tableau 6.2).

- Il a été mentionné précédemment que l'*établissement d'objectifs et de cibles* est une méthode fort efficace du point de vue de l'apprentissage.

- L'*auto-instruction* (c'est-à-dire se parler à soi-même ou s'auto-questionner) est un outil précieux pour l'apprenant qui permet de focaliser l'attention et de vérifier l'utilisation de diverses stratégies – mais l'auto-instruction doit être enseignée.

- Les stratégies d'*autoévaluation* permettent à l'apprenant d'autoréguler sa performance par rapport aux objectifs fixés précédemment – le processus est beaucoup plus important que l'autosurveillance (qui peut consister, par exemple, à cocher les tâches accomplies) parce que, en plus, l'apprenant doit évaluer ce qu'il a surveillé.

Plusieurs des stratégies les plus performantes (par exemple organiser et transformer, résumer et paraphraser) favorisent une approche plus active de l'apprentissage et un degré d'engagement plus élevé par rapport au contenu. Les stratégies moins actives se classent beaucoup plus bas (autoenregistrement, imagerie, gestion du temps et restructuration de l'environnement d'apprentissage).

Sitzmann et Ely (2011) ont aussi étudié de nombreuses stratégies d'apprentissage et celles qui avaient les effets les plus élevés sur le rendement concernaient l'établissement d'objectifs, la capacité de se concentrer sur une tâche et de persévérer, l'ampleur de l'effort consacré à l'apprentissage ainsi que la confiance en sa capacité d'accomplir la tâche.

Ces stratégies peuvent être enseignées, mais il pourrait être nécessaire de désapprendre certaines stratégies moins efficaces. Les effets de l'enseignement ne seront peut-être pas perçus immédiatement, alors que les élèves devront abandonner certaines stratégies et s'adapter à d'autres. Ce sont les élèves qui ont de la difficulté à comprendre qui ont le plus besoin d'apprendre ces stratégies, et il pourrait

TABLEAU 6.2. Diverses stratégies métacognitives et leurs tailles d'effet

Stratégie	Définition	Exemple	Nombre d'effets
Organiser et transformer	Réorganisation explicite ou non du matériel pédagogique dans le but d'améliorer l'apprentissage.	Faire un plan avant de rédiger un travail.	89
Autostimulation	L'élève envisage de s'accorder des récompenses ou de s'infliger des punitions selon qu'il y a réussite ou échec.	Reporter une activité plaisante jusqu'à ce que le travail soit terminé.	75
Auto-instruction	Verbaliser les étapes de l'exécution d'une tâche.	Verbaliser les étapes de la résolution d'un problème mathématique.	124
Autoévaluation	Établir des normes et s'en servir pour se juger.	Vérifier le travail avant de le remettre à l'enseignant.	156
Recherche d'aide	Solliciter l'aide d'un pair, d'un enseignant ou d'un autre adulte.	Étudier avec un partenaire.	62
Auto-enregistrement	Consignation d'information reliée aux tâches d'étude.	Prendre des notes en classe.	46
Répétition et mémorisation	Mémorisation de la matière au moyen de stratégies explicites ou non.	Écrire une formule mathématique encore et encore jusqu'à ce qu'elle soit mémorisée.	99
Établissement d'objectifs/ planification	Établissement d'objectifs scolaires ou planification de sous-objectifs, et planification de la séquence et de la chronologie, et réalisation d'activités liées aux objectifs.	Dresser des listes de choses à faire durant l'étude.	130
Revue des documents	Relecture des notes, des anciens tests ou des manuels avant de se rendre en classe ou de subir une autre évaluation.	Étudier les manuels avant d'assister au cours.	131
Auto-surveillance	Observation et suivi du rendement et des résultats, qui souvent sont enregistrés.	Garder une trace des tâches d'étude.	154
Stratégies centrées sur les tâches	Analyse des tâches et détermination de méthodes spécifiques et efficaces pour l'apprentissage.	Créer des moyens mnémotechniques pour se rappeler de faits.	154
Imagerie	Création et rappel d'images fortes pouvant soutenir l'apprentissage.	Imaginer les conséquences de ne pas étudier.	6
Gestion du temps	Estimation et planification de l'utilisation du temps.	Prévoir du temps au quotidien pour l'étude et les devoirs.	8
Restructuration de l'environ-nement	Choix ou aménagement de l'environnement dans le but de faciliter l'apprentissage.	Étudier dans un endroit isolé.	4

Source : Lavery (2008).

également valoir la peine de leur enseigner d'abord certaines stratégies plus générales – telles que la prise de notes, les moyens mnémotechniques, la mise en relief des idées principales, puis l'autocorrection, l'autosurveillance et l'utilisation appropriée des apprentissages. Comme il a été mentionné lorsqu'il a été question d'enseigner les critères de réussite, donner des exemples de problèmes résolus est une méthode efficace. Kobayashi (2005), par exemple, a déterminé que les effets de la prise de notes étaient plus élevés lorsque les élèves pouvaient travailler à partir de notes distribuées par l'enseignant. Celles-ci leur fournissaient à la fois des exemples dont ils pouvaient s'inspirer pour leur propre prise de notes et une grille d'évaluation à laquelle ils pouvaient se référer lorsqu'ils étudiaient. Les effets étaient plus élevés lorsque des notes étaient fournies ($d = 0,41$) que lorsqu'elles ne l'étaient pas ($d = 0,19$), et c'est l'étude et non la prise des notes qui était la plus efficace. Le temps consacré à l'étude des notes n'avait pas d'importance, tout comme le format (vidéo, audio, en direct). Une raison importante de cette efficacité est le fait que la prise de notes réduit l'effort mental, tout en améliorant le rendement cognitif (Wetzels, Kester, van Merrienboer et Broers, 2011).

Les stratégies d'apprentissage ont un impact sur le rendement, notamment parce qu'elles amènent l'élève à développer sa confiance en lui et à croire qu'il saura quoi faire s'il ne connaît pas la réponse. Une telle confiance peut inciter les élèves à s'engager dans le processus d'apprentissage, à reformuler le problème afin de cerner ce qu'ils savent et ne savent pas, à essayer différentes stratégies, à rechercher les constantes, à développer leur résilience face au fait de ne pas savoir, et à se servir de leurs succès scolaires pour « s'approprier » leur apprentissage.

6.4. Conception à rebours

30. Les enseignants appliquent les principes de la « conception à rebours » – qui consiste à commencer par les résultats visés (critères de réussite), puis à passer aux intentions d'apprentissage, et ensuite aux activités et aux ressources nécessaires pour satisfaire aux critères de réussite.

L'une des meilleures façons de maximiser l'apprentissage est d'appliquer les principes de la « conception à rebours » (Wiggins et McTighe, 2005). Connaître les intentions d'apprentissage et savoir à quoi ressemble la réussite avant de commencer à planifier une leçon constituent l'essence de la conception à rebours. Ces connaissances nous permettent également d'improviser et de changer pendant le processus d'enseignement, tout en préservant la notion de «réussite».

En d'autres termes, les décisions visent davantage à développer des stratégies d'apprentissage permettant d'atteindre les critères de réussite et moins à mettre en œuvre une quelconque méthode d'enseignement (telle que l'apprentissage coopératif ou l'enseignement réciproque). Au cours d'une leçon, l'enseignant doit être en mesure de s'adapter à la progression des élèves, en tenant compte de ce qu'ils savaient au départ (leurs acquis) et de ce qu'ils souhaitent apprendre (les intentions d'apprentissage de la leçon). Cette capacité de changer et d'innover sans cesse est au cœur de l'expertise adaptative – notamment chez les enseignants et de plus en plus chez les élèves lorsqu'ils développent leur capacité d'autorégulation.

Parfois, les élèves doivent «désapprendre» ou «faire quelques pas en arrière» avant de pouvoir avancer. À la fin de l'école primaire notamment, les élèves ont normalement développé un certain système d'étude – qu'il s'agisse de faire une recherche sur Internet, de faire un calcul mathématique et de se satisfaire d'obtenir une réponse, sans se préoccuper qu'elle soit exacte ou que la meilleure stratégie ait été utilisée, d'apprendre à mémoriser ou à utiliser des moyens mnémotechniques au besoin, ou simplement d'espérer que les questions ne seront pas trop difficiles. Toutes les méthodes d'étude n'ont pas la même efficacité. Les élèves qui adoptent des méthodes efficaces tendent à travailler dans un environnement où il ne risque pas d'y avoir de distractions ; ils vérifient et monitorent plus souvent leurs progrès ; et ils ont une bonne idée de la qualité de leur travail. Ces méthodes doivent souvent être enseignées – surtout aux élèves qui ont de la difficulté à accéder à la compréhension de surface et ensuite aux diverses stratégies nécessaires pour assurer un tel niveau d'autorégulation lorsqu'ils travaillent seuls.

6.5. Deux exigences de l'apprentissage

31. On enseigne à tous les élèves comment développer leur expertise par la pratique délibérée et comment se concentrer.

APPRENTISSAGE VISIBLE

Liste de vérification ✔ pour le déroulement de la leçon (accent sur l'apprentissage)

6.5.1. Pratique délibérée

Parfois, apprendre n'est pas amusant. C'est plutôt un travail ardu ; c'est développer son expertise par la pratique délibérée ; c'est simplement faire quelque chose encore et encore. Cette idée ne date pas d'hier : Bryan et Harter (1898) soutenaient qu'il fallait environ dix ans pour devenir un expert ; Simon et Chase (1973) affirmaient que les maîtres d'échecs devaient mémoriser quelque 50 000 « *chunks* » ou configurations pour avoir une chance de devenir des experts. Malcolm Gladwell (2008) a fait valoir ce point dans les médias – à savoir qu'il faut normalement plus de 10 000 heures d'entraînement pour devenir un expert. Il présente les cas de personnes, dont on attribue souvent la réussite à des habiletés exceptionnelles (Bill Gates, The Beatles, Michael Jordan), qui ont pourtant consacré un nombre incalculable d'heures à la pratique et à l'apprentissage avant que leur talent ne soit connu du reste du monde. Selon lui, ces gens ont misé sur la pratique délibérée, encore et encore. Bien entendu, plusieurs aspects différents de la tâche étaient visés, ce qui constitue également un point important. Il ne s'agit pas d'un simple exercice répétitif, mais d'une pratique délibérée qui conduit à la maîtrise. Un des rôles importants de l'école est d'enseigner aux élèves la valeur de la pratique délibérée, afin que ceux-ci voient comment elle mène à la compétence.

J'ai été entraîneur de cricket pendant de nombreuses années et je sais combien d'heures il faut pour apprendre un coup ou un lancer particulier. Le « square cut », par exemple, nécessite de travailler avec le lance-balles ou les filets pendant des heures, en se concentrant sur le jeu de jambes lors de certaines séances, sur l'immobilité de la tête à d'autres moments ou encore sur la fin du geste, sur le mouvement descendant de la batte et l'extension des bras. Cela demande aussi de s'observer sur vidéo, de verbaliser ses actions tout au long des séances et d'apprendre quand ce coup doit être utilisé. Pendant ces séances, je ne suis ni « scoreur », ni juge, ni évaluateur ; au lieu de cela, je monitore constamment les décisions, les mouvements et les réactions du batteur, et je lui fais part notamment de ce qui fonctionne et des choses à travailler la prochaine fois. Dans ce cas-ci, les effets des décisions sont évidents pour l'apprenant et la mise à l'épreuve des apprentissages se fera au moment d'exécuter ce coup dans une rencontre (où je ne serai qu'un spectateur sur la ligne de touche). Ce qui compte, c'est le choix des tâches qui feront l'objet de la pratique délibérée ; c'est la variation des techniques de développement des habiletés ; c'est la répétition des tâches – accompagnée d'une rétroaction formative diligente permettant de s'assurer que l'élève a le contrôle des décisions qui doivent être prises pour que le bon coup soit exécuté au bon moment.

Prenons un autre exemple, soit la façon dont beaucoup de jeux vidéo fonctionnent. Le but du jeu est clair, de même que ce qui constitue la réussite – bien qu'elle puisse être définie en fonction de plusieurs actions individuelles particulières pendant le jeu et pas seulement de l'achèvement de celui-ci. Par exemple, au jeu *Super Mario Bros*, bien des joueurs ne sauront pas à quoi ressemble la fin du jeu pendant un bon moment (il m'a fallu trois semaines de jeu assidu seulement pour comprendre qu'il y avait une fin). Les rétroactions (à propos des réussites et des échecs) et les défis sont constants ; en effet, les rétroactions et les défis sont des caractéristiques de la plupart des jeux vidéo. L'objectif du joueur est de franchir les étapes du jeu, de surmonter les obstacles qui ont stoppé sa progression précédemment et de continuer à recevoir les rétroactions à propos des succès remportés et des échecs subis. Pourquoi les élèves font-ils invariablement des choix différents lorsque leur objectif est d'améliorer leur rendement plutôt que de plaire à l'adulte le plus proche ?

Il y a des enseignements à tirer pour nos classes. Les élèves carburent aux rétroactions formatives pendant la leçon ; ils ne veulent pas que leur progression soit interrompue à cause d'un manque de rétroactions (ce qui engendre ennui et démotivation) et ils ne veulent pas attendre à la fin de la leçon pour savoir s'ils sont sur la bonne voie. Le cricket et les jeux vidéo s'adressent à des apprenants désireux de maîtriser certaines habiletés, dans le but de pouvoir les utiliser d'une manière plus contrôlée. Il est question à la fois de maîtrise et d'exécution, d'où l'importance de choisir des tâches qui incitent les élèves à la pratique délibérée, d'être clair quant à sa valeur ultime et d'offrir de nombreuses rétroactions formatives qui rehausseront l'impact de la pratique délibérée. Certains élèves sont prêts à investir beaucoup d'efforts dans le processus d'acquisition de la maîtrise – c'est-à-dire qu'ils aiment apprendre et jouer au jeu, et s'intéressent peut-être moins aux résultats. D'autres sont moins susceptibles de s'investir dans l'apprentissage, à moins de connaître le produit final ou le résultat avant de commencer.

Bien des élèves sont plus motivés par les résultats et passent donc beaucoup de temps à s'assurer que le produit est bien fait ou que l'exécution est bonne (par exemple en produisant de jolis livrets, de belles affiches ou de magnifiques maquettes). C'est ce que de nombreux théoriciens de la motivation appellent la « motivation à la performance », un concept qui ne concerne pas le désir de maîtriser le processus menant au résultat. Les élèves motivés par le désir de maîtriser le processus investissent davantage dans les stratégies permettant de l'améliorer, tandis que les élèves motivés par la performance investissent dans les stratégies qui permettent d'améliorer le produit. Certains veulent seulement finir, quel que soit le chemin emprunté pour y parvenir. En mathématiques, par exemple, certains élèves souhaitent terminer les exercices, qu'ils aient les bonnes réponses ou non – qu'ils aient ou non confiance au processus leur ayant permis d'obtenir ces réponses. Parfois, donner la réponse à ces élèves peut les inciter à investir davantage dans le processus. Le but du jeu est d'accéder à la maîtrise qui permettra d'exécuter la tâche et non d'exécuter la tâche dans l'espoir d'accéder ensuite à la maîtrise.

La clé pour comprendre les processus d'apprentissage (ou d'autorégulation) est de s'assurer de les enseigner, afin que l'élève apprenne à monitorer ou à réguler son propre apprentissage. Il s'agit d'apprendre quand et comment utiliser une stratégie, et d'évaluer dans quelle mesure elle a permis d'améliorer l'apprentissage. L'autorégulation implique l'auto-observation, l'autojugement et l'autoréaction. Il faut enseigner comment évaluer les conséquences des actions (par exemple apprendre ce qu'il faut faire ensuite, être capable de savoir lorsqu'on ne se trompe pas et appliquer des stratégies efficaces), avoir un certain contrôle sur les ressources et devenir un apprenant plus efficace (par exemple en réduisant les distractions). Les enseignants doivent permettre l'utilisation de stratégies d'auto-instruction axées sur la maîtrise par les élèves, voire en favoriser le développement. Ils doivent aussi accepter que des erreurs soient commises, valoriser la compréhension et la maîtrise des processus d'apprentissage, et laisser aux élèves un certain contrôle sur leur apprentissage. L'autorégulation nécessite d'investir volontairement des efforts dans l'apprentissage, le développement et la pratique des habiletés nécessaires à l'apprentissage ainsi que de prendre conscience de l'importance de la pratique délibérée. Il faut enseigner aux élèves que certaines choses méritent d'être apprises et comment déterminer ce qui vaut ou ne vaut pas la peine. Bien entendu, il faut aussi connaître les intentions d'apprentissage et savoir à quoi ressemble la réussite. C'est exactement ce qu'on exige d'un enseignant lorsqu'il planifie et enseigne une leçon, et c'est pourquoi on associe la notion d'« autorégulation » à l'idée que les « élèves doivent devenir leurs propres enseignants ».

L'autorégulation implique une *intention* de prendre des décisions par rapport aux stratégies d'apprentissage, une capacité d'évaluer l'*efficacité* de celles-ci ainsi que la faculté de savoir choisir de façon *constante* les meilleures stratégies d'apprentissage, quels que soient les tâches et les domaines. Lorsqu'ils abordent un sujet pour la première fois, les débutants disposent souvent d'un nombre limité de stratégies ; d'où la nécessité d'élargir leur répertoire en enseignant aux élèves des stratégies variées. Trop souvent, les débutants continuent d'utiliser certaines méthodes qui risquent de nuire à leur apprentissage (parce qu'ils n'ont pas beaucoup d'autres choix).

En tant qu'enseignants, nous devons déterminer la nature des stratégies utilisées par les élèves et nous assurer qu'elles incitent à la pratique délibérée des compétences nécessaires à la réalisation de la tâche et qu'elles favorisent de façon optimale l'atteinte des critères de réussite. Cela peut vouloir dire de réduire la charge cognitive des élèves afin qu'ils se sentent mentalement disposés à explorer diverses stratégies (par exemple en leur donnant la réponse, afin qu'ils puissent se concentrer sur le processus, ou des exemples de problèmes résolus), d'enseigner à la fois le contenu et différentes stratégies, de favoriser de manière optimale la pratique volontaire, d'exiger des efforts et de valoriser ceux-ci (Ornstein *et al.*, 2010, p. 46).

Peut-être est-ce exagéré de le rappeler encore une fois, mais il est primordial de comprendre que la pratique délibérée n'est pas un simple exercice de répétition. La pratique délibérée nécessite de la concentration ainsi que le monitorage et la rétroaction de quelqu'un (l'élève, un enseignant, un entraîneur) tout au long du processus. La tâche ou l'activité déborde normalement du cadre de la performance et constitue un défi pour l'élève, et elle se révèle grandement utile lorsque l'élève connaît le but de la pratique délibérée et sait à quoi ressemble la réussite.

6.5.2. Concentration

S'engager dans une telle pratique délibérée exige de nombreuses habiletés – dont une qui est sous-estimée et qui concerne la *concentration* sur la tâche. Il s'agit de la capacité à rester concentré sur une tâche ou à y consacrer une attention soutenue, même en présence de distractions internes et externes (Andersson et Bergman, 2011). Nous nous concentrons de différentes manières, mais pour les débutants, il est souvent impératif que les distractions soient réduites au minimum. Cela ne veut pas dire que la salle doit être silencieuse ou dépourvue d'ambiance, ou qu'il faille favoriser l'isolement. Cependant, cela sous-entend une focalisation délibérée sur la tâche – et la clé réside dans le caractère délibéré, parce que la plupart d'entre nous (et particulièrement les élèves qui s'attaquent à une tâche pour la première fois) se concentrent rarement sur la tâche de façon spontanée. L'apprentissage n'est pas aussi spontané que beaucoup le souhaiteraient.

C'est par la pratique délibérée et la concentration que l'apprentissage est stimulé – et c'est la qualité du temps consacré à l'étude plus que la quantité qui est primordiale. Plant, Ericsson, Hill et Asberg (2005) ont démontré que les élèves qui obtiennent des résultats élevés peuvent obtenir les mêmes résultats, voire de meilleures notes, en consacrant moins de temps à l'étude. Ils soulignent que la plupart du temps, la pratique « en jouant » (qu'il s'agisse de golf, de cricket ou d'histoire), notamment en compagnie d'amis, est bien moins efficace pour améliorer la performance que la pratique délibérée solitaire ou encadrée. Plus d'expérience aux échecs, par exemple, « n'améliore pas de façon fiable la performance aux échecs lorsqu'on fait abstraction des effets de la pratique solitaire » (Plant *et al.*, 2005, p. 112, traduction libre). Ce n'est pas l'ampleur de la pratique qui compte, mais l'ampleur de l'effort délibéré consacré à l'amélioration de la performance. Eu égard à la pratique délibérée et à la concentration, la combinaison est optimale lorsqu'on donne aux apprenants des tâches qui, au départ, débordent de leur cadre de performance habituel, mais qui

> peuvent être maîtrisées en quelques heures en se concentrant sur certains aspects essentiels et en raffinant progressivement l'exécution par des répétitions appuyées par une rétroaction. L'obligation de *concentration* distingue donc la pratique délibérée de l'exécution routinière et irréfléchie, et de l'engagement ludique (Ericsson, 2006, p. 694, traduction libre ; les italiques se trouvent dans le texte original).

Cela facilite les choses quand les enseignants et les élèves recherchent activement de telles tâches exigeantes :

> Les activités de pratique délibérée doivent avoir un niveau de difficulté approprié et favoriser une amélioration progressive en permettant la répétition, en donnant la possibilité de commettre des erreurs et de les corriger, et en offrant une rétroaction éclairante à l'apprenant. [...] Étant donné que la pratique délibérée exige des élèves qu'ils passent à un niveau de performance supérieur, elle nécessite une concentration totale et un effort considérable pour la maintenir pendant de longues périodes. Les élèves ne s'engagent pas dans la pratique délibérée parce que le processus est foncièrement agréable, mais parce qu'elle les aide à améliorer leur performance (Van Gog, Ericsson, Rikers et Paas, 2005, p. 75, traduction libre).

6.6. Voir l'apprentissage du point de vue des élèves

32. Des processus sont en place dans le but d'aider les enseignants à voir l'apprentissage du point de vue des élèves.

Liste de vérification ✔ pour le déroulement de la leçon (accent sur l'apprentissage)

Nuthall (2007) a passé de nombreuses années à observer ce qui se passe dans les classes. Il soutient que la classe est constituée de trois mondes : le *monde public* que les enseignants voient et gèrent ; le *monde semi-privé* des relations avec les pairs ; et le *monde privé* dans la tête de l'élève. Environ 70 % de ce qui se passe entre les élèves n'est pas connu de l'enseignant. Cela devrait certainement nous faire réfléchir à la valeur de ce que l'enseignant *pense* qu'il s'est passé en classe ainsi que des cercles d'apprentissage professionnel qui ne font que confirmer rétrospectivement ce que l'enseignant a vu. Pourquoi ne tenir compte que de 30 % du portrait ? Nous devons accorder une attention beaucoup plus grande aux preuves de notre effet sur les élèves, et modifier notre façon de penser, notre enseignement, nos attentes et nos actions en fonction de ces données probantes. Ces données provenant de sources multiples doivent nourrir notre réflexion et notre esprit critique sur le plan professionnel.

Il n'y a pas de doute que les classes peuvent être des milieux complexes, en apparence chaotiques et déconcertants, et difficiles à monitorer. Une habileté importante à développer pour les enseignants est la « conscience de la situation » (ils doivent être « attentifs » à ce qui se passe comme nous l'avons mentionné au chapitre 5), parce que c'est un trait qui caractérise beaucoup d'experts (Wickens, 2002). Au lieu de simplifier la classe (rangées silencieuses, enseignant qui parle, etc.), les enseignants doivent développer la capacité d'interpréter les choses, de percevoir les tendances, d'anticiper, de prendre des décisions et de monitorer ce qui se passe pour pouvoir s'ajuster sur le moment. Pour développer cette conscience, il faut notamment apprendre à déterminer ce dont il ne faut pas se préoccuper et, donc, à scruter les choses, à repérer les possibilités d'apprentissage et les obstacles, à classer et à évaluer le comportement des élèves, et à analyser les situations du point de vue des décisions pédagogiques à prendre et non de la gestion de classe.

Une telle conscience de la situation exige que l'enseignant écoute les questions des élèves et se serve de l'évaluation pour comprendre ce qui fonctionne, avec quel élève et à quel moment. Il est utile d'avoir quelqu'un d'autre dans la classe qui surveille l'apprentissage des élèves et qui aide l'enseignant à prendre conscience de ce qu'il ne voit pas. Il est en outre utile de faire comprendre clairement aux élèves les intentions d'apprentissage et les critères de réussite, la valeur de la pratique délibérée et ce qu'il faut faire quand ils ne savent pas quoi faire.

Ce qui devient évident lorsqu'on observe les classes est le nombre d'élèves que l'enseignement indiffère – et qui passent donc une grande partie du temps dans un état d'ambivalence. Ceux-ci ne sont pas de mauvais élèves à proprement parler ; ils ne sont tout simplement pas engagés dans le processus d'apprentissage. En un sens, apprendre l'ambivalence est nécessaire pour pouvoir composer avec l'agitation et l'effervescence de notre monde – compte tenu de la prédominance du discours magistral et du peu d'interactions qui surviennent dans beaucoup de classes ; dans un autre sens, une trop grande ambivalence peut entraîner un «retard» et amener l'élève à développer une sorte de résignation («Dites-moi quoi faire et je vais le faire»). Ces élèves adoptent une posture qui leur attirera probablement la faveur («au moins, ils ne sont pas désobéissants») des personnes auxquelles ils doivent rendre des comptes, et ils éviteront ainsi d'avoir à analyser diverses pistes de solution, à interpréter des informations complexes ou à faire des compromis difficiles. Au lieu de cela, ces élèves décrochent tout en ayant *l'air* d'être engagés. L'étincelle qui anime le désir d'apprendre commence à faiblir.

Beaucoup d'études portant sur l'engagement mettent en relief la nature générale du comportement des élèves en classe. Par exemple, le Pipeline Project a étudié 2 686 élèves dans 230 classes pendant deux ans (Angus *et al.*, 2009). Quatre principaux groupes ont été répertoriés :

- les élèves qui adoptaient un comportement productif (60 %) ;
- les élèves désengagés, mais qui n'étaient ni agressifs ni récalcitrants (20 %) ;
- les élèves non coopératifs, qui étaient souvent agressifs et récalcitrants (12 %) ;
- les élèves un peu dérangeants qui adoptaient un mélange de comportements perturbateurs (8 %).

Ce qui est fascinant, c'est que les élèves non coopératifs avaient les progrès les plus faibles durant l'année, mais que ces gains ne différaient pas beaucoup de ceux réalisés par les élèves désengagés. Ces derniers étaient des élèves qui, par exemple, trouvaient le travail scolaire peu intéressant, étaient enclins à abandonner lorsque les tâches devenaient difficiles, se laissaient facilement distraire, ne préparaient pas les leçons et ne participaient pas aux activités de classe. Les enseignants devraient accorder plus d'attention à ces élèves ambivalents – qui pourraient être les plus faciles à reconquérir.

Conclusions

Si l'apprentissage était facile, les études seraient un jeu d'enfant. Le présent chapitre a permis de voir que cerner comment chaque élève apprend n'est pas une tâche simple. L'apprentissage comporte plusieurs facettes et il existe quatre façons d'aborder la manière dont les élèves apprennent. On peut l'analyser à partir 1) de leurs aptitudes cognitives (le modèle de Piaget a été utilisé pour illustrer celles-ci) ; 2) de leur capacité cognitive à différents niveaux (depuis l'apprentissage d'idée, jusqu'à leur intégration et à leur transfert) ; 3) des catalyseurs de leur apprentissage (constater un écart entre leur niveau actuel et une cible donnée, puis utiliser des stratégies pour réduire cet écart) ; et 4) de leur compétence établie en fonction de leur progression le long du continuum d'apprentissage débutant-compétent-performant. Pour chaque aspect de l'apprentissage, les enseignants ne peuvent tenir pour acquis que les élèves utilisent des stratégies appropriées, et il est essentiel de consacrer davantage de temps à l'enseignement de stratégies efficaces. À l'heure actuelle, l'enseignement de stratégies d'apprentissage est inexistant.

Les élèves qui éprouvent de la difficulté sont ceux qui ont le plus besoin qu'on leur enseigne des stratégies d'apprentissage, mais même les élèves plus doués peuvent avoir des stratégies inefficaces ou devenir trop dépendants de certaines stratégies s'appuyant plus que nécessaire sur les instructions et les rétroactions de l'enseignant. Nous devons tous développer un nombre suffisant de stratégies qui nous permettent, dans une certaine mesure, de décider quand et comment les utiliser. L'acquisition d'une telle capacité d'autorégulation est l'un des principaux objectifs de l'apprentissage.

Compte tenu de la multiplicité de ces stratégies d'apprentissage et de l'importance de savoir quand y faire appel, on exige des enseignants qu'ils soient capables de cerner les similitudes et de tenir compte des différences dans la classe. Cela souligne l'importance de l'enseignement différencié – et le fait qu'il ne faut pas se lancer trop vite dans la formation de groupes homogènes d'élèves. Il ne s'agit pas de maintenir les élèves au même stade d'apprentissage, mais de les faire passer au stade suivant. Pour ce faire, il peut être utile que les élèves aient la possibilité d'observer les différentes façons dont leurs pairs apprennent, d'échanger au sujet de leurs compréhensions et de leurs méprises, de prendre conscience que les difficultés peuvent affliger les élèves brillants autant que les moins doués, et de voir qu'ils peuvent travailler ensemble à leur apprentissage.

Un thème important est la nécessité de pouvoir s'adapter – aussi bien au défi, à l'environnement, qu'aux autres élèves – et de savoir quoi faire quand on ne sait pas quoi faire. Cela demande également d'être persévérant, concentré et engagé, en faisant appel à de multiples méthodes d'acquisition des connaissances, d'interaction et de pratique. Toutefois, les enseignants et les élèves ne doivent jamais perdre de vue les objectifs ou les critères de réussite de la leçon. D'où l'utilité de la « conception à rebours », qui implique de cerner au départ l'objectif final et de voir comment faire progresser les élèves jusqu'à celui-ci.

Il existe de multiples stratégies d'apprentissage, et nous en savons beaucoup sur celles qui sont plus efficaces et celles qui le sont moins. L'établissement d'objectifs, l'autosurveillance, la concentration et la pratique délibérée comptent parmi les stratégies les plus efficaces. Elles concernent l'enseignant aussi bien que l'élève – et elles peuvent être enseignées. Il peut sembler vieux jeu d'insister sur la nécessité d'offrir de multiples occasions favorisant l'apprentissage, la pratique délibérée et la concentration – mais ces stratégies demeurent des plus efficaces. Tous les élèves peuvent apprendre l'art de la pratique délibérée et de la concentration, pourvu que la notion de « réussite » soit claire, que les rétroactions formatives soient nombreuses, et qu'il y ait modification et réenseignement pendant la pratique. La pratique n'a d'utilité que si elle aide les enseignants et les élèves à comprendre comment raffiner, réapprendre et répéter les compétences et les connaissances acquises.

Pour comprendre comment les élèves apprennent, les enseignants doivent voir l'apprentissage du point de vue des élèves. Le simple fait, pour les enseignants, de relater ce qu'ils observent en classe n'est pas suffisant, puisque la majeure partie de ce qui se passe échappe à leur attention. Nous devons faire appel à de nombreuses méthodes d'évaluation, écouter les dialogues entre les élèves et leurs questions, obtenir de l'aide de quelqu'un pour observer comment les élèves apprennent dans notre classe, et nous assurer que les élèves nous renseignent sur la façon dont ils pensent et apprennent.

1. Demandez à cinq enseignants de donner leur opinion sur la manière dont on apprend. Comment apprend-on en tant qu'enseignants? Comment les élèves apprennent-ils? Dans quelle mesure ces croyances concordent-elles avec les arguments avancés dans le présent chapitre à propos de la manière dont on apprend? Au besoin, élaborez un plan d'apprentissage avec ces enseignants afin de les aider à acquérir une meilleure compréhension des stratégies d'apprentissage.

2. Prenez une leçon que vous avez planifiée. Dans quelle mesure fait-elle de la place aux différents niveaux cognitifs (stades de Piaget) et de compétence (débutant, compétent, performant) des élèves, et à différents niveaux de complexité (connaissances de surface et en profondeur)?

3. Si vous deviez regrouper les élèves de votre classe de façon à ce qu'ils puissent progresser d'un niveau sur le plan de leur apprentissage, comment vous y prendriez-vous? Quelles données probantes recueilleriez-vous pour confirmer qu'ils progressent effectivement dans ces groupes?

4. Quel niveau d'attention et de débat suscitent les activités suivantes dans votre école (votre classe ou votre programme de formation des maîtres)? Une fois cette tâche terminée, vérifiez l'impact moyen de chacune selon l'annexe 4 du présent ouvrage.

Influence	Impact		
Regroupement par habiletés/parcours	Élevé	Moyen	Faible
Enseignement assisté par ordinateur	Élevé	Moyen	Faible
Diminution des comportements perturbateurs	Élevé	Moyen	Faible
Programmes parascolaires	Élevé	Moyen	Faible
Programmes de développement du lien entre la maison et l'école	Élevé	Moyen	Faible
Devoirs	Élevé	Moyen	Faible
Comment accélérer l'apprentissage	Élevé	Moyen	Faible
Comment améliorer l'enseignement des stratégies métacognitives	Élevé	Moyen	Faible
Comment amener chaque élève à avoir des attentes élevées par rapport à ses résultats	Élevé	Moyen	Faible
Comment amener chaque enseignant à avoir des attentes élevées envers les élèves	Élevé	Moyen	Faible
Comment améliorer la rétroaction	Élevé	Moyen	Faible
Enseignement individualisé	Élevé	Moyen	Faible
Milieu familial	Élevé	Moyen	Faible
Pédagogie par investigation	Élevé	Moyen	Faible

Influence	Impact		
Programmes scolaires intégrés	Élevé	Moyen	Faible
Sexes (différences entre garçons et filles)	Élevé	Moyen	Faible
Classes ouvertes ou traditionnelles	Élevé	Moyen	Faible
Influence des pairs	Élevé	Moyen	Faible
Fournir des évaluations formatives aux enseignants	Élevé	Moyen	Faible
Réduction de la taille des classes	Élevé	Moyen	Faible
Financement de l'éducation	Élevé	Moyen	Faible
Contrôle de l'élève sur l'apprentissage	Élevé	Moyen	Faible
Relations maître-élèves	Élevé	Moyen	Faible
Enseigner les stratégies d'apprentissage	Élevé	Moyen	Faible
Enseigner les techniques d'étude	Élevé	Moyen	Faible
Préparation aux tests et accompagnement	Élevé	Moyen	Faible
Moyens de stopper l'étiquetage des élèves	Élevé	Moyen	Faible

5. Demandez à un ou une collègue d'observer votre classe. Demandez à cette personne de s'asseoir dans votre classe, de consigner ce que vous dites et faites, et, surtout, de choisir deux élèves et de noter tout ce qu'ils font, à quoi ils réagissent, ce dont ils parlent (selon ce qu'elle est capable d'entendre). À la fin, imprimez les notes et, ensemble, repérez chaque occasion où les élèves ont répondu et réagi – c'est-à-dire, déterminez ce qui les a intéressés, les a fait progresser et ainsi de suite. Relevez les situations où vous avez adapté vos décisions à la lumière de l'information vous indiquant que les élèves apprenaient ou n'apprenaient pas (voir aussi l'exercice 1 au chapitre 8).

6. Cherchez sur Internet des conseils sur la façon de mettre en œuvre la stratégie dite « *jigsaw* ». Planifiez avec un ou une collègue une leçon d'essai. Avant de la mettre en œuvre, posez-vous les questions suivantes :

   a. Comment vais-je composer avec l'élève dominant/l'élève plus lent/l'élève qui s'ennuie/l'élève trop compétitif ?

   b. Quelles données probantes sauront me convaincre que la stratégie a ou non un impact positif sur la capacité des élèves à atteindre efficacement les critères de réussite de la leçon ?

## CHAPITRE 7

Le déroulement de la leçon

Place de la rétroaction

La rétroaction est l'un des principaux facteurs de réussite de l'enseignement et de l'apprentissage. Pourtant, il subsiste une énigme : bien que la rétroaction figure parmi les modérateurs les plus puissants de l'apprentissage, ses effets sont également des plus variables. J'ai réfléchi à cette question pendant de nombreuses années et élaboré un modèle de rétroaction permettant d'expliquer la manière dont on peut tirer pleinement avantage de la rétroaction dans la classe.

Pour mieux comprendre la notion de «rétroaction», il faut prendre en considération le concept d'«écart» mis en relief par Sadler (1989) : la rétroaction vise à réduire l'écart entre le «niveau actuel» de l'élève et le «niveau qu'il doit atteindre» – c'est-à-dire entre les acquis et les critères de réussite. Pour que la rétroaction soit efficace, les enseignants doivent donc savoir où se situent les élèves et où ils doivent se situer. Or, plus ils feront preuve de transparence à cet égard envers les élèves, plus ces derniers seront en mesure de contribuer à leur évolution jusqu'à la réussite en tirant profit de la rétroaction. À ce sujet, la rétroaction remplit plusieurs fonctions : elle peut fournir des indications qui attirent l'attention de l'élève et l'aident à se concentrer sur la réussite de la tâche ; elle peut diriger l'attention vers les processus nécessaires à la réalisation de la tâche ; elle peut renseigner sur les notions qui ont été mal comprises ; et elle peut chercher à motiver les élèves à s'investir davantage dans la tâche (voir Hattie et Timperley, 2006).

La rétroaction peut être donnée de différentes façons : par des processus affectifs comme l'accroissement de l'effort, de la motivation ou de l'engagement ; ou par différents processus cognitifs, par exemple réorganiser les connaissances, confirmer à l'élève qu'il a tort ou raison, indiquer à l'élève que de plus amples renseignements existent ou sont nécessaires, donner des orientations qui pourraient être explorées, et fournir des stratégies de rechange pouvant permettre de comprendre certaines informations. Un aspect important à prendre en considération est le fait que la rétroaction vient normalement en deuxième lieu – après l'enseignement – et que son efficacité est donc restreinte si elle a lieu en vase clos.

Il importe de souligner que la rétroaction est alimentée par les erreurs, mais que les erreurs ne sont pas l'apanage des élèves moins performants. Tous les élèves (comme tous les enseignants) ne réussissent pas du premier coup, ne savent pas toujours quoi faire ensuite et n'atteignent pas toujours la perfection non plus. Il ne s'agit pas de mettre l'accent sur les lacunes, de tenir un discours axé sur les manques ou de se concentrer sur le négatif ; c'est plutôt l'inverse, en ce sens que les erreurs sont considérées comme des occasions de s'améliorer. L'erreur est la différence entre ce que nous savons et pouvons faire, et ce que nous voulons savoir et faire – et c'est ainsi pour tout le monde (fussions-nous en difficulté ou doués ; élèves ou enseignants). Prendre conscience de l'erreur est essentiel pour assurer la progression vers la réussite. Tel est le but de la rétroaction.

En outre, le présent chapitre mettra l'accent sur l'utilisation des données fournies par les élèves à propos de ce qu'ils font, disent ou écrivent pour déterminer ce qu'ils comprennent, savent, ressentent ou pensent (Griffin, 2007). Le travail à partir des données observables est la base de l'évaluation formative de l'apprentissage. Trop souvent, les enseignants travaillent à partir de théories ou d'inférences au sujet de ce que font les élèves, qui ne peuvent pas toujours être remises en question à la lumière de ce que font *réellement* les élèves. Au lieu de cela, les enseignants doivent d'abord se concentrer sur ce que les élèves font, disent ou écrivent, puis modifier leurs théories au sujet des élèves en fonction de ces observations (ou de ces données probantes). C'est ce genre de rétroaction fondée sur l'évaluation qui permettra aux enseignants de modifier leur enseignement. Cette évaluation constitue une rétroaction ou encore un enseignement pour les enseignants, une information formative accessible rapidement.

La preuve de son efficacité est documentée dans *Visible Learning*. En résumé, la taille d'effet moyenne est de 0,79, soit deux fois l'effet moyen de tous les autres facteurs scolaires. Or, bien que la rétroaction figure parmi les dix plus grandes influences sur le rendement, sa variabilité est considérable. Comment tenir compte de cette variabilité ? J'estime que la rétroaction exerce une influence à quatre niveaux et doit répondre à trois questions.

7.1. Les trois questions auxquelles doit répondre la rétroaction

33. Les enseignants sont conscients de leurs rétroactions et s'assurent que celles-ci répondent à trois questions importantes pour les élèves, à savoir : « Où dois-je me rendre ? », « Comment y parvenir ? » et « Quelle est la prochaine étape ? ».

Liste de vérification ✔
**pour le déroulement
de la leçon (rétroaction)**

7.1.1. Où dois-je me rendre ?

La première question (Où dois-je me rendre ?), concerne les objectifs. Pour y répondre, il faut que les enseignants connaissent les objectifs de la leçon et les communiquent aux élèves – d'où l'importance des intentions d'apprentissage et des critères de réussite. Ce qui étonne, c'est le peu d'élèves qui sont capables d'énoncer les objectifs de la leçon : dans le meilleur des cas, il s'agit de buts de performance – « finir la tâche », « travailler proprement », « inclure le plus de ressources possible ». Les buts sont rarement liés à la maîtrise : « comprendre le contenu », « maîtriser la compétence ». Cela est en partie dû au fait que les leçons sont essentiellement fondées sur les « faits », qu'elles favorisent le discours magistral de l'enseignant et visent à « couvrir l'ensemble du programme », ce qui implique forcément des buts de performance puisque les élèves peuvent difficilement se représenter ce qu'on entend par maîtrise.

Sandra Hastie (2011) a interrogé des élèves de niveau scolaire intermédiaire qui savaient de toute évidence établir des buts de maîtrise dans les sports qu'ils pratiquent et dans leur vie sociale (voir le

FIGURE 7.1.
Niveaux de rétroaction
et questions

	Niveaux	Aspects importants		Trois questions auxquelles doit répondre la rétroaction
1	Tâche	Comment la tâche a-t-elle été exécutée ? A-t-elle été bien ou mal exécutée ?		Où dois-je me rendre ? Quels sont mes objectifs ?
2	Processus	Quelles stratégies sont nécessaires pour accomplir la tâche ? Est-ce que d'autres stratégies peuvent être utilisées ?		Comment y parvenir ? Quels progrès ont été réalisés par rapport à l'objectif ?
3	Auto-régulation	Quelles connaissances conditionnelles sont nécessaires pour que l'élève comprenne ce qu'il fait ? Autorégulation, prise en charge des processus et des tâches		Quelle est la prochaine étape ? Quelles activités doivent être entreprises ensuite pour mieux progresser ?
4	Personne	Évaluation personnelle et affect par rapport à l'apprentissage		

chapitre 4). Cependant, la majorité de leurs objectifs scolaires concernaient l'achèvement du travail, le respect des délais et le déploiement d'un effort accru, plus que la qualité des résultats. Elle a expliqué aux enseignants comment fixer des buts de maîtrise et les communiquer aux élèves, puis de leur demander de monitorer leurs objectifs ainsi que leurs progrès au quotidien – les enseignants devaient aussi monitorer la qualité de la communication des objectifs aux élèves.

Samantha Smith (2009) était la «spécialiste de la réussite» à son école secondaire. Elle a porté en graphique les résultats de plus de 1 000 élèves, obtenus au cours des cinq années précédentes en lecture et en mathématiques. Elle a ensuite utilisé ces données pour prédire le nombre de crédits ainsi que la moyenne pondérée cumulative (MPC[1]) qu'obtiendrait chaque élève à la fin de l'année en cours. Elle a alors remis cette information aux enseignants et leur a demandé d'en prendre connaissance, d'indiquer s'ils étaient d'accord avec celle-ci et d'envisager la possibilité de fixer des cibles légèrement au-dessus des prédictions. Environ la moitié des enseignants de l'école ont accepté, l'autre moitié ayant refusé en indiquant qu'il n'appartenait pas à l'enseignant de s'assurer que les élèves atteignent les cibles, que ceux-ci devaient se préparer avant d'arriver en classe, qu'ils devaient faire leurs devoirs et prendre leurs responsabilités. À la fin de l'année, les élèves des enseignants du premier groupe avaient surpassé considérablement ceux des enseignants réfractaires. Par conséquent, les cibles fixées par les enseignants ont une importance significative.

Comme nous l'avons mentionné au chapitre 4, deux autres notions entrent en ligne de compte lorsqu'il est question des objectifs : le «défi» et «l'engagement». Les objectifs ambitieux sont liés principalement à la rétroaction de trois façons.

1. Ils renseignent les élèves sur le niveau de rendement escompté, ce qui leur permet de suivre leur progression vers les cibles.

2. La rétroaction permet aux élèves (ou aux enseignants) de se fixer de nouveaux objectifs ambitieux une fois que les autres sont atteints, établissant ainsi des conditions propices à un apprentissage continu. Pour ce faire, il faut avoir une bonne idée de ce à quoi ressemblent les progrès dans une matière donnée, ce qui constitue probablement le savoir le plus important que doivent posséder les enseignants par rapport au contenu.

3. En l'absence de défi, il est probable que la rétroaction ait peu ou pas de valeur : si les élèves connaissent déjà la matière ou la trouvent trop facile, alors recevoir ou donner de la rétroaction

1. NDT : Système de notation utilisé notamment aux États-Unis.

aura peu d'impact. En outre, la rétroaction portant sur la réussite peut se révéler coûteuse, notamment parce que les élèves sont susceptibles d'attendre la rétroaction avant de s'attaquer à de nouvelles tâches plus difficiles et de développer une dépendance par rapport à celle-ci, ou encore parce qu'ils ne consacrent pas assez de temps à des activités stimulantes lorsque les tâches sont trop faciles (voir Hays, Kornell et Bjork, 2010).

Les éléments essentiels qui sous-tendent la première question de rétroaction (Où dois-je me rendre ?) sont les intentions d'apprentissage, les objectifs et les cibles, la clarté, le défi et l'engagement ; or, la clé réside non seulement dans la prise de conscience de ceux-ci par l'enseignant, mais aussi dans la parfaite familiarisation des élèves avec ces éléments. Les élèves qui comprennent ces notions et qui en tiennent comptent sont des élèves qui ont fait d'énormes progrès sur le plan de la «régulation de leur propre apprentissage», et qui sont davantage susceptibles de solliciter de la rétroaction.

7.1.2. Comment y parvenir ?

La deuxième question (Comment y parvenir ?) fait intervenir la notion de «rétroaction» sur les progrès ou sur le chemin parcouru entre les points de départ et d'arrivée. Elle est souvent exprimée en fonction d'une norme, du rendement précédent, ou de la réussite ou de l'échec de certains aspects d'une tâche. Dans ce cas-ci, donner une rétroaction formative rapide revêt une grande importance – surtout au regard des critères de réussite plutôt qu'à celui de la situation des autres élèves. Wiliam et ses collaborateurs (Wiliam et Thompson, 2008 ; Wiliam, Lee, Harrison et Black, 2004 ; Black *et al.*, 2003) soutiennent qu'il existe cinq grandes stratégies que les enseignants peuvent utiliser pour rendre l'apprentissage plus efficace du point de vue de la question «Comment y parvenir ?» : préciser et communiquer les intentions d'apprentissage ainsi que les critères de réussite ; favoriser l'efficacité des discussions, des questions et des tâches d'apprentissage en classe ; offrir de la rétroaction qui permet aux apprenants de progresser ; encourager les élèves à s'approprier leur propre apprentissage ; et mousser le rôle des élèves en tant que ressources pour les autres.

7.1.3. Quelle est la prochaine étape ?

La troisième question (Quelle est la prochaine étape ?) est davantage corrélative. Dans ce contexte, la rétroaction peut aider les élèves à choisir les prochains défis les plus adéquats, à mieux autoréguler le processus d'apprentissage, à améliorer leur maîtrise et leur automaticité, à apprendre différentes stratégies et processus pour accomplir les tâches, à approfondir leur compréhension et à mieux cerner ce qui est compris et ce qui ne l'est pas. Cette question présente un intérêt particulier pour les élèves, et le but est non seulement de leur fournir une réponse, mais aussi de leur enseigner à trouver leurs propres réponses à cette question.

7.2. Les quatre niveaux de rétroaction

34. Les enseignants s'efforcent de donner des rétroactions par rapport aux trois principaux niveaux de rétroaction, soit la tâche, le processus et l'autorégulation.

Les trois questions auxquelles doit répondre la rétroaction exercent une influence à quatre niveaux qui correspondent aux phases de l'apprentissage : soit débutant, compétent et performant.

7.2.1. Niveau de la tâche et du produit

La rétroaction concernant la tâche et le produit est efficace si elle est plus axée sur l'information (par exemple la réponse est exacte ou inexacte), si elle favorise l'acquisition d'informations différentes ou plus nombreuses et si elle permet de développer les connaissances de surface. Les rétroactions de ce genre sont fort répandues dans les classes et correspondent à la perception que la plupart des élèves ont de la rétroaction. Souvent appelée « rétroaction corrective » ou « connaissance des résultats », elle est habituellement donnée en classe au moyen des questions posées par l'enseignant (qui pour la plupart visent l'information) ; elle est particulièrement offerte sous forme de commentaires à propos des travaux ; elle est souvent spécifique et ne peut être généralisée ; elle constitue la plupart du temps le genre de rétroaction donnée à un grand groupe ; et elle peut notamment avoir un effet percutant lorsque l'apprenant est un débutant (Heubusch et Lloyd, 1998). Par exemple, il peut s'agir d'indiquer que les réponses sont bonnes ou erronées, de solliciter des réponses supplémentaires ou différentes, de fournir des renseignements supplémentaires ou différents au sujet de la tâche, ou de développer une plus grande connaissance de la tâche. La rétroaction sur la tâche est essentielle. Elle sert d'assise à la rétroaction concernant le processus (niveau 2) et l'autorégulation (niveau 3).

Voici un exemple d'une telle rétroaction.

> [...] Ton objectif d'apprentissage était de structurer ton compte rendu de manière à ce que la première chose écrite corresponde à la première chose que tu as faite. Ensuite, tu devais écrire à propos des autres choses que tu as faites dans l'ordre où elles sont survenues.
>
> Tu as écrit la première chose en premier, mais par la suite les choses deviennent confuses. Tu dois passer en revue ce que tu as écrit, numéroter les choses qui sont survenues selon l'ordre chronologique, puis les réécrire en respectant cet ordre.

7.2.2. Niveau du processus

Le deuxième niveau concerne la rétroaction par rapport au processus utilisé pour créer le produit ou accomplir la tâche. Les rétroactions de ce genre peuvent proposer des processus de rechange, réduire la charge cognitive, aider à développer des stratégies d'apprentissage et à mieux détecter les erreurs, inciter à faire une recherche d'information plus efficace, aider à prendre conscience des relations qui existent entre les idées et favoriser l'emploi de stratégies centrées sur la tâche. Il peut notamment s'agir d'aider à établir des liens entre les idées, de fournir des stratégies permettant de déceler les erreurs ou d'apprendre explicitement de ses erreurs, ou de donner des indications à propos de différentes stratégies ou erreurs. La rétroaction relative au processus semble être plus efficace sur le plan des apprentissages en profondeur que celle concernant la tâche. Cependant, l'interaction entre la rétroaction visant à améliorer les stratégies et les processus, et celle visant à renseigner sur la tâche peut se révéler fort puissante. Cette dernière rétroaction peut aider à améliorer la confiance de l'élève en sa capacité d'accomplir la tâche ainsi que son autoefficacité, ce qui, en retour, lui permet de faire davantage preuve d'efficacité et d'innovation dans sa recherche d'informations et de stratégies. Après avoir provoqué une situation d'échec, Chan (2006) a découvert que la rétroaction était davantage susceptible d'améliorer l'autoefficacité lorsqu'elle était de nature formative plutôt que sommative, et autoréférentielle plutôt que comparative (en fonction de la rétroaction des pairs).

Voici quelques exemples de rétroaction à ce niveau.

> [...] Tu es bloqué sur ce mot et tu me regardes au lieu d'essayer de trouver une solution. Peux-tu tenter de trouver pourquoi tu as fait une erreur – et peux-tu essayer ensuite une autre stratégie?
>
> [...] On te demande de comparer ces idées. Par exemple, tu pourrais essayer de trouver leurs similitudes, leurs différences. [...] Quels liens y a-t-il entre elles?

7.2.3. Niveau de l'autorégulation ou des connaissances conditionnelles

Le troisième niveau est plus centré sur la régulation par l'élève de son propre apprentissage. À ce niveau, la rétroaction peut accroître la capacité de l'élève à s'autoévaluer, rehausser sa confiance afin qu'il s'investisse davantage dans la tâche, l'aider dans la recherche et l'acceptation de la rétroaction, et susciter une volonté de faire les efforts nécessaires pour obtenir et utiliser la rétroaction. Il peut notamment s'agir d'aider les élèves à déterminer eux-mêmes le genre de rétroaction et la façon de s'autoévaluer, de donner des occasions de s'adonner à la pratique délibérée et de prendre conscience de l'importance de celle-ci et de l'effort, et de développer la confiance de l'élève en sa capacité de poursuivre son apprentissage. Lorsque les élèves sont capables de monitorer et de réguler eux-mêmes leur apprentissage, ils sont en mesure d'utiliser la rétroaction plus efficacement pour réduire l'écart entre le niveau où ils se situent dans leur parcours d'apprentissage et les résultats escomptés ou les critères de réussite. Ce genre de rétroaction – habituellement sous forme de questions réflexives ou de questions d'approfondissement – peut guider l'apprenant par rapport au choix ou à l'utilisation (quand, où, pourquoi) des connaissances et des stratégies relatives à la tâche et au processus.

Voici quelques exemples de ce genre de rétroaction.

> [...] Je suis impressionné que tu sois revenu au début de la phrase lorsque tu es resté bloqué sur ce mot – mais dans ce cas-ci, cela n'a pas été utile. Que pourrais-tu faire d'autre? Lorsque tu auras trouvé sa signification, je veux que tu me dises dans quelle mesure tu as confiance en ta réponse et pourquoi.

> [...] Tu as vérifié ta réponse dans le manuel de référence [autoassistance] et découvert qu'elle était erronée. As-tu une idée de la raison pour laquelle tu as commis cette erreur ? [Détection de l'erreur] Quelle stratégie as-tu utilisée ? Y aurait-il une autre stratégie que tu pourrais essayer ? De quelle autre manière pourrais-tu déterminer si tu as raison ?

7.2.4. Niveau de la personne

35. Les enseignants connaissent l'importance des félicitations, mais évitent de les intégrer à la rétroaction.

APPRENTISSAGE VISIBLE

Liste de vérification ✔
pour le déroulement
de la leçon (rétroaction)

Le quatrième niveau concerne la rétroaction relative à la « personne » (par exemple, « Tu es un très bon élève » ou « Beau travail ! ») que l'on englobe habituellement dans la notion de « félicitations ». Les félicitations sont souvent utilisées pour rassurer et encourager ; elles sont constantes dans beaucoup de classes ; et elles sont accueillies favorablement et attendues par les élèves – mais elles détournent souvent l'attention de la tâche, du processus ou de l'autorégulation. Le message à retenir est qu'il faut offrir des félicitations, mais en évitant de diminuer l'impact de la rétroaction : c'est-à-dire veiller à ne pas mélanger les *félicitations* et la *rétroaction* à propos de l'apprentissage.

Les félicitations renferment normalement peu d'informations relatives à la tâche et se traduisent rarement par une participation accrue de l'élève, par un plus grand engagement envers les objectifs d'apprentissage, par une amélioration de l'autoefficacité ou par une meilleure compréhension de la tâche. En intégrant les félicitations aux autres formes de rétroaction, l'information relative à l'apprentissage est diluée ; les félicitations contiennent peu d'information sur l'exécution de la tâche et n'aident pas vraiment à répondre aux trois questions qui sous-tendent la rétroaction. Wilkinson (1980) a déterminé que la taille d'effet des félicitations est faible ($d = 0,12$), tout comme Kluger et DeNisi (1996 ; 0,09). En outre, la rétroaction sans félicitations a un plus grand effet sur le rendement (0,34) que celle accompagnée de félicitations.

Il y a de plus en plus de preuves de cet effet dilutif des félicitations sur l'apprentissage. Kessels, Warner, Holle et Hannover (2008) ont offert à des élèves de la rétroaction avec et sans félicitations ; les félicitations se sont traduites par une diminution de l'engagement et de l'effort. Kamins et Dweck (1999) ont comparé les effets des félicitations visant la personne dans son ensemble (par exemple, «Tu es une fille brillante») et de celles portant sur les efforts («Tu as fait un excellent effort»). Dans les deux cas, l'effet sur le rendement a été nul ou négatif. L'effet des félicitations est notamment négatif, non pas lorsque les élèves réussissent, mais plutôt lorsqu'ils commencent à être en situation d'échec ou à ne plus comprendre la leçon. Hyland et Hyland (2006) ont constaté que près de la moitié de la rétroaction donnée par les enseignants consistait en des félicitations, et que les félicitations prématurées ou injustifiées semaient la confusion chez les élèves et les dissuadaient de faire leurs révisions. Le plus souvent, les enseignants utilisaient les félicitations pour atténuer l'effet des commentaires plus critiques, diluant ainsi l'effet positif de ces remarques (Hyland et Hyland, 2001). L'effet le plus néfaste des félicitations réside peut-être dans le fait qu'elles renforcent le sentiment d'impuissance des élèves qui en viennent à dépendre des félicitations, à attendre celles-ci avant de s'impliquer dans leurs travaux scolaires. Dans le meilleur des cas, féliciter un élève pour ses efforts a un effet nul lorsqu'il est en situation de réussite, mais risque fort d'avoir un effet négatif lorsqu'il est en voie d'échouer, parce que les félicitations suscitent davantage une réaction «d'impuissance ou de résignation» (Skipper et Douglas, 2012).

L'absence de données à l'appui des félicitations ne signifie pas que les enseignants doivent avoir un comportement désagréable envers les élèves ; un tel comportement figure nettement parmi les influences les plus négatives. Les élèves doivent avoir le sentiment qu'ils ont leur place dans le processus d'apprentissage, que la confiance règne entre l'enseignant et les élèves, et entre les pairs, et que leur travail est dûment mis en valeur (lorsque la qualité le justifie). En effet, les élèves perçoivent les félicitations comme un élément important de leur réussite à l'école et estiment que la présence des félicitations est liée aux objectifs d'apprentissage. Il en ressort donc que pour que la *rétroaction* influe efficacement sur l'acte d'apprendre, il faut la dissocier des félicitations afin de ne pas dissiper le message. Vous pouvez féliciter vos élèves et faire en sorte qu'ils se sentent les bienvenus dans votre classe et valorisés en tant qu'apprenants, mais si vous souhaitez avoir un impact majeur sur l'apprentissage, ne mélangez pas les félicitations à la rétroaction.

7.2.5. Commentaires généraux à propos des quatre niveaux

Enseigner efficacement est un art qui consiste à offrir la forme de rétroaction appropriée au niveau de l'élève ou à un niveau légèrement supérieur – sauf qu'il faut éviter de mélanger les félicitations à la rétroaction parce qu'elles en diluent l'effet ! Lorsque la rétroaction est centrée sur la personne, l'élève s'efforce d'éviter les risques associés à l'exécution d'une tâche difficile – particulièrement s'il craint fortement l'échec (et souhaite donc réduire au minimum les risques pour lui). L'idéal est donc que l'enseignement et l'apprentissage se détachent de la tâche et se concentrent davantage sur les processus ou les connaissances nécessaires pour accomplir celle-ci, et ensuite sur la régulation permettant de s'attaquer à d'autres tâches et objectifs plus difficiles. Il s'agit de passer de « Qu'est-ce que je sais et peux faire ? » à « Qu'est-ce que je ne sais pas ou ne peux pas faire ? », puis à « Qu'est-ce que je peux enseigner aux autres (et à moi-même) à propos de ce que je sais et peux faire ? ». Il s'ensuit une amélioration de la confiance en soi et du niveau d'effort, et le but de la rétroaction est d'aider les élèves tout au long de ce processus. Ce cheminement se produit au fur et à mesure que l'élève améliore son aisance, son efficacité et sa maîtrise. Les trois premiers niveaux de rétroaction décrivent une progression ; l'hypothèse est que pour que la rétroaction soit optimale, elle doit être appropriée au niveau de l'élève ou à un niveau légèrement supérieur, et qu'il faut faire une distinction entre les rétroactions des trois premiers niveaux et celles du quatrième niveau (soit celui de la personne).

7.3. La fréquence de la rétroaction

Liste de vérification ✔
**pour le déroulement
de la leçon (rétroaction)**

36. Les enseignants donnent des rétroactions appropriées au stade où sont rendus les élèves dans leur apprentissage, et cherchent à obtenir des preuves que celles-ci ont été bien comprises.

L'objectif est de donner une rétroaction qui soit « opportune », « personnalisée », « adaptée au stade où est rendu l'élève dans son apprentissage » et « offrant exactement ce dont il a besoin pour progresser ». Il importe de comprendre que cette rétroaction peut provenir de nombreuses sources (et qu'elle peut être erronée !). Toutefois, ce serait commettre une erreur de simplement augmenter la fréquence des rétroactions ou de se concentrer sur l'offre plutôt que sur la réception de la rétroaction.

Les données au sujet de la fréquence de la rétroaction sont nombreuses, mais elles ne sont pas très instructives – essentiellement parce que d'autres facteurs revêtent davantage d'importance que le simple fait que les rétroactions soient plus nombreuses, ou encore qu'elles soient immédiates ou différées. Par exemple, Carless (2006) a mis en relief le fait que la majorité des rétroactions données par les enseignants sont adressées à toute la classe et ne sont pas prises en considération par les élèves – parce qu'aucun d'entre eux ne croit qu'elle s'applique à lui ou elle ! De plus, la rétroaction peut provenir de nombreuses sources : comme nous le démontrerons ci-après, les rétroactions viennent en majeure partie des pairs et, parfois, ces dernières sont beaucoup plus nombreuses que les rétroactions données par les enseignants ou obtenues d'autres sources (comme les livres ou Internet). Plus important encore, quelle que soit la provenance de la rétroaction, elle est souvent mal comprise et peu utilisée pour la révision du travail.

Les enseignants ont l'impression que leurs rétroactions sont beaucoup plus utiles qu'elles ne le sont en réalité, selon les élèves. Ces derniers trouvent souvent que les rétroactions des enseignants sèment la confusion, et qu'elles sont non raisonnées et incompréhensibles. Pis encore, les élèves pensent souvent avoir compris les rétroactions de l'enseignant alors que ce n'est pas le cas, et même lorsqu'ils ont effectivement compris, les élèves affirment qu'ils ont de la difficulté à utiliser l'information pour leur apprentissage (Goldstein, 2006 ; Nuthall, 2007). Higgins, Hartley et Skelton (2001, p. 270, traduction libre) soutiennent que « beaucoup d'élèves sont tout simplement incapables de comprendre les rétroactions et de les interpréter correctement ». Tout dépend de leur compréhension du discours de rétroaction, de leur perception de la personne qui donne la rétroaction (elle est puissante, juste, digne de confiance) et des émotions (rejet, acceptation) associées au contexte et au degré d'engagement.

Étonnamment, peu d'études ont porté sur la fréquence et la nature des rétroactions données *et* reçues dans les classes. Les enseignants voient la rétroaction davantage du point de vue de l'ampleur de l'*offre* que de celui, plus important encore, de la *compréhension* de celle-ci par les élèves. Carless (2006) a déterminé que 70 % des enseignants affirmaient offrir une rétroaction détaillée qui aidait les élèves à améliorer leurs résultats au travail suivant – mais seulement 45 % des élèves étaient d'accord avec leurs enseignants. En outre, Nuthall (2005) a découvert que la majorité des rétroactions reçues par les élèves en classe dans une journée provenaient des autres élèves – et que la plupart d'entre elles étaient inexactes.

Dans le cadre de mes travaux, je demande à une personne neutre de s'asseoir à l'arrière d'une classe et de noter tout ce qui se dit et se fait au cours d'une leçon de 40 à 60 minutes. Cette personne choisit également deux élèves assis à proximité et note tout ce qu'ils disent et font. Bien entendu, il n'est pas possible d'entrer dans la «tête» de ces élèves, mais à la fin de la leçon, la transcription est imprimée et l'enseignant ainsi qu'une personne rompue au décodage des leçons relèvent toutes les occasions où l'un de ces élèves *a reçu* une rétroaction (de la part de n'importe qui et à propos de n'importe quoi).

L'analyse des transcriptions révèle souvent qu'une leçon normale renferme très peu de cas où la réception d'une rétroaction peut être constatée – et que cela se produit la plupart du temps lorsque l'élève jette un regard à un pair pour vérifier quelque chose. Dans beaucoup de classes, l'enseignement magistral prédomine – l'enseignant donne des consignes à propos de ce qu'il faut faire, et dirige la séance de questions et réponses à laquelle bien des élèves ne participent pas, mais sont heureux d'assister comme simples spectateurs. L'idée n'est pas d'insinuer qu'il n'y a pas d'apprentissage, mais il faut prendre conscience que l'impact de la rétroaction se fait rarement sentir durant ces monologues. La rétroaction prend tout son sens lorsque les élèves «ne savent pas quelque chose», «ne savent pas comment choisir les meilleures stratégies pour accomplir un travail», «ne savent pas comment monitorer leur propre apprentissage» ou «ne connaissent pas la prochaine étape».

Une récente analyse englobant 18 classes d'une école reconnue pour ses succès sur le plan du rendement a révélé qu'une rétroaction était *donnée* à l'un des deux élèves observés toutes les 25 minutes. La majorité des rétroactions *données* à l'ensemble des élèves concernaient la tâche. On constate la même tendance dans deux autres études (tableau 7.1). La question est de savoir comment obtenir les bonnes proportions pour les quatre niveaux et s'assurer que le niveau de rétroaction tient compte du stade où est rendu l'élève dans sa progression le long du continuum débutant-compétent-performant. Dans les différentes classes (analysées par les trois études), la rétroaction serait adéquate si les élèves se situaient principalement au stade débutant. Lorsque nous avons montré les distributions (et les transcriptions surlignées) aux enseignants et leur avons demandé si elles étaient exactes, la réponse fut un «non» sans équivoque : leurs élèves étaient beaucoup plus impliqués sur le plan des processus et de l'autorégulation. Ces données ont ensuite servi de base pour changer la façon dont la rétroaction est donnée dans ces écoles.

7.4. Les types de rétroaction

7.4.1. L'infirmation peut être plus efficace que la confirmation

La *confirmation* renvoie à une rétroaction qui valide les préconceptions d'un élève. Pour sa part, l'*infirmation* renvoie à une rétroaction qui corrige une idée erronée ou une supposition, ou qui fournit des informations en contradiction avec les attentes (voir Nickerson, 1998). Par exemple, les élèves (et les enseignants) cherchent souvent à obtenir des rétroactions qui confirment leurs croyances ou leurs conceptions, et ignorent les rétroactions qui vont à l'encontre de celles-ci. Une rétroaction qui infirme une croyance ou une conception peut être le moteur d'un changement important – dans la mesure où elle est acceptée.

Il ne faut pas confondre avec les notions de « rétroaction négative ou positive », car l'infirmation peut être positive et la confirmation, négative. La rétroaction est des plus utiles lorsqu'elle porte sur des interprétations fautives et non sur l'absence totale de compréhension (auquel cas, c'est plutôt un « réenseignement » qui est souvent plus efficace). Dans cette dernière situation, la rétroaction pourrait même être perçue comme menaçante par l'élève : « Lorsque la matière étudiée est inconnue ou hermétique, la rétroaction risque d'avoir peu d'effet sur l'atteinte des critères de réussite puisqu'il n'y a aucun moyen pour l'élève de relier les nouvelles informations à ses acquis » (Kulhavy, 1977, p. 220, traduction libre).

La rétroaction d'infirmation peut améliorer la récupération en mémoire des apprenants (au niveau de la tâche) lorsqu'elle porte sur des réponses erronées, mais ce n'est pas le cas lorsqu'elle concerne des réponses exactes (Kang, McDermott et Roediger, 2007). Dans le

TABLEAU 7.1. Pourcentage des rétroactions données aux différents niveaux de rétroaction dans le cadre de trois études

	Hattie et Masters (2011)	Van den Bergh, Ros et Beijaard (2010)	Gan (2011)
Niveau	18 classes de sec.	32 enseignants niv. int.	235 pairs
Tâche	59 %	51 %	70 %
Processus	25 %	42 %	25 %
Régulation	2 %	2 %	1 %
Personne	14 %	5 %	4 %

cadre d'une recherche similaire, Peeck, van den Bosch et Kreupeling (1985) ont établi que la rétroaction permettait de faire passer le rendement de 20 % à 56 % de bonnes réponses pour les cas où les réponses étaient erronées au départ, mais qu'elle avait peu d'effet lorsque les réponses étaient initialement exactes (88 % sans rétroaction et 89 % avec rétroaction).

7.4.2. Les erreurs doivent être acceptées

La rétroaction est des plus efficaces lorsque les élèves n'ont pas encore acquis la maîtrise – et, par le fait même, lorsque des erreurs sont commises ou que la compréhension et les connaissances sont incomplètes. (Souvent, la rétroaction sur la tâche a peu de valeur instructive lorsque l'élève maîtrise le contenu.) Les erreurs créent des possibilités. Elles ne devraient pas être perçues comme une source de honte, un signe d'échec ou quelque chose à éviter. Elles sont stimulantes parce qu'elles révèlent l'existence d'un conflit entre ce qu'on *sait* et ce qu'on *pourrait savoir* ; elles représentent des occasions d'apprendre qu'il faut saisir. William James (1897, p. 19), mon psychologue favori (à qui l'un de mes chiens doit son nom !), relativise ainsi les erreurs :

> Nos erreurs n'ont certainement rien de ces choses terriblement solennelles que nous nous représentons. Dans un monde où il est inévitable qu'elles surviennent malgré toutes les précautions que nous pouvons prendre, une certaine légèreté à leur égard me semble plus saine qu'une nervosité excessive (traduction libre).

Cela signifie qu'il doit exister dans la classe un climat où le risque de réaction négative de la part des pairs est minime lorsqu'un élève avoue qu'il ne connaît pas la réponse ou lorsqu'il reconnaît ses erreurs, et où le risque personnel est faible lorsqu'un élève répond à une question publiquement ou connaît l'échec (Alton-Lee et Nuthall, 1990). Trop souvent, les élèves répondent seulement lorsqu'ils sont presque certains d'avoir la bonne réponse – ce qui indique ordinairement qu'ils ont déjà appris la réponse à la question posée. Heimbeck, Frese, Sonnentag et Keith (2003) ont mis en relief l'insuffisance de la recherche sur les erreurs. Ils recommandent de ne pas tenter d'éviter les erreurs et font valoir que proposer une formation permettant aux élèves de se familiariser avec les erreurs dans un environnement sécurisant peut permettre d'améliorer leur rendement. Pour que les erreurs se révèlent utiles, un tel environnement nécessite un degré élevé d'autorégulation ou doit inspirer un fort sentiment de sécurité (procuré, par exemple, par des consignes explicites mettant en valeur le rôle positif des erreurs). Il est nécessaire d'aborder essentiellement les erreurs comme des écarts par rapport aux objectifs qui sont potentiellement évitables. Michael Jordan affirmait ceci dans une annonce de Nike : « J'ai raté plus de 9 000 tirs au cours de ma carrière. J'ai perdu près de 300 matchs. Vingt-six fois, on m'a fait confiance pour prendre le tir de la victoire et j'ai raté. J'ai échoué encore et encore et encore dans ma vie. Et c'est pourquoi je réussis. »

Tirer des leçons des échecs ou des erreurs est également crucial pour le personnel. L'école doit être fondée sur une culture exempte de culpabilisation, sur une volonté de comprendre ce qui ne fonctionne pas (ou ce qui ne fonctionne pas pour tel ou tel élève). Il faut s'assurer, notamment par voie d'analyse, de trouver les véritables raisons de l'échec ; il est clair que les aspects sur lesquels les enseignants ont du pouvoir sont leur enseignement et leur état d'esprit. Il se peut très bien que des facteurs externes (la maison, les ressources, etc.) jouent un rôle important, mais la conviction que les enseignants peuvent influer positivement sur les résultats des élèves est une condition indispensable pour accomplir de tels changements – et réduire les effets de ces autres facteurs (aussi puissants fussent-ils). Nombreux sont les enseignants qui prennent conscience de ce qui ne fonctionne pas et mettent en œuvre des stratégies pour corriger la situation ; ces enseignants connaissent beaucoup plus de succès que ceux qui acceptent simplement les contraintes externes. La force mentale ou la résilience qui sous-tend cette conviction qu'on peut accomplir de grandes choses dans l'adversité joue un rôle important pour la réussite dans les sports, les affaires et les études. La conviction qu'il est possible de changer est un important précurseur du changement. Par ailleurs, l'excès de confiance nous guette – la réussite peut nous inciter à nous croire meilleurs que nous ne le sommes en réalité – d'où la nécessité d'étudier et d'expliquer la réussite, de trouver des façons de nous améliorer, d'envisager des solutions de rechange pour avoir un impact plus grand, et de ne pas nous endormir sur nos lauriers lorsque nous remportons du succès. Nous devons prendre conscience de ce qui peut menacer une formule gagnante au fil du temps. Il faut célébrer la réussite et l'étudier également. Les mêlées de presse, les groupes de travail, les exercices préparatoires et la vérification de l'impact sur l'ensemble des élèves peuvent permettre d'évaluer la réussite, de voir où des améliorations pourraient être apportées, de repérer les élèves qui ne réussissent pas, de se renseigner sur les cinq choses qui fonctionnent bien et sur les cinq choses qui fonctionnent moins bien, et de s'assurer qu'on ne rate pas d'occasions à cause d'un excès de confiance. Nous cherchons souvent à connaître le «pourquoi» d'un échec et il faut faire de même avec la réussite. L'évaluation des processus, des produits, des personnes et des programmes doit faire partie intégrante de toutes les écoles.

7.4.3. Rétroaction fondée sur l'évaluation pour les enseignants

Plusieurs initiatives récentes mettent l'accent sur l'évaluation *pour* l'apprentissage plutôt que *de* l'apprentissage. Une autre solution consiste à voir les évaluations comme des rétroactions. J'ai déjà fait valoir que la rétroaction fondée sur l'évaluation est un outil puissant lorsqu'elle est orientée vers l'enseignant et qu'elle permet de cerner la progression des élèves en fonction des critères de réussite, lorsqu'elle met en relief ce qui a ou n'a pas été bien enseigné ainsi que les forces et les lacunes de l'enseignement, et qu'elle contribue à répondre aux trois questions de rétroaction (Hattie, 2009). Comme les rétroactions proviennent d'évaluations préparées par les enseignants pour leurs élèves, il peut s'ensuivre d'importants ajustements quant à la façon dont ils enseignent, perçoivent la réussite, établissent les forces et les faiblesses des élèves, et conçoivent leur propre impact sur les élèves. De telles interprétations formatives visent à fournir aux enseignants une rétroaction sur la façon dont ils doivent modifier leur enseignement, tout en offrant aux élèves une rétroaction qui leur permettra d'apprendre à s'autoréguler et les motivera à s'investir davantage dans leur apprentissage. Ce type de rétroaction, fondée sur l'évaluation, est plus efficace lorsqu'elle est orientée vers l'enseignant plutôt que vers les élèves. Étant donné que ces derniers sont normalement capables d'estimer leur rendement avant de commencer l'évaluation, la rétroaction fournie aux élèves par l'évaluation est minime. Trop souvent, les enseignants voient la rétroaction tirée de l'évaluation comme des remarques à propos des élèves et non de leur enseignement, et cette perception en amenuise les bienfaits.

En Nouvelle-Zélande, les enseignants et les écoles ont beaucoup privilégié les interprétations formatives. La plupart des écoles connaissent la différence entre les interprétations formatives et sommatives. L'une des préoccupations soulevées à cet égard se rapporte au fait que dans une école, «tout» ne peut faire l'objet d'une interprétation formative. Il va de soi que les interprétations sommatives ont leur place ; que certains tests ne peuvent pas ou peuvent difficilement faire l'objet d'une interprétation formative ; et qu'on ne devrait pas essayer de justifier l'utilisation de certaines pratiques négatives en les qualifiant de «formatives». On a demandé à un groupe d'aller au-delà des interprétations formatives, avec la recommandation de promouvoir le développement de la «capacité d'autoévaluation de l'élève» (Absolum, Flockton, Hattie, Hipkins et Reid, 2009). La prémisse est que tous les élèves devraient recevoir un enseignement qui favorise le développement de leur capacité à évaluer leur propre apprentissage. Très souvent, les décisions d'évaluation les plus importantes sont prises par des adultes au nom des élèves. Au lieu de cela, nous prétendons que la principale fonction de l'évaluation est de soutenir l'apprentissage en offrant aux élèves des rétroactions qu'ils peuvent utiliser pour déterminer où ils doivent se rendre, comment y parvenir et ce que pourrait être la prochaine étape. Une telle évaluation implique une collaboration active entre les élèves et l'enseignant, et nécessite que les enseignants tiennent également compte de cette information dans leurs interprétations formatives. En fait, lorsque les élèves prennent part à l'évaluation de leur propre apprentissage, ils apprennent à reconnaître et à cerner les idées principales, et à utiliser les nouveaux apprentissages de différentes manières et dans différentes situations. Les élèves qui ont développé leur capacité à s'autoévaluer sont plus motivés et plus en mesure d'obtenir, d'interpréter et d'utiliser l'information fournie par des évaluations de qualité, d'une manière qui confirme ou renforce leurs apprentissages. Voilà l'interprétation formative en action.

APPRENTISSAGE VISIBLE

✔ Liste de vérification pour le déroulement de la leçon (rétroaction)

37. Les enseignants utilisent des méthodes d'évaluation multiples afin d'offrir rapidement des interprétations formatives aux élèves et d'apporter des corrections à leur enseignement pour maximiser l'apprentissage.

7.4.4. Évaluation formative rapide

L'évaluation formative rapide est très efficace en tant que rétroaction. Yeh (2011) a comparé l'efficience de 22 approches en matière d'apprentissage. Il a découvert que l'évaluation formative rapide est plus efficiente que la réforme intégrale, le tutorat par les pairs interniveaux, l'enseignement assisté par ordinateur, le prolongement de la journée d'école, l'augmentation de la formation, de l'expérience ou des salaires des enseignants, l'école d'été, l'implantation de cours de mathématiques plus rigoureux, l'évaluation des enseignants sur la base de la valeur ajoutée, la réduction de la taille des classes, la majoration des dépenses par élève de 10 %, la maternelle à temps plein, les programmes Head Start (préscolaires), les examens de fin d'études très exigeants, la certification NBPTS (National Board for Professional Teaching Standards), l'augmentation des notes exigées pour obtenir un permis d'exercice, l'instauration d'un programme préscolaire de haute qualité, l'ajout d'une année d'école, les programmes de bons scolaires[2] ou les écoles à charte. Cette notion a émergé des travaux de Black et Wiliam (1998 – «Inside the black box») et repose sur la prémisse que l'évaluation *pour* l'apprentissage est fondée sur cinq facteurs clés :

•   les élèves participent activement au processus d'apprentissage ;

•   la rétroaction fournie aux élèves est efficace ;

•   les activités d'enseignement sont adaptées en fonction des résultats de l'évaluation ;

•   les élèves sont capables de s'autoévaluer ;

•   l'influence de l'évaluation sur la motivation et l'estime de soi des élèves est prise en considération.

À partir de cela, Black et Wiliam (2009) ont énoncé cinq grandes stratégies :

1.   préciser et communiquer les intentions d'apprentissage et les critères de réussite ;

2.   favoriser des discussions efficaces en classe et d'autres activités d'apprentissage qui fournissent des preuves confirmant la compréhension des élèves ;

3.   fournir des rétroactions qui font progresser les apprenants ;

4.   considérer les élèves comme des ressources pédagogiques pour leurs pairs ;

5.   considérer les élèves comme les maîtres de leur apprentissage.

Dylan Wiliam et ses collègues ont démontré la valeur de l'évaluation formative – c'est-à-dire de l'évaluation qui donne lieu à une rétroaction au cours du processus d'apprentissage (Wiliam, 2011). Au-delà des tests, cela vise différentes formes de preuves :

> La pratique en classe est formative dans la mesure où les preuves attestant du rendement des élèves sont mises au jour, interprétées et utilisées par les enseignants, les apprenants ou leurs pairs pour prendre des décisions concernant les prochaines étapes de l'enseignement qui seront susceptibles d'être meilleures ou plus éclairées que si les données probantes n'avaient pas été révélées (Black et Wiliam, 2009, p. 9, traduction libre).

----

2. NDT : Mode de financement de la scolarité.

La clé consiste à mettre l'accent sur les décisions que les enseignants et les élèves prennent pendant la leçon. Le but est donc essentiellement d'éclairer le jugement des enseignants ou des élèves par rapport à ces importantes décisions : « Est-ce que je devrais reprendre mon apprentissage ? Continuer les exercices ? Passer à autre chose ? À quoi ? », etc. Dans le cadre de nos propres travaux, nous avons préparé des rapports destinés à aider les enseignants et les apprenants à reconnaître les concepts qu'ils maîtrisent ou non, et à cerner leurs forces et leurs lacunes, à repérer les élèves ayant besoin de plus d'aide ou de temps, ceux qui remplissent les critères de réussite, et ainsi de suite (Hattie et collaborateurs, 2009).

Toutefois, ce qui préoccupe le plus Wiliam est la rétroaction pendant la leçon – sous forme d'évaluations formatives fréquentes ou « rapides », comme il les appelle (c'est-à-dire effectuées de deux à cinq fois par semaine). Par exemple, Black *et al.* (2003) ont décrit comment ils ont aidé un groupe de 24 enseignants à apprendre comment utiliser l'évaluation formative « dans le feu de l'action » en mathématiques et en sciences. Ils ont découvert que les progrès enregistrés par les élèves étaient considérables – soit l'équivalent d'une augmentation du taux d'apprentissage des élèves d'environ 70 %.

Wiliam établit une importante distinction entre les « stratégies » et les « techniques » d'évaluation formative. Les stratégies visent à déterminer où se situent les apprenants dans leur processus d'apprentissage, où ils doivent se rendre et les mesures à prendre pour y parvenir. Cela cadre assez bien avec nos trois questions de rétroaction : « Où dois-je me rendre ? », « Comment y parvenir ? » et « Quelle est la prochaine étape ? ».

Les travaux de Leahy et Wiliam (2009, p. 15, traduction libre) menés dans les écoles montrent que :

> lorsque les évaluations formatives sont intégrées dans l'emploi du temps et les activités quotidiennes en classe des enseignants, une amélioration considérable du rendement des élèves – pouvant correspondre à une amélioration de la vitesse d'apprentissage de l'ordre de 70 à 80 % – est possible, même si les résultats sont mesurés au moyen de tests standardisés externes.

Leurs messages concernant la mise en pratique de leurs idées sont également repris dans le présent ouvrage :

•   Les critères d'évaluation de tous les apprentissages doivent être communiqués clairement aux élèves afin qu'ils aient une vue d'ensemble précise des objectifs du travail à accomplir et une bonne compréhension de ce que sa réalisation signifie.

•   Les élèves doivent acquérir les habitudes et les compétences de collaboration nécessaires pour participer à l'évaluation par les pairs, non seulement en raison de leur valeur intrinsèque, mais aussi parce que l'évaluation par les pairs permet de développer l'objectivité requise pour assurer une autoévaluation efficace.

•   Les élèves doivent être encouragés à garder à l'esprit les objectifs de leur travail et à évaluer leur progression vers ceux-ci tout au long du processus. Ils seront alors en mesure d'orienter leur travail eux-mêmes et deviendront ainsi des apprenants autonomes (Black *et al.*, 2003, p. 52-53).

7.4.5. Les incitations comme précurseurs de la rétroaction

Il existe différentes formes d'incitations : celles axées sur l'organisation (par exemple : « Comment peux-tu structurer la matière d'une façon plus significative ? » ; « Quels sont les principaux éléments ? ») ; celles axées sur l'approfondissement (par exemple : « Quels exemples pourrais-tu me donner qui illustrent, confirment ou contredisent le contenu d'apprentissage ? » ; « Peux-tu faire des liens entre le contenu de la leçon et des exemples de la vie de tous les jours ? ») ; et celles axées sur le suivi des progrès (par exemple : « Quels points principaux ai-je bien compris ? » ; « Quels points principaux me reste-t-il à apprendre ? »). ·

Les enseignants et les élèves qui utilisent les incitations peuvent invoquer des rétroactions de nombreuses sources. Le principal effet de ces questions incitatives est d'accroître le nombre de stratégies d'organisation et d'approfondissement durant l'apprentissage. Nuckles, Hubner, et Renkl (2009) ont démontré que les incitations permettent non seulement aux élèves de cerner leurs déficits de compréhension immédiatement, mais les amènent en outre à consacrer plus d'efforts à la planification et à la mise en œuvre de stratégies de remédiation cognitive pour améliorer leur compréhension. Il vaut également la peine de se pencher sur l'usage approprié des questions incitatives en fonction d'où se situent les élèves dans le processus d'apprentissage (tableau 7.2).

TABLEAU 7.2. Exemples de questions incitatives

Niveau de l'incitation	Exemples
Tâche	• Est-ce que sa réponse répond aux critères de réussite ? • Sa réponse est-elle exacte ou inexacte ? • Comment peut-il développer sa réponse ? • Qu'est-ce qui a été bien fait ? • Où s'est-il trompé ? • Quelle est la bonne réponse ? • Quelle information manque pour atteindre le critère de réussite ?
Processus	• Qu'est-ce qui ne va pas et pourquoi ? • Quelles stratégies a-t-il utilisées ? • Pourquoi est-ce la bonne réponse ? • Quelles autres questions peut-il poser au sujet de la tâche ? • Quels sont les liens avec les autres parties de la tâche ? • Quelle autre information est fournie dans le document distribué ? • Quelle est sa compréhension des concepts/connaissances en lien avec la tâche ?
Autorégulation	• Comment peut-il monitorer son travail ? • Comment peut-il s'autocontrôler ? • Comment peut-il évaluer l'information fournie ? • Comment peut-il réfléchir à son propre apprentissage ? • Qu'as-tu fait pour... ? • Qu'est-il arrivé quand tu... ? • Comment peux-tu expliquer... ? • Quelle justification peux-tu donner pour... ? • Quels doutes subsistent chez toi au sujet de cette tâche ? • Comment cela se compare-t-il à... ? • Qu'est-ce que toutes ces informations ont en commun ? • Quels objectifs d'apprentissage as-tu atteints ? • Comment tes idées ont-elles changé ? • Que peux-tu enseigner maintenant ? • Peux-tu enseigner maintenant à un autre élève comment... ?

Pour toute incitation, il ne s'agit pas seulement de l'harmoniser avec le stade d'apprentissage, mais aussi de savoir quand la retirer – c'est-à-dire quand s'effacer ou permettre à l'élève d'assumer une responsabilité plus grande. Le concept d'« étayage » est une notion connexe – et comme dans le domaine du bâtiment, il s'agit de savoir quand l'étayage est requis et quand il doit être retiré. Le but de l'étayage, aussi appelé échafaudage, est de fournir du soutien, sous forme de connaissances, de stratégies, de modèles, de questions, d'instructions et autres rétroactions, afin que l'élève comprenne et s'approprie les apprentissages et les concepts. Selon Van de Pol, Volman et Beishuizen (2010), l'étayage remplit cinq fonctions :

- assurer que l'élève ne perd pas de vue l'objectif et continue de chercher à réaliser les intentions d'apprentissage ;

- fournir des structures d'explication et de croyance permettant l'organisation et la justification ;

- prendre en charge certaines parties de la tâche que l'élève n'est pas encore capable d'accomplir et ainsi simplifier la tâche (et réduire la charge cognitive) quelque peu pour l'élève ;

- intéresser les élèves à une tâche et les inciter à souscrire aux exigences de celles-ci ;

- faciliter l'exécution de la tâche par l'élève au moyen de la rétroaction et maintenir sa motivation en prévenant ou en atténuant les frustrations.

7.5. Les attributs des élèves et la rétroaction

7.5.1. Culture de l'élève

La culture de l'élève peut avoir une influence sur les effets de la rétroaction. Luque et Sommer (2000) ont constaté que les élèves issus de cultures collectivistes (par exemple, l'Asie confucéenne, les États du Pacifique Sud) préfèrent les rétroactions indirectes et implicites ainsi que celles axées sur le groupe, mais ne s'intéressent pas à la rétroaction personnelle. Par ailleurs, les élèves issus de cultures individualistes/socratiques (par exemple les États-Unis) préfèrent la rétroaction plus directe, notamment concernant l'effort, sont davantage susceptibles de solliciter directement la rétroaction, et favorisent une rétroaction plus individuelle, ciblée et personnelle. Kung (2008) a déterminé que même si les élèves issus aussi bien de cultures individualistes que collectivistes recherchent des rétroactions pour atténuer l'incertitude, les élèves de cultures collectivistes tendent à accueillir plus favorablement l'autocritique « pour le bien du groupe » et à solliciter des rétroactions à des fins de développement, tandis que les élèves de cultures individualistes évitent ce genre de rétroaction afin de protéger leur égo. Les élèves de cultures individualistes sont davantage susceptibles d'adopter des stratégies d'autoassistance parce qu'ils visent à gagner en prestige et à atteindre les résultats d'apprentissage (Brutus et Greguras, 2008). Hyland et Hyland (2006) soutiennent que les élèves issus de cultures où les enseignants sont très directifs accueillent favorablement la rétroaction, s'attendent à ce que les enseignants décèlent et commentent leurs erreurs, et sont contrariés lorsqu'ils ne le font pas.

7.5.2. Questionner les élèves au sujet de la rétroaction

Une analyse des écrits scientifiques n'a révélé aucune mesure raisonnable concernant l'opinion des élèves à propos de la rétroaction. Brown, Irving et Peterson (2009) ont élaboré un instrument en fonction de leur conception du modèle d'évaluation, mais comme celui-ci avait une faible valeur prédictive, ils recommandaient de poursuivre la recherche. L'élaboration de mon instrument a commencé par une analyse de leurs travaux. J'ai ensuite demandé à des enseignants de questionner cinq collègues et cinq élèves, puis j'ai transcrit le déroulement des classes et discuté avec les enseignants et les élèves de la rétroaction reçue. L'instrument comportait au départ plus de 160 questions ouvertes et fermées, mais le nombre a été réduit à 45 après une analyse factorielle et à la lumière de la valeur des interprétations fournies par l'instrument.

Dans la première partie intitulée «Feedback sounds like...», on demandait aux élèves ce qu'était la rétroaction selon eux. Trois échelles avaient été établies : rétroaction en tant que critique positive, négative ou constructive. La deuxième partie concernait les «types de rétroaction», y compris corrective, confirmative et améliorative, ainsi que la fréquence de la rétroaction (des enseignants et des pairs). Enfin, la troisième partie portait sur les «sources de la rétroaction» – car la rétroaction la plus efficace concerne la leçon (plus précisément les intentions d'apprentissage et les critères de réussite) plutôt que l'élève (comparaison avec les résultats antérieurs), et de préférence encore moins l'aspect social (par exemple la comparaison sociale ; voir Harks, Rokoczy, Hattie, Klieme et Besser, 2011).

En ce qui concerne ces échelles, on observe des différences marquées entre les enseignants et entre les écoles : les enseignants voient davantage la rétroaction en termes de commentaires, de critiques et de correctifs ; les élèves préfèrent voir la rétroaction comme une mesure orientée vers l'avenir, destinée à les aider à déterminer la prochaine étape et liée aux critères de réussite de la leçon. Quelles que soient leurs perceptions du niveau de rendement, les élèves ont la même opinion de la valeur et de la nature de la rétroaction. Voici quelques exemples des principaux énoncés liés au rendement qui ont été recueillis : «La rétroaction dissipe mes doutes par rapport à la tâche» ; «La rétroaction indique la qualité de mon travail» ; «La rétroaction m'aide à développer mes idées» ; «La rétroaction est une critique constructive » ; « La rétroaction, c'est des commentaires très précis » ; « Je comprends la rétroaction donnée par cet enseignant » ; et « La rétroaction fournit des exemples de problèmes résolus qui m'aident à pousser plus loin ma réflexion ». Il en ressort essentiellement que les élèves – quel que soit le niveau de rendement – préfèrent que les enseignants donnent une rétroaction plus orientée vers l'avenir, liée à la réussite de la leçon, « opportune », « individuelle », « liée au travail » (et non « personnelle »). Higgins *et al.* (2001) ont constaté que les élèves perçoivent négativement la rétroaction si elle ne renferme pas assez d'informations utiles, si elle est trop impersonnelle ou trop générale, et si elle n'est pas formative – c'est-à-dire orientée vers l'avenir. Il n'est pas « suffisant de simplement dire à un élève où il s'est trompé – les erreurs doivent être *expliquées* et des améliorations pour l'avenir doivent être proposées » (Higgins *et al.*, 2001, p. 62, traduction libre, les italiques se trouvent dans le texte original).

7.5.3. Le pouvoir des pairs

Nuthall (2007) a fait de nombreuses observations en classe et constaté que 80 % de la rétroaction verbale provient des pairs – et que la majeure partie de cette information est inexacte ! Les enseignants qui ne reconnaissent pas l'importance de la rétroaction par les pairs (qui peut ou non bonifier l'apprentissage) peuvent voir leur effet sur les élèves grandement réduit. Il faut faire des interventions visant à favoriser une rétroaction par les pairs efficace, notamment parce que beaucoup d'enseignants hésitent à impliquer les pairs dans le processus de rétroaction. Il existe une forte corrélation (environ 0,70) entre les préoccupations des élèves au sujet de l'équité et l'utilité de l'évaluation par les pairs (Sluijsmans, Brand-Gruwel et van Merrienboer, 2002), ainsi qu'entre la notation des élèves et celle des enseignants pour les travaux. La rétroaction donnée par les pairs peut avoir un effet positif sur la réputation de l'élève en tant qu'apprenant, sur la réussite et sur la réduction de l'incertitude, mais elle peut également avoir un effet négatif, en donnant à l'élève une réputation d'apprenant médiocre et un sentiment de honte, en favorisant la dépendance et en le dévalorisant. Si les relations entre les pairs dans la classe sont positives, la rétroaction (surtout si elle est critique) a de meilleures chances d'être considérée comme constructive et moins blessante (voir Falchikov et Goldfinch, 2000 ; Harelli et Hess, 2008).

Mark Gan (2011) a souligné que la rétroaction par les pairs est prédominante, mais très souvent erronée, ce qui l'a amené à se demander comment il serait possible d'améliorer la rétroaction donnée par les pairs. Sa série d'études l'a conduit à miser sur l'utilisation des incitations par les enseignants pour aider les pairs à offrir une rétroaction efficace. Comme il a été mentionné précédemment, ces incitations comprennent des questions, des amorces de phrases ou des mots interrogatifs qui fournissent des indices, des indications, des suggestions et des rappels, dans le but d'aider les élèves à accomplir une tâche. Les incitations (comme « Un exemple de cela... », « Une autre raison qui... » ou encore « Donne une explication pour ... ») ont deux fonctions principales dans l'apprentissage des élèves : l'étayage et l'activation. Il s'agit d'outils destinés à aider les apprenants en soutenant et en éclairant le processus d'apprentissage. Les incitations peuvent cibler les habiletés procédurales, cognitives et métacognitives de l'apprenant ; elles peuvent fournir de nouveaux renseignements ou des rectifications, évoquer des stratégies de rechange déjà connues de l'élève et fournir des orientations en vue de l'essai de nouvelles stratégies d'apprentissage. En ce sens, les incitations peuvent être considérées comme des « activateurs » (Berthold, Nückles et Renkl, 2007, p. 566) ou des aides pour l'engagement cognitif. L'art consiste en partie à aider les élèves à adopter des stratégies d'« auto-instruction » et, par le fait même, à développer un éventail d'incitations qu'eux et leurs pairs pourront utiliser lorsqu'ils « ne sauront pas quoi faire ensuite » (Burnett, 2003).

Lorsqu'ils passent de la tâche aux processus et à la régulation, les élèves peuvent faire appel aux incitations pour monitorer leurs propres approches d'apprentissage (stratégies de résolution de problèmes, processus d'investigation, autoexplication, etc.) et pour faire une réflexion sur celles-ci. Voici quelques exemples d'incitations de justification des raisons : « Quel est ton plan pour résoudre le problème ? » ; « Qu'est-ce qui t'a fait penser que tu avais suffisamment de données pour tirer des conclusions ? ». Ces incitations aident les élèves à organiser, à planifier et à monitorer leurs actions en rendant leur réflexion explicite, à cerner certains aspects qu'ils n'ont pas compris et ce qu'ils auraient dû savoir, et à utiliser les connaissances propres au domaine pour réfléchir à l'approche adoptée pour résoudre le problème. Davis et Linn (2000) utilisent l'expression « incitations dirigées » pour désigner les incitations destinées à favoriser la planification et le monitorage (par exemple, « Lorsqu'on critique des preuves, on doit... » ; « Lorsqu'on réfléchit à la façon dont ces idées s'intègrent les unes aux autres, on ressent de la confusion à propos... » ; « Ce à quoi nous pensons, c'est... ») ou à vérifier la compréhension (« Parmi les éléments de preuve que nous n'avons pas très bien compris, il y a... »). Les incitations générales donnent plus de « liberté » aux élèves pour réfléchir à leur apprentissage, tandis que les incitations dirigées risquent d'induire certains élèves en erreur en leur faisant faussement croire qu'ils ont compris. Il semble que le niveau d'autonomie des élèves ait une incidence sur l'utilisation des incitations générales aux fins de la réflexion. Ainsi, les élèves ayant un niveau d'autonomie moyen ont le mieux tiré parti des incitations de réflexion parce qu'ils «pouvaient diriger eux-mêmes cette réflexion» (Davis, 2003, p. 135, traduction libre).

Gan (2011) a utilisé le modèle de rétroaction à trois niveaux (figure 7.2) pour élaborer des méthodes permettant d'aider les élèves à cerner les connaissances qui devaient être acquises à chaque niveau et à déterminer la façon de produire une rétroaction correspondant à ce niveau de compréhension. Dans ses classes témoins, il a constaté que les élèves qui ne recevaient pas d'incitations ou de formation semblaient opter pour une rétroaction «terminale» consistant à fournir la solution ou la bonne réponse et à utiliser les félicitations pour appuyer la notion de «réponse adéquate». Cette approche fondée sur l'offre d'une rétroaction terminale par les pairs tient pour acquis que les élèves sont capables de faire des inférences ou de porter des jugements en fonction des rectifications fournies, puis de décider des correctifs à apporter pour améliorer leur compréhension de façon à atteindre les critères de réussite. Bien qu'il semble probable que des élèves plus doués soient en mesure de développer leur propre stratégie de révision, cela est fort improbable dans le cas d'élèves moins doués. En revanche, l'approche fondée sur la rétroaction progressive par les pairs permet aux élèves d'élaborer une représentation mentale où la rétroaction peut être décortiquée en étapes concrètes, ce qui permet aux élèves de travailler sur un aspect précis. Cette organisation de l'apprentissage et de la rétroaction peut sembler réduire la charge cognitive de l'élève, ce qui lui permet de faire des liens, de cerner les écarts d'apprentissage et d'apporter des correctifs. La tâche semble difficile et c'est pourquoi Gan a élaboré un organisateur graphique comportant des niveaux de rétroaction.

Il a entrepris d'évaluer l'efficacité de ce modèle dans des classes de sciences à Singapour et en Nouvelle-Zélande. Intégrer au contenu le niveau souhaité de rétroaction par rapport à la tâche, au processus et à l'autorégulation des élèves a nécessité une bonne planification de la part des enseignants. Il fallait surtout que la tâche soit assez difficile pour inciter les pairs à se donner de la rétroaction. Cela a aussi eu pour effet d'aider les enseignants à bien formuler leurs véritables intentions d'apprentissage et critères de réussite. En outre, le fait que les enseignants critiquaient ensuite les plans et les grilles d'évaluation de chacun avant d'aller enseigner a aussi contribué à faciliter les choses. Les résultats de ces études indiquent que guider les élèves lorsqu'ils formulent leur rétroaction au niveau de la tâche, du processus et de l'autorégulation a eu un effet significatif sur la qualité de la rétroaction offerte par les élèves dans leurs rapports de laboratoire.

FIGURE 7.2.
Grille destinée à aider les élèves à donner une rétroaction adéquate à leurs pairs

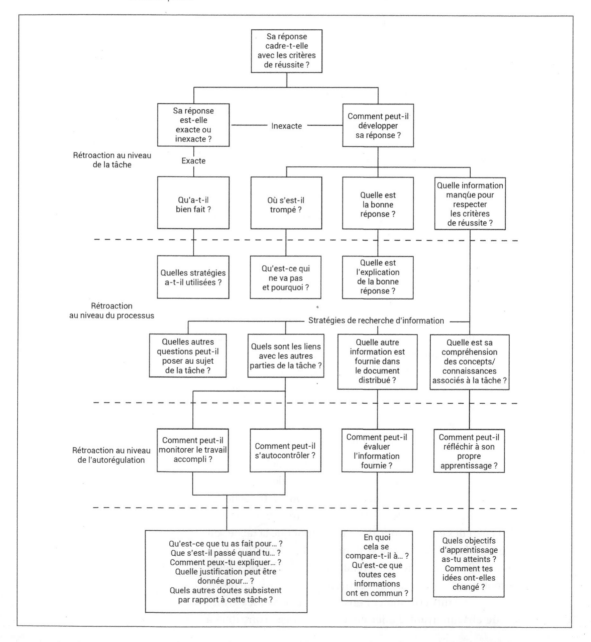

Au début du prétest en classe, les élèves ont principalement donné de la rétroaction sur la tâche à leurs pairs, et à peu près aucune rétroaction sur le processus ou la régulation. Lorsque les élèves ont été aidés explicitement à faire la distinction entre les rétroactions concernant la tâche, le processus, la régulation et la personne (à l'aide du modèle), ils ont été capables de formuler davantage de rétroactions sur la régulation (le pourcentage de la rétroaction sur l'autorégulation passant de 0,3 à 9 %). Les entrevues ont fait ressortir que les élèves considéraient que la rétroaction par les pairs pouvait se révéler une expérience enrichissante parce qu'elle leur permettait de cerner les écarts d'apprentissage, de collaborer à la détection et à la correction des erreurs, de développer leur capacité à s'autoréguler, y compris à monitorer leurs propres erreurs, et de mettre en œuvre leurs propres mesures correctives ou stratégies. Ce qu'il faut retenir, c'est que pour que la rétroaction par les pairs ait un effet positif, l'enseignement doit offrir un soutien délibéré (par exemple en appliquant le modèle de Gan) aux trois principaux niveaux de rétroaction ainsi que des incitations adaptées à chacun.

APPRENTISSAGE VISIBLE

Liste de vérification ✔
**pour le déroulement
de la leçon (rétroaction)**

38. Les enseignants
    a. se préoccupent davantage de la façon dont les élèves reçoivent et interprètent la rétroaction ;
    b. savent que les élèves préfèrent recevoir de la rétroaction sur les progrès réalisés que sur les correctifs à apporter ;
    c. savent que lorsque les cibles des élèves sont plus difficiles à atteindre, ils sont plus réceptifs à la rétroaction ;
    d. enseignent délibérément aux élèves la façon de solliciter, d'interpréter et d'utiliser la rétroaction ;
    e. reconnaissent la valeur de la rétroaction par les pairs et enseignent délibérément aux élèves à donner une rétroaction appropriée à leurs pairs.

Conclusions

En tant que père, j'étais conscient du peu de rétroaction que mes garçons recevaient probablement à l'école. Chaque jour pendant le souper, les questions « Qu'avez-vous appris ou fait aujourd'hui à l'école ? » et « Qu'est-ce que vous avez le plus aimé aujourd'hui (à part jouer) ? » ont cédé la place à « Quelle rétroaction avez-vous reçue de vos enseignants aujourd'hui ? ». Le but était qu'au moins une fois par jour, ils s'attardent au minimum à une rétroaction, ne serait-ce que pour orienter la conversation vers des sujets plus intéressants. C'est un aspect essentiel auquel les élèves doivent être sensibilisés – afin qu'ils apprennent à solliciter et à recevoir de la rétroaction concernant les objectifs à atteindre, la façon de les atteindre et la prochaine étape.

On sait beaucoup de choses à propos de la rétroaction, mais il reste encore beaucoup à découvrir en ce qui concerne la façon d'optimiser son effet dans la classe. D'une part, la rétroaction est l'un des facteurs qui a l'effet le plus percutant sur le rendement ; d'autre part, son influence est des plus variables. Pour que la rétroaction soit prise en considération et ait un effet positif, les objectifs doivent être clairs et ambitieux (intentions d'apprentissage), il faut savoir où se situent les élèves par rapport à ces objectifs (connaître les résultats antérieurs/acquis des élèves), les critères de réussite doivent être clairs et bien compris, et les enseignants et les élèves doivent s'engager à consacrer les efforts nécessaires et leurs compétences à l'élaboration et à la mise en œuvre de stratégies qui leur permettront de comprendre et d'atteindre les objectifs et les critères de réussite. En somme, les modèles doivent tenir compte de la nature multidimensionnelle de la rétroaction. Ainsi, parmi les dimensions importantes, il y a la focalisation (par exemple les trois questions auxquelles doit répondre la rétroaction), l'effet (par exemple les quatre niveaux de rétroaction), la propension (par exemple les dispositions culturelles et personnelles de la personne qui reçoit la rétroaction) et les types de rétroaction (voir Shute, 2008).

Pour rendre la rétroaction plus efficace et s'assurer qu'elle est prise en considération et utilisée, il est nécessaire d'en apprendre beaucoup plus sur la façon dont les élèves établissent leurs buts de maîtrise sur le plan scolaire (plus encore que les buts de performance, les buts d'approche de l'interaction sociale et certainement les buts d'évitement), et la manière dont les enseignants et les élèves fixent les cibles d'apprentissage – parce que cela peut rehausser la valeur de la rétroaction en ce qui concerne l'atteinte de ces buts et de ces cibles. Les notions d'« objectifs de surpassement de soi », de « défi », d'« engagement », de « rétroaction sur les progrès » et de « capacité d'auto-évaluation de l'élève » (Absolum *et al.*, 2009) jouent un rôle central sur le plan de l'effet de la rétroaction, tout comme la compréhension des diverses stratégies de rétroaction, des différents types de rétroaction et de leurs fonctions. Amener les élèves à « prendre conscience » de la rétroaction devrait être l'un des principaux objectifs de toute leçon.

Il pourrait également être bon de tenir compte de la nature et du dosage de la rétroaction. Il est probable qu'elle soit plus efficace lorsqu'elle est donnée de façon progressive (cela s'applique aussi bien aux élèves qu'aux enseignants et aux directions). Très souvent, la rétroaction prend la forme d'un long monologue englobant un trop grand nombre d'idées et d'indications. Il y a donc un risque que la personne recevant la rétroaction soit sélective ou ne saisisse pas les priorités, voire qu'elle soit encore plus déconcertée. La rétroaction doit être ciblée, précise et claire.

Il existe un certain nombre de médiateurs de la rétroaction et du rendement, dont le fait de se focaliser sur l'offre ou sur la réception de la rétroaction, l'influence de la culture de l'élève sur les effets de la rétroaction, l'importance de l'infirmation ainsi que de la confirmation, et l'établissement d'un climat d'apprentissage favorable aux « erreurs » qui encourage les élèves à reconnaître leurs méprises – et, tout particulièrement, le pouvoir des pairs. Lorsque les évaluations (tests, questions, etc.) sont considérées comme une forme de rétroaction permettant aux enseignants de modifier ou d'améliorer leurs stratégies, les gains sont beaucoup plus grands que lorsqu'elles sont perçues comme un moyen de renseigner les élèves sur leur situation actuelle. C'est l'essence même de l'évaluation formative.

On remarquera que la question de la rétroaction relative à la notation n'est pas abordée dans le présent chapitre. C'est tout simplement parce que nous mettons l'accent sur une « rétroaction de progression » qui vise essentiellement à aider tous les élèves à progresser, en proposant des correctifs et de l'information permettant de réduire l'écart entre le stade où les élèves sont rendus et celui où ils doivent se rendre. Trop souvent, les commentaires concernant les compositions ou autres travaux arrivent trop tard, sont inefficaces et ne sont pas pris en considération. Comme l'a souligné Kohn (2006, p. 41, traduction libre) : « Il ne faut jamais noter les élèves en cours d'apprentissage. » Les élèves associent très souvent les notes à la « fin » de l'apprentissage. La raison de cela est liée à la nature et à la structure des travaux notés, ces derniers étant le résultat des leçons. Or, l'apprentissage est susceptible de survenir davantage pendant la réalisation des travaux qu'à la fin (ou après la « remise ») de ceux-ci. Les élèves se rendent vite compte de la pauvreté d'une telle rétroaction qui ne constitue, en fait, qu'une évaluation sommative du travail accompli : ils se limitent à regarder leurs notes, puis celles de leurs amis. Les commentaires sont une justification des notes, mais rien ne prouve que ceux-ci entraînent des changements dans les comportements des apprenants, incitent les élèves à déployer plus d'efforts ou stimulent la pratique délibérée – puisqu'ils considèrent que le travail est « terminé ».

Il faut préciser qu'optimiser la rétroaction reçue par les élèves est une tâche des plus complexes. La réceptivité des élèves et leur volonté de comprendre la rétroaction varient en fonction d'une foule de facteurs : héritage culturel, réaction des élèves face à la confirmation et à l'infirmation, degré de familiarisation avec l'erreur, utilité des tests et des évaluations dans le passé en termes de progression des élèves, enseignement de stratégies permettant d'optimiser la rétroaction, et rôle de la rétroaction par les pairs.

L'avenir de la recherche sur la rétroaction semble être des plus emballants. Le rôle essentiel de la rétroaction dans l'amélioration du rendement est de mieux en mieux compris, mais le fait qu'elle soit à peu près absente des classes (du moins qu'elle soit peu prise en considération par les élèves) demeure une énigme. Il vaudrait la peine de pousser la recherche au-delà de la description des types de rétroaction afin de découvrir une façon non seulement d'intégrer à l'enseignement une rétroaction « appropriée », mais aussi d'aider les élèves à solliciter, à évaluer (surtout lorsqu'elle provient des pairs et d'Internet) et à utiliser la rétroaction aux fins de leur apprentissage – et en examinant la façon dont les enseignants utilisent la rétroaction des élèves pour modifier leur enseignement. Cela implique peut-être de parler moins de la manière dont on enseigne et plus de la façon dont on apprend, de focaliser moins sur l'enseignement réflexif et plus sur l'apprentissage réflexif, et d'étudier davantage la façon d'intégrer la rétroaction au processus d'apprentissage. Il est probable qu'une meilleure compréhension de la dynamique dans la classe soit nécessaire et qu'il faille permettre aux enseignants de voir l'apprentissage d'un autre point de vue que le leur, soit celui des élèves.

Shute (2008) énonce neuf lignes directrices pour que la rétroaction ait un effet positif sur l'apprentissage :

- axer la rétroaction sur la tâche, pas sur l'apprenant ;
- s'assurer que la rétroaction est détaillée (qu'elle décrit le « quoi », le « comment » et le « pourquoi ») ;
- présenter la rétroaction détaillée en unités gérables (par exemple éviter la surcharge cognitive) ;
- offrir des messages de rétroaction précis et clairs ;
- offrir une rétroaction la plus simple possible, mais pas simpliste (qui tient compte des besoins de l'apprenant et des exigences pédagogiques) ;
- réduire l'incertitude par rapport à la performance et aux objectifs ;

- offrir une rétroaction impartiale et objective, par écrit ou par ordinateur (les sources jugées plus dignes de confiance ont plus de chances d'être prises en considération) ;

- promouvoir l'orientation des objectifs d'apprentissage par la rétroaction (mettre l'accent sur l'apprentissage plutôt que sur la performance, accepter les erreurs) ;

- donner la rétroaction après que les apprenants ont proposé une solution (pour favoriser l'autorégulation).

Elle a également constaté des interactions avec le niveau de rendement de l'élève : il faut privilégier une rétroaction immédiate, directive ou corrective et appuyée par un étayage approprié dans le cas des élèves peu performants, et une rétroaction de vérification facilitatrice et différée pour les élèves très performants.

Sadler (2008) soutient que pour que la rétroaction soit efficace et utile, trois conditions doivent être réunies : l'apprenant a besoin de la rétroaction ; il la comprend et a le temps de la mettre en application ; et il l'accepte et est capable de la mettre en application. Alors pourquoi les élèves ne prennent-ils pas en considération la rétroaction que les enseignants affirment donner en abondance ? Dunning (2005) a étudié ce problème en profondeur et nous offre quelques explications fascinantes. En premier lieu, pour les élèves, la rétroaction est tout au plus probabiliste : elle n'est pas assurée – même lorsqu'elle est nécessaire ; elle est souvent incomplète – les élèves ne peuvent souvent pas faire la distinction entre les résultats et les solutions de rechange ; la rétroaction est souvent masquée – et les conséquences peuvent donc ne pas être évidentes ; elle peut être ambiguë – quelle action a conduit à la rétroaction ? ; et elle est biaisée – elle s'accompagne très souvent de félicitations.

En deuxième lieu, les élèves (comme tout le monde) ont des idées préconçues par rapport à la rétroaction qu'ils souhaitent recevoir : nous recherchons les cooccurrences positives ; nous faisons des prédictions autoréalisatrices ; nous omettons de reconnaître les erreurs rétrospectivement ; nous recherchons des rétroactions qui confirment l'image que nous avons de nous-mêmes ; nous acceptons le positif et décortiquons le négatif ; nous interprétons la critique positive de manière générale et la critique négative de manière restrictive ; nous accordons une valeur positive à ce qui est personnel et une valeur négative à tout le reste ; et nous nous souvenons mal de la rétroaction.

Il n'est donc pas étonnant que donner une rétroaction qui sera dûment prise en considération soit si difficile.

EXERCICES

1. Comme dans l'exercice 5 du chapitre 6, demandez à un collègue d'observer votre classe en prenant le point de vue des élèves. Par exemple, demandez à cette personne de s'asseoir dans la classe, de consigner ce que vous dites et faites, et, surtout, de choisir deux élèves et de noter tout ce qu'ils font, à quoi ils réagissent, ce dont ils parlent (selon ce qu'elle est capable d'entendre). À la fin, imprimez les notes et, ensemble, repérez chaque occasion où l'enseignant a donné une rétroaction, et *chaque* occasion où les deux élèves ont reçu et mis en application une rétroaction.

2. Demandez à cinq enseignants et à cinq élèves « ce qu'est la rétroaction selon eux », et donnez-leur des exemples de rétroactions utiles et moins utiles. Partagez l'information avec les autres enseignants qui ont fait l'activité. Y a-t-il des points communs entre la rétroaction corrective et la rétroaction formative ?

3. Filmez une de vos classes. Passez en revue la leçon et essayez de repérer les occasions où les élèves auraient pu recevoir une rétroaction plus efficace sur les progrès réalisés. Exercez-vous avec des collègues, puis efforcez-vous de repérer ces occasions dans vos prochains cours et de les mettre à profit.

4. Après un test en classe, expliquez en détail ce que l'interprétation des résultats vous a appris, ce que vous feriez différemment et ce que vous réenseigneriez. À la lumière de cette information, demandez-vous si l'évaluation vous a été utile en tant que rétroaction. Dans la négative, changez l'évaluation afin de maximiser les occasions d'en tirer une rétroaction.

5. Exercez-vous à donner à chaque élève une évaluation formative rapide. Invitez chaque élève à solliciter de la rétroaction sur ses progrès au moins trois fois durant la leçon. Évaluez l'utilité de cette intervention.

6. Discutez des énoncés suivants qui, selon moi, sont vrais :

   a. Les évaluations normatives sont optimales lorsque les élèves obtiennent, en moyenne, 50 % de bonnes réponses ; les évaluations critérielles sont optimales lorsque chaque élève obtient 50 % de bonnes réponses.

   b. La principale responsabilité de tout enseignant consiste à s'assurer que chaque année d'école se traduise par au moins une année de progrès pour tous les élèves, plutôt qu'à veiller à ce que les élèves atteignent les niveaux de compétence escomptés.

   c. La rétroaction qui renseigne l'enseignant sur son enseignement a plus d'impact que celle qui renseigne l'élève sur son apprentissage.

   d. Les interprétations formatives ne sont pas possibles sans une forme d'évaluation.

   e. Les « erreurs » concernent aussi bien les élèves doués que les élèves en difficulté, et devraient être perçues comme des occasions de progresser.

f. Pour les enseignants, la principale raison de soumettre les élèves à des évaluations est de déterminer ce qu'ils ont bien ou mal enseigné, à qui ils ont bien ou mal enseigné, et sur quoi ils devraient se concentrer ensuite. Tout test qui ne permet pas à l'enseignant d'obtenir ces informations constitue probablement un gaspillage de temps et d'effort pour tout le monde.

g. En matière d'évaluation, le rôle de l'enseignant consiste à aider les élèves à surpasser les attentes par rapport aux résultats.

h. Une fois que les résultats d'une évaluation sont imprimés, il est probablement trop tard pour modifier son enseignement !

## CHAPITRE 8

La fin de la leçon

La leçon des élèves a peut-être pris fin, mais l'histoire, elle, n'est pas terminée. Très souvent, on plaide pour la réflexion à ce stade-ci – mais là n'est pas mon message. La réflexion tourne rapidement en justification *a posteriori*. J'ai tellement vu d'enseignants parler de leurs leçons ou réagir à des vidéos les montrant en train d'enseigner, et constaté qu'ils peuvent discourir longtemps à propos de ce qui s'est passé, des raisons pour lesquelles ils ont fait telle chose plutôt que telle autre. Or, quand on leur demande comment ils pourraient s'améliorer, ils insistent très souvent sur ce qu'ils devraient faire davantage dans l'avenir. Lorsque les enseignants regardent les mêmes leçons du point de vue des élèves, ils restent beaucoup plus silencieux ! Ils sont étonnés lorsque des vidéos leur présentent l'enseignement à travers le regard des élèves et se rendent compte qu'ils ne s'étaient pas attardés à l'apprentissage – mais seulement à l'enseignement. Le but doit être de constater l'*effet* de nos actions et de notre enseignement, qu'il ne faut pas confondre avec les actions et l'enseignement eux-mêmes.

C'est pour cette raison que je ne permets jamais aux enseignants ou aux directeurs d'école d'aller dans les classes pour observer les enseignants ; je leur permets d'observer uniquement les élèves – leurs réactions à des incidents, à l'enseignement, à leurs pairs, aux activités. Ils posent ensuite des questions à l'élève et écoutent ses commentaires au sujet de ce qu'il a fait, de ce qu'il a pensé et de ce qu'il n'a pas compris. Ce genre d'observation fournit un autre point de vue qui aide l'enseignant à constater l'effet de son enseignement, détournant la discussion de l'enseignement pour la faire porter sur son *effet*. Autrement, les observateurs en arrivent à trouver une manière gentille de dire aux enseignants observés comment « enseigner comme eux ».

Il faut au départ analyser le climat dans la classe, puis poser une série de questions par rapport à l'effet de l'enseignant sur les élèves : Êtes-vous conscient des progrès réalisés par chaque élève, compte tenu du chemin parcouru entre son point de départ et l'atteinte des critères de réussite ? Dans quelle mesure chaque élève s'approche-t-il des critères de réussite ? Qu'est-ce qui doit être fait maintenant pour l'aider à s'approcher des critères de réussite ? Surtout, est-ce que chaque élève sait où il se situe dans son parcours d'apprentissage, compte tenu de son point de départ et des critères de réussite à atteindre ?

8.1. La leçon du point de vue de l'élève

APPRENTISSAGE VISIBLE

✔ Liste de vérification pour la fin de la leçon

39. Les enseignants fournissent des preuves que tous les élèves ont le sentiment d'avoir été invités à apprendre efficacement dans leurs classes. Cette invitation implique un sentiment de respect, de confiance et d'optimisme, et une intention d'apprendre.

Bien qu'il soit possible d'apprendre sans le savoir (connaissances tacites), la plupart d'entre nous doivent essayer de façon délibérée d'assimiler ou d'accommoder les nouveaux apprentissages. Ce qui veut dire qu'un important précurseur de l'apprentissage est l'engagement envers celui-ci. Comme l'a si bien exprimé William Purkey (1992), nous, les enseignants, devons « inviter » nos élèves à prendre part à l'apprentissage. Très souvent, les élèves viennent en classe simplement parce que c'est programmé dans leur horaire. Il soutient qu'une telle invitation envoie un message de respect, de confiance, d'optimisme et d'intentionnalité de la part des enseignants.

Il a établi quatre grands modèles, et la première tâche consistait à analyser la leçon qui venait de se terminer et à déterminer lequel des modèles suivants prédominait *selon les élèves*.

a. *La leçon était intentionnellement non invitante.* Les élèves indiquaient qu'ils se sentaient incompétents et dévalorisés ; l'enseignant était préoccupé par de nombreuses distractions et mettait l'accent sur les lacunes des élèves.

b. *La leçon était non intentionnellement non invitante.* Les élèves indiquaient que l'enseignant avait de bonnes intentions, mais qu'il était condescendant, obsédé par les politiques et les procédures, et inconscient des sentiments des élèves ; il utilisait trop les étiquettes et les généralisations, le langage non verbal était négatif et la contribution des élèves était faible.

c. *La leçon était non intentionnellement invitante.* L'enseignant était engageant, mais manquait de constance par rapport à la contribution des élèves à la leçon ; l'enseignant ne réussissait pas bien à expliquer clairement les intentions d'apprentissage, mais venait à bout de la leçon grâce à sa bonhommie et à son amabilité.

d. *La leçon était intentionnellement invitante.* L'enseignant invitait explicitement les élèves à prendre part au déroulement de la leçon, expliquait clairement les intentions d'apprentissage et les critères de réussite aux élèves, et prenait la peine de s'assurer que tous les élèves les comprenaient ; l'enseignant avait confiance que tous les élèves réussiraient et faisait preuve de respect lorsqu'il était question des erreurs, des travaux et des progrès des élèves.

Voici quelques-unes des dimensions clés utilisées pour évaluer si les élèves étaient invités à participer à leur apprentissage :

- *Respect.* « Avez-vous montré à tous les élèves qu'ils étaient importants, dignes de confiance et capables de réussir, et les avez-vous traités en conséquence ? »

- *Confiance.* « La leçon a-t-elle favorisé un engagement envers l'apprentissage fondé sur la coopération et la collaboration, de sorte que le processus d'apprentissage était perçu par tous les élèves comme étant aussi important que le résultat de la leçon ? »

- *Optimisme.* « Est-ce que les élèves ont reçu de votre part le message qu'ils avaient le potentiel d'apprendre ce qui leur est enseigné ? »

- *Intentionnalité.* « La façon dont vous avez établi et assuré le déroulement de la leçon avait-elle précisément pour but d'inviter les élèves à prendre part à leur apprentissage ? »

L'approche éducative invitante exige un engagement clair envers la promotion de l'apprentissage pour tous ainsi que la prise en considération des apprentissages antérieurs et de l'apport de chaque élève à la leçon. Elle nécessite qu'on fasse preuve d'équité et d'ouverture afin de permettre aux élèves d'apprendre, de faire des erreurs et de contribuer à la réussite de l'apprentissage. Cette approche favorise un dialogue entre les enseignants et les élèves, en vue d'assurer la compréhension des concepts abordés durant la leçon. En outre, celle-ci exige que l'enseignant soit capable d'établir et de maintenir un tel environnement invitant, et d'exprimer clairement des attentes élevées à l'égard de tous les élèves.

La façon dont l'élève reçoit la leçon joue un rôle essentiel dans son engagement et sa participation au processus d'apprentissage – plus encore pour les adolescents que pour les élèves du primaire (qui se satisfont davantage de simplement être « occupés »). Cornelius-White (2007) a effectué l'une des plus importantes méta-analyses sur l'enseignement centré sur l'apprenant. Il a repéré 119 études et estimé 1 450 effets, pour 355 325 élèves, 14 851 enseignants et 2 439 écoles. Globalement, l'effet des variables relatives à l'enseignement centré sur la personne était de 0,64 dans le cas des résultats cognitifs des élèves et de 0,70 dans celui des résultats affectifs ou comportementaux. La clé de cet enseignement centré sur l'apprenant est ce que Cornelius-White appelle la « relation facilitatrice » – c'est-à-dire la façon dont les enseignants bienveillants abordent leurs élèves. L'enseignant dont l'approche est centrée sur l'apprenant souhaite ardemment que chaque élève s'engage dans la leçon et réussisse. Il est conscient des progrès réalisés par rapport aux intentions d'apprentissage entre le début et la fin de la leçon. (Soulignons qu'il est important de ne pas confondre l'approche centrée sur l'apprenant et d'autres méthodes d'enseignement telles que l'apprentissage collaboratif, l'apprentissage individualisé, etc.)

L'enseignement centré sur l'apprenant repose essentiellement sur quatre critères : une relation chaleureuse, la confiance, l'empathie et des relations positives.

1. *Une relation chaleureuse : le facteur fondamental.* Les enseignants ont tendance à croire qu'ils sont bienveillants (du fait notamment qu'ils travaillent fort, qu'ils veulent réussir et ainsi de suite), mais l'important est de savoir si les élèves sont en mesure de donner des preuves du caractère chaleureux de la relation. Celui-ci est perceptible dans l'acceptation, l'affection et le respect inconditionnel dont fait preuve l'enseignant, et dans le regard positif qu'il jette sur les élèves. En fait, les enseignants doivent exprimer leur caractère chaleureux d'une manière observable et qu'il ne suffit pas de manifester le désir de le faire ou de croire que c'est important sans poser de gestes concrets.

2. *La confiance : optimisme et attentes élevées.* La confiance signifie que les élèves perçoivent que l'enseignant croit en eux – surtout lorsqu'ils éprouvent des difficultés.

> Cela sous-entend de leur montrer que vous comprenez leur perception des choses, même si elle peut paraître simpliste pour un adulte. Vous devez avoir la conviction

qu'ils sont capables de passer à travers la matière ou que ce qu'ils veulent apprendre en vaut la peine (Cornelius-White, 2007, p. 36, traduction libre).

Comme il a été mentionné précédemment, les attentes élevées et les encouragements sont essentiels non seulement de la part des enseignants, mais aussi des parents et des pairs.

3. *L'empathie : « apprendre à connaître les élèves ».*

    Les élèves ont des façons bien à eux d'apprendre. Les enseignants doivent comprendre et adopter le point de vue des élèves s'ils veulent les atteindre. Comment une élève donnée parvient-elle à comprendre la matière ? Quelle partie est confuse pour elle ? À quel moment parvient-elle à comprendre par des moyens créatifs qu'un enseignant n'utiliserait pas ? (Cornelius-White, 2007, p. 38, traduction libre.)

    L'enseignant est-il capable de se mettre à la place de l'élève et de voir l'apprentissage du point de vue de cette dernière ou de ce dernier ? Lorsque c'est le cas, l'enseignant est en mesure d'offrir une rétroaction optimale qui aidera l'élève à progresser.

4. *Les relations positives : la réunion de tous les facteurs.* Une raison qui explique pourquoi les élèves se désintéressent de l'apprentissage est la mauvaise qualité de la relation avec l'enseignant. Pour que la relation soit positive, il est essentiel que l'élève perçoive la sympathie de l'enseignant, sente qu'il l'encourage, constate qu'il a des attentes élevées envers lui, et sache qu'il le comprend.

8.2. La leçon du point de vue de l'enseignant

40. Les enseignants recueillent des données probantes sur l'expérience de leurs élèves en classe, qui confirment leur impact en tant qu'agents de changement, leur niveau d'inspiration et leur capacité à transmettre leur passion aux élèves.

APPRENTISSAGE VISIBLE

Liste de vérification ✔
pour la fin de la leçon

La bonne nouvelle, c'est que l'inspiration et la passion ont une incidence l'une sur l'autre : le but des agents de changement (les enseignants) est d'inspirer le plus grand nombre d'élèves possible et de susciter une passion pour l'apprentissage de la matière – et il appartient à l'enseignant d'inspirer cette passion. Certes, pour certains enseignants, l'objectif consiste davantage à faire progresser les élèves jusqu'au stade de compétent, plutôt que jusqu'au stade d'élève performant et passionné, mais pour ce faire il faut tout de même que l'enseignant croie passionnément que ces élèves *peuvent* devenir compétents. Steele (2009) précise que cette passion ne signifie pas nécessairement qu'il faille faire preuve d'une pétillante exubérance. Il s'agit plutôt d'avoir pleinement conscience de ce qui se passe, de s'impliquer dans l'apprentissage de tous les élèves et d'évaluer son effet sur chacun d'entre eux.

L'évaluation des enseignants par les élèves est une méthode très efficace, mais fort peu utilisée. Les élèves ne sont pas que des observateurs passifs de l'enseignement. Comme nous l'avons souligné tout au long du présent ouvrage, les relations qu'ils ont avec un enseignant et leurs perceptions de son impact sur leur apprentissage jouent un rôle essentiel dans leur engagement : fondamentalement, tous les élèves ont besoin d'avoir une raison de se rendre à l'école. Très souvent, les élèves sont ignorés dans les projets d'innovation et de transformation des écoles – or, s'assurer que les élèves sont motivés et engagés est indispensable pour garantir une amélioration durable des écoles (Pekrul et Levin, 2007).

Wilson et Corbett (2007) ont interrogé de nombreux élèves dont les résultats scolaires laissaient plutôt à désirer. Ces derniers insistaient sur le fait qu'il ne faut pas permettre aux enseignants de trouver des excuses pour ne pas leur enseigner, de les ignorer s'ils ne participent pas, et de laisser les élèves décider du travail à accomplir ou choisir de travailler ou non. L'enseignant que les élèves souhaitent avoir dans leur classe possède six grandes qualités :

1. il s'assure que les élèves terminent les travaux ;

2. il est capable de contrôler le comportement des élèves sans abandonner la leçon ;

3. il fait tout ce qu'il peut pour aider les élèves ;

4. il explique les choses jusqu'à ce que toute la classe ait compris ;

5. il propose aux élèves tout un éventail de façons d'apprendre ;

6. il comprend la situation des élèves et en tient compte dans la préparation de ses leçons.

Les évaluations des élèves regroupent souvent une kyrielle de questions concernant l'efficacité ou l'amélioration du cours ou de l'enseignant. Irving (2004) a examiné les choses sous un autre angle. À partir des dimensions du National Board for Professional Teaching Standards (voir le chapitre 2), il a cerné, écrit et compilé 470 questions correspondant aux 470 énoncés des normes mathématiques. Il a tenu de nombreux groupes de discussion (composés d'enseignants qui évaluaient l'adéquation des énoncés avec les normes) dans le but de réduire le nombre d'énoncés tout en s'assurant de bien respecter l'essence de chaque norme. Il a également soumis les énoncés à d'importants échantillons d'élèves du secondaire. Après une analyse factorielle et Delphi, il a créé un ensemble de 51 énoncés (voir l'annexe 6 pour un sous-ensemble des 24 meilleurs énoncés), dont les dimensions sous-jacentes étaient les suivantes :

1. engagement envers les élèves et leur apprentissage ;

2. enseignement des mathématiques ;

3. engagement des élèves dans le programme d'études ;

4. famille et communauté ;

5. relation entre les mathématiques et le monde réel.

Afin d'évaluer la validité de ce questionnaire et de ce modèle factoriel, il a soumis l'ensemble à plus de 1 000 élèves de 32 enseignants ayant la NBC (National Board Certification) et de 26 collègues expérimentés n'ayant pas cette certification. Il est parvenu à déterminer correctement à plus de 70 % le statut des enseignants par rapport à la certification NBC, en se servant des réponses des élèves !

Les sept énoncés qui distinguaient le mieux l'enseignant accompli de l'enseignant expérimenté étaient les suivants :

• l'enseignant incite les élèves à bien réfléchir aux problèmes et à les résoudre, aussi bien de façon individuelle qu'en groupe ;

• l'enseignant incite les élèves à accorder une grande importance aux mathématiques ;

• l'enseignant aide les élèves à comprendre le langage et les procédés associés aux mathématiques ;

• l'enseignant incite les élèves à réfléchir à la nature et à la qualité du travail ;

• l'enseignant développe la capacité des élèves à réfléchir et à raisonner mathématiquement, et à adopter un point de vue mathématique ;

• l'enseignant encourage les élèves à essayer différentes techniques pour résoudre les problèmes ;

• l'enseignant montre aux élèves des façons intéressantes et utiles de résoudre les problèmes.

Ces énoncés pourraient très bien être utilisés comme « incitations » par les enseignants pour mesurer leur niveau d'inspiration et de passion. Il est évident qu'adopter le point de vue des élèves est une façon beaucoup plus percutante de valider ces évaluations (voir l'exercice 1 à la fin du présent chapitre). Comme on l'a déjà mentionné, ce qui distingue l'enseignant passionné et inspiré est l'importance qu'il accorde aux défis, à l'engagement, à la compréhension, à la qualité, au raisonnement et à l'élaboration de stratégies d'apprentissage.

8.3. La leçon en fonction du programme d'études

APPRENTISSAGE VISIBLE

✔ Liste de vérification pour la fin de la leçon

41. Les enseignants questionnent ensemble les intentions d'apprentissage et les critères de réussite, et ont la preuve que
   a. les élèves sont capables de parler des intentions d'apprentissage et des critères de réussite d'une manière qui démontre une compréhension adéquate ;
   b. les élèves satisfont aux critères de réussite ;
   c. les élèves perçoivent les critères de réussite comme étant suffisamment stimulants ;
   d. les enseignants utilisent cette information pour planifier les leçons ou les apprentissages à venir.

Lorsqu'on évalue les leçons, il est essentiel de se pencher sur les intentions d'apprentissage et les critères de réussite. Il faut commencer par se demander : « Est-ce que les élèves les connaissaient ? » ; « Étaient-ils en mesure de les expliquer d'une manière qui démontre une compréhension adéquate ? » ; « Percevaient-ils les intentions d'apprentissage et les critères de réussite comme étant suffisamment exigeants ? ». En outre, quels changements ont été apportés aux intentions d'apprentissage et aux critères de réussite compte tenu de l'expérience des élèves ? L'apprentissage ne peut pas toujours suivre un scénario, et les enseignants et les élèves doivent avoir la possibilité de proposer d'autres intentions d'apprentissage et critères de réussite – dans la mesure où la mission de la leçon est respectée. Comme l'a fait valoir Hastie (2011) (voir le chapitre 4), il pourrait être utile de demander aux élèves de tenir un journal de travail où ils consigneraient des détails sur ce qu'ils sont en train d'apprendre selon eux, des indications sur les progrès réalisés, leur impression quant à leur capacité de réaliser les intentions d'apprentissage dans les délais impartis et leur perception du niveau de réussite atteint. On pourrait aussi demander aux élèves s'ils considèrent que les intentions d'apprentissage sont réalisables et proposent des défis significatifs – autrement dit, est-ce que l'atteinte des critères de réussite établis selon les intentions d'apprentissage leur permet de faire des progrès par rapport à ce qu'ils savent déjà ? Ce n'est qu'à la fin de la leçon que les élèves peuvent le savoir.

Une autre méthode consiste à demander à vos collègues d'analyser de façon critique vos intentions d'apprentissage et vos critères de réussite – de préférence avant d'entreprendre la leçon (même si cela pourrait aussi être utile à la fin de la leçon). Pour ce faire, on peut également examiner des travaux d'élèves afin de voir si les critères de réussite ont été remplis et s'il est possible de répondre à la question : « Quelle est la prochaine étape ? ». Vous pourriez aussi fournir des exemples de planification de leçon, avec les intentions d'apprentissage, et demander à des collègues de donner leur opinion sur ce qu'ils croient être les critères de réussite (et peut-être également sur la qualité des intentions d'apprentissage compte tenu des échantillons de travaux d'élèves) : reflètent-ils vos critères de réussite ?

Vos collègues ont-ils besoin de connaître les intentions d'apprentissage ou les critères de réussite pour accomplir cette tâche ? Parfois « oui », parfois « non ». Michael Scriven (1991) parle depuis longtemps de l'évaluation indépendante des objectifs. N'étant pas au courant des intentions d'apprentissage et des critères de réussite de l'enseignant, le collègue peut évaluer les réactions et les prétentions des élèves au sujet de ceux-ci (dans le cadre d'entrevues), vérifier ce qui a réellement été appris plutôt que ce qui devait l'être (en consultant des travaux d'élèves) et éviter de se concentrer uniquement sur la recherche de preuves confirmant l'atteinte des objectifs, ignorant ainsi les nombreux effets inattendus positifs ou négatifs. Scriven souligne que la valeur d'un programme dépend de ses effets par rapport aux besoins de la population visée – soit les élèves dans ce cas-ci. L'enseignant peut ainsi prendre conscience de l'expérience vécue par les élèves et évaluer dans quelle mesure elle s'approche de ses intentions d'apprentissage et de sa perception de la réussite.

8.4. La leçon d'un point de vue formatif et sommatif

APPRENTISSAGE VISIBLE

Liste de vérification ✔
pour la fin de la leçon

42. Les enseignants créent des occasions d'interpréter l'apprentissage des élèves de façon formative et sommative, et utilisent ces interprétations pour orienter les décisions qu'ils prendront ensuite dans le cadre de leur enseignement.

C'est une grande erreur de considérer que les termes *formatif* et *sommatif* ont quelque chose à voir avec les tests ; en fait, il n'existe pas de tests dits sommatifs ou normatifs. Ces notions renvoient au *moment où* un test est administré et, surtout, à la nature des interprétations que l'on fait de ces tests. Si ces interprétations sont utilisées pour modifier l'enseignement pendant qu'il a lieu, elles sont formatives ; si les interprétations sont utilisées pour résumer les apprentissages une fois l'enseignement terminé, elles sont sommatives. Bob Stake utilisait l'analogie suivante en guise d'illustration : «Lorsque le cuisinier goûte à la soupe, l'interprétation est formative ; lorsque les convives y goûtent, elle est sommative.»

Pour les enseignants, l'existence d'évaluations sommatives de qualité en classe est une preuve des plus éloquentes de la mise en place probable d'excellentes évaluations formatives. Lorsque les évaluations sommatives sont médiocres dans une école, il est peu probable que les enseignants aient la capacité, la volonté ou les moyens de se préoccuper des interprétations formatives. Servir de la mauvaise soupe aux invités est probablement la meilleure indication que le cuisinier n'a pas bien fait son travail lorsqu'il a goûté la soupe durant la préparation. Accorder trop d'attention au goût de la soupe pourrait également faire perdre de vue l'objectif au cuisinier – avec pour résultat, par exemple, que la soupe risque d'être froide au moment de la servir aux invités.

On voit apparaître de nombreux systèmes visant à aider les enseignants avec leurs évaluations, mais la plupart sont de nature sommative. Même les tests «prédictifs» portent davantage sur ce que l'élève devrait savoir à la fin des leçons et fournissent donc moins d'information pouvant permettre de modifier l'enseignement en cours de route. Les tests les plus efficaces du point de vue des interprétations formatives sont souvent ceux qui sont créés dans le but de mesurer l'apprentissage de la matière qui sera enseignée au cours d'une série de leçons (pas d'une session ou d'une année entière). Ils sont élaborés à partir d'une vaste banque de questions qui renvoient aux intentions d'apprentissage du programme d'études, et ils sont conçus de façon à ce que *chaque* élève obtienne 50 % de bonnes réponses et 50 % de réponses erronées. De cette manière, les élèves et l'enseignant sont en mesure de savoir ce qui a été accompli et ce qui reste à accomplir. Cela pourrait nécessiter une évaluation adaptative (l'ordinateur choisit un ensemble optimal de questions pour chaque élève), mais l'accent doit être mis sur la qualité de l'interprétation des évaluations si l'on veut avoir un effet sur ce que l'enseignant et l'élève feront ensuite.

Notre propre système, par exemple, a été conçu moins comme un « répertoire » de tests que comme un moteur de génération de rapports. Nous avons donc entrepris de fournir aux enseignants des interprétations utiles et fiables concernant les élèves pour lesquels l'enseignement a été efficace, les aspects de la matière qui ont été bien enseignés, leurs forces et leurs faiblesses, leurs effets et leurs progrès, et ce qui pourrait être fait pour améliorer les niveaux de rendement et de progression (Hattie, 2009).

Ce genre d'outil est peut-être coûteux, mais il importe que les écoles prennent une décision quant au meilleur moteur de rapports qu'il convient d'utiliser. Elles peuvent aussi décider d'élaborer leurs propres rapports afin d'établir dans quelle mesure les enseignants ont un effet sur tous les élèves, tant du point de vue des progrès réalisés par les élèves que de celui de leur rendement – à la condition que le système soit accessible pendant la leçon et pas seulement à la fin.

Il s'agit en somme de fournir un rapport à l'enseignant (et aux élèves) qui permet de monitorer l'effet, les progrès et la réussite de l'enseignant pour chaque élève. Par exemple, on peut faire appel aux équipes de collaboration centrées sur les données pour communiquer les interprétations à l'ensemble de l'école et garantir ainsi un effet maximal. Contrairement à beaucoup d'autres rapports de nature publique, les rapports proposés visent essentiellement à éclairer le jugement général des enseignants dans un esprit de collaboration : omettre d'aider les enseignants à exercer un jugement plus éclairé, c'est passer outre certains aspects qui ont un impact majeur sur les élèves – à savoir les attentes des enseignants et leur perception des notions de « défi » et de « progrès ».

Conclusions

La leçon ne se termine pas lorsque la cloche sonne ! Elle prend fin une fois que l'enseignant a interprété les preuves de son impact sur les élèves par rapport aux intentions d'apprentissage et aux critères de réussite initiaux – c'est-à-dire lorsque l'enseignant examine l'apprentissage du point de vue de ses élèves. Quel a été son impact ? Qui en a bénéficié ? Sur quoi a-t-il porté ? Dans quelle mesure a-t-il été efficace ? Répondre à ces questions nécessite souvent d'avoir recours à des observateurs qui jettent un regard différent sur l'apprentissage des élèves, à l'analyse de vidéos pour avoir un autre point de vue et à diverses formes d'évaluations formelles et informelles. Les élèves ont-ils été « invités » à participer à la leçon, à s'engager et à déployer des efforts pour progresser ? Les possibilités de point de départ étaient-elles suffisantes, compte tenu des résultats antérieurs et des acquis des élèves ? Votre enseignement a-t-il eu des conséquences inattendues ? Combien d'élèves ont atteint les critères de réussite ? Pour ceux qui n'y sont pas parvenus, qu'est-ce qui doit être fait pour les aider à y arriver ? Répondre à ces questions sous-entend de déterminer si les élèves ont participé activement à l'évaluation de leurs progrès. En tant qu'évaluateurs des impacts de l'enseignement sur leur apprentissage, les élèves sont au moins aussi efficaces que les enseignants – et souvent nettement meilleurs que la plupart des directions scolaires ou des parents.

Lorsqu'on étudie l'effet de l'enseignant et des leçons, il importe d'examiner non seulement l'efficacité, mais aussi l'efficience. D'autres méthodes plus efficientes auraient-elles pu être utilisées pour influer sur l'apprentissage et le rendement de tous les élèves ? Dans ce contexte, « efficience » ne veut pas nécessairement dire « vitesse ». Il est plutôt question ici d'efficience cognitive. Elle peut provenir de plusieurs sources – notamment de l'utilisation de stratégies d'apprentissage variées. Une telle polyvalence dans l'utilisation des stratégies d'apprentissage peut se traduire par une économie de temps, un effort accru, une diminution des taux d'erreurs et des possibilités de développer une multitude de stratégies.

EXERCICES

1. Utilisez le questionnaire « Invitational Teaching Survey » pour déterminer dans quelle mesure vos élèves estiment que votre enseignement les invite à participer à leur apprentissage.

2. Pour chaque département ou année scolaire, vérifiez dans quelle mesure la coplanification et l'évaluation critique sont utilisées. Les enseignants savent-ils ce que leurs collègues enseignent, reconnaissent-ils la difficulté de ce qui est enseigné et saisissent-ils le concept de « défi » ? Est-ce qu'ils contribuent à établir la qualité et la nature des critères de réussite et des intentions d'apprentissage, et examinent régulièrement leur effet sur les élèves ?

3. Invitez des groupes d'enseignants à discuter des notes attribuées à des travaux – le but étant de les aider à voir comment leurs conceptions des notions de « défis » et de « normes » sont reflétées dans la réalité. Dans certains cas, révélez les intentions d'apprentissage et les critères de réussite, et demandez à des collègues s'ils estiment que les exemples de travaux reflètent ceux-ci ; dans d'autres cas, ne révélez pas les intentions d'apprentissage ni les critères de réussite, et demandez à vos collègues de déterminer ceux-ci à partir de l'information fournie par les travaux des élèves.

4. Mettez sur pied une banque de plans de leçon à l'usage de tous les enseignants. Il faut préciser les intentions d'apprentissage et les critères de réussite, inclure des évaluations provenant de nombreuses sources à propos de l'impact des leçons sur les élèves, en prévision d'une utilisation future, et suggérer des modifications à la lumière de ces évaluations.

5. Retournez dans la classe et demandez aux élèves ce qu'ils considèrent maintenant comme étant les intentions d'apprentissage et les critères de réussite des leçons. Qu'est-ce qu'ils ont et n'ont pas compris durant les leçons ? Qu'ont-ils fait lorsqu'ils ne comprenaient pas ? Ont-ils demandé de l'aide ? Quelle a été la réaction de leurs pairs ? Ont-ils l'impression que cet enseignant les a écoutés ? Quelle était la nature des discussions entre les élèves pendant les leçons ? Quelles questions ont-ils posées et qu'aimeraient-ils demander maintenant ? Ont-ils eu de multiples occasions d'apprendre et de réapprendre ? Que signifie maintenant la réussite dans le cas de ces leçons ? Enfin, dans quelle mesure les élèves estiment-ils s'approcher des critères de réussite ?

6. Retournez dans la salle du personnel et demandez aux enseignants s'ils savent ce que leurs collègues enseignent en ce moment, comment les autres enseignants conçoivent la notion de « défi » dans le cadre de leur enseignement, si le degré de confiance relationnelle est élevé (respect du rôle de chacun dans l'apprentissage, respect de l'expertise, considération pour les autres, niveau d'intégrité élevé, etc.) lorsqu'il s'agit d'élaborer des politiques et de prendre des décisions de nature pédagogique. Demandez dans quelle mesure cette école fait une évaluation collaborative de l'effet de ses enseignants.

7. Retournez voir la direction et posez des questions sur la vision de l'école en ce qui concerne l'autoévaluation des programmes, sur la qualité de ce programme d'évaluation et, surtout, dans quelle mesure les interprétations provenant de ce processus d'évaluation permettent d'accroître l'impact de tous les intervenants sur les élèves.

8. Administrez la grille d'évaluation de l'enseignement d'Irving à vos élèves (voir l'annexe 6). Faites part de vos résultats à vos collègues et élaborez des stratégies pour améliorer la perception des élèves quant à votre engagement envers leur apprentissage, l'efficacité de votre enseignement, le niveau d'engagement des élèves envers le programme et la façon dont vous reliez l'apprentissage au monde réel.

PARTIE

3

Les postures essentielles

## CHAPITRE 9

Les postures des enseignants, des leaders scolaires et des systèmes

Il ressort tout au long du présent ouvrage et dans *Visible Learning* que la qualité de l'enseignement fait toute la différence. Bien sûr, il serait agréable que nos élèves soient enthousiastes, bien préparés, engagés et soutenus par des parents à l'aise financièrement, mais nos écoles de quartier doivent ouvrir leurs portes à tous les enfants qui se présentent. Il serait souhaitable que tous les élèves soient «prêts» et motivés, qu'ils aient mangé à leur faim avant d'arriver à l'école, qu'ils aient fait leurs devoirs à la maison avec le soutien de leurs parents, et qu'ils soient attentifs et calmes. Ce serait merveilleux, mais n'oublions pas que l'un des rôles importants de l'école est d'aider les élèves à acquérir de saines habitudes favorisant l'apprentissage ; nous ne devrions pas faire de discrimination à l'endroit des élèves dont les parents n'ont peut-être pas les connaissances nécessaires pour les aider. Nous pourrions récriminer contre la sélection, la préparation ou la promotion des enseignants – or, les tentatives d'avoir un impact significatif sur ces questions ont déçu les espoirs de tant de gens depuis tellement longtemps. Certes, ces enjeux sont importants, mais l'histoire nous a appris que la résolution de ces problèmes n'a pas l'effet escompté sur l'apprentissage des élèves. Par exemple, il y a peu de données prouvant qu'améliorer les programmes de formation des maîtres a un effet positif sur la qualité générale de l'enseignement (bien entendu, cela ne signifie pas qu'il faille cesser de chercher de meilleures façons de former les enseignants dans le but de produire un tel impact). Nous nous servons des évaluations pour mesurer les connaissances de surface et avons utilisé ces données comme outil de stigmatisation – un jeu auquel les enseignants ont appris à jouer, mais qui ne permettra pas de faire changer les choses, même en s'y adonnant encore plus intelligemment. Nous avons consacré des milliards aux immeubles, restructuré les programmes d'études en fonction des résultats aux évaluations et vice versa, et entrepris de superbes débats sur des sujets à la périphérie des véritables enjeux. Nous adorons parler de ce qui n'a pas vraiment d'importance. Le frein le plus important à la volonté de changer le système actuel réside peut-être dans le fait que nous avons demandé à des millions d'enseignants d'y apporter des améliorations – et que leur créativité a permis de prolonger la vie de ce modèle bien au-delà de sa date de péremption.

Nous savons que la principale source de variance contrôlable dans notre système concerne l'enseignant, et que même le meilleur enseignant a un effet variable sur ses élèves. Le message qu'il faut retenir du présent ouvrage est que les enseignants, les écoles et les systèmes scolaires doivent toujours être conscients de leurs effets sur les élèves et s'assurer d'avoir des données probantes à l'appui de ceux-ci – et que les décisions concernant la manière d'enseigner et la matière enseignée doivent être prises en fonction de cette information. Le message à retenir est que les données probantes doivent concerner l'apprentissage des élèves – notamment les progrès réalisés – et que les intentions d'apprentissage et les critères de réussite doivent être valables, suffisamment exigeants, significatifs et compris par les élèves. C'est possible – puisqu'on peut le constater dans nombre de classes à travers le monde tous les jours. Notre rôle est de rendre cet apprentissage plus visible, de sorte qu'il puisse servir à éclairer les décisions.

Dans le présent chapitre, nous nous intéressons d'abord au système et aux implications pour celui-ci ; nous abordons ensuite certaines des implications pour les leaders scolaires et décrivons un modèle de changement qui pourrait permettre d'avoir un impact optimal sur l'apprentissage des élèves. Enfin, nous précisons les très importantes et essentielles postures sous-jacentes qui doivent être adoptées par l'ensemble des intervenants. Ce sont ces postures qui doivent sous-tendre notre réflexion à propos de l'enseignement et de l'apprentissage, parce que ces façons de voir le monde favorisent la prise de décisions optimales en fonction du contexte dans lequel nous travaillons.

9.1. Un modèle systémique

L'un des ouvrages qui m'a le plus influencé est *How to Change 5 000 Schools* (2008) de Ben Levin. Il part du principe que l'amélioration de l'école repose sur la bonification au quotidien des pratiques en matière d'enseignement et d'apprentissage, et que l'école constitue la bonne unité d'évaluation – c'est-à-dire que tout le monde dans l'école doit collaborer en vue de garantir que ces pratiques sont la principale préoccupation, et que le succès de l'école est la responsabilité de tous. Cela rejoint directement la prétention du présent ouvrage voulant que les enseignants et les leaders scolaires soient fondamentalement des évaluateurs, et l'idée que la culture de l'école est au cœur d'un succès durable. Elmore (2004) fait lui aussi valoir que les leaders scolaires sont responsables des changements culturels dans les écoles. Ces changements ne sont pas imposés, mais sont le fruit du remplacement des normes, structures et processus en place par d'autres normes, structures et processus – « le processus de changement culturel dépend fondamentalement du modelage des nouvelles valeurs et des nouveaux comportements qu'on souhaite voir adopter » (Elmore, 2004, p. 11, traduction libre). Il s'agit de prendre conscience que notre façon de penser a une incidence sur la réalisation des changements souhaités, que les postures que nous adoptons ont un impact majeur sur les élèves, et qu'il est important de connaître l'ampleur et la nature de cet impact.

L'amélioration de l'école est liée au développement d'une capacité collective à rendre la réussite visible – qu'il s'agisse d'améliorer le rendement, de faire comprendre aux élèves la valeur de l'apprentissage, d'entretenir leur intérêt envers celui-ci, de les inciter à faire preuve de respect envers eux-mêmes et envers les autres, de reconnaître et de valoriser la diversité ou de renforcer l'esprit de communauté. Les élèves n'« appartiennent » jamais à une classe, ils « appartiennent » à l'école. Collectivement, l'école doit convenir des connaissances, des habiletés et des dispositions à acquérir ainsi que d'une méthode fiable permettant à tout le monde de mesurer régulièrement les effets de son enseignement et l'impact de l'école sur les élèves. Elle doit désigner une personne responsable de la « réussite des élèves à l'échelle de l'établissement », mettre en place des plans permettant de déterminer quand les élèves n'apprennent pas ou quand ils font preuve d'excellence dans leur apprentissage. L'école doit s'assurer que tout le monde offre de multiples occasions d'apprendre et de mettre en pratique ce qui a été appris, et, surtout, elle doit mettre en relief les erreurs et les réussites ainsi que communiquer sans cesse la passion de l'enseignement. L'astronaute Christine McAulliffe a résumé parfaitement cette passion qui doit sous-tendre l'enseignement : « J'influence l'avenir : j'enseigne. »

Levin réclame non seulement « une amélioration durable et soutenue des résultats des élèves » dans une foule de domaines importants, mais aussi une réduction majeure des écarts entre les différentes populations sur le plan des résultats, afin que toute la société puisse tirer parti de l'éducation publique. Il exprime clairement ce qui *ne* fonctionne *pas*. Ainsi, il *ne* faut *pas* croire :

- qu'un seul changement peut permettre une amélioration à court terme ;

- que quelques leaders efficaces peuvent obliger une école à s'améliorer ;

- que la simple application de mesures d'encouragement est une bonne stratégie ;

- qu'il faut commencer par la gouvernance et les politiques ;

- qu'un nouveau programme et de nouvelles normes suffisent à améliorer les choses ;

- qu'un système de reddition de comptes appuyé par des masses de données provoquera une amélioration.

En revanche, il préconise une approche équilibrée consistant à mettre l'accent sur un certain nombre de résultats clés liés à l'amélioration de l'enseignement et de l'apprentissage (réduire au minimum les distractions), à déployer des efforts en vue de développer la capacité d'amélioration, à stimuler la motivation en adoptant une attitude positive et à accroître le soutien en faveur d'un programme d'amélioration efficace, réfléchi et soutenu – en insistant sur la volonté (motivation) et les habiletés. Il prône neuf pratiques essentielles pour améliorer les résultats :

- avoir des attentes élevées envers tous les élèves ;

- favoriser de solides relations interpersonnelles entre les élèves et les adultes ;

- stimuler l'engagement et la motivation des élèves ;

- proposer des programmes scolaires formels et informels enrichissants et intéressants ;

- appliquer des pratiques pédagogiques efficaces dans toutes les classes au quotidien ;

- utiliser efficacement les données et les rétroactions provenant des élèves et des collègues pour améliorer l'apprentissage ;

- offrir un soutien précoce aux élèves en difficulté, tout en veillant à déranger le moins possible ;

- favoriser des relations solides et positives avec les parents ;

- favoriser une implication efficace dans la communauté en général.

Dans une école, nous devons travailler à former une équipe capable de résoudre les problèmes liés à l'apprentissage, mettre en relief collectivement et commenter de façon critique la nature et la qualité des données attestant notre impact sur l'apprentissage des élèves, et collaborer régulièrement à la planification et à la critique des leçons, des intentions d'apprentissage et des critères de réussite. Bien sûr, ce genre de collaboration demande du temps. Toutefois, si l'on débattait moins d'autres questions structurelles (réduction de la taille des classes, différents parcours, séances de développement professionnel sans rapport avec ces débats), on aurait peut-être les moyens de permettre aux enseignants de consacrer plus de temps à cette planification et à cette analyse collective.

Michael Fullan (2011) a également écrit sur le choix des moteurs ou catalyseurs d'une réforme systémique. Il ressort notamment de son message que les moteurs efficaces sont ceux qui visent directement à changer la culture, afin que les élèves obtiennent de meilleurs résultats mesurables.

> L'attitude, la philosophie et la théorie de l'action sous-jacentes sont le ciment qui lie les moteurs efficaces. La posture propice à la réforme systémique est celle qui stimule inévitablement la motivation individuelle et collective, et qui favorise le développement des habiletés nécessaires à la transformation du système (Fullan, 2011, p. 5, traduction libre).

Fullan a cerné quatre moteurs « inefficaces » : la reddition de comptes (utiliser les résultats des tests et les évaluations des enseignants pour sanctionner ou récompenser) ; la qualité individuelle des enseignants et des directions ; la technologie ; et les stratégies fragmentées. Selon lui, il y a quatre catalyseurs « efficaces » : l'articulation apprentissage-enseignement-évaluation en tant qu'élément central ; l'utilisation du groupe pour concrétiser la nouvelle culture apprentissage-instruction ; l'innovation pédagogique soutenue par la technologie (pas l'inverse) ; et la synergie systémique entre les trois premiers moteurs. Ces quatre catalyseurs sont au cœur du message qui ressort du présent ouvrage, mais nous souhaitons en ajouter un cinquième : des ressources pour aider les écoles à déterminer leur impact ; les écoles dont l'impact est suffisant peuvent alors bénéficier d'un certain degré d'autonomie.

L'un des rôles du système est de définir des mandats à l'égard de ces questions. Il doit aussi fournir des ressources pour que les écoles puissent déterminer efficacement leur impact. On constatera qu'il n'est pas suggéré de faire davantage d'évaluations : les écoles sont submergées de tests et de données qui, quel que soit l'emballage dans lequel ils se présentent, se traduisent seulement par encore plus d'interprétations sommatives. En revanche, il est proposé d'accroître le nombre d'interprétations formatives. L'outil asTTle qui a été conçu pour les écoles de la Nouvelle-Zélande est fondé sur les principes de la « conception à rebours » – c'est-à-dire que nous sommes partis des diverses interprétations que les enseignants et les écoles devraient faire au sujet de leur impact selon nous. Nous avons ensuite élaboré des rapports interprétatifs qui visaient à répondre à deux questions : « Les enseignants ont-ils fait les interprétations escomptées à partir des rapports ? » et « Quelles ont été les conséquences de l'interprétation des rapports ? ». Au début, il a fallu tenir plus de 80 groupes de discussion pour parvenir à répondre à ces deux questions, mais notre efficacité s'améliore au fil du temps (voir Hattie, 2010). Après avoir créé sept rapports, nous avons commencé à ajouter des questions, tout en donnant toujours aux enseignants le pouvoir de choisir les tests – car un des objectifs clés de notre outil de génération de rapports était de veiller à ce que l'évaluation englobe non seulement ce que l'enseignant voulait enseigner, mais aussi ce qui était prévu par le programme d'études. Après l'initiation, il faut quelques minutes aux enseignants pour régler les paramètres (par exemple la longueur du test, les objectifs du programme, le niveau de difficulté du test, la méthode [papier, à l'écran, adaptatif par ordinateur] et beaucoup d'autres options) et le moteur de programmation linéaire prend environ de 7 à 10 secondes pour créer le test optimal à partir des 12 000 et quelques questions programmées. Surtout, une fois le test terminé, les enseignants obtiennent une rétroaction instantanée à propos des élèves auxquels ils ont bien enseigné ou pas, de ce qui a ou n'a pas été bien enseigné, de leurs forces et de leurs faiblesses, et ainsi de suite. Le système est volontaire et la participation est élevée dans les écoles primaires. L'année dernière seulement, plus d'un million de tests ont été passés (il y a environ 750 000 élèves en Nouvelle-Zélande), et le message qui ressort est que les enseignants se réjouissent de recevoir de la rétroaction concernant leur impact – pourvu qu'elle porte sur ce qu'ils enseignent actuellement et qu'ils bénéficient de beaucoup d'aide pour interpréter les mesures. L'outil de génération de rapports indique rarement des chiffres (lesquels marquent souvent la fin des interprétations et des conséquences qui en découlent), regorge de détails et fait ressortir les idées maîtresses. Il est utilisé dans de nombreuses écoles pour stimuler les discussions des enseignants au sujet de leur impact sur les élèves. Il est des plus réjouissants de constater que les élèves, âgés dans bien des cas entre 7 et 9 ans, sont capables d'interpréter les rapports concernant leur apprentissage et d'entamer des discussions avec leurs pairs et les enseignants à propos de la « prochaine étape ».

Il ne s'agit pas d'ajouter des tests à des fins de reddition de comptes ou de « prédiction », mais de fournir plus de ressources pour soutenir l'interprétation de l'information formative et permettre aux leaders scolaires, aux enseignants et aux élèves (ainsi qu'aux parents) de visualiser la « progression de l'apprentissage » et de se concentrer davantage sur la « prochaine étape », à la lumière de données fiables sur la situation actuelle.

La Nouvelle-Zélande va encore plus loin puisque les propositions de développement professionnel présentées dans les écoles doivent faire la preuve qu'il en résultera une amélioration de la taille d'effet. Cela se traduit par une meilleure harmonisation du développement professionnel, par plus d'accompagnement et moins de recommandations, par une responsabilité partagée quant à l'impact du développement professionnel sur les élèves (et pas seulement sur les enseignants), et par un empressement renouvelé à tenir davantage de discussion à propos de l'apprentissage. Une bonne partie de mon travail consiste à aider les responsables des systèmes et des écoles à élaborer des « tableaux de bord » illustrant à quoi ressemble la réussite et permettant de voir où se situe une école sur le chemin conduisant à celle-ci. L'accent est davantage mis au quotidien sur la progression que sur les niveaux de compétence atteints, mais les cibles de compétence sont clairement représentées dans les tableaux de bord. Comme toujours, la clé consiste à fournir des données probantes de qualité afin de susciter les bons débats ; les systèmes n'apportent pas de solution aux débats. Le jugement professionnel joue un rôle crucial et il importe d'axer davantage la reddition de comptes sur l'évaluation générale que fait l'enseignant des progrès réalisés. Il faut se poser deux questions clés : « Quelle est la qualité des données sur lesquelles l'enseignant appuie son évaluation ? » et « Quelle est la qualité des conséquences de ces données probantes sur l'enseignement et sur l'apprentissage ? ». On remarque que l'attention ne porte ni sur les données ni sur la communication de celles-ci. Elle est plutôt concentrée sur les évaluations professionnelles et sur les conséquences des décisions de l'enseignant, ce dernier étant l'acteur clé dans le débat sur l'apprentissage des élèves et la seule personne sur laquelle nous exerçons une certaine influence. Cependant, il est préoccupant de constater que certaines écoles n'aiment pas ce genre de débats à propos de leur impact – parce qu'il est plus facile d'ignorer les choses.

Comme il a été mentionné, l'avantage est que les enseignants prennent conscience de la qualité de leur impact d'une manière fiable et publique (voir Amabile et Kramer, 2011). Le système néo-zélandais récompense les écoles qui encouragent ces débats en leur accordant une certaine «autonomie». Un quasi-système d'inspection (Educational Review Office ou ERO) a été instauré. Les écoles sont visitées, et un rapport public sur la qualité de plusieurs aspects des écoles est ensuite produit. Si l'inspection révèle qu'il existe de solides données prouvant que les écoles ont mis sur pied des systèmes fiables pour évaluer leur impact et que celui-ci est positif, alors l'école se voit accorder un certain degré d'autonomie – c'est-à-dire que l'inspection pourrait avoir lieu tous les quatre ou cinq ans ; dans le cas contraire, l'inspection sera plus fréquente (par exemple tous les quatre mois ; et l'ERO donne des directives afin que les écoles parviennent à mieux connaître leur impact). Voilà l'objectif dont il a été question dans les chapitres précédents : acquérir une connaissance fiable de l'impact sur l'apprentissage des élèves en évaluant et en valorisant la qualité des décisions professionnelles des enseignants.

9.2. Un modèle pour les leaders scolaires

Un facteur déterminant dans la décision d'un enseignant de rester à une école ou de continuer à enseigner est la possibilité de bénéficier du soutien de la direction afin d'avoir un impact positif sur les élèves. Pensons aux raisons pour lesquelles un enseignant choisirait de poursuivre en enseignement : l'autonomie ; le leadership ; les relations de travail ; le type d'élèves ; les installations ; la sécurité. Le facteur déterminant – et de très loin – dans la décision de rester ou non dans ce domaine est la nature du leadership (Boyd *et al.*, 2011 ; Ladd, 2011). Les leaders scolaires doivent être capables de motiver les enseignants et les élèves, en établissant des attentes élevées pour tout le monde, en consultant les enseignants avant de prendre des décisions qui les concernent, en favorisant la communication, en veillant à une affectation efficace des ressources, en mettant sur pied des structures organisationnelles pour soutenir l'enseignement et l'apprentissage, en recueillant régulièrement des données sur l'apprentissage des élèves et en les passant en revue avec les enseignants. L'exercice d'un leadership propice à l'apprentissage est le facteur le plus déterminant dans la décision des enseignants de continuer à enseigner.

Permettre aux enseignants d'évaluer leur impact et d'utiliser les données probantes recueillies afin d'améliorer leur enseignement exige des leaders qu'ils considèrent cette façon de penser et de faire comme valable. Les croyances de la direction en son rôle constituent le facteur déterminant pour créer une école qui se préoccupe d'améliorer son impact. La façon de penser et de travailler des leaders scolaires peut être examinée sous de multiples angles. Deux modèles de leadership sont très répandus, le modèle «transformationnel» et le modèle «pédagogique».

- Les leaders *transformationnels* inspirent les enseignants à élever leur niveau d'énergie et à accroître leur engagement envers une mission commune, permettant à l'école de développer sa capacité à relever collectivement les défis et à atteindre des objectifs ambitieux, et s'assurent que les enseignants ont le temps d'enseigner.

- Les leaders *pédagogiques* se préoccupent de la qualité et de l'impact de l'enseignement de tous les enseignants sur l'apprentissage des élèves, veillent à ce que l'apprentissage soit perturbé le moins possible, s'assurent que les enseignants ont des attentes élevées envers leurs élèves, visitent les classes et sont soucieux d'interpréter les données probantes concernant la qualité et la nature de l'apprentissage qui se fait à l'école.

Robinson, Lloyd et Rowe (2008) ont réalisé une méta-analyse portant sur 22 études et 2 883 directrices ou directeurs, qui visait à comparer ces deux formes de leadership. Ils ont établi que l'effet du leadership transformationnel sur le rendement des élèves était de 0,11, tandis que celui du leadership pédagogique était de 0,42. L'effet était plus élevé pour l'apprentissage et le développement des enseignants, plus précisément sur le plan de la promotion et de la participation (0,84), pour l'établissement d'objectifs et d'attentes (0,42), pour la planification, la coordination et l'évaluation de l'enseignement et du programme d'études (0,42), pour l'adaptation du choix et de l'affectation des ressources aux objectifs pédagogiques prioritaires (0,31), et pour l'établissement d'un environnement ordonné et favorable à l'apprentissage (0,27). Les auteurs concluent que cet écart dans les effets découle du fait que les leaders transformationnels se concentrent davantage sur la relation entre eux et les enseignants, et que la qualité de ces rapports n'est pas garante de la qualité des résultats des élèves. En revanche, les leaders pédagogiques mettent davantage l'accent sur la qualité et l'impact de l'enseignement, et sur la création d'un sentiment de confiance et d'un environnement sécurisant où les enseignants peuvent recueillir des données relatives à leur impact et en discuter ouvertement.

Ces constatations cadrent avec l'argument fondamental du présent ouvrage, à savoir que les leaders scolaires (enseignants, directions, commissions/conseils) doivent être foncièrement préoccupés par l'évaluation de l'impact de tous les intervenants dans l'école. Dans les écoles qui recueillent régulièrement des données attestant que l'impact sur les élèves est élevé, les leaders peuvent offrir un soutien plus indirect aux enseignants en vue d'accroître leur impact. Inversement, les écoles dont l'impact est plus faible ont besoin d'un leadership plus direct pour créer un environnement ordonné et sécurisant, travailler avec les enseignants de l'école à établir des objectifs et des attentes appropriés, et fournir des ressources qui aideront explicitement les enseignants à déterminer leur impact et à prendre conscience des conséquences d'une amélioration de leur impact (Bendikson, Robinson et Hattie, 2011 ; Robinson, 2011).

Ce qu'il faut retenir, c'est que les leaders pédagogiques peuvent vraiment avoir un effet significatif, et que ce sont les croyances de ces leaders et la construction de leur rôle qui permettent d'avoir un tel effet décisif et d'inspirer tous les intervenants de l'école. Il faut cependant souligner la distinction entre la notion de « leader pédagogique » (qui met beaucoup trop l'accent sur l'enseignement) et celle de « leader de l'apprentissage » (qui se concentre sur l'apprentissage des élèves et des adultes). L'accent n'est pas mis sur « ce qui est enseigné » ni sur « la façon dont la matière a été enseignée ». Il faut plutôt se demander : « Les élèves ont-ils acquis des connaissances et des habiletés essentielles ? », « Comment le savons-nous ? » et « Comment pouvons-nous utiliser ces données probantes sur l'apprentissage des élèves pour améliorer notre enseignement ? ».

Un rôle important de ces leaders consiste à favoriser l'apprentissage des adultes dans les écoles. Nous savons que certains aspects de la formation des enseignants ou du développement professionnel ont un impact sur le rendement des élèves – par exemple un accompagnement prolongé, l'instauration d'équipes de collaboration centrées sur les données, une focalisation sur la manière dont les élèves apprennent la matière, la planification et le monitorage des leçons effectués en collaboration par les enseignants, en tenant compte des données probantes sur l'effet d'une telle planification sur l'apprentissage des élèves (voir Bausmith et Barry, 2011). Timperley, Wilson, Barrar et Fung (2007) ont effectué une synthèse des systèmes de développement professionnel efficaces et favorisent un processus en cinq étapes (voir aussi Timperley, 2012).

1. De quelles connaissances et compétences nos élèves ont-ils besoin ?

2. De quelles connaissances et compétences avons-nous besoin en tant qu'enseignants ?

3. Comment pouvons-nous approfondir nos savoirs profession-
    nels et perfectionner nos compétences?

4. Comment pouvons-nous mobiliser les élèves autour de
    nouvelles expériences d'apprentissage?

5. Quel est l'impact des changements apportés?

Les arguments soutenus dans le présent ouvrage cadrent avec
ce processus – mais nous procédons à l'envers. Nous *commençons* plutôt par les discussions et les données probantes à propos de l'impact
de nos actions, puis nous passons aux autres dimensions.

Les conversations entre les membres du personnel doivent
favoriser une compréhension collective de l'effet des adultes sur les
élèves plutôt que revêtir un caractère « présentiste », privé et personnel, comme c'est si souvent le cas. La notion de « présentisme »,
inventée par Jackson (1968), sous-entend d'accorder une importance
relativement grande aux besoins, aux problèmes et aux satisfactions
à court terme dans la classe, plutôt qu'aux impacts et aux plans à long
terme. Jackson soulignait, tout comme Lortie (1975), que les enseignants se fiaient à leurs propres observations concernant leurs élèves
pour évaluer la qualité de leur performance, et qu'il y avait peu
d'échanges significatifs pouvant nourrir une compréhension commune ou favoriser le partage de techniques (voir Hargreaves, 2010).
D'où l'importance pour les leaders scolaires de créer un climat de
confiance et de collégialité propice aux débats sur les données probantes concernant l'effet sur l'apprentissage des élèves, et ce, de façon
régulière. Les « leaders de l'apprentissage » doivent être solides pour
permettre, encourager et appuyer des discussions à propos de l'impact
de tous les intervenants.

J'ai été témoin du cas d'une grande école secondaire qui a
entrepris ce processus. Il a fallu deux ou trois ans au directeur pour
convaincre les enseignants qu'il fallait mettre l'accent sur l'apprentissage des élèves et l'amélioration du rendement de chacun d'eux.
S'il avait été question, ne serait-ce qu'un peu, de reddition de comptes,
le climat aurait changé et serait devenu improductif. Il a mis en place
un moteur de génération de rapports pour aider les enseignants à
monitorer leurs effets sur chacun des élèves, fourni des ressources aux
enseignants afin de les aider à représenter graphiquement le parcours
individuel de tous les élèves au cours des cinq années précédentes et
jusqu'à la fin de l'année courante, établi au début de l'année des cibles
à atteindre à la fin de l'année scolaire pour chacun des élèves, en
fonction de ces parcours, et prévu du temps pour que les enseignants
se rencontrent dans le but de préparer des évaluations communes et

de monitorer ensuite leur effet individuel sur les élèves. Il en a résulté des conversations fort enrichissantes pour ces enseignants et cette école est maintenant reconnue pour la qualité des données probantes à l'appui de son succès du point de vue de l'amélioration du rendement des élèves.

J'ai collaboré étroitement avec une école primaire près de chez moi au cours des huit dernières années. L'impact de ces enseignants est stupéfiant, et chaque année je peux constater une taille d'effet de $d = 1$ et $d = 2$ pour tous les élèves ; ce qui est bien supérieur à la taille d'effet de $d = > 0,40$ que j'ai considérée comme objectif à atteindre dans le présent ouvrage. Je connais le dévouement, l'engagement envers chaque élève, et le travail assidu et déterminé de tout le monde à cette école. Plus important encore, ce sont les élèves qui forment le groupe le plus déterminé à connaître les effets. Nombre d'entre eux en savent plus au sujet de l'évaluation que des étudiants universitaires. Ils savent comment interpréter les évaluations, ce qu'est une erreur type et comment créer des tests pour eux-mêmes, et ils cherchent constamment à déterminer «la prochaine étape». L'impact de l'école est si bien connu que notre premier ministre visite fréquemment l'établissement et y amène même des invités internationaux ainsi que d'autres leaders ; c'est l'une des écoles les plus impressionnantes qu'il m'ait été donné de visiter. Lors de mes visites, les élèves me posent des questions, me demandent d'apporter des améliorations aux ressources que nous avons fournies et sont si fiers de la «notoriété» de leurs succès.

Élaborer un modèle justifiable de changement est important si l'on veut concrétiser les idées mises en relief dans le présent ouvrage. Il est important de rappeler qu'il n'y a rien de nouveau dans cet ouvrage ni dans *Visible Learning*. Les messages et les données probantes découlent d'une recension des écrits, et reposent sur des démarches qui se sont révélées fructueuses dans tellement de classes. Comme il a été mentionné dans l'introduction, il n'est pas question de nouveaux programmes, de nouveaux acronymes, d'étonnantes propositions à essayer ; en revanche, il s'agit de prendre conscience de l'importance de comprendre comment pensent les enseignants qui excellent ! Il est question de changer les choses, d'amener tous les enseignants dans les écoles à bien réfléchir à leur rôle, à leur impact et à l'importance de la collégialité, de manière à favoriser l'établissement d'attentes élevées pour tout le monde. Il s'agit également de compter sur des données probantes provenant de multiples sources pour démontrer l'impact sur tous les élèves et de mettre en valeur ces données – publiquement et en privé.

Il est encourageant de constater que les enseignants sont souvent motivés par l'information concernant leur impact. Amabile et Kramer (2011, p. 22, traduction libre) soulignent que «de toutes les choses qui peuvent susciter des émotions, motiver et influencer les perceptions au cours d'une journée de travail, la plus importante est de progresser en réalisant un projet qui fait sens». Ils font ressortir le pouvoir des catalyseurs (actions qui soutiennent directement le travail – surtout de la part des collègues) et des stimulateurs (actions témoignant du respect – surtout de la part des autres, encore une fois – et mots d'encouragement). Parmi les influences négatives, il y a les inhibiteurs (actions qui n'appuient pas ou qui entravent activement le travail) et les toxines (événements qui découragent ou qui sapent les efforts). J'ajouterais que la notion de «travail significatif» revient, pour les enseignants, à avoir un impact positif sur l'apprentissage des élèves. Il est vrai que certains peuvent considérer qu'il s'agit davantage de passer à travers le programme, d'occuper les enfants jusqu'à ce que la cloche sonne, de faire de son mieux... Toutefois, les leaders scolaires efficaces soutiennent la progression des enseignants dans l'accomplissement de ce travail significatif, instaurant une boucle de rétroaction positive. Amabile et Kramer (2011, p. 80, traduction libre) concluent que si les leaders :

> traitent bien les enseignants et favorisent une progression soutenue à un rythme qui leur convient, les émotions, les motivations et les perceptions seront propices à un rendement supérieur. Ce travail de qualité supérieure contribuera à la réussite générale de l'organisation. Ce qu'il y a de bien également, c'est qu'ils aimeront faire leur travail.

Fullan (2012, p. 52, traduction libre) partage cette idée : «C'est l'expérimentation concrète d'une efficacité accrue qui les incite à répéter et à pousser plus loin le comportement.»

9.3. Un modèle pour le changement

Les leaders de l'apprentissage doivent instaurer des processus clairs en vue de l'implantation des postures mises en relief dans le présent ouvrage. Nous passons bien trop de temps à parler de ce que les leaders devraient être, faire et privilégier ; nous devrions plutôt réfléchir davantage à la façon de créer efficacement des écoles où les leaders veillent à ce que tout le monde prenne conscience de son impact sur l'apprentissage des élèves et s'assure que celui-ci est positif. Tant de bonnes idées échouent parce que le niveau d'implantation, la fidélité ou le dosage est trop faible. Michael Barber (2008) a élaboré une méthode des plus efficaces permettant l'actualisation de telles missions (approche regrettablement baptisée « *deliverology*[1] » en anglais). Même si certaines politiques instaurées dans le cadre de cette approche ont été critiquées, c'est sur la méthode qu'il faut se concentrer. Les paragraphes qui suivent s'appuient sur les principes énoncés par Barber, et il vaut la peine de se renseigner davantage sur ceux-ci (parce que, bien sûr, il y a plus d'une façon de mettre en œuvre la *deliverology* ou « science de la prestation » – voir Barber, Moffit et Kihn, 2011). Cette approche comporte quatre étapes, et je me permets d'en ajouter une cinquième.

9.3.1. Préciser les assises de la prestation

1. *Définir une intention.* Dans ce cas-ci, l'intention est la connaissance et la mise en valeur de l'impact de tous les intervenants sur l'apprentissage des élèves de l'école. La recommandation est de : « s'assurer que tous les élèves qui fréquentent cette école bénéficient d'un effet correspondant à d = > 0,40 chaque année pour les apprentissages significatifs ». Cela signifie également que les écoles doivent d'abord répondre à certaines questions importantes : « Que voulons-nous que nos élèves apprennent ? » ; « Pourquoi ces apprentissages sont-ils importants ? » ; « Que voulez-vous que vos élèves fassent ou produisent ? » ; « Quelles sont vos attentes quant à la qualité de l'exécution ? » ; « Comment déterminerez-vous le niveau de compréhension des élèves ? » (Gore, Griffiths et Ladwig, 2004). Connais ton impact.

2. *Examiner la situation actuelle.* Comme c'est toujours le cas en matière d'apprentissage, il est crucial de connaître les résultats antérieurs et les acquis des élèves (culture, motivations, attentes) pour avancer, et notamment pour fixer des cibles justifiables et raisonnables d'amélioration du rendement des élèves. Cette étape peut comprendre une évaluation des besoins et l'examen des données probantes existantes (qualité, adéquation avec la mission, forces, lacunes), mais aussi inciter à vérifier si tout le monde dans l'école comprend les défis associés à la prestation et s'il existe une culture de la prestation de l'enseignement.

1. NDT : Terme créé à partir du mot anglais *delivery* qui signifie « prestation » ou « exécution ».

3. *Mettre sur pied l'unité responsable de la prestation.* Il n'est pas question de reddition de comptes ni d'impératifs extérieurs. Il s'agit plutôt d'un engagement à actualiser l'intention. L'unité n'est pas nécessairement composée d'enseignants ou de leaders scolaires, mais constitue un petit groupe chargé de veiller à la prestation de l'enseignement. Il faut se poser la question suivante : Qui veille à la réussite dans l'école – ou encore, qui est « responsable de la réussite » ? Bien entendu, la réponse est « tout le monde », mais la tâche de l'unité responsable de la prestation consiste davantage à s'assurer que tout le monde atteint les cibles. Barber recommande que l'unité soit de taille réduite, qu'elle ne fasse pas partie de la hiérarchie de l'école (parce qu'elle doit également exercer une influence sur l'école) et qu'elle dispose de suffisamment de temps et de ressources pour assurer une prestation efficace.

4. *Mettre sur pied une coalition directrice capable d'aplanir les obstacles au changement, d'influencer et de soutenir le travail de l'unité dans les moments cruciaux, et de donner des avis et des conseils.* Il n'est pas nécessaire que ce soit un groupe officiel. Les membres peuvent changer, mais ils doivent tous avoir pour objectif d'aider à maximiser la probabilité de réussite. La coalition est essentielle au développement du sentiment de confiance, si important lorsqu'il est question de changement dans les écoles.

9.3.2. Comprendre les défis associés à la prestation

1. *Évaluer le rendement passé et présent.* Quelles données probantes illustrent le mieux le rendement ? Dans quelle mesure les données probantes sont-elles fiables et crédibles pour les enseignants, les leaders scolaires, les élèves et les parents (et qui que ce soit d'autre) ? Quels sont les indicateurs cibles ? Quels sont les corrélats de ces indicateurs cibles et les indicateurs des conséquences inattendues ? Existe-t-il une logique commune au sein de l'école en ce qui concerne la façon dont l'apprentissage a lieu ?

2. *Comprendre les catalyseurs du rendement et les activités pertinentes.* Est-ce que tout le monde dans l'école connaît les catalyseurs de l'apprentissage des élèves ? S'agit-il d'aspects sur lesquels ils exercent un certain contrôle ? Est-ce que certaines façons de penser réduisent notre impact sur l'apprentissage (par exemple : « confiez-moi des élèves brillants et j'obtiendrai des résultats » ; « tout est une question de pauvreté et de vie

familiale»; «ce n'est pas ma faute s'ils ne sont pas préparés lorsqu'ils arrivent en classe»; «nous savons que le groupe X est peu performant et ne s'intéresse pas à l'éducation»), ou est-ce que les enseignants de l'école se perçoivent comme des agents de changement, reconnaissent que tous les élèves peuvent apprendre, qu'ils peuvent avoir un impact positif marqué sur tous les élèves, et qu'il leur incombe au premier chef de connaître leur impact sur ceux-ci?

9.3.3. Planifier la prestation

1. *Établir une stratégie de réforme.* La stratégie relève principalement de la direction de l'école, et le rôle du responsable de la prestation consiste à étayer cette stratégie. Il n'existe pas de formule magique, de programme ou de raccourci permettant d'avoir un impact visible, réel et systématique sur l'apprentissage des élèves. Pour ce faire, il faut que tout le monde dans l'école souhaite avoir cet impact, souscrive à une théorie du changement offrant la meilleure voie pour y parvenir, acquière une expertise, une capacité et une culture en matière de prestation, et contribue à évaluer les stratégies. Rappelons-nous qu'en éducation presque tout fonctionne si $d = > 0$; il faut donc évaluer la stratégie en fonction de l'étalon plus élevé. Ainsi, il pourrait être nécessaire d'éliminer certaines pratiques conformes à la cible de $d = > 0$, mais ne respectant pas celle de $d = > 0,40$. Cela implique habituellement de changer la façon dont les enseignants perçoivent la nature, la qualité et l'acceptabilité des données probantes concernant leur impact.

2. *Établir des cibles et des trajectoires.* Fixer des cibles ambitieuses et justifiables à tous les niveaux dans l'école est primordial – depuis l'administration jusqu'à la direction, aux enseignants et aux élèves. Comme il a été conseillé précédemment, on commence par fixer les cibles pour les élèves, puis on passe aux niveaux suivants, et certainement pas l'inverse. Les cibles à l'échelle de l'école sont souvent des moyennes pour l'ensemble des élèves et nombre d'entre eux finissent par être laissés pour compte – c'est l'inconvénient de la moyenne. Il faut décider des trajectoires à suivre pour atteindre les cibles, puis mettre au point des moyens d'évaluer la réussite de ces trajectoires. Étant donné qu'il risque d'y avoir plusieurs cibles (autres que les résultats des tests, de préférence), il est aussi nécessaire de s'entendre sur la nature, la qualité et l'acceptabilité des données probantes.

3.   *Élaborer des plans en vue de la prestation.* Tout est dans la planification : c'est un processus continu qui doit faire l'objet de révisions, être remanié et bénéficier d'un soutien réaliste. C'est à ce stade que le leadership scolaire devient crucial.

9.3.4. Assurer la prestation

1.   *Établir des procédures pour stimuler et monitorer le rendement.* C'est ici que l'effort transcende les attentes puisqu'il faut s'assurer que tout le monde connaît le rôle qu'il joue dans le plan élaboré en vue de l'atteinte des cibles, planifier des rencontres de bilan, rendre compte des progrès réalisés ou non de façon transparente et en temps opportun, prendre conscience des défis et susciter un sentiment de confiance envers la culture qui sous-tend les méthodes utilisées pour accomplir la mission.

2.   *Résoudre les problèmes de manière précoce et rigoureuse.* D'une certaine façon, la progression de chaque élève pose un « problème », et si l'on tient pour acquis que chaque élève fait face à un problème majeur par année, alors cela veut dire qu'il survient au moins un problème majeur par jour dans une école normale ! Reconnaître que le problème est bien réel pour cet élève est important ; d'où la nécessité de réévaluer la priorité et la gravité du problème, et de déterminer s'il est primordial de le résoudre pour atteindre la cible.

3.   *Entretenir et renforcer sans cesse la dynamique.* La dynamique découle largement de la qualité des procédures mises en place, de la volonté de résoudre les problèmes et des indications de réussite recueillies tout au long de la trajectoire. Il faut persévérer lorsqu'il y a des distractions, composer avec les personnes qui s'opposent au changement, remettre en question le *statu quo* et surtout, célébrer la réussite.

9.3.5. Instaurer une culture favorisant l'amélioration ainsi que la reconnaissance et la fierté de la réussite

Il s'agit de la cinquième étape que j'ajoute aux quatre précédentes.

1.   La mission prévoit un effet de $d = > 0,40$ sur l'apprentissage de tous les élèves au cours d'une année, mais les possibilités d'échec sont nombreuses : bien souvent, certains sont prompts à accepter ces échecs, et l'on peut trouver mille raisons pour les justifier. Or, c'est le problème opposé que je constate dans bien des écoles : bien souvent, il existe peu de moyens

efficaces pour déterminer (en temps opportun) si les cibles ont été atteintes. Nous supposons simplement qu'il est « normal » d'avoir des résultats au-dessus de la moyenne (par exemple, l'effet est de $d = > 0,40$ pour tous les élèves) et de réussir à atteindre des cibles ambitieuses. Des systèmes doivent être mis en place pour déterminer tout au long de l'année où se situent individuellement les élèves, les enseignants et les leaders scolaires par rapport à leurs trajectoires vers les cibles à atteindre, et pour prendre du recul afin de réfléchir, d'apporter des changements, de mettre en valeur la réussite et de résoudre les problèmes. Cela peut aider à instaurer une culture favorisant l'amélioration plutôt que le reproche, ce qui cadre avec le sens véritable de l'apprentissage continu, et à créer un groupe cohésif d'éducateurs, d'élèves et de familles désireux de soutenir et de valoriser l'apprentissage dans leur école. Une attestation, les résultats des tests et le vote des parents ne feront pas le travail ; recueillir des preuves d'un impact systématique, sous de multiples formes, est la seule façon de connaître les personnes qui ont un effet sur nos élèves.

Ces processus de changement sont percutants, mais n'ont pas de « destination ». La destination dans ce cas-ci est intimement liée à la concrétisation d'un impact positif majeur sur l'apprentissage des élèves. L'essence de ces changements réside dans la façon dont les participants perçoivent leur rôle, leur impact et leur réussite. Il s'agit de passer de la mécanique du changement à la signification et au but de celui-ci.

9.4. Huit postures

Il ressort dans le présent ouvrage que le facteur déterminant pour avoir un impact majeur dans nos écoles est notre façon de penser, à savoir les attitudes ou postures qui sous-tendent toutes les actions et décisions que nous prenons sur le plan scolaire. Il faut avoir la conviction que nous sommes des évaluateurs, des agents de changement, des spécialistes de l'apprentissage adaptatifs, qu'il est important de solliciter de la rétroaction à propos de notre impact, de favoriser le dialogue et les défis, et de tisser des liens de confiance avec tout le monde, que les erreurs sont des occasions de s'améliorer, et qu'il faut répandre avec enthousiasme le message concernant le pouvoir que nous exerçons sur l'apprentissage et notre impact.

Les enseignants ont effectivement des « théories par rapport à leur pratique », lesquelles tournent très souvent autour de la façon de gérer ou d'impliquer les élèves, d'enseigner certains éléments de la matière et d'accomplir l'ensemble des tâches en respectant les délais prescrits et avec les ressources fournies. Ils ont aussi des théories au sujet des facteurs contextuels qui facilitent ou entravent ce processus – tels que leurs croyances au sujet du genre de communauté qu'ils souhaitent établir dans la classe, les effets des aspects familiaux et culturels, et la nécessité structurelle d'enseigner efficacement ce contenu. Au fur et à mesure que les enseignants prennent de l'expérience, ces théories deviennent plus ancrées et, parfois, les changer engendre une perturbation majeure et nécessite une très grande force de persuasion pour les convaincre de la valeur des autres théories. Dans le cadre de ses efforts pour persuader les enseignants que des attentes élevées pouvaient aussi avoir des effets bénéfiques pour les élèves issus des minorités, Bishop (2003) a commencé par montrer aux enseignants comment cela se passait pour les élèves dans leurs classes. Pour inciter les enseignants à adopter certaines des « théories » décrites dans le présent ouvrage, il faut éviter de leur faire la leçon ou de les malmener. On doit plutôt commencer par leur exposer ces théories, puis les amener à voir comment leurs propres théories peuvent être modifiées ou améliorées afin de tenir compte du message fondamental sur la nécessité de connaître leur impact – en tant que point de départ (et non comme aboutissement) de leurs théories. Lorsqu'on travaille avec des enseignants et des leaders scolaires, il ne faut pas beaucoup de temps pour leur faire comprendre l'importance de commencer par des questions permettant d'évaluer leur impact, mais des changements importants sont nécessaires pour soutenir et intégrer cette posture. Comme beaucoup l'ont dit : « Il était plus simple de ne pas savoir. »

Ces postures ou façons de penser sont fondées sur les idées mises en relief dans les chapitres précédents. En résumé, les enseignants et les leaders scolaires qui adoptent ces façons de penser sont plus susceptibles d'avoir un impact majeur sur l'apprentissage des élèves.

9.4.1. Posture 1 : Les enseignants et les leaders scolaires croient que la principale tâche des enseignants consiste à évaluer l'impact de leur enseignement sur l'apprentissage et le rendement des élèves

La rétroaction ou l'évaluation formative figure parmi les interventions les plus percutantes – cela signifie de renseigner l'enseignant sur l'objectif à atteindre, la façon de l'atteindre et l'étape qui doit suivre. Il s'agit pour les enseignants d'adopter des postures qui les incitent à solliciter de la rétroaction à propos de leur effet sur les élèves et à modifier, améliorer ou maintenir leurs méthodes d'enseignement selon le cas. Une telle posture – qui consiste à recueillir des données probantes permettant de répondre aux trois questions de rétroaction («Où dois-je me rendre?»; «Comment y parvenir?»; «Quelle est la prochaine étape?») – est l'un des principaux facteurs d'influence du rendement des élèves.

Connaître ce qui est optimal n'équivaut pas toujours à prendre une décision par rapport à une méthode d'enseignement, aux ressources, à la séquence et ainsi de suite, puis à les mettre en place le mieux possible. Cela ne signifie pas non plus de prescrire les «sept meilleures stratégies», «ce qui fonctionne», etc. En revanche, connaître ce qui est optimal veut dire de modifier son enseignement «à la volée» en classe, en tenant compte du fait que de nombreux élèves n'ont pas le même niveau de connaissance et de compréhension, en fonction de la rétroaction reçue par l'enseignant au sujet de la valeur et de l'ampleur de l'effet des décisions prises par rapport à son enseignement. D'où l'importance de solliciter de la rétroaction à propos de notre effet d'une manière aussi bien formative que sommative.

Les interactions entre ce que nous faisons en tant qu'éducateurs et ce que font les élèves en tant qu'apprenants sont la clé. Ce sont ces interactions – et le fait d'être soucieux de leur nature et de leur impact – qui sont cruciales. Cela suppose d'évaluer ce que nous faisons et ce que font les élèves, d'aborder l'apprentissage du point de vue des élèves ainsi que d'évaluer l'effet de nos actions sur ce que font les élèves et l'effet de ce que font les élèves sur ce que nous devons faire – voilà l'essence de l'excellence en enseignement.

Le mot clé, c'est *évaluer*. Les enseignants doivent apprendre à mieux évaluer leurs effets sur les élèves. Ce n'est qu'en améliorant leurs compétences à ce chapitre que les enseignants seront le mieux en mesure de déterminer ce qu'il faut faire ensuite pour stimuler la progression des élèves. Dans le cadre d'une série de leçons, si l'impact est normalement peu élevé (c'est-à-dire qu'il ne correspond pas au moins à $d = > 0,40$), il est probable qu'il soit nécessaire d'apporter des changements aux méthodes d'enseignement. Offrir «plus» de la même chose est probablement la pire des solutions; il est probable qu'il faille plutôt offrir quelque chose de «différent». Il s'agit d'une stratégie de type «gagne/reste-perd/change».

Voici les questions clés qui sous-tendent la posture 1:

- «Qu'est-ce qui me dit que ça fonctionne?»

- «Comment puis-je comparer "ceci" à "cela"?»

- «Quelle est la valeur intrinsèque et extrinsèque de cet effet sur l'apprentissage ?»

- «Quelle est l'ampleur de l'effet ?»

- «Quelles données probantes pourraient me convaincre que c'était une erreur d'utiliser ces méthodes et ces ressources ?»

- «Qu'est-ce qui prouve que cette méthode est supérieure aux autres ?»

- «Où ai-je vu cette pratique donner des résultats positifs (qui pourraient nous convaincre, mes collègues et moi, compte tenu de l'ampleur des effets produits) ?»

- «Est-ce que d'autres enseignants et moi partageons une conception commune de ce qui constitue des progrès ?»

9.4.2. Posture 2 : Les enseignants et les leaders scolaires croient que, sur le plan de l'apprentissage, la réussite ou l'échec de l'élève dépend de ce qu'ils ont fait ou n'ont pas fait en tant qu'enseignants ou leaders scolaires… Nous sommes des agents de changement !

Il *ne* s'agit *pas* de prétendre que les élèves ne font pas partie de l'équation d'apprentissage, ou que la réussite ou l'échec dépend entièrement de l'enseignant, mais plutôt que l'impact le plus important est attribuable à la façon de penser de l'enseignant. Voici quelques-unes des croyances positives qu'il faut promouvoir :

- «Tous les élèves peuvent relever des défis.»

- «Ce sont les stratégies qui comptent, pas les styles.»

- «Il est important de fixer des attentes élevées envers tous les élèves, en tenant compte de leurs points de départ.»

- «Il est important d'encourager les élèves à solliciter de l'aide.»

- «Il est important d'enseigner de multiples stratégies d'apprentissage à tous les élèves.»

- «Il est important de former des élèves capables d'évaluer.»

- «Stimuler les interactions entre les pairs favorise un meilleur apprentissage.»

- «Les commentaires critiques, les erreurs et les rétroactions offrent d'importantes occasions d'améliorer l'apprentissage.»

- «Développer l'autorégulation des élèves et favoriser le développement des "élèves en tant qu'enseignants" sont des mécanismes efficaces pour améliorer l'apprentissage.»

- « Il ne faut pas blâmer les enfants. »

- « Les lacunes attribuables à la classe sociale ou aux ressources familiales peuvent être surmontées. »

- « Le discours axé sur les manques n'a pas sa place – ce qui signifie qu'il n'y a pas d'étiquetage des élèves et qu'on ne fixe pas d'attentes inférieures. »

Les enseignants doivent se percevoir comme des agents de changement – pas comme des facilitateurs, des promoteurs ou des constructivistes. Notre rôle en tant qu'enseignant est de faire changer les élèves, de façon à ce qu'ils deviennent ce que nous voulons qu'ils soient, à ce qu'ils apprennent et comprennent ce que nous voulons qu'ils sachent et comprennent – ce qui met évidemment en relief les objectifs moraux de l'éducation. Les enseignants doivent croire que le rendement peut être modifié ou amélioré, qu'il n'est pas immuable ou fixe, que leur rôle est de faciliter et non d'entraver le changement, que l'apprentissage est une question de défis et pas de fractionnement de la matière en unités plus facilement assimilables. Ils doivent prendre conscience de l'importance, pour eux et pour les élèves, de bien comprendre les intentions d'apprentissage et les critères de réussite.

Le débat dure depuis longtemps entre ceux qui croient que les enseignants doivent être des agents facilitants moins interventionnistes, et ceux qui soutiennent que les enseignants doivent jouer le rôle d'activateurs dans la classe (Taber, 2010). La réponse est claire, mais il semble que l'idée refasse surface de temps à autre (voir Mayer, 2004, 2009). Alrieri, Brooks, Aldrich et Tenenbaum (2011) ont réalisé une méta-analyse sur cette question. Ils ont fait ressortir la valeur de l'apprentissage par la découverte dirigé par rapport à l'apprentissage par la découverte non dirigé. À partir de 580 effets répertoriés dans 108 études, ils ont déterminé que l'effet moyen était de 0,38, à l'avantage du premier. Ils ont ensuite comparé des méthodes d'enseignement plus spécifiques, mais explicites : celle de la génération où les élèves doivent générer eux-mêmes les règles, les stratégies, etc. ($d = 0,30$) ; celle de l'explication élicitée où les élèves doivent expliquer leur apprentissage ou la matière ciblée ($d = 0,36$) ; celle de l'étayage ou de la rétroaction ($d = 0,50$). Les auteurs concluent ce qui suit :

> la découverte non guidée n'aide généralement pas l'apprentissage. [...] les pratiques pédagogiques devraient comprendre des tâches progressives assorties de mesures pour soutenir les apprenants qui s'efforcent d'atteindre l'objectif, ou des activités qui exigent des apprenants qu'ils expliquent leurs idées. On peut considérer que les avantages de la rétroaction, des exemples de problèmes résolus, de l'étayage et de

> l'explication élicitée découlent d'un besoin plus général de l'apprenant d'être réorienté [...]. Peut-être que les activités de découverte totalement non guidées [...] étaient trop ambiguës pour permettre aux apprenants de dépasser les simples activités et, en termes constructivistes, d'atteindre le niveau de pensée supérieur recherché (Alrieri *et al.*, 2011, p. 12, traduction libre).

Le message qui ressort du présent ouvrage vient décidément appuyer l'approche directe. Trop souvent, la distinction n'est pas faite assez clairement, mais n'ayons pas peur des mots : les enseignants sont des agents de changement ; ils doivent jouer un rôle d'activateurs ; et il leur incombe de bonifier l'apprentissage des élèves. Beaucoup d'autres personnes ont cette responsabilité (l'élève, les parents, etc.), mais l'enseignant est embauché pour jouer le rôle d'agent de changement. Comme je l'ai souligné dans *Visible Learning*, il en découle une obligation importante sur le plan des aspects moraux de l'enseignement – surtout du point de vue de ce qui est enseigné et de la connaissance des effets de l'enseignant sur ce qui est enseigné. Il en résulte également l'obligation pour tout le monde de valoriser cette expertise – aussi bien dans la salle du personnel qu'à la maison, que dans la communauté et au sein de la profession.

9.4.3. Posture 3 : Les enseignants et les leaders scolaires veulent parler davantage de l'apprentissage que de l'enseignement

J'en suis presque arrivé à un point où discuter de l'enseignement suscite moins d'intérêt chez moi – pas parce que ce n'est pas important, mais bien parce que ces discussions se font au détriment de conversations essentielles au sujet de l'apprentissage. Tant de séances de développement professionnel portent sur les pratiques exemplaires, les nouvelles méthodes d'enseignement, l'analyse de l'évaluation (qui vient souvent beaucoup trop tard pour que les choses puissent changer aujourd'hui ou demain) – et nous semblons aimer ces sujets rassurants. À quand des débats sur la façon dont nous apprenons, sur les preuves de l'apprentissage des élèves sous toutes ses formes, sur la possibilité d'apprendre différemment ? Pouvez-vous nommer trois théories de l'apprentissage concurrentes ? Pour que de tels débats à propos de l'apprentissage et de notre impact sur celui-ci puissent se dérouler dans la collégialité, les leaders scolaires doivent reconnaître que les enseignants sont également des apprenants et des évaluateurs. Les enseignants doivent être des spécialistes de l'apprentissage adaptatifs, connaître de multiples façons d'enseigner et d'apprendre, être capables de modéliser différentes façons d'apprendre et d'accompagner les élèves dans l'application de celles-ci, tout en sachant détecter les erreurs mieux que quiconque.

9.4.4. Posture 4 : Les enseignants et les leaders scolaires perçoivent l'évaluation comme une rétroaction à propos de leur impact sur les élèves

La rétroaction figure parmi les facteurs qui ont la plus grande influence sur l'apprentissage des élèves – et c'est la même chose pour l'apprentissage des enseignants. Les enseignants ont besoin d'une rétroaction sur l'effet qu'ils produisent sur chaque élève ; d'où l'idée que l'évaluation est une rétroaction pour les enseignants, que les enseignants sont des évaluateurs, et que leurs collègues et leurs élèves font partie de l'équation de la rétroaction. Les enseignants, tout comme les élèves, doivent tenir des discussions et s'entendre sur l'objectif à atteindre, la façon d'y parvenir et la prochaine étape.

Bien entendu, l'évaluation vise l'élève, mais son interprétation et les conséquences de celle-ci sont plutôt entre les mains des enseignants. Nous devons sortir du clivage prépositionnel entre l'« évaluation de » et l'« évaluation pour » et nous orienter vers la notion d'« évaluation comme rétroaction pour les enseignants ». Voici les questions importantes qu'il faut se poser :

- « À qui avez-vous bien et moins bien enseigné ? »
- « Qu'est-ce que vous avez bien et moins bien enseigné ? »
- « Où sont les lacunes, où sont les forces, qu'est-ce qui a été accompli et qu'est-ce qu'il reste à accomplir ? »
- « Comment développer une conception commune de la notion de progrès avec les élèves et tous les enseignants de notre école ? »

9.4.5. Posture 5 : Les enseignants et les leaders scolaires favorisent le dialogue et évitent les monologues

Bien qu'il soit nécessaire que les enseignants transmettent de l'information, que l'enseignement magistral soit indéniablement efficace, et que les enseignants aient et devraient avoir plus de connaissances que les élèves, il est aussi crucial que les enseignants soient *à l'écoute* des élèves afin de constater l'évolution de leur apprentissage. Cela peut signifier d'être attentif à leurs questions, à leurs idées, à leurs difficultés, à leurs stratégies d'apprentissage, à leurs réussites, aux interactions avec leurs pairs, à leurs productions et à leurs opinions par rapport à l'enseignement. La prédominance actuelle du monologue est peut-être moins dommageable pour les élèves plus brillants, lesquels ont normalement accès à davantage de stratégies d'apprentissage et à l'auto-instruction. Le monologue est moins efficace pour les élèves qui éprouvent des difficultés et sont désintéressés ou désorientés, mais se révèle très efficace pour les élèves plus brillants.

Il conviendrait de pousser davantage la recherche afin d'établir les proportions optimales de dialogue et de monologue – particulièrement lorsque l'un des deux est privilégié par rapport à l'autre – et de déterminer laquelle des deux méthodes convient le mieux aux apprentissages de surface et en profondeur. Il serait également fort important de recueillir plus d'information sur les effets selon la nature du dialogue. Une certaine forme de dialogue peut améliorer la maîtrise du langage de la matière par les élèves, du langage de la « bonne procédure » à suivre lorsqu'ils étudient la matière, ou du langage permettant de fournir des explications ou des justifications plus lucides lorsque les interactions portent sur la matière. Clarke (2010) a enregistré sur vidéo des cours de mathématiques dans plusieurs pays et il a constaté des écarts importants en ce qui concerne le langage utilisé en classe :

> il est clair que ce ne sont pas tous les enseignants de mathématiques qui accordent de l'importance à l'acquisition d'un vocabulaire mathématique parlé. Si le but de l'activité mathématique en classe est la maîtrise et l'exactitude des notions de mathématiques à l'écrit, alors il se peut que l'enseignant accorde peu d'importance à l'acquisition d'une maîtrise du langage mathématique parlé par les élèves. Par ailleurs, si l'enseignant partage l'idée que la compréhension de l'élève réside dans sa capacité à justifier et à expliquer l'utilisation des procédures mathématiques ainsi que dans son habileté technique à les mettre en application pour résoudre des problèmes mathématiques, alors la maîtrise du langage mathématique parlé par l'élève sera priorisée, non seulement en tant que compétence valable en soi, mais aussi parce que le langage joue un rôle clé dans le processus de construction du savoir (Clarke, 2010, p. 35, traduction libre).

Un récent article de journal au sujet de ma présentation sur ce sujet avait pour titre : « Researcher claims teachers should shut up » (traduction libre : « Un chercheur soutient que les enseignants devraient se la fermer »), et je dois dire que j'ai bien aimé également la réponse d'un lecteur publiée le lendemain qui titrait « Teacher claims researcher should shut up » (traduction libre : « Un enseignant soutient que le chercheur devrait se la fermer »). Même si le titre résumait bien l'esprit du message, il est davantage question d'atteindre un équilibre entre parler et écouter. Cela ne veut pas dire que les enseignants devraient « se taire » et de laisser les élèves s'adonner à de l'occupationnel, répéter sans cesse des tâches semblables, remplir des feuilles d'exercices ou discuter entre eux. Il n'y a pas beaucoup de données qui prouvent que réduire le temps de parole de l'enseignant au profit des élèves entraîne nécessairement une amélioration du rendement (Murphy, Wilkinson, Soter, Hennessey et Alexander, 2009). Peut-être faut-il un type de discours particulier pour favoriser la compréhension de surface et en profondeur ; peut-être faut-il un type d'écoute particulier pour mieux comprendre la façon d'apprendre des élèves et déterminer s'ils apprennent ; et peut-être est-ce dans le type de réaction à cette écoute (par exemple l'utilisation d'une rétroaction formative rapide) que se trouve le pouvoir du « silence » des enseignants. Comme l'a démontré Carl Rogers, le célèbre psychothérapeute, l'écoute active implique de démontrer à l'autre non seulement qu'on a écouté, mais aussi qu'on a fait des efforts pour comprendre et montrer qu'on était à l'écoute. Donner une rétroaction formative qui aide l'élève à savoir quoi faire ensuite figure parmi les façons les plus efficaces de démontrer à l'élève qu'on a écouté.

9.4.6. Posture 6 : Les enseignants et les leaders scolaires aiment relever des défis et ne se contentent pas de faire de leur mieux

La vie au quotidien dans une classe est un défi – et il nous incombe d'y faire face et de le façonner. La difficulté de l'enseignement réside dans le fait que ce qui est exigeant pour un élève ne l'est peut-être pas pour un autre ; d'où l'importance d'accorder une attention constante aux différences individuelles et de rechercher les points communs afin que les pairs puissent travailler ensemble, de concert avec l'enseignant, à faire changer les choses. Le rôle de l'enseignant n'est pas de décider du défi, puis de le « fractionner » en segments plus faciles pour les élèves ; en revanche, son rôle est de trouver comment inciter les élèves à relever le défi de l'apprentissage. C'est pourquoi nous avons tant mis l'accent sur les intentions d'apprentissage et les critères de réussite ; lorsque les élèves les saisissent bien, ils voient le but des défis qui sont essentiels à la réussite de leur apprentissage.

9.4.7. Posture 7 : Les enseignants et les leaders scolaires croient que leur rôle exige de tisser des liens positifs avec les élèves et le personnel

Bien souvent, malgré notre préoccupation pour le climat de classe, nous oublions la raison pour laquelle un climat fondé sur la chaleur, la confiance et l'empathie est important. Le but principal est de permettre aux élèves de se sentir à l'aise de commettre des erreurs et de montrer leur ignorance, et d'établir un contexte où les erreurs sont considérées comme des occasions de s'améliorer. Les erreurs alimentent l'apprentissage : l'un des rôles fondamentaux des enseignants est de repérer les idées fausses, les malentendus et le manque de connaissances. Avoir des interactions personnelles chaleureuses n'est pas le but de l'exercice. La question est de savoir si les élèves croient que le climat de classe favorise l'équité, l'empathie et la confiance. Les élèves peuvent-ils sans crainte indiquer qu'ils ne savent pas ou ne comprennent pas quelque chose – c'est-à-dire sans risquer de subir les sarcasmes, les regards méprisants ou les ricanements de leurs pairs ? Le pouvoir des pairs est important, et établir un bon climat de classe consiste essentiellement à créer un refuge où l'erreur est accueillie favorablement et, donc, propice à l'apprentissage ; de même, il est primordial que les directions d'école favorisent l'instauration d'un climat sécurisant dans les salles du personnel, afin que tous les enseignants puissent parler sans crainte de leur enseignement et de leur impact sur l'apprentissage des élèves.

9.4.8. Posture 8 : Les enseignants et les leaders scolaires estiment qu'il est important que tout le monde connaisse le langage de l'apprentissage

Dans le cadre de nos interactions quotidiennes, nous assumons de nombreux rôles qui appartiennent normalement à des professionnels. Nous sommes des agents de voyages, des caissiers de banque, des commis-vendeurs, des blogueurs et ainsi de suite. Bien que cette accumulation de fonctions devienne de plus en plus répandue, elle n'a guère provoqué de changements dans les écoles. Nous considérons toujours les parents comme les personnes auxquelles il faut rendre des comptes quelques fois par année, qui supervisent les devoirs (ou pas), veillent à l'hébergement des élèves, les nourrissent et en prennent soin durant les huit autres heures où ils ne dorment pas.

Bien que tous les parents souhaitent trouver des façons de contribuer à la coéducation de leurs enfants, ils ne savent pas tous comment s'y prendre. L'un des principaux obstacles pour ces derniers est le fait que, bien souvent, ils ne connaissent pas bien le langage de l'apprentissage et de l'école. Pour beaucoup d'entre eux, l'école n'a pas toujours été l'endroit le plus agréable. Dans le cadre de notre évaluation pluriannuelle de cinq écoles situées dans les secteurs les plus socioéconomiquement défavorisés de la Nouvelle-Zélande, nous avons constaté de nombreuses conséquences positives au fait d'enseigner aux parents le langage scolaire (Clinton, Hattie et Dixon, 2007). Le projet Flaxmere impliquait un certain nombre d'innovations visant l'amélioration des relations entre la famille et l'école, et prévoyait de fournir des ordinateurs à quelques familles ainsi que de faire appel à d'anciens enseignants pour servir de «liaison entre la maison et l'école» et pour aider les familles à se familiariser avec l'utilisation de l'ordinateur. L'évaluation a révélé que ce sont les anciens enseignants qui renseignaient les parents sur le langage scolaire qui ont eu un effet significatif – c'est-à-dire que les parents ont appris le langage associé à l'apprentissage dans les classes d'aujourd'hui, la façon d'aider leurs enfants à se préoccuper de leur apprentissage et à y participer, ainsi que la manière de parler aux enseignants et au personnel de l'école. Les parents qui comprennent l'importance de la pratique délibérée et de la concentration, la différence entre les connaissances de surface et en profondeur, et la nature des intentions d'apprentissage et des critères de réussite sont davantage en mesure de dialoguer avec leurs enfants. Enseigner aux parents le langage de l'apprentissage a favorisé un engagement accru des élèves dans leur expérience scolaire, un rehaussement du rendement en lecture, une amélioration des compétences et des emplois pour les parents, ainsi qu'une augmentation des attentes, de la satisfaction et de l'appui offert aux écoles locales et à la communauté de Flaxmere (les tailles d'effet oscillaient entre $d = 0,30$ et $d = 0,60$, et étaient encore plus élevées dans plusieurs cas).

Un tel coapprentissage permet à tous les acteurs de mieux cerner les données probantes concernant l'impact sur l'apprentissage et, potentiellement, d'y réagir. Qu'il s'agisse de s'impliquer dans la réalisation des devoirs, de contribuer à la valorisation et à la promotion de l'école en s'inspirant des données confirmant l'impact sur la progression de leurs enfants, de soutenir les enfants ou de proposer des défis stimulants à la maison, l'engagement des parents peut aider les élèves à devenir des évaluateurs critiques et des citoyens avertis.

Ces huit postures sont essentielles à l'intégration de l'apprentissage visible dans les écoles. Ce sont les principes fondamentaux sur lesquels les écoles doivent se concentrer si elles veulent avoir un impact majeur sur l'apprentissage et le rendement de tous les élèves.

C'est une façon de penser qui change tout, et nous devons cesser de chercher la «panacée» dans les programmes, les ressources, les méthodes d'enseignement ou la structure. En devenant des «évaluateurs de notre impact», nous sommes en mesure de recueillir les renseignements essentiels à l'amélioration la plus significative qu'il soit possible d'apporter dans nos écoles.

9.5. Par où faut-il amorcer ce processus de changement ?

Dans les trois sections qui ont précédé, nous avons mis en relief les agents du changement, les processus et les buts, mais la question qu'on me pose le plus souvent est la suivante : «Par où dois-je commencer ?» Le point de départ consiste à évaluer si vous et votre école êtes «prêts» à mettre en œuvre les changements décrits dans le présent ouvrage. Je ne recommande pas de tenir des séances d'information visant simplement à renseigner le personnel sur ce qui va se passer – parce que cette méthode ne tient pas compte de la posture actuelle des enseignants par rapport à l'efficacité de leur enseignement. En revanche, je suggère d'inviter les enseignants à évaluer leurs propres postures et à vérifier si elles sont partagées par d'autres enseignants. Par exemple, il vaut la peine de commencer par se renseigner sur les perceptions des enseignants et des élèves par rapport à la rétroaction (voir l'exercice 2 au chapitre 8) ; il est aussi intéressant d'utiliser l'évaluation normalisée actuellement disponible pour calculer les tailles d'effet pour l'école, chaque classe et chaque élève – et de se renseigner sur la valeur des interprétations de ces tailles d'effet (voir le chapitre 6 et l'annexe 5).

L'intégration de l'apprentissage visible nécessite du temps, ne doit pas être précipitée et exige beaucoup de travail préparatoire. Les postures adoptées par les directions jouent un rôle capital, parce que s'il est moindrement question de reddition de comptes, il est fort probable que le processus échoue ; les directions doivent être des leaders de l'apprentissage. Il s'agit d'une conception développementale commune de l'excellence et de l'impact, qui nécessite l'engagement de l'ensemble du personnel dans la réussite de tous les élèves de l'école. Le processus doit être solidaire des enseignants. Il doit leur donner des occasions de discuter de leurs croyances et de leurs préoccupations par rapport à la nature des données probantes et aux moyens pris par l'école pour «connaître son impact». Il doit permettre de prendre conscience de la valeur d'un tel engagement et de l'admiration qu'il commande.

L'un des aspects préoccupants auquel une école qui s'engage dans cette voie sera confrontée est le fait que la majeure partie des données dont elle est inondée risquent de ne pas être très utiles – parce qu'elles sont bien souvent recueillies trop tard, qu'elles portent sur les dernières années ou qu'elles sont trop générales. Elles sont souvent bien peu utiles pour les interprétations formatives. On peut commencer par s'intéresser à la nature et à la qualité des intentions d'apprentissage et des critères de réussite, et à leur lien avec les apprentissages de surface et en profondeur recherchés. La question qui se pose alors est la suivante : Qu'est-ce qui vous convaincrait que l'élève a atteint ces critères de réussite, compte tenu du niveau où il se situait au début de la leçon ? Le simple fait de créer des évaluations de fin de leçon et de les administrer (en tout ou en partie) au début de la leçon et encore à la fin de celle-ci peut fournir une base de départ intéressante pour estimer les effets.

Ces points de départ sont suggérés parce qu'ils peuvent vous aider à comprendre les défis inhérents à la prestation de l'enseignement et à prendre des décisions quant à la planification de celle-ci.

Conclusions

Encore une fois, je ne prétends pas que ce sont les enseignants qui font pencher la balance. Cette affirmation ne tient pas compte du fait qu'il y a autant d'enseignants dont l'impact sur l'apprentissage est inférieur à la moyenne de $d = 0,4$ qu'il y en a dont l'impact est supérieur à celle-ci. Comme je l'ai écrit dans *Visible Learning*, cette affirmation

> est devenue un cliché qui masque le fait que les enseignants constituent la plus grande source de variance dans notre système – laquelle se manifeste de toutes sortes de façons. Tous les enseignants ne sont pas efficaces, tous ne sont pas des experts et tous n'ont pas un effet significatif sur les élèves (Hattie, 2009, p. 22, traduction libre).

Le fait que tant d'enseignants parviennent à avoir un impact supérieur à la moyenne de façon régulière et à favoriser une progression au-dessus de la normale dans leurs classes doit être souligné et susciter l'admiration, car cela traduit l'essence de la profession enseignante. Accepter l'idée que « tout est permis » déprofessionnalise l'enseignement : si à peu près n'importe qui peut enseigner et se vanter d'avoir du succès en dépassant le seuil de $d = > 0$, alors cela veut dire qu'il n'existe pas de pratique enseignante ni de compétences et de connaissances professionnelles pouvant permettre d'avoir un impact positif plus grand (par exemple, $d = > 0,40$), et que nous pourrions tout aussi bien ouvrir les portes de la classe à n'importe qui. Parfois, cela semble déjà être le cas et l'argument soutenu dans le présent ouvrage est que cela est préjudiciable au très grand nombre d'enseignants qui ont systématiquement un impact positif considérable sur l'apprentissage des élèves.

Comme il a été mentionné plus tôt, le présent ouvrage ne fait pas la promotion d'un nouveau programme impliquant d'apporter des changements fondamentaux à ce que font la plupart des écoles ; il met en relief un cadre de référence pour favoriser la réflexion sur les effets ou les conséquences de ce qui se passe dans une école. Il fait ressortir la nécessité, pour tout le monde (enseignants, directions, élèves), d'évaluer davantage les effets des intervenants clés dans les écoles. Il ne s'agit pas de multiplier les mesures, mais plutôt d'évaluer davantage les effets de ces mesures ; et si ces dernières n'ont pas une grande valeur évaluative, peut-être qu'il conviendrait d'en réduire le nombre, de les modifier ou de les abandonner. La clé réside dans les postures qu'adoptent les enseignants et les leaders scolaires par rapport à la qualité des données attestant leur impact, dans leur compréhension de la nature de cet impact et dans la façon dont ils décident des conséquences qui découleront de ces données probantes.

Comme le soutient depuis longtemps Michael Fullan (2012), le changement n'est pas inconnu aux enseignants – leur vie est synonyme de changement, à un point tel que beaucoup d'entre eux y sont habitués. Bien souvent, les écoles sont appelées à changer les programmes, à introduire de nouvelles ressources ou à essayer un nouveau barème d'évaluation. Ce n'est pas de ce genre de changement dont fait la promotion le présent ouvrage ; l'idée est plutôt de changer la façon dont nous percevons notre rôle et de stimuler la collaboration, la confiance et l'engagement, dans le but de mieux évaluer notre effet sur les élèves. Les leaders scolaires et les systèmes doivent prendre les devants, et créer un environnement sécurisant et fécond qui favorise le processus d'évaluation.

Ce qu'il faut retenir du présent ouvrage est que l'amélioration de la qualité de l'enseignement constitue l'une des clés – et pour ce faire il faut s'assurer que tous les enseignants de l'école adoptent un état d'esprit permettant d'avoir l'effet positif le plus grand possible sur l'apprentissage et le rendement des élèves. Cela n'arrivera pas en faisant des interventions à court terme, en pointant du doigt et en faisant des reproches, en passant plus de tests, en intensifiant la reddition de comptes, en proposant de nouveaux programmes d'études ou en offrant de nouvelles ressources. Pour que cela se produise, il faut instaurer des politiques qui mettent à la disposition des écoles les ressources nécessaires pour déterminer leur impact et qui reconnaissent la valeur du travail accompli par les écoles capables de démontrer un impact sur tous des élèves.

Il faut adopter des politiques qui considèrent l'école comme étant l'«unité d'évaluation» et aider chaque établissement à convaincre son personnel de travailler ensemble à déterminer les résultats clés qu'elle souhaite évaluer. Il faut aider les écoles à recueillir des données probantes fiables concernant les niveaux de rendement actuels et souhaités pour chaque élève, et à monitorer la progression vers les résultats escomptés. Cela exige que les enseignants travaillent de concert avec tous les élèves de l'école pour assurer ce monitorage – c'est-à-dire déterminer ce qu'il faut changer, conserver, partager ou mettre en place pour pouvoir donner une deuxième ou une troisième chance, qui il faut promouvoir, et comment stimuler de façon soutenue, impliquer et convaincre les élèves qu'ils peuvent faire mieux et plus, et qu'ils sont capables d'atteindre les objectifs. Surtout, l'atteinte de ces cibles de progression doit être soulignée et saluée, et les réussites de ce genre doivent être communiquées publiquement à l'ensemble de la communauté scolaire.

De plus, il faut créer un environnement favorable. Il ne s'agit pas d'augmenter le nombre de cercles d'apprentissage professionnel ou de communautés de pratique, qui portent bien souvent sur des questions qui ne feront pas pencher la balance. Il faut que les enseignants aient davantage la possibilité d'interpréter les données probantes concernant leur effet sur chaque élève, ce qui pourrait nécessiter un réaménagement considérable de leur travail. Par exemple, dans la majeure partie du monde occidental, les enseignants passent environ 1 100 heures par année devant les élèves. C'est 36 % de plus de temps passé devant la classe que dans 30 pays membres de l'Organisation de coopération et de développement économiques (OCDE). Au Japon, par exemple, les enseignants passent environ 500 heures devant les élèves – et l'école est structurée différemment pour rendre la chose possible ; la mentalité au Japon est différente. Darling-Hammond (2010, p. 193, traduction libre) soutient que les pays qui ont fait les plus grands progrès sur le plan du rendement accordent aux enseignants «de 15 à 25 heures par semaine [...] pour faire de la planification de façon coopérative et analyser l'apprentissage des élèves, étudier les leçons, faire de la recherche-action et s'observer mutuellement en classe en vue d'améliorer continuellement leur pratique». J'aimerais que les enseignants consacrent ce temps à planifier et à critiquer les leçons, à interpréter et à discuter à la lumière des données probantes concernant leur impact sur l'apprentissage de chaque élève, à observer l'apprentissage des élèves dans les classes de leurs collègues et à évaluer sans cesse les données probantes illustrant comment « nous pouvons en tant qu'enseignants de cette école » optimiser les résultats de tous les élèves – tout en discutant des erreurs, en nous réjouissant de la réussite et en valorisant les succès obtenus du point de vue de l'impact sur les élèves. Notre profession fait de nous d'excellents critiques ; utilisons cette expertise pour mieux évaluer si nous avons un impact suffisamment élevé sur tous les élèves, s'il est possible d'améliorer l'efficacité et l'efficience de la méthode employée pour obtenir cet impact sur l'apprentissage, et pour prendre – ensemble – des décisions par rapport à ce que nous faisons, en tenant compte de la nécessité d'avoir un impact positif sur l'apprentissage.

En général, dans les écoles, lorsque des périodes de temps en dehors de la classe sont aménagées pour les enseignants, ceux-ci les consacrent à la correction, à la préparation des cours et à la recherche de ressources. Bien sûr, ce ne sont pas des activités sans importance – mais ce que nous souhaitons ici c'est d'établir une culture où les enseignants accepteront de consacrer plus de temps *ensemble* à préplanifier et à critiquer cette préplanification, et à contribuer en groupe à l'interprétation des données probantes au sujet de leur effet sur les élèves. Il faut accorder une attention aux effets que nous avons sur les élèves, aussi bien à court terme qu'à plus long terme, examiner l'effet non pas d'un seul enseignant sur un seul élève au cours d'une année, mais plutôt d'un grand nombre d'enseignants sur les élèves au cours d'une période de plusieurs années (ce qui nécessite davantage d'interprétations longitudinales), transformer la perception du professionnalisme axée sur l'autonomie qu'ont les enseignants (« Laissez-moi enseigner comme je le veux ») en une perception fondée sur les effets positifs que beaucoup d'enseignants ont déjà sur tant d'élèves. Il faut remplacer les notions de « présentisme », de « conservatisme » et d'« individualisme » par l'idée d'un effet à plus long terme de l'école, procuré par des enseignants « au fait des données probantes » et qui assument la responsabilité collective du succès de nos écoles.

L'idée n'est pas de restructurer les écoles, mais bien de se les réapproprier en vue d'optimiser et de mettre en valeur l'impact positif que tous les intervenants peuvent avoir sur l'apprentissage des élèves. Il ne s'agit pas d'une « solution universelle » ; les processus et les modèles d'évaluation sont nombreux, et il faut du temps et un climat sécurisant pour mettre en œuvre et entretenir de tels changements. Il faut accorder une attention aux décisions des enseignants, parce que ce sont ces décisions que le processus d'évaluation vise à influencer. L'idée est d'utiliser les données probantes pour émettre des avis professionnels et pour attester, dans la mesure du possible et hors de tout doute raisonnable, que tous les intervenants d'une école ont un impact suffisamment élevé sur l'ensemble des élèves. Cela signifie aussi qu'il existe un puissant critère de réussite pour tous les enseignants et tous les leaders scolaires – à savoir notre capacité à évaluer notre effet et à en tirer des leçons. Il est à la portée de chaque enseignant de... **connaître son impact**.

EXERCICES

1. Soumettez la liste de vérification de l'annexe 1 à tous les intervenants de l'école, puis utilisez-la pour entamer une discussion à propos des futurs objectifs de celle-ci, et pour monitorer vos progrès en ce qui concerne l'intégration de l'apprentissage visible dans votre école.

2. Faites votre propre bilan à l'aide de la liste suivante. Discutez des résultats avec votre accompagnateur.

Mon bilan personnel du point de vue de l'apprentissage visible

1. L'enseignement et l'apprentissage me passionnent, et je m'y dévoue activement.

2. J'offre aux élèves de multiples occasions de faire des apprentissages de surface et en profondeur.

3. Je connais les intentions d'apprentissage et les critères de réussite de mes leçons, et je les communique à mes élèves.

4. Je fais preuve d'ouverture à l'égard de l'apprentissage et je m'y consacre moi-même activement.

5. Ma classe est un endroit où règne un climat chaleureux et bienveillant, et où il est acceptable de commettre des erreurs.

6. Je sollicite régulièrement la rétroaction de mes élèves.

7. Mes élèves se renseignent activement sur leur apprentissage (c'est-à-dire qu'ils ont des compétences en évaluation).

8. Grâce aux travaux et aux activités de mes élèves, je peux vérifier leur progression sur le plan de l'apprentissage à plusieurs niveaux.

9. J'utilise au quotidien tout un éventail de stratégies d'enseignement.

10. J'utilise les données probantes pour planifier les prochaines étapes de l'apprentissage avec les élèves.

3. Examinez les dix questions suivantes que j'ai utilisées pour aider des parents et des élèves à déterminer ce qui fait qu'une école est excellente. Répondez-y en pensant à votre école.

   a. Dans la cour d'école, les élèves se parlent-ils, s'évitent-ils les uns les autres ou forment-ils des cliques?

   b. La diversité est un terreau fertile pour les nouvelles idées. Les parents et les élèves peuvent-ils vous fournir des preuves que la diversité est favorisée?

   c. Comment les parents et les élèves mesurent-ils la réussite? À travers les réalisations de quelques-uns ou celles du plus grand nombre?

   d. Demandez à rencontrer le meilleur enseignant. Si les parents et les élèves vous disent qu'ils sont tous bons, c'est qu'ils n'ont pas les idées tout à fait claires.

   e. Vers qui les élèves se tournent-ils? Chaque élève devrait avoir quelqu'un qui sait comment les choses vont pour lui et qui accepte de lui consacrer du temps.

   f. Les nouveaux élèves parviennent-ils à se faire des amis au cours du premier mois? Il s'agit d'un puissant indicateur de réussite. Comment l'école s'assure-t-elle que cela se produit pour tous les élèves?

   g. Les élèves acceptent-ils les erreurs? Sont-ils conscients que l'apprentissage prend naissance dans l'ignorance? Les élèves se sentent-ils suffisamment à l'aise pour parler de leurs erreurs ou du fait qu'ils ne savent pas quelque chose?

   h. Les élèves de cette école ont-ils des « compétences en évaluation »? Sont-ils capables d'exprimer comment les choses vont pour eux et de parler des prochaines étapes?

   i. L'école utilise-t-elle un régime accéléré pour tous les élèves? Les élèves ont-ils la possibilité d'apprendre à des rythmes différents?

   j. Quel genre de rétroaction les élèves reçoivent-ils? Demandez à un élève: « Qu'est-ce qu'on t'a dit au sujet de ton travail aujourd'hui? »

4. Jetez un coup d'œil aux livres suivants qui viennent appuyer les arguments avancés dans le présent ouvrage. (Beaucoup fournissent des exemples illustrant avec plus de précision les concepts énoncés dans ces pages.)

ALTON-LEE, A. (2003). *Quality teaching for diverse students in schooling: Best evidence synthesis iteration*. Wellington, Nouvelle-Zélande: ministère de l'Éducation, accessible en ligne à <http://www.educationcounts.govt.nz/publications/series/2515/5959> (consulté le 10 janvier 2017).

AYERS, W. (2010). *To teach: The journey of a teacher* (3e éd.). New York: Teachers College Press.

CLARKE, S. (2011). *Active learning through formative assessment*. Londres: Hodder.

DINHAM, S. (2008). *How to get your school moving and improving*. Camberwell: ACER Press.

DUFOUR, R. et MARZANO, R. J. (2011). *Leaders of learning: How district, school, and classroom leaders improve student achievement*. Bloomington, IN: Solution Tree Press.

HIGGINS, S., KOKOTSAKI, D. et COE, R. (2011). *Toolkit of strategies to improve learning: Summary for schools spending the pupil premium*. Londres: Sutton Trust, accessible en ligne à <http://www.letterboxclub.org.uk/usr/library/documents/main/toolkit-of-strategies-spending-pp.pdf> (consulté le 10 janvier 2017).

PETTY, G. (2009a). *Evidence based teaching : A practical approach* (2ᵉ éd.). Cheltenham : Nelson Thornes.

PETTY, G. (2009b). *Teaching today : A practical guide* (4ᵉ éd.). Cheltenham : Nelson Thornes.

ROBINSON, V. M. J. (2011). *Student-centred leadership.* San Francisco, CA : Jossey-Bass.

STEELE, C.F. (2009). *The inspired teacher : How to know one, grow one, or be one.* Alexandria, VA : ASCD.

WILLINGHAM, D. (2009). *Why don't students like school ? A cognitive scientist answers questions about how the mind works and what it means for the classroom.* San Francisco, CA : John Wiley & Sons.

Apprentissage visible à l'intérieur – Liste de vérification

La reproduction de cette annexe est autorisée.

Cette liste de vérification est un outil précieux qui permet aux membres du personnel de cerner l'état de la situation en ce qui concerne l'intégration de l'apprentissage visible dans leur école et de suivre leurs propres progrès tout au long du parcours. Chacune des parties de la liste est expliquée dans les différents chapitres, et il importe de lire les sections appropriées afin de bien en comprendre le sens.

Il faut s'assurer que tout le monde comprend la signification de chaque élément de la liste de vérification, puis veiller à ce que chacun fasse sa propre évaluation, en encerclant le chiffre qui correspond le mieux à ses impressions par rapport à l'énoncé, et à ce que l'équipe-école passe en revue les résultats.

Pas du tout d'accord 1	Généralement en désaccord 2	Partiellement en désaccord 3	Partiellement en accord 4	Généralement en accord 5	Tout à fait d'accord 6

Enseignement inspiré et passionné

1. **Tous les adultes de l'école reconnaissent :**

   a. que l'impact des enseignants sur l'apprentissage et le rendement des élèves est variable ;   1 2 3 4 5 6

   b. qu'il est important pour tous (leaders scolaires, enseignants, parents, élèves) d'avoir un impact positif majeur sur l'apprentissage de l'ensemble des élèves ;   1 2 3 4 5 6

   c. que tous doivent veiller à développer une expertise qui aura un impact positif sur le rendement de l'ensemble des élèves.   1 2 3 4 5 6

2. **L'école peut démontrer de façon convaincante que l'ensemble de ses enseignants sont passionnés et inspirés – aspect qui devrait être le principal attribut mis en évidence pour faire la promotion de l'école.**   1 2 3 4 5 6

3. **L'école dispose d'un programme de développement professionnel qui :**

   a. favorise une compréhension approfondie de la matière de la part des enseignants ;   1 2 3 4 5 6

   b. soutient l'apprentissage grâce à l'analyse des interactions en classe entre les enseignants et les élèves ;   1 2 3 4 5 6

   c. apprend aux enseignants comment donner une rétroaction efficace ;   1 2 3 4 5 6

   d. tient compte des attributs affectifs des élèves ;   1 2 3 4 5 6

   e. permet de développer la capacité des enseignants à influer sur l'apprentissage de surface et en profondeur des élèves   1 2 3 4 5 6

4. **Le programme de développement professionnel de l'école vise aussi à aider les enseignants à trouver des façons :**

   a. de résoudre les problèmes d'ordre pédagogique ;   1 2 3 4 5 6

   b. d'interpréter les événements en cours ;   1 2 3 4 5 6

   c. de tenir compte du contexte ;   1 2 3 4 5 6

   d. de monitorer l'apprentissage ;   1 2 3 4 5 6

   e. de vérifier des hypothèses ;   1 2 3 4 5 6

   f. de faire preuve de respect envers tout le monde à l'école ;   1 2 3 4 5 6

   g. d'exprimer leur passion pour l'enseignement et l'apprentissage ;   1 2 3 4 5 6

   h. d'aider les élèves à comprendre les notions complexes.   1 2 3 4 5 6

5. À l'école, le professionnalisme s'exprime par les efforts de collaboration déployés par les enseignants et les leaders scolaires en vue d'implanter l'apprentissage visible.	1 2 3 4 5 6

Planification

6. **L'école met à la disposition des enseignants des méthodes dont le choix peut être justifié pour :**

a. monitorer, consigner et proposer en temps opportun des interprétations concernant les résultats antérieurs, actuels et futurs des élèves ;	1 2 3 4 5 6
b. monitorer les progrès des élèves de façon régulière, tout au long de l'année et au fil des ans, et ces informations seront utilisées pour la planification et l'évaluation des leçons ;	1 2 3 4 5 6
c établir des cibles relatives à l'impact que les enseignants devraient avoir sur l'apprentissage de l'ensemble des élèves.	1 2 3 4 5 6
7. **Les enseignants sont conscients que les attitudes et les dispositions des élèves ont une incidence sur la leçon, et ils s'efforcent de les exploiter de façon positive au profit de l'apprentissage.**	1 2 3 4 5 6
8. **Les enseignants de l'école planifient conjointement des séries de leçons, avec des intentions d'apprentissage et des critères de réussite liés à des éléments pertinents du programme d'études.**	1 2 3 4 5 6

9. **Il existe des preuves que les leçons planifiées :**

a. proposent des défis appropriés qui incitent les élèves à s'investir dans leur apprentissage ;	1 2 3 4 5 6
b. exploitent et développent la confiance des élèves, en vue de réaliser les intentions d'apprentissage ;	1 2 3 4 5 6
c. reposent sur des attentes suffisamment élevées à l'égard des résultats des élèves ;	1 2 3 4 5 6
d. amènent les élèves à se fixer des objectifs à maîtriser et à vouloir réinvestir leurs acquis dans leur apprentissage ;	1 2 3 4 5 6
e. comportent des intentions d'apprentissage et des critères de réussite qui sont bien connus des élèves.	1 2 3 4 5 6
10. **Tous les enseignants connaissent très bien le programme d'études – du point de vue du contenu, des niveaux de difficulté, des progrès escomptés – et partagent des interprétations communes à l'égard de celui-ci.**	1 2 3 4 5 6
11. **Les enseignants parlent entre eux de l'impact de leur enseignement, qui est évalué en fonction des progrès réalisés par les élèves, et de façons de maximiser celui-ci pour l'ensemble des élèves.**	1 2 3 4 5 6

Au début de la leçon

12. Les élèves perçoivent le climat dans la classe comme étant juste ; ils ont le sentiment qu'il est acceptable de dire qu'ils ne connaissent pas la réponse ou qu'ils ont besoin d'aide ; le degré de confiance est élevé, et les élèves estiment qu'on est à leur écoute ; les élèves savent que le but des cours est de leur faire apprendre des choses et de les faire progresser. 1 2 3 4 5 6

13. Au moment de prendre des décisions relatives aux politiques et à l'enseignement, on constate un niveau de confiance élevé entre les membres du personnel (respect du rôle de chacun sur le plan de l'apprentissage, respect de l'expertise, respect personnel envers les autres et degré d'intégrité élevé). 1 2 3 4 5 6

14. Entre les membres du personnel et dans les classes, l'apprentissage est abordé sous forme de dialogue plutôt que de monologue. 1 2 3 4 5 6

15. Dans les classes, ce sont les questions des élèves et non des enseignants qui prédominent. 1 2 3 4 5 6

16. Le temps que passent les enseignants à parler, à écouter et à agir est équilibré ; on constate le même équilibre entre la parole, l'écoute et l'action chez les élèves. 1 2 3 4 5 6

17. Les enseignants et les élèves sont conscients que les intentions de la leçon impliquent un équilibre entre l'apprentissage de surface, en profondeur et conceptuel. 1 2 3 4 5 6

18. Les enseignants et les élèves utilisent le pouvoir des pairs de façon positive afin de faire progresser l'apprentissage. 1 2 3 4 5 6

19. Dans les classes et dans l'ensemble de l'école, l'étiquetage des élèves est rare. 1 2 3 4 5 6

20. Les enseignants ont des attentes élevées envers tous les élèves, et cherchent constamment à vérifier et à rehausser celles-ci. L'objectif de l'école est d'aider tous les élèves à se dépasser. 1 2 3 4 5 6

21. Les élèves se fixent des attentes élevées en ce qui concerne leur apprentissage. 1 2 3 4 5 6

22. Les enseignants choisissent les méthodes d'enseignement à l'étape finale du processus de planification de la leçon et évaluent leurs choix du point de vue de l'impact sur les élèves. 1 2 3 4 5 6

23. Les enseignants se perçoivent fondamentalement comme des évaluateurs et des activateurs de l'apprentissage. 1 2 3 4 5 6

Pendant la leçon : apprentissage

24. Les enseignants comprennent très bien comment l'apprentissage progresse à travers une variété d'aptitudes, de capacités, de catalyseurs et de compétences. 1 2 3 4 5 6

25. Les enseignants savent que les élèves ont besoin de stratégies d'apprentissage multiples pour parvenir à une compréhension de surface et en profondeur.	1	2	3	4	5	6
26. Les enseignants assurent une différenciation afin que l'apprentissage soit signifiant et cible efficacement tous les élèves pour qu'ils réalisent les intentions de la leçon.	1	2	3	4	5	6
27. Les enseignants sont des experts adaptatifs de l'apprentissage, qui savent où se situent leurs élèves dans le continuum débutant-compétent-performant, quand les élèves apprennent ou non et ce qu'il faut faire ensuite, et qui peuvent établir un climat propice à l'atteinte des objectifs d'apprentissage dans la classe.	1	2	3	4	5	6
28. Les enseignants sont capables d'enseigner de multiples méthodes d'acquisition des connaissances et d'interaction avec les idées, et donnent de nombreuses occasions d'apprendre.	1	2	3	4	5	6
29. Les enseignants et les élèves font appel à de multiples stratégies d'apprentissage.	1	2	3	4	5	6
30. Les enseignants appliquent les principes de la «conception à rebours» – qui consiste à commencer par les résultats visés (critères de réussite), puis à passer aux intentions d'apprentissage, et ensuite aux activités et aux ressources nécessaires pour satisfaire aux critères de réussite.	1	2	3	4	5	6
31. On enseigne à tous les élèves comment développer leur expertise par la pratique délibérée et comment se concentrer.	1	2	3	4	5	6
32. Des processus sont en place dans le but d'aider les enseignants à voir l'apprentissage du point de vue des élèves.	1	2	3	4	5	6

Pendant la leçon : rétroaction

33. Les enseignants sont conscients de leurs rétroactions et s'assurent que celles-ci répondent à trois questions importantes pour les élèves, à savoir : «Où dois-je me rendre ?», «Comment y parvenir ?» et «Quelle est la prochaine étape ?».	1	2	3	4	5	6
34. Les enseignants s'efforcent de donner des rétroactions par rapport aux trois principaux niveaux de rétroaction, soit la tâche, le processus et l'autorégulation.	1	2	3	4	5	6
35. Les enseignants connaissent l'importance des félicitations, mais évitent de les intégrer à la rétroaction.	1	2	3	4	5	6
36. Les enseignants donnent des rétroactions appropriées au stade où sont rendus les élèves dans leur apprentissage, et cherchent à obtenir des preuves que celles-ci ont été bien comprises.	1	2	3	4	5	6
37. Les enseignants utilisent des méthodes d'évaluation multiples afin d'offrir rapidement des interprétations formatives aux élèves et d'apporter des corrections à leur enseignement pour maximiser l'apprentissage.	1	2	3	4	5	6

38. Les enseignants :

a. se préoccupent davantage de la façon dont les élèves reçoivent et interprètent la rétroaction ;	1 2 3 4 5 6
b. savent que les élèves préfèrent recevoir de la rétroaction sur les progrès réalisés que sur les correctifs à apporter ;	1 2 3 4 5 6
c. savent que lorsque les cibles des élèves sont plus difficiles à atteindre, ils sont plus réceptifs à la rétroaction ;	1 2 3 4 5 6
d. enseignent délibérément aux élèves la façon de solliciter, d'interpréter et d'utiliser la rétroaction ;	1 2 3 4 5 6
e. reconnaissent la valeur de la rétroaction par les pairs et enseignent délibérément aux élèves à donner une rétroaction appropriée à leurs pairs.	1 2 3 4 5 6

La fin de la leçon

39. Les enseignants fournissent des preuves que tous les élèves ont le sentiment d'avoir été invités à apprendre efficacement dans leurs classes. Cette invitation implique un sentiment de respect, de confiance et d'optimisme, et une intention d'apprendre.	1 2 3 4 5 6
40. Les enseignants recueillent des données probantes sur l'expérience de leurs élèves en classe, qui confirment leur impact en tant qu'agents de changement, leur niveau d'inspiration et leur capacité à transmettre leur passion aux élèves.	1 2 3 4 5 6

41. Les enseignants questionnent ensemble les intentions d'apprentissage et les critères de réussite, et ont la preuve que :

a. les élèves sont capables de parler des intentions d'apprentissage et des critères de réussite d'une manière qui démontre une compréhension adéquate ;	1 2 3 4 5 6
b. les élèves satisfont aux critères de réussite ;	1 2 3 4 5 6
c. les élèves perçoivent les critères de réussite comme étant suffisamment stimulants ;	1 2 3 4 5 6
d. les enseignants utilisent cette information pour planifier les leçons ou les apprentissages à venir.	1 2 3 4 5 6

42. Les enseignants créent des occasions d'interpréter l'apprentissage des élèves de façon formative et sommative, et utilisent ces interprétations pour orienter les décisions qu'ils prendront ensuite dans le cadre de leur enseignement.	1 2 3 4 5 6

Postures

43. Dans cette école, les enseignants et les leaders scolaires :

a. croient que la principale tâche des enseignants consiste à évaluer l'impact de leur enseignement sur l'apprentissage et le rendement des élèves ;	1 2 3 4 5 6
b. croient que, sur le plan de l'apprentissage, la réussite ou l'échec de l'élève dépend de ce qu'ils ont fait ou n'ont pas fait en tant qu'enseignants ou leaders scolaires... Nous sommes des agents de changement !	1 2 3 4 5 6
c. veulent parler davantage de l'apprentissage que de l'enseignement ;	1 2 3 4 5 6
d. perçoivent l'évaluation comme une rétroaction à propos de leur impact sur les élèves ;	1 2 3 4 5 6
e. favorisent le dialogue et évitent les monologues ;	1 2 3 4 5 6
f. aiment relever des défis et ne se contentent pas de faire de leur mieux ;	1 2 3 4 5 6
g. croient que leur rôle implique de tisser des liens positifs avec les élèves et le personnel ;	1 2 3 4 5 6
h. estiment qu'il est important que tout le monde connaisse le langage relatif à l'apprentissage.	1 2 3 4 5 6

Les 900 et quelques méta-analyses

NOTE : Les méta-analyses ajoutées depuis la parution de *Visible Learning* (2009) sont ombrées.

N° domaine	Auteur	Année	Nombre d'études	Nombre total	Nombre d'effets	Moyenne	ET*	Variable
ÉLÈVE								
Résultats antérieurs/acquis des élèves								
1 Élève	Boulanger	1981	34		62	1,09	0,039	Habileté liée à l'apprentissage des sciences
2 Élève	Hattie et Hansford	1983	72		503	1,19		Intelligence et réussite
3 Élève	Samson, Graue, Weinstein et Walberg	1983	35		209	0,31		Rendement scolaire et occupationnel
4 Élève	Kavale et Nye	1985	1 077		268	0,68		Habiletés et prédiction des élèves en difficulté
5 Élève	Cohen	1984	108		108	0,37	0,015	Résultats au collégial et réussite à l'âge adulte
6 Élève	McLinden	1988	47	2 220	47	0,61		Non-voyants vs voyants et tâches spatiales
7 Élève	Bretz	1989	39	26 816	39	0,39		Résultats au collégial et réussite à l'âge adulte
8 Élève	Schuler, Funke et Baron-Boldt	1990	63	29 422	63	1,02		Résultats au secondaire comme pronostic des résultats à l'université
9 Élève	Fabram	1991	33	825	275	0,52	0,060	Habileté langagière des élèves en difficulté et réussite
10 Élève	Rush	1992	100	236 772	404	0,48		Différences entre les élèves à risque
11 Élève	Piburn	1993	44	186	186	0,80		Contribution des acquis à la réussite en sciences
12 Élève	Ernst	2001	23	1 733	32	0,41		Développement cognitif précoce et réussite scolaire
13 Élève	Kuncel, Hezlett et Ones	2001	1 753	82 659	6 589	0,52	0,005	Résultats au secondaire comme pronostic des résultats à l'université
14 Élève	Murphy et Alexander	2006	20		50	0,80		Effets des connaissances, croyances et intérêts sur les changements conceptuels
15 Élève	Trapmann, Hell, Weigand et Schuier	2007	83		83	0,90		Résultats au secondaire comme pronostic des résultats à l'université

* NDT : taille d'effet.

#	Type	Auteurs	Année				ET		Description
16	Élève	Duncan et al.	2007	6			0,35	228	Du préscolaire aux premières années d'école
Programmes de type piagétien									
17	Élève	Jordan et Brownlee	1981	51	6 000		1,28	65	Tâches piagétiennes, lecture et mathématiques
Prédictions des élèves									
18	Élève	Mabe et West	1982	35	13 565		0,93	35	Autoévaluation du rendement
19	Élève	Falchikov et Boud	1989	57	5 332		0,47	96	Autoévaluation au collégial
20	Élève	Ross	1998	11			1,63	60	Autoévaluation en langues secondes
21	Élève	Falchikov et Goldfinch	2000	48	4 271		1,91	56	Autoévaluation au collégial
22	Élève	Kuncel, Crede et Thomas	2005	29	56 265	0,026	3,10	29	Autoévaluation de la moyenne pondérée cumulative (MPC) au collégial
23	Élève	Kuncel, Crede et Thomas	2005	29		0,034	0,60	29	Différences entre les résultats prédits et les résultats obtenus
Créativité									
24	Élève	Kim	2005	21	45 880		0,35	447	Lien entre créativité et réussite
Attitudes et dispositions									
Personnalité de l'élève									
25	Élève	Hattie et Hansford	1983	115		0,007	0,07	1 197	Personnalité de l'élève et réussite
26	Élève	O'Connor et Paunonen	2007	23			0,10	108	«Big Five» et réussite
27	Élève	Poropat	2009	80	341 385		0,21	634	«Big Five» et réussite
28	Élève	Chu, Saucier et Hafner	2010	164			0,21	164	Mieux-être et réussite
29	Élève	Clarke	2006	9			0,24	9	Adaptation active et réussite
30	Élève	Trapmann, Hell, Hirn et Schuler	2007	58	17 493		0,05	258	«Big Five» et réussite des étudiants à l'université
31	Élève	Boyd	2007	50			0,06	130	Extraversion et réussite
32	Élève	Lyubomirsky, King et Diener	2005	46			0,54	46	Bonheur et réussite

* ET = taille d'effet.

N° domaine	Auteur	Année	Nombre d'études	Nombre total	Nombre d'effets	Moyenne	ET	Variable
Concept de soi								
33 Élève	Hansford et Hattie	1980	128	202 823	1 136	0,41		Concept de soi
34 Élève	Muller, Gullung et Bocci	1988	38		838	0,36		Concept de soi
35 Élève	Holden, Moncher, Schinke et Barker	1990	25		26	0,37		Autoefficacité
36 Élève	Multon, Brown et Lent	1991	36	4 998	38	0,76		Autoefficacité
37 Élève	Carpenter	2007	48	12 466	48	0,70		Autoefficacité
38 Élève	Wickline	2003	41	48 038	41	0,35		Concept de soi
39 Élève	Valentine, DuBois et Cooper	2004	56	50 000	34	0,32	0,010	Concept de soi
Motivation								
40 Élève	Uguroglu et Walberg	1979	40	36 946	232	0,34	0,070	Motivation
41 Élève	Findley et Cooper	1983	98	15 285	275	0,36	0,039	Locus de contrôle interne
42 Élève	Whitley et Frieze	1985	25		25	0,56		Attributions de réussite et d'échec
43 Élève	Ross	1988	65		65	0,73	0,093	Contrôler son étude
44 Élève	Schiefel, Krapp et Schreyer	1995	21		121	0,65	0,02	Intérêt et réussite
45 Élève	Kalechstein et Nowicki	1997	78	58 142	261	0,23	0,010	Locus de contrôle interne
Concentration/persévérance/engagement								
46 Élève	Feltz et Landers	1983	60	1 766	146	0,48		Pratique mentale et apprentissage d'habiletés motrices
47 Élève	Datta et Narayanan	1989	23		45	0,61		Concentration et réussite
48 Élève	Kumar	1991	16	4 518	102	1,09	0,035	Engagement en sciences
49 Élève	Cooper et Dorr	1995	19	6 684	26	0,21	0,030	Race et besoin d'accomplissement
50 Élève	Mikolashek	2004	28		268	0,03		Résilience et élèves à risque

Réduction de l'anxiété

No.		Auteur	Année					*d*	Description
51	Élève	Hembree	1988	46	28 276	176		0,22	*Réduction de l'anxiété de performance*
52	Élève	Seipp	1991	26	36 626	156		0,43	Réduction de l'anxiété et réussite
53	Élève	Bourhis et Allen	1992	23	728			0,37	Appréhension de la communication et rendement cognitif
54	Élève	Ma	1999	26	18 279	37		0,56	Réduction de l'anxiété par rapport aux mathématiques et réussite

Attitude envers les domaines de contenu

No.		Auteur	Année					*d*	Description
55	Élève	Willson	1983	43	638 333	280		0,32	Attitude envers les sciences
56	Élève	Bradford	1991	102		241		0,29	Attitude envers les mathématiques
57	Élève	Petscher	2010	32	224 615	118		0,32	Attitude envers la lecture et réussite
58	Élève	Ma et Kishor	1997	143	94 661	143		0,47	Attitude envers les mathématiques

Influences physiques

Poids des enfants prématurés

No.		Auteur	Année					*d*	Description
59	Élève	Bhutta, Cleves, Casey, Cradock et Anand	2002	15	3 276	15		0,73	Poids des enfants nés à terme *vs* des enfants prématurés
60	Élève	Barre, Morgan, Doyle et Anderson	2011	12		36	0,029	0,53	Poids des enfants nés à terme *vs* des enfants prématurés
61	Élève	Corbett et Drewett	2004	31	1 213	121		0,34	Développement normal et retard durant la petite enfance

Maladie

No.		Auteur	Année					*d*	Description
62	Élève	Sharpe et Rossiter	2002	7		7		0,20	Maladie chronique (absence de maladie chronique) et réussite
63	Élève	Vu, Babikian et Asarnow	2011	18		36		0,41	Sans lésion cérébrale *vs* avec lésion cérébrale et réussite
64	Élève	Gaudieri, Chen, Greer et Holmes	2008	19	2 144	19		0,13	Sans diabète *vs* avec diabète et réussite
65	Élève	Schatz	2003	6		6		0,25	Sans drépanocytose *vs* avec drépanocytose et réussite

N° domaine	Auteur	Année	Nombre d'études	Nombre total	Nombre d'effets	Moyenne	ET	Variable
Habitudes alimentaires des élèves								
66 Élève	Kavale et Forness	1983	23		125	0,12	0,037	Réduction des colorants alimentaires artificiels
Exercices physiques/relaxation								
67 Élève	Moon, Render et Pendley	1985	20		36	0,16	0,088	Relaxation et réussite
68 Élève	Etnier, Salazar, Landers, Petruzzelo, Han et Nowell	1997	134		1 260	0,25	0,019	Forme physique et exercice
69 Élève	Sibley et Etnier	2002	36		104	0,36		Activité physique et réussite
70 Élève	Etnier, Nowell, Landers et Sibley	2006	37	1 306	571	0,34	0,013	Capacité aérobique et performance cognitive
Traitements médicamenteux des élèves en difficulté d'apprentissage								
71 Élève	Ottenbacher et Cooper	1975	61	1 972	61	0,47	0,038	Médicaments stimulants et réussite
72 Élève	Kavale	1982	135	5 300	984	0,58	0,019	Traitement médicamenteux de l'hyperactivité
73 Élève	Thurber et Walker	1983	20	1 219	20	0,23	0,038	Médicaments stimulants et réussite
74 Élève	Kavale et Nye	1984	70		401	0,30	0,038	Traitement médicamenteux
75 Élève	Crenshaw	1997	36	1 030	36	0,29	0,042	Traitement médicamenteux (TDAH) et résultats cognitifs
76 Élève	DuPaul et Ekert	1997	63	637	63	0,31	0,038	Interventions en milieu scolaire et TDAH
77 Élève	der Oord, Prins, Oosterlaan et Emmelkamp	2008	7	7	7	0,19		Médicaments pour le TDAH et réussite
78 Élève	Purdie, Carroll et Hattie	2002	74	2 188	266	0,28	0,038	Traitement médicamenteux (TDAH) et résultats cognitifs
79 Élève	Snead	2005	8	815	8	0,20		Intervention comportementale, médicaments et réussite

Sexes – réussite (garçons et filles)

No		Auteur	Année						Description
80	Élève	Hattie et Hansford	1980	72		503	-0,02		Sexes et réussite
81	Élève	Hyde	1981	16	65 193	16	-0,43		Sexes et résultats cognitifs
82	Élève	Hyde	1981	27	68 899	27	-0,24		Sexes et lecture
83	Élève	Kahl, Fleming et Malone	1982	169		31	0,12		Sciences au niveau précollégial et réussite
84	Élève	Steinkamp et Maehr	1983	83		107	0,19		Différences entre les sexes en sciences
85	Élève	Freeman	1984	35		35	0,09	0,050	Différences entre les sexes en mathématiques
86	Élève	Meehan	1984	53		160	0,14		Opérations formelles et sexes
87	Élève	Johnson	1984	9		9	0,45		Sexes et résolution de problèmes
88	Élève	Linn et Peterson	1985	172		263	0,40		Performance spatiale et sexes
89	Élève	Becker et Chang	1986	42		42	0,16		Sexes et sciences
90	Élève	Tohidi, Steinkamp et Maehr	1986	70		70	0,32		Fonctionnement cognitif et sexes
91	Élève	Born, Bleichrodt et Van der Flier	1987	17		772	0,08		Sexes et intelligence
92	Élève	Hyde et Linn	1988	165	1 418 899	165	-0,11		Différences entre les sexes et performance verbale
93	Élève	Friedman	1989	98	227 879	98	0,02	0,016	Sexes et mathématiques
94	Élève	Hines	1989	30		260	0,01		Sexes et mathématiques
95	Élève	Becker	1989	29	17 603	67	0,16	0,020	Différences entre les sexes en sciences
96	Élève	Stumpf et Kliene	1989	18	171 824	18	0,48		Performance spatiale et sexes
97	Élève	Hyde, Fennema et Lamon	1990	100	3 217 489	259	0,20		Sexes et résultats cognitifs
98	Élève	Cohn	1991	65	9 000	113	-0,61		Sexes et renforcement de l'ego
99	Élève	Frost, Hyde et Fennema	1994	100		254	0,15		Sexes et mathématiques
100	Élève	Daliaz	1994	67	7 026	9	0,26		Sexes et réussite
101	Élève	Lindberg, Hyde, Petersen et Linn	2010	242	1 286 350	242	0,05		Sexes et mathématiques

N° domaine	Auteur	Année	Nombre d'études	Nombre total	Nombre d'effets	Moyenne	ET	Variable
102 Élève	Schram	1996	13	4 134	18	-0,08		Statistique appliquée et sexes
103 Élève	Yang	1997	25		25	-0,34	0,054	Sexes et mathématiques
104 Élève	Lietz	2006	139		139	-0,19		Sexes et lecture
Sexes – attitudes								
105 Élève	Cooper, Burger et Good	1978	10	219	10	-0,10		Perception de contrôle et sexes
106 Élève	Haladyna et Shaughnessy	1982	49		17	0,36		Sexes et sciences
107 Élève	Hyde, Fenemma, Ryan, Frost et Hopp	1990	70	63 229	126	0,15		Sexes et mathématiques
108 Élève	DeBaz	1994	67	89 740	25	0,30	0,027	Sexes et sciences
109 Élève	Weinburgh	1995	18	6 753	18	0,20		Sexes et sciences
110 Élève	Whitley	1997	82	40 491	104	0,23		Ordinateurs et sexes
111 Élève	Etsey et Snetzler	1998	96	30 490	304	-0,01		Sexes et mathématiques
Sexes – leadership								
112 Élève	Wood	1987	52	3 099	19	0,38		Performance collective et sexes
113 Élève	Wood	1987	52	3 099	45	0,39		Performance collective et sexes
114 Élève	Eagly et Johnson	1990	370	32 560	370	-0,11		Leadership et sexes
115 Élève	Pantili, Williams et Fortune	1991	10		47	0,18		Centres d'évaluation et sexes
116 Élève	Eagly, Karau et Johnson	1992	50	8 375	125	-0,01		Leadership de la direction d'école et sexes
Sexes – résultats moteurs								
117 Élève	Eaton et Enns	1986	90	8 636	127	0,49	0,040	Activité motrice et sexes
118 Élève	Thomas et French	1985	64	100 195	445	0,62		Activité motrice et sexes
Sexes – résultats comportementaux								
119 Élève	Gaub et Carlson	1997	18		17	0,13		TDAH et sexes
120 Élève	Hall	1980	42		75	-0,32		Signaux affectifs et sexes
121 Élève	Lytton et Romney	1991	172		717	-0,02		Socialisation et sexes

Ethnicité

No.	Type	Auteur	Année	Études	Personnes	Effets	d	Variance	Description
122	Élève	Allen, Bradford, Grimes, Cooper et Howard	1999	9	2 661	9	0,32	0,003	Vision positive de sa propre ethnicité

Interventions préscolaires

Intervention précoce

No.	Type	Auteur	Année	Études	Personnes	Effets	d	Variance	Description
123	Élève	Exceptional Child Center	1983	156		1 436	0,43	0,023	Élèves handicapés et défavorisés
124	Élève	Harrell	1983	71		449	0,42		Programmes Head Start
125	Élève	Collins	1984	67		271	0,27		Programmes Head Start
126	Élève	Horn et Packard	1985	58	59 998	138	0,90		Prédiction précoce des problèmes d'apprentissage
127	Élève	Casto et White	1985	126		663	0,43	0,040	Enfants à risque
128	Élève	Ottenbacher et Petersen	1985	38	1 544	118	0,97	0,083	Intervention précoce pour les élèves handicapés
129	Élève	White et Casto	1985	326		2 266	0,52		Élèves handicapés
130	Élève	White et Casto	1985	162		1 665	0,44	0,026	Élèves handicapés et défavorisés
131	Élève	McKey, Condelli, Ganson, Barrett, McConkey et Plantz	1985	72		17	0,31		Programmes Head Start
132	Élève	Casto et Mastropieri	1986	74		215	0,68	0,050	Élèves handicapés
133	Élève	Murphy	1991	150		104	0,46		*Sesame Street*
134	Élève	Innocenti et White	1993	155		797	0,60		Intervention précoce
135	Élève	Kim, Innocenti et Kim	1997	80		659	0,25	0,024	Intervention précoce
136	Élève	Mentore	1999	77	16 888	319	0,48	0,040	Intervention précoce
137	Élève	Crosby	2004	44	2 267	196	0,14		Intervention précoce pour les enfants présentant un handicap ou un retard
138	Élève	Bakermans-Kranenburg, van IJzendoorn et Bradley	2005	48	7 350	56	0,20		Intervention précoce à la maison

Programmes préscolaires

N° domaine	Auteur	Année	Nombre d'études	Nombre total	Nombre d'effets	Moyenne	ET	Variable
139 Élève	Snyder et Sheehan	1983	8		182	0,48		Programmes préscolaires
140 Élève	Goldring et Presbrey	1986	11	1 267	11	0,25		Programmes préscolaires
141 Élève	Chambers, Cheung, Slavin, Smith et Laurenzano	2010	38		38	0,15		Programmes préscolaires
142 Élève	La Paro et Pianta	2000	70	7 243	63	1,02	0,370	Du préscolaire aux premières années d'école
143 Élève	Applegate	1986	13		114	0,42	0,094	Garderie
144 Élève	Lewis et Vosburgh	1988	65	3 194	444	0,43		Maternelle
145 Élève	Nelson	1994	21		135	0,42	0,037	Programmes d'éducation parentale
146 Élève	Fusaro	1997	23		23	1,43		Maternelle à temps plein *vs* à mi-temps
147 Élève	Gilliam et Zigler	2000	13		22	0,17		Préscolaire dans 13 États
148 Élève	Violato et Russell	2000	101	32 271	101	0,14		Garderie *vs* garde à domicile
149 Élève	Camilli, Vargas, Ryan et Barnett	2010	81		306	0,23		Enfants ayant fréquenté la maternelle ou non et réussite scolaire
150 Élève	Jones	2002	22		22	0,56		Maternelle à temps plein
151 Élève	Nelson, Westhues et Macleod	2003	34		721	0,53		Programmes de prévention préscolaires
152 Élève	Timmerman	2006	47	7 800	47	0,10		Famille *vs* garderie

MAISON

Statut socioéconomique

N° domaine	Auteur	Année	Nombre d'études	Nombre total	Nombre d'effets	Moyenne	ET	Variable
153 Maison	White	1982	101		620	0,66		Statut socioéconomique et réussite
154 Maison	Fleming et Malone	1983	273		21	0,50		Caractéristiques des élèves et réussite en sciences
155 Maison	van Ewijka et Sleegers	2010	30		30	0,32		Statut socioéconomique des pairs et réussite
156 Maison	Daliaz	1994	67	47 001	9	0,50		Disponibilité des ressources à la maison
157 Maison	Sirin	2005	58	129 914	307	0,61	0,016	Relation entre le statut socioéconomique et la réussite

Politiques en matière d'aide sociale

#		Auteurs	Année						Description
158	Maison	Gennetian, Duncan, Knox, Clark-Kauffman et London	2004	8		8	-0,12	0,030	Familles bénéficiaires de l'aide sociale et réussite scolaire

Structure familiale

#		Auteurs	Année						Description
159	Maison	Falbo et Polit	1986	115		115	0,17	0,023	Enfants uniques vs enfants multiples
160	Maison	Salzman	1987	137	9 955 118	273	0,26		Père présent vs père absent
161	Maison	Amato et Keith	1991	39		39	0,16		Parents non divorcés vs divorcés
162	Maison	Wierzbicki	1993	66		31	0,13	0,041	Enfants adoptés vs non adoptés et réussite
163	Maison	Kunz	1995	65		65	0,30		Parents non divorcés vs divorcés
164	Maison	Ibeelm	1999	63	14 471	52	0,12		Pères résidents vs non résidents
165	Maison	Amato et Gilbreth	1999	52		52	0,07		Présence du père dans la famille
166	Maison	Amato	2001	67		177	0,29		Pères résidents vs non résidents
167	Maison	Reifman, Villa, Amans, Rethinam et Telesca	2001	35		7	0,16		Enfants de familles intactes vs de parents divorcés
168	Maison	Pong, Dronkers et Hampden-Thompson	2003	22		22	0,13		Familles monoparentales vs biparentales, et performance en mathématiques et en sciences
169	Maison	Ijzendoorn, Juffer et Poelhuis	2005	55		52	0,19		Enfants adoptés vs non adoptés
170	Maison	Jeynes	2006	61	370 000	61	0,25		Familles intactes vs familles recomposées et réussite
171	Maison	Goldberg, Prause, Lucas-Thompson et Himsel	2007	68	178 323	1 483	0,06		Emploi de la mère et réussite
172	Maison	Jeynes	2007	61		78	0,22		Familles intactes vs recomposition familiale, et réussite

Milieu familial

#		Auteurs	Année						Description
173	Maison	Iverson et Walberg	1982	18	5 831	92	0,80		Milieu familial et apprentissage scolaire
174	Maison	Stron et Baker	2007	13	24 047	13	0,42		Soutien de communication à la maison
175	Maison	Gottfried	1984	17		17	0,34		Milieu familial et réussite précoce

Nº domaine	Auteur	Année	Nombre d'études	Nombre total	Nombre d'effets	Moyenne	ET	Variable
Télévision								
176 Maison	Williams, Haertel, Haertel et Walberg	1982	23		227	−0,12		Temps libre consacré à la télévision et apprentissage des élèves
177 Maison	Neuman	1986	8		8	−0,15		Télévision et lecture
178 Maison	Razel	2001	6	1 022 000	305	−0,26		Télévision et réussite
Engagement parental								
179 Maison	Graue, Weinstein et Walberg	1983	29		29	0,75	0,178	Effets de l'enseignement à domicile
180 Maison	Casto et Lewis	1984	76		754	0,41		Participation des parents aux programmes infantiles et préscolaires
181 Maison	Crimm	1992	57		57	0,39		Engagement parental et réussite
182 Maison	White, Taylor et Moss	1992	205		205	0,13		Engagement parental de modéré à élevé
183 Maison	Rosenzweig	2000	34		474	0,31		Engagement parental et réussite
184 Maison	Fan et Chen	2001	92		92	0,52		Engagement parental et réussite
185 Maison	Comfort	2003	94		43	0,56		Formation parentale et développement cognitif/langagier
186 Maison	Hill et Tyson	2009	32		32	0,36	0,030	Engagement parental au niveau de l'école intermédiaire
187 Maison	Jeynes	2005	41	20 000	41	0,74		Engagement parental dans les secteurs urbains – primaire
188 Maison	Senechal	2006	14		14	0,68		Engagement familial en lecture
189 Maison	Earhart, Ramirez, Carlson et Beretvas	2006	22		22	0,70		Engagement parental et réussite
190 Maison	Jeynes	2007	52	300 000	52	0,38		Engagement parental dans les secteurs urbains – secondaire
Visites à domicile								
191 Maison	Black	1996	11		11	0,39		Visites au domicile des élèves en difficulté d'apprentissage
192 Maison	Sweet et Applebaum	2004	60		41	0,18		Visites à domicile

ÉCOLE

Effets de l'école

	Auteur	Année						
193 École	Scheerens et Bosker	1997	168		168	0,48	0,019	Effets de l'école

Financement de l'éducation

	Auteur	Année						
194 École	Childs et Shakeshaft	1986	45	2 205 319	417	0,00		Dépenses d'éducation
195 École	Murdoch	1987	46	71 698	46	0,06		Aide financière pour la persévérance au collégial
196 École	Hedge, Laine et Greenwald	1994	38		38	0,70		Effet de 500 $ par élève sur la réussite
197 École	Greenwald, Hedges et Laine	1996	60		180	0,14		Effet de 500 $ par élève sur la réussite

Obligation de rendre compte des systèmes scolaires

	Auteur	Année						
198 École	Lee	2008	14		76	0,31		Systèmes de reddition de comptes pour les tests et réussite

Types d'école

Écoles à charte

	Auteur	Année						
199 École	Miron et Nelson	2001	18		18	0,20		Écoles à charte

Écoles confessionnelles

	Auteur	Année						
200 École	Jeynes	2002	15	54 060	15	0,25		Écoles confessionnelles vs publiques et réussite
201 École	Jeynes	2004	56		56	0,20		Engagement religieux et réussite

Cours d'été

	Auteur	Année						
202 École	Cooper, Charlton, Valentine, Muhlenbruck et Borman	2000	41	26 500	385	0,28		Programmes de rattrapage d'été
203 École	Cooper, Charlton, Valentine, Muhlenbruck et Borman	2000	7	2 200	60	0,23		Programmes accélérés d'été
204 École	Kim	2002	57		155	0,17		Programmes de formation d'été

Effets de la composition de l'école

N° domaine	Auteur	Année	Nombre d'études	Nombre total	Nombre d'effets	Moyenne	ET	Variable
Déségrégation								
205 École	Krol	1980	71		71	0,16	0,049	Classes non ségréguées vs ségréguées aux É.-U.
206 École	McEvoy	1982	29		29	0,20		Classes non ségréguées vs ségréguées aux É.-U.
207 École	Miller et Carlson	1982	19		34	0,19	0,028	Classes non ségréguées vs ségréguées aux É.-U.
208 École	Walberg	1982	19		19	0,88		Classes non ségréguées vs ségréguées aux É.-U.
209 École	Armor	1983	19		51	0,05		Classes non ségréguées vs ségréguées aux É.-U.
210 École	Bryant	1983	31		31	0,45	0,122	Classes non ségréguées vs ségréguées aux É.-U.
211 École	Crain et Mahard	1983	93		323	0,08	0,013	Classes non ségréguées vs ségréguées aux É.-U.
212 École	Wortman	1983	31		98	0,45	0,089	Classes non ségréguées vs ségréguées aux É.-U.
213 École	Stephan	1983	19		63	0,15		Classes non ségréguées vs ségréguées aux É.-U.
214 École	Goldring et Addi	1989	4	6 731	4	0,15		Classes non ségréguées vs ségréguées en Israël
Vie en résidence								
215 École	Blimling	1999	10	11 581	23	0,05		Vie en résidence
Diversité ethnique des élèves								
216 École	Bowman	2010	17	77 029	58	0,05		Diversité ethnique des étudiants au collégial et réussite
Taille de l'école								
217 École	Stekelenburg	1991	21		120	0,43		Taille de l'école secondaire et réussite

#	Auteur	Année				Effet		Description
Vacances d'été								
218 École	Cooper, Nye, Charlton, Lindsay et Greathouse	1996	39		62	-0,09		Vacances d'été et réussite
219 École	Cooper, Valentine, Charlton et Melson	2003	39	44 000	649	0,06		Année scolaire modifiée *vs* plus longues pauses estivales
Mobilité								
220 École	Jones	1989	93	51 057	141	-0,50		Mobilité et réussite
221 École	Mehana	1997	26	2 889	45	-0,24		Mobilité et réussite
222 École	Diaz	1992	62	131 689	354	-0,28	0,005	Passage d'un programme technique à un programme universitaire
Activités parascolaires								
223 École	Lauer, Akiba, Wilkerson, Apthorp, Snow et Martin-Glenn	2006	30	15 277	24	0,10		Programmes parascolaires et résultats en lecture et en mathématiques
224 École	Lauer, Akiba, Wilkerson, Apthorp, Snow et Martin-Glenn	2006	22	15 277	26	0,07		Cours d'été et résultats en lecture et en mathématiques
Effets des conseillers d'orientation								
225 École	Whiston, Tai, Rahardja et Eder	2009	150		84	0,30		Counseling et résultats cognitifs
226 École	Reese, Prout, Zirkelback et Anderson	2010	65		28	0,23		Counseling et résultats cognitifs
227 École	Prout et Prout	1998	17	550	6	0,00		Counseling et résultats cognitifs
Directions/leaders scolaires								
228 École	Neuman, Edwards et Raju	1989	126		238	0,159	0,034	Interventions de développement organisationnel
229 École	Pantili, Williams et Fortune	1991	32	10 773	32	0,41		Évaluation des directeurs et rendement au travail
230 École	Gasper	1992	22		25	0,81		Leadership transformationnel

Nº domaine	Auteur	Année	Nombre d'études	Nombre total	Nombre d'effets	Moyenne	ET	Variable
231 École	Bosker et Witziers	1995	21		65	0,04		Directions d'école et rendement des élèves
232 École	Brown	2001	38		339	0,57	0,028	Leadership et rendement des élèves
233 École	Butris	2009	30	3 378	152	0,70		Leadership du directeur, culture de l'école et résultats scolaires
234 École	Wiseman	2002	59	16 326	59	-0,26		Gestion de l'enseignement et réussite
235 École	Witziers, Bosker et Kruger	2003	61		377	0,02		Directions d'école et rendement des élèves
236 École	Waters, Marzano et McNulty	2003	70	1 100 000	70	0,25		Directions d'école et rendement des élèves
237 École	Waters et Marzano	2006	27		27	0,49		Directions générales de conseil scolaire et réussite
238 École	Chin	2007	21	6 558	11	1,12		Leadership transformationnel
239 École	Robinson, Lloyd et Rowe	2008	14		14	0,39		Directions d'école et rendement des élèves

Effets de la composition de la classe

Taille de la classe

Nº domaine	Auteur	Année	Nombre d'études	Nombre total	Nombre d'effets	Moyenne	ET	Variable
240 École	Glass et Smith	1997	77	520 899	725	0,09		Taille de la classe
241 École	McGiverin et al.	1999	10		24	0,34		Taille de la classe
242 École	Shin et Chung	2009	17		17	0,20		Taille de la classe
243 École	Goldstein, Yang, Omar et Thompson	2000	9	29 440	36	0,20		Taille de la classe

Classes ouvertes vs traditionnelles

Nº domaine	Auteur	Année	Nombre d'études	Nombre total	Nombre d'effets	Moyenne	ET	Variable
244 École	Peterson	1980	45		45	0,12		Classes traditionnelles vs ouvertes
245 École	Madamba	1980	72		72	-0,03		Classes traditionnelles vs ouvertes et lecture
246 École	Hetzel	1980	45		45	-0,03		Classes traditionnelles vs ouvertes
247 École	Giaconia et Hedges	1982	153		171	0,06	0,032	Classes traditionnelles vs ouvertes

Calendrier scolaire

#		Auteur	Année						Description
248	École	Cooper et al.	2003	47	44 000	644		0,09	Calendrier scolaire modifié vs traditionnel

Regroupement par habiletés

#		Auteur	Année						Description
249	École	Kulik	1982	41		41		0,13	Regroupement par habiletés au secondaire
250	École	Kulik et Kulik	1982	52		51	0,045	0,10	Regroupement par habiletés au secondaire
251	École	Kulik et Kulik	1984	23		23		0,19	Regroupement par habiletés au primaire
252	École	Kulik et Kulik	1985	85		85		0,15	Regroupement par habiletés interclasse
253	École	Noland et Taylor	1986	50		720		-0,08	Regroupement par habiletés
254	École	Slavin	1987	14		17		0,00	Regroupement par habiletés au primaire
255	École	Henderson	1989	6		6		0,23	Regroupement par habiletés au primaire
256	École	Slavin	1990	29		29		-0,02	Regroupement par habiletés au secondaire
257	École	Gutierrez et Slavin	1992	14		14		0,34	Écoles primaires sans années d'études
258	École	Kulik et Kulik	1992	56		51		0,03	Regroupement par habiletés
259	École	Kim	1996	96		96		0,17	Écoles sans années d'études au Kentucky
260	École	Mosteller, Light et Sachs	1996	10		10		0,00	Regroupement par habiletés
261	École	Lou, Abrami, Spence, Poulsen, Chambers et d'Apollonia	1996	12		12		0,12	Regroupement par habiletés
262	École	Neber, Finsterwald et Urban	2001	12		214		0,33	Classes homogènes vs hétérogènes et élèves doués

Classes multiniveaux/multiâges

#		Auteur	Année						Description
263	École	Veenman	1995	11		11		-0,03	Classes multiprogrammes
264	École	Veenman	1996	56		34		-0,01	Classes multiprogrammes
265	École	Kim	1998	27		27		0,17	Classes à progrès continu vs classes multiprogrammes

Regroupement des élèves à l'intérieur de la classe

#		Auteur	Année						Description
266	École	Kulik	1985	78		78		0,15	Regroupement par habiletés interclasse

Nº domaine	Auteur	Année	Nombre d'études	Nombre total	Nombre d'effets	Moyenne	ET	Variable
267 École	Puzio et Colby	2010	15	5 410	28	0,22		Regroupement des élèves à l'intérieur de la classe et lecture
268 École	Lou, Abrami, Spence, Poulsen, Chambers et d'Apollonia	1996	51	16 073	103	0,17		Regroupement des élèves à l'intérieur de la classe
Apprentissage par petits groupes								
269 École	Springer, Stanne et Donovan	1997	39	3 472	116	0,46		Travail en petits groupes au collégial
270 École	Springer, Stanne et Donovan	1999	39		39	0,51		Travail en petits groupes en sciences
Intégration scolaire								
271 École	Carlberg et Kavale	1980	50	27 000	50	0,12	0,092	Placement en classe ordinaire *vs* spéciale
272 École	Baker	1994	13	2 532	129	0,08		Placement en classe ordinaire *vs* spéciale
273 École	Dixon	1997	70		70	0,65		Placement en classe ordinaire *vs* spéciale
274 École	Zumeta	2009	9		9	0,09		Placement en classe ordinaire *vs* spéciale
275 École	Baker, Wang et Walberg	1994	6		6	0,20		Placement en classe ordinaire *vs* spéciale
276 École	Wang et Baker	1986	11		115	0,33		Placement en classe ordinaire *vs* spéciale
Redoublement								
277 École	Holmes	1983	7		527	−0,42		Élèves redoublants *vs* non redoublants
278 École	Holmes et Matthews	1984	44	11 132	575	−0,37		Effet du redoublement sur l'ensemble des élèves
279 École	Holmes	1986	17		217	−0,06		Élèves redoublants *vs* non redoublants
280 École	Holmes	1989	63		861	−0,15		Effet du redoublement sur l'ensemble des élèves
281 École	Allen, Chen, Willson et Hughes	2009	22	13 470	207	0,04		Qualité élevée des études et redoublement
282 École	Yoshida	1989	34		242	−0,38		Effet du redoublement sur les élèves du primaire

No		Auteur	Année						Description
283	École	Drany et Wilson	1992	22		78	0,66		Élèves redoublants *vs* non redoublants dans une même année
284	École	Jimerson	2001	20	2 806	175	-0,39		Élèves redoublants vs non redoublants

Programmes scolaires pour les élèves doués

Regroupement en fonction des capacités des élèves doués

No		Auteur	Année						Description
285	École	Kulik et Kulik	1985	25		25	0,25		Organisation de la classe et élèves doués
286	École	Goldring	1986	23		146	0,35	0,059	Regroupement en fonction des capacités des élèves doués
287	École	Rogers	1991	13		13	0,43		Regroupement par habiletés et élèves doués
288	École	Vaughn, Feldhusen et Asher	1991	8		8	0,47	0,070	Classes-ressources pour les élèves doués
289	École	Kulik et Kulik	1992	56		10	0,02		Organisation de la classe et élèves doués

Accélération

No		Auteur	Année						Description
290	École	Kulik et Kulik	1984	26		13	0,88	0,183	Effet sur les résultats des élèves doués
291	École	Steenbergen-Hu et Moon	2011	38		141	0,29		Accélération et élèves doués
292	École	Kulik	2004	11	4 340	11	0,87		Accélération avec groupes témoins du même âge et élèves doués

Enrichissement

No		Auteur	Année						Description
293	École	Wallace	1989	138	22 908	136	0,57	0,010	Programmes d'enrichissement et élèves doués
294	École	Romney et Samuels	2001	40	13 428	47	0,35	0,025	Programme d'enrichissement instrumental de Feuerstein et élèves doués
295	École	Shiell	2002	36		360	0,26		Programme d'enrichissement instrumental de Feuerstein et élèves doués

Influence de la classe

Gestion de classe

No		Auteur	Année						Description
296	École	Marzano	2003	100		5	0,52		Gestion de classe et réussite

Nº domaine	Auteur	Année	Nombre d'études	Nombre total	Nombre d'effets	Moyenne	ET	Variable
Cohésion dans la classe								
297 École	Haertel, Walberg et Haertel	1980	12	17 805	403	0,17	0,016	Climat de classe
298 École	Evans et Dion	1991	27		372	0,92		Cohésion du groupe
299 École	Mullen et Copper	1994	49	8 702	66	0,51		Cohésion du groupe
Comportements en classe								
300 École	Bender et Smith	1990	25		124	1,101	0,13	Comportement en classe des élèves handicapés ou ayant un trouble d'apprentissage
301 École	DuPaul et Eckert	1997	63		637	0,58	0,450	Programmes scolaires pour TDAH
302 École	Naso, Siler, Hougland, Lance, Maws et Bridgett	2011	58	8 394	89	0,32		Contrôle volontaire
303 École	Frazier, Youngstron, Glutting et Watkins	2007	72		181	0,71		Programmes pour TDAH
Diminution des comportements perturbateurs								
304 École	Skiba et Casey	1985	41	883	26	0,93		Comportements perturbateurs en classe
305 École	Stage et Quiroz	1997	99	5 057	289	0,78	0,034	Diminution des comportements perturbateurs
306 Élève	Reid, Gonzalez, Nordness, Trout et Epstein	2004	25	2 486	101	-0,69	0,040	Perturbation affective/comportementale
Influence des pairs								
307 École	Ide, Parkerson, Haertel et Walberg	1980	12		122	0,53		Influence des pairs et réussite
ENSEIGNANT								
Effets de l'enseignant								
308 Enseignant	Mye, Konstantopoulos et Hedges	2004	18		18	0,32	0,020	Effet général de l'enseignant

Formation de l'enseignant

309	Enseignant	Qu, Becker et Kennedy	2004	24		192	0,08	0,044	Enseignants certifiés *vs* enseignants ayant une certification substitutive
310	Enseignant	Hacke	2010	21	1 989 761	21	0,09		Enseignants ayant la NBC* *vs* enseignants n'ayant pas la NBC
311	Enseignant	Qu, Becker et Kennedy	2004	24		76	0,14		Enseignants ayant un permis normal *vs* enseignants ayant un permis d'urgence
312	Enseignant	Kelley et Camilli	2007	32		105	0,15		Formation de l'enseignant relative à la petite enfance
313	Enseignant	Sparks	2004	5		18	0,12		Formation normale *vs* formation d'urgence ou probatoire

Microenseignement

314	Enseignant	Butcher	1981	47		47	0,55		Effet de la formation sur les compétences de l'enseignant
315	Enseignant	Yeany et Padilla	1986	183		183	1,18		Effet de la formation sur les compétences de l'enseignant en sciences
316	Enseignant	Bennett	1987	112		126	1,10		Effet de la formation sur les compétences de l'enseignant
317	Enseignant	Metcalf	1993	60		83	0,70		Expériences en laboratoire dans le cadre de la formation et compétences de l'enseignant

Connaissances disciplinaires de l'enseignant

318	Enseignant	Druva et Anderson	1983	65		360	0,06		Acquis de l'enseignant en sciences
319	Enseignant	Ahn et Choi	2004	27		64	0,12	0,016	Connaissances de l'enseignant en mathématiques

Qualité de l'enseignement

320	Enseignant	Cohen	1980	22		22	0,33		Rétroaction fondée sur l'évaluation des élèves
321	Enseignant	Cohen	1981	19		19	0,68		Évaluation de l'enseignant par les élèves
322	Enseignant	Cohen	1981	41		68	0,48		Évaluation de l'enseignant par les élèves
323	Enseignant	Clayson	2008	17		42	0,66		Évaluation de l'enseignant par les élèves

* NDT : National Board Certification – Certification visant à reconnaître l'excellence des enseignants aux États-Unis.

No domaine	Auteur	Année	Nombre d'études	Nombre total	Nombre d'effets	Moyenne	ET	Variable
324 Enseignant	Abrami, Leventhal et Perry	1982	12		12	0,29		Expressivité de l'enseignant
325 Enseignant	Cohen	1986	47		74	0,44	0,060	Évaluation de l'enseignant par les élèves
Relations maître-élèves								
326 Enseignant	Cornelius-White	2007	229	355 325	1 450	0,72	0,01	Relations maître-élèves et réussite
Développement professionnel (DP)								
327 Enseignant	Joslin	1980	137	47 000	902	0,81		Formation des enseignants en cours d'emploi
328 Enseignant	Harrison	1980	47		47	0,80		Perfectionnement du personnel
329 Enseignant	Wade	1985	91		715	0,37		Formation des enseignants en cours d'emploi et réussite
330 Enseignant	Blank et Alas	2010	16	1 063	21	0,21	0,080	DP et résultats des élèves
331 Enseignant	Lomos, Hofman et Bosker	2011	5		5	0,25	0,031	Communautés professionnelles et résultats des élèves
332 Enseignant	Salinas	2010	15		42	0,57	0,130	DP en mathématiques
333 Enseignant	Yoon, Duncan, Lee et Shapley	2008	9		9	0,54		DP et résultats des élèves
334 Enseignant	Batts	1988	40		101	0,40		Utilisation de conseillers pédagogiques pour encadrer les enseignants
335 Enseignant	Tinoca	2004	35		37	0,45	0,007	DP en sciences
336 Enseignant	Timperley, Wilson, Barrar et Fung	2007	227		183	0,66	0,060	DP et résultats des élèves
Attentes								
337 Enseignant	Rosenthal et Rubin	1978	345		345	0,70	0,200	Attentes de l'enseignant
338 Enseignant	Smith	1980	46		149	0,82		Attentes de l'enseignant
339 Enseignant	Dusek et Joseph	1983	102		102	0,39		Attentes de l'enseignant
340 Enseignant	Raudenbush	1984	18		33	0,08	0,044	Attentes de l'enseignant
341 Enseignant	Harris et Rosenthal	1985	53		53	0,41		Attentes de l'enseignant

No	Domaine	Auteur(s)	Année						Descripteur
342	Enseignant	Ritts, Patterson et Tubbs	1992	12		12	0,36		Beauté physique des élèves et réussite
343	Enseignant	Ide, Parkerson, Haertel et Walberg	1995	59		51	0,47	0,042	Beauté physique et réussite
344	Enseignant	Tenebaum et Ruck	2007	39		39	0,23	0,040	Attentes de l'enseignant
Étiquetage des élèves									
345	Enseignant	Fuchs, Fuchs, Mathes, Lipsey et Roberts	1985	79		79	0,61		Élèves non handicapés peu performants vs élèves en difficulté d'apprentissage et lecture
Habileté verbale de l'enseignant									
346		Aloe et Becker	2009	21		58	0,22	0,027	Habileté verbale de l'enseignant et résultats
Crédibilité de l'enseignant									
347		Finn, Schrodt, Witt, Elledge, Jernberg et Larson	2009	51	14 378	51	0,90	0,050	Crédibilité de l'enseignant
Clarté de l'enseignement									
48	Enseignant	Fendick	1991	s.o.		s.o.	0,75		Clarté de l'enseignement et résultats
PROGRAMMES									
Lecture, écriture et arts									
Programmes de perception visuelle									
349	Programmes	Kavale	1980	31	4 400	101	0,70	0,102	Intégration visuo-auditive
350	Programmes	Kavale	1981	106		723	0,767		Perception auditive
351	Programmes	Kavale	1982	161	325 000	1 571	0,81	0,008	Capacité de perception visuelle et lecture
352	Programmes	Kavale	1984a	59		173	0,09	0,014	Formation développementale de Frostig et lecture
353	Programmes	Kavale	1984c	59		173	0,18	0,028	Capacité de perception visuelle
354	Programmes	Kavale et Forness	2000	267	50 000	2 294	0,76	0,012	Processus visuo-auditifs
Programmes de vocabulaire									
355	Programmes	Kavale	1982	36		240	0,38		Formation psycholinguistique
356	Programmes	Stahl et Fairbanks	1986	41	41	41	0,97	0,127	Interventions en vocabulaire

Nº domaine	Auteur	Année	Nombre d'études	Nombre total	Nombre d'effets	Moyenne	ET	Variable
357 Programmes	Arnold, Myette et Casto	1986	30		87	0,59	0,090	Intervention langagière
358 Programmes	Nye, Foster et Seaman	1987	61		299	1,04	0,107	Intervention langagière
359 Programmes	Marulis et Neuman	2010	67		216	0,88		Interventions en vocabulaire et apprentissage des mots
360 Programmes	Abraham	2008	11		11	0,73		Utilisation de glossaires et apprentissage du vocabulaire
361 Programmes	Piasta et Wagner	2011	63	8 468	82	0,43		Apprentissage de l'alphabet et résultats
362 Programmes	Poirier	1989	61		61	0,5		Intervention langagière
363 Programmes	Marmolejo	1990	33		33	0,69		Interventions en vocabulaire
364 Programmes	Klesius et Searls	1990	39		39	0,50		Interventions en vocabulaire

Enseignement phonétique

Nº domaine	Auteur	Année	Nombre d'études	Nombre total	Nombre d'effets	Moyenne	ET	Variable
365 Programmes	Wagner	1988	16		1 766	0,38		Capacité de traitement phonologique
366 Programmes	Fukkink et de Glopper	1998	12		21	0,43	0,120	Trouver le sens des mots d'après le contexte
367 Programmes	Metsala, Stanovich et Brown	1998	17	1 116	38	0,58	0,060	Régularités ortho-phonologiques et lecture
368 Programmes	Miller	1999	18	882	18	1,53	0,231	Programmes relatifs à la conscience phonémique
369 Programmes	Bus et van IJzendoorn	1999	70	5 843	1 484	0,73		Formation relative à la conscience phonologique
370 Programmes	Jeynes	2008	22	5 000	22	0,23		Méthode phonétique et élèves issus des minorités
371 Programmes	Sherman	2007	26	1 358	88	0,26		Conscience phonémique et enseignement phonétique
372 Programmes	Thomas	2000	8	715	10	1,02		Conscience phonémique
373 Programmes	National Reading Panel	2000	52		96	0,53		Conscience phonémique

No.	Type	Auteurs	Année						Description
374	Programmes	National Reading Panel	2000	38		66	0,44		Enseignement phonétique
375	Programmes	National Reading Panel	2000	14		14	0,41		Fluidité
376	Programmes	Ehri, Nunes, Stahl et Willows	2001	34		66	0,41		Enseignement phonétique systématique
377	Programmes	Ehri, Nunes, Willows, Schuster, Yaghoub-Zadeh et Shanahan	2001	52		72	0,53		Conscience phonémique et lecture
378	Programmes	Swanson, Trainin, Necoechea et Hammill	2003	35	3 568	2 257	0,93	0,473	Dénomination rapide, conscience phonologique
379	Programmes	Goodwin et Ahn	2010	17		79	0,33	0,070	Enseignement morphologique
380	Programmes	Bowers, Kirby et Deacon	2010	22	2 652	285	0,32		Enseignement morphologique
381	Programmes	Weiser et Mathes	2011	11		11	0,78		Enseignement de l'encodage
382	Programmes	Camilli, Vargas et Yirecko	2003	40		40	0,24		Enseignement phonétique
383	Programmes	Torgerson, Brooks et Hall	2006	19		20	0,27		Enseignement phonétique
Programmes de combinaison de phrases									
384	Programmes	Neville et Searls	1991	24		29	0,09		Combinaison de phrases et lecture
385	Programmes	Fusaro	1993	11		11	0,20	0,087	Effets de la combinaison de phrases
Programmes de lecture répétée									
386	Programmes	Therrien	2004	33		28	0,65	0,080	Lecture répétée
387	Programmes	Chard, Vaughn et Tyler	2002	21		128	0,68		Lecture répétée sans modèle
Programmes de compréhension									
388	Programmes	Pflaum, Walberg, Karegianes et Rasher	1980	31		341	0,60		Enseignement de la lecture

N° domaine	Auteur	Année	Nombre d'études	Nombre total	Nombre d'effets	Moyenne	ET	Variable
389 Programmes	Rowe	1985	137		1 537	0,70	0,044	Interventions liées à la compréhension en lecture
390 Programmes	Yang	1997	39		162	0,33		Programmes d'amélioration de la fluidité en lecture
391 Programmes	O'Shaughnessy et Swanson	1998	41	1 783	161	0,61	0,069	Enfants n'ayant pas de trouble d'apprentissage *vs* enfants ayant un trouble d'apprentissage et traitement de l'information par la mémoire
392 Programmes	Kan et Windsor	2010	28	582	244	0,60		Apprentissage des mots
393 Programmes	Swanborn et de Glopper	1999	20	2 130	20	0,15		Apprentissage incident des mots
394 Programmes	Swanson	1999	112	3 895	334	0,77	0,055	Interventions en lecture
395 Programmes	Berger et Winner	2000	9	378		0,10		Programmes d'arts visuels et lecture
396 Programmes	Edmonds et al.	2010	29	976	29	0,89		Interventions en lecture avec les élèves plus vieux
397 Programmes	Scammaca, Roberts, Vaughn, Edmonds, Wexler, Reutebuch et Torgesen	2007	31		31	0,95		Interventions en lecture avec les élèves plus vieux
398 Programmes	Benner, Nelson, Ralston et Mooney	2010	24	187	35	1,13		Enseignement de la lecture aux élèves en difficulté d'apprentissage
399 Programmes	Slavin	2009	63	22 000	63	0,22		Programmes de lecture efficace
400 Programmes	Elleman, Lindo, Morphy et Compton	2009	37	3 063	44	0,50		Interventions en vocabulaire
401 Programmes	van Steensel, McElvany, Kurvers et Herppich	2011	30		47	0,18		Programmes de littératie familiale
402 Programmes	Sencibaugh	2005	15	538	23	1,15		Programmes visuels ou auditifs pour améliorer la compréhension
403 Programmes	Guthrie, McRae et Klauda	2007	11	2 861	75	0,78		Programme de lecture axé sur les concepts

Méthode globale

	Auteur(s)	Année						
404 Programmes	Stahl et Miller	1989	15		117	0,09	0,056	Effets de la méthode globale
405 Programmes	Gee	1993	21		52	0,65		Effets de la méthode globale
406 Programmes	Stahl, McKenna et Pagnucco	1994	14		14	0,15		Effets de la méthode globale
407 Programmes	Jeynes et Littell	2000	14	630	14	-0,65		Effets de la méthode globale

Exposition à la lecture

	Auteur(s)	Année						
408 Programmes	Bus, van IJzendoorn et Pellegrini	1995	29	3 410	33	0,59		Lecture conjointe
409 Programmes	Blok	1999	11		53	0,63	0,140	Faire la lecture aux jeunes enfants
410 Programmes	Mol et Bus	2011	99	7 699	383	0,78		Exposition à l'écrit
411 Programmes	Torgerson, King et Sowden	2002	8		8	0,19		Bénévoles offrant de l'aide à la lecture
412 Programmes	Yoon	2002	7	3 183	7	0,12	0,040	Lecture silencieuse soutenue
413 Programmes	Lewis et Samuels	2005	49	112 000	182	0,10		Temps consacré à la lecture
414 Programmes	Burger et Winner	2005	10		10	0,52		Arts visuels et préparation à la lecture

Programmes de deuxième/troisième chance

	Auteur(s)	Année						
415 Programmes	Elbaum, Vaughn, Hughes et Moody	2000	16		16	0,66		Programmes de rattrapage en lecture
416 Programmes	D'Agostino et Murphy	2004	36	5 685	1 379	0,34		Programmes de rattrapage en lecture Reading Recovery

Programmes d'écriture

	Auteur(s)	Année						
417 Programmes	Hillocks	1984	60	11 705	73	0,28	0,020	Enseignement de l'écriture
418 Programmes	Atkinson	1993	20		55	0,40	0,063	Projets d'écriture
419 Programmes	Gersten et Baker	2001	13		13	0,81	0,031	Expression écrite
420 Programmes	Bangert-Drowns, Hurley et Wilkinson	2004	46	5 416	46	0,26	0,058	Interventions scolaires axées sur l'apprentissage par l'écriture
421 Programmes	Graham et Perin	2007	123	14 068	154	0,43	0,036	Programmes d'écriture

Programmes de théâtre et d'arts

	Auteur(s)	Année						
422 Programmes	Kardash et Wright	1987	16		36	0,67	0,090	Création dramatique

N° domaine	Auteur	Année	Nombre d'études	Nombre total	Nombre d'effets	Moyenne	ET	Variable
423 Programmes	Podlozny	2000	17		17	0,31		Théâtre et lecture
424 Programmes	Moga, Burger, Hetland et Winner	2000	8	2 271	8	0,35		Programmes d'art et créativité
425 Programmes	Winner et Cooper	2000	31		24	0,06		Programmes d'art et réussite
426 Programmes	Keinanen, Hetland et Winner	2000	527	69 564	527	0,43		Danse et lecture
427 Programmes	Butzlaff	2000	30	5 734 878	30	0,35		Programmes de musique et lecture
428 Programmes	Hetland	2000	15	1 170	15	0,80		Programmes de musique et raisonnement spatial
429 Programmes	Hetland	2000	15		15	0,06		Programmes de musique et intelligence
430 Programmes	Vaughn	2000	20		20	0,30		Étude/écoute de la musique et mathématiques
431 Programmes	Hetland	2000b	36		36	0,23		Écoute de la musique
Mathématiques et sciences								
Mathématiques								
432 Programmes	Athapilly	1978	134		810	0,24	0,030	Mathématiques modernes vs traditionnelles
433 Programmes	Parham	1983	64		171	0,53	0,099	Matériel de manipulation
434 Programmes	Sutawidjaja	1987	19		40	0,00		Matériel de manipulation
435 Programmes	Domino	2010	31	5 288	35	0,50		Matériel de manipulation
436 Programmes	Slavin	2008	87		87	0,22		Programmes de mathématiques efficaces
437 Programmes	Gersten, Chard, Jayanthi, Baker, Morphy, Flojo	2008	44	4 772	108	0,55		Programmes de mathématiques et élèves en difficulté d'apprentissage
438 Programmes	Rakes, Valentine, McGatha et Ronau	2010	82	22 424	109	0,29	0,139	Stratégies algébriques
439 Programmes	Fuchs et Fuchs	1985	16		17	0,46	0,009	Utilisation de papier quadrillé
440 Programmes	Moin	1987	s.o.		s.o.	0,23		Méthode autorythmée d'enseignement du calcul

N°	Domaine	Auteur	Année						Description
441	Programmes	Friedman	1989	136		394		0,88	Effets spatiaux en mathématiques
442	Programmes	LeNoir	1989	45		135		0,19	*Matériel de manipulation*
443	Programmes	Mitchell	1987	29		34	0,083	0,11	Méthodes de découverte en mathématiques
444	Programmes	Sowell	1989	60		138		0,19	Matériel de manipulation
445	Programmes	Fischer et Tarver	1997	7	277	22		1,01	Programme de mathématiques sur vidéodisque
446	Programmes	Lee	2000	61	5 172	97	0,100	0,60	Programmes de mathématiques et élèves en difficulté d'apprentissage
447	Programmes	Baker, Gersten et Lee	2002	15	1 271	39		0,51	Rétroaction et tutorat par les pairs pour les élèves peu performants
448	Programmes	Haas	2005	35		66	0,141	0,38	Méthodes d'enseignement en algèbre
449	Programmes	Malofeeva	2005	29	1 845	29	0,047	0,47	Programmes de mathématiques pour M-2
450	Programmes	Hembree	2005	75		452		0,16	Variables non contingentes

Utilisation de calculatrices

N°	Domaine	Auteur	Année						Description
451	Programmes	Hembree et Dessart	1986	79		524		0,14	Utilisation de calculatrices par les étudiants de niveau précollégial
452	Programmes	Smith	1996	24		54		0,25	Utilisation de calculatrices
453	Programmes	Ellington	2000	53		305		0,28	Utilisation de calculatrices par les étudiants de niveau précollégial
454	Programmes	Nikolaou	2001	24		103	0,092	0,49	Utilisation de calculatrices et résolution de problèmes
455	Programmes	Ellington	2006	42		97		0,19	Utilisation de calculatrices graphiques sans fonction de calcul algébrique

Sciences

N°	Domaine	Auteur	Année						Description
456	Programmes	El-Memr	1979	59		250.		0,17	Méthode traditionnelle *vs* méthode fondée sur l'investigation en biologie
457	Programmes	Bredderman	1980	50		17		0,12	Programmes axés sur les manuels *vs* sur les processus
458	Programmes	Weinstein, Boulanger et Walberg	1982	33	19 149	33		0,31	Effets du programme de sciences

N° domaine	Auteur	Année	Nombre d'études	Nombre total	Nombre d'effets	Moyenne	ET	Variable
459 Programmes	Bredderman	1983	57	13 000	400	0,35		Méthodes axées sur l'activité
460 Programmes	Scott, Tolson, Schroeder, Lee, Huang, Hu et Bentz	2005	61	159 695	61	0,67		Stratégies d'enseignement des sciences
461 Programmes	Shymansky, Kyle et Alport	1983	105	45 626	341	0,43		Nouveaux programmes de sciences
462 Programmes	Wise et Okey	1983	160		400	0,34		Stratégies d'enseignement des sciences
463 Programmes	Shymansky	1984	47	6 035	43	0,64		Programmes de biologie
464 Programmes	Horak	1985	40		472	0,57		Apprentissage des sciences au moyen de documents textuels
465 Programmes	Guzzetti, Snyder, Glass et Gamas	1993	23		35	0,29		Idées fausses sur la lecture
466 Programmes	Guzzetti, Snyder, Glass et Gamas	1993	70		126	0,81		Changement conceptuel en sciences
467 Programmes	Wise	1996	140		375	0,32		Stratégies pour l'enseignement des sciences
468 Programmes	Rubin	1996	39		39	0,22	0,018	Laboratoire en sciences au collégial
469 Programmes	Schroeder, Scott, Tolson, Huang et Lee	2007	61	159 695	61	0,67		Stratégies d'enseignement en sciences

Autres programmes scolaires

Programmes d'éducation aux valeurs/enseignement moral

N° domaine	Auteur	Année	Nombre d'études	Nombre total	Nombre d'effets	Moyenne	ET	Variable
470 Programmes	Schlaefli, Rest et Thoma	1985	55		68	0,28		Effets sur les jugements moraux
471 Programmes	Berg	2003	29	27 064	29	0,20		Programmes de développement du caractère et connaissances des élèves

Programmes de formation perceptivomotrice

472 Programmes	Kavale et Mattson	1983	180	13 000	637	0,08	0,011	Programmes de FPM et élèves en difficultés d'apprentissage

Programmes scolaires intégrés

473 Programmes	Hartzler	2000	30		30	0,48	0,086	Programmes scolaires intégrés

#		Auteurs	Année	Nb	Nb	Nb	d	CLE	Description
474	Programmes	Hurley	2001	31	7 894	50	0,31	0,015	Programmes intégrés de sciences et de mathématiques
Stimulation tactile									
475	Programmes	Ottenbacher, Muller, Brandt, Heintzelman, Hojem et Sharpe	1987	19	505	103	0,58	0,145	Stimulation tactile
Programmes d'habiletés sociales									
476	Programmes	Denham et Almeida	1987	70		70	0,62		Programmes de résolution de problèmes sociaux
477	Programmes	Hanson	1988	63		586	0,65	0,034	Formation relative aux habiletés sociales
478	Programmes	Schneider	1992	79		12	0,19		Améliorer les relations avec les pairs
479	Programmes	Swanson et Malone	1992	39	3 944	366	0,72	0,043	Habiletés sociales des élèves ayant un trouble d'apprentissage et des élèves n'ayant pas de trouble d'apprentissage
480	Programmes	Durlak, Weissberg, Dymnicki, Schellinger et Taylor	2011	35	270 034	35	0,34		Interventions sur le plan social et affectif, et réussite
481	Programmes	Beelmann, Pfingsten et Losel	1994	49		23	-0,04		Formation relative aux compétences sociales et résultats
482	Programmes	Forness et Kavale	1996	53	2 113	328	0,21	0,034	Habiletés sociales et difficultés d'apprentissage
483	Programmes	Kavale et Forness	1996	152		858	0,65	0,015	Habiletés sociales des élèves ayant un trouble d'apprentissage et des élèves n'ayant pas de trouble d'apprentissage
484	Programmes	Quinn, Kavale, Mathur, Rutherford et Forness	1999	35	1 123	35	0,20	0,03	Habiletés sociales, et troubles affectifs et comportementaux
Programmes de créativité									
485	Programmes	Rose et Lin	1984	158		158	0,47	0,054	Programmes de créativité à long terme
486	Programmes	Cohn	1986	106		177	0,55		Efficacité de l'entraînement à la créativité
487	Programmes	Bangert-Drowns et Bankert	1990	20		20	0,37		Enseignement explicite de la créativité
488	Programmes	Hollingsworth	1991	39		39	0,82		Programmes de créativité

N° domaine	Auteur	Année	Nombre d'études	Nombre total	Nombre d'effets	Moyenne	ET	Variable
489 Programmes	Conard	1992	s.o.		s.o.	0,48		Création dramatique
490 Programmes	Scope	1998	30		40	0,90	0,188	Influences de l'enseignement sur la créativité
491 Programmes	Scott, Leritz et Mumford	2004	70		70	0,64		Programmes de créativité
492 Programmes	Bertrand	2005	45		45	0,64	0,10	Programmes de créativité
493 Programmes	Higgins, Hall, Baumfield et Moseley	2005	19		19	0,62		Programmes axés sur la réflexion et réussite
494 Programmes	Huang	2005	51		62	0,89	0,098	Programmes de créativité
495 Programmes	Berkowitz	2006	23	5 000	39	0,46	0,050	Stratégies de communication créative diverses
496 Programmes	Abrami, Bernard, Zhang, Borokhovski, Surkes et Wade	2006	124	18 299	168	1,01		Interventions pour développer l'esprit critique
Programmes de plein air								
497 Programmes	Cason et Gillis	1994	43	11 238	10	0,61	0,051	Enseignement de plein air et réussite au secondaire
498 Programmes	Hattie, Marsh, Neill et Richards	1997	96	12 057	30	0,46		Programme Outward Bound*
499 Programmes	Laidlaw	2002	48	3 550	389	0,49	0,020	Enseignement de plein air et réussite
Jeu								
500 Programmes	Spies	1987	24	2 491	24	0,26		Impact du jeu sur la réussite
501 Programmes	Fisher	1992	46	2 565	46	0,74		Impact du jeu sur la réussite
Programmes bilingues								
502 Programmes	Powers et Rossman	1984	16	1 257	16	0,12		Programmes bilingues
503 Programmes	Willig	1985	16		513	0,10		Programmes bilingues
504 Programmes	Oh	1987	54	6 207	115	1,21	0,140	Programmes bilingues pour élèves asiatiques
505 Programmes	Greene	1997	11	2 719	11	0,18		Programmes bilingues

506	Programmes	McField	2002	10		12	0,35		Programmes bilingues
507	Programmes	Rolstad, Mahoney et Glass	2005	4		43	0,16		Programmes bilingues en Arizona
508	Programmes	Slavin et Cheung	2005	17		17	0,45		Programmes de lecture bilingues et en anglais seulement

Activités parascolaires

509	Programmes	Scott-Little, Hamann et Jurs	2002	6			0,18		Programmes de garde parascolaire
510	Programmes	Lewis et Samuels	2004	10		10	0,47	0,101	Activités générales
511	Programmes	Lewis et Samuels	2004	5		5	0,10	0,058	Sports
512	Programmes	Lewis et Samuels	2004	8		8	-0,01	0,058	Travail
513	Programmes	Chappella, Nunneryb, Pribeshc et Hagerd	2011		140 345	801	0,03	0,004	Services éducatifs complémentaires hors de l'école
514	Programmes	Shulruf	2011	29		148	0,19		Activités parascolaires
515	Programmes	Conway, Amiel et Gerswein	2009	19	1 193	19	0,43		Apprentissage par le service communautaire
516	Programmes	Durlak, Weisberg et Casel	2007	73		45	0,13		Programmes parascolaires

Interventions relatives au choix de carrière

517	Programmes	Baker et Popowicz	1983	18		118	0,50	0,050	Évaluer l'effet de l'information scolaire et professionnelle sur les résultats
518	Programmes	Oliver et Spokane	1988	58		58	0,48		Interventions en information scolaire et professionnelle
519	Programmes	Evans et Burck	1992	67	159 243	67	0,17		Interventions en information scolaire et professionnelle

ENSEIGNEMENT

Stratégies mettant l'accent sur les intentions d'apprentissage

Objectifs ambitieux

520	Enseignement	Chidester et Grigsby	1984	21	1 770	21	0,44	0,030	Difficulté des objectifs

* NDT: Programme de formation et d'endurcissement (en plein air) s'adressant aux jeunes.

N° domaine	Auteur	Année	Nombre d'études	Nombre total	Nombre d'effets	Moyenne	ET	Variable
521 Enseignement	Fuchs et Fuchs	1985	18		96	0,64		Objectifs à long terme vs à court terme
522 Enseignement	Tubbs	1986	87		147	0,58	0,030	Difficulté des objectifs, spécificité et rétroaction
523 Enseignement	Mento, Steel et Karren	1987	70	7 407	118	0,58	0,018	Difficulté des objectifs
524 Enseignement	Wood, Mento et Locke	1987	72	7 548	72	0,58	0,149	Difficulté des objectifs
525 Enseignement	Wood, Mento et Locke	1987	53	6 635	53	0,43	0,063	Spécificité des objectifs
526 Enseignement	Wright	1990	70	7 161	70	0,55	0,018	Difficulté des objectifs
527 Enseignement	Donovan et Radosevich	1998	21	2 360	21	0,36		Engagement envers les objectifs
528 Enseignement	Klein, Wesson, Hollenbeck et Alge	1999	74		83	0,47		Engagement envers les objectifs
529 Enseignement	Carpenter	2007	48	12 466	48	0,24		Objectifs de maîtrise et réussite
530 Enseignement	Hulleman, Schrager, Bodmann et Harackiewica	2010	243	91 087	243	0,12		Objectifs d'approche et réussite
531 Enseignement	Burns	2004	55		45	0,82	0,089	Ampleur des défis
532 Enseignement	Gollwitzer et Sheeran	2007	63	8 461	94	0,72		Intentions des objectifs et réussite
Objectifs comportementaux/organisateurs introductifs								
533 Enseignement	Kozlow	1978	77		91	0,89	0,017	Organisateurs introductifs
534 Enseignement	Luiten, Ames et Ackerman	1980	135		160	0,21		Organisateurs introductifs
535 Enseignement	Stone	1983	29		112	0,66	0,074	Organisateurs introductifs
536 Enseignement	Lott	1983	16		147	0,24		Organisateurs introductifs en sciences
537 Enseignement	Asencio	1984	111		111	0,12		Objectifs comportementaux
538 Enseignement	Klauer	1984	23		52	0,40		Apprentissage intentionnel
539 Enseignement	Rolhelser-Bennett	1987	12	1 968	45	0,80		Organisateurs introductifs

		Auteur(s)	Année						Description
540	Enseignement	Mahar	1992	50		50	0,44		Organisateurs introductifs
541	Enseignement	Catts	1992	14		80	-0,03	0,056	Apprentissage incident
542	Enseignement	Catts	1992	90		1 065	0,35	0,013	Apprentissage intentionnel
543	Enseignement	Preiss et Gayle	2006	20	1 937	20	0,46		Organisateurs introductifs

Schématisation conceptuelle

		Auteur(s)	Année						Description
544	Enseignement	Moore et Readence	1984	161		161	0,22	0,050	Organisateurs graphiques en mathématiques
545	Enseignement	Vazquez et Carballo	1993	17		19	0,57	0,032	Schématisation conceptuelle en sciences
546	Enseignement	Horton, McConney, Gallo, Woods, Senn et Hamelin	1993	19	1 805	19	0,45		Schématisation conceptuelle en sciences
547	Enseignement	Kang	2002	14		14	0,79		Organisateurs graphiques en lecture et élèves en difficulté d'apprentissage
548	Enseignement	Campbell	2009	38		46	0,79		Schématisation conceptuelle dans toutes les matières
549	Enseignement	Kim, Vaughn, Wanzek et Wei	2004	21	848	52	0,81	0,081	Organisateurs graphiques et lecture
550	Enseignement	Nesbit et Adesope	2006	55	5 818	67	0,55	0,040	Schématisation des concepts et des connaissances

Hiérarchies d'apprentissage

		Auteur(s)	Année						Description
551	Enseignement	Horon et Lynn	1980	24		24	0,19		Hiérarchies d'apprentissage

Stratégies mettant l'accent sur les critères de réussite

Pédagogie de la maîtrise

		Auteur(s)	Année						Description
552	Enseignement	Block et Burns	1976	45		45	0,83		Pédagogie de la maîtrise
553	Enseignement	Willett, Yamashita et Anderson	1983	130		13	0,64		Pédagogie de la maîtrise en sciences
554	Enseignement	Guskey et Gates	1985	38	7 794	35	0,78		Pédagogie de la maîtrise par groupe
555	Enseignement	Guskey	1988	43		78	0,61		Pédagogie de la maîtrise
556	Enseignement	Hefner	1985	8	1 529	12	0,66		Pédagogie de la maîtrise/méthodes axées sur les compétences
557	Enseignement	Kulik et Kulik	1986	49		49	0,54	0,055	Évaluation de la maîtrise

N° domaine	Auteur	Année	Nombre d'études	Nombre total	Nombre d'effets	Moyenne	ET	Variable
558 Enseignement	Slavin	1987	7		7	0,04		Pédagogie de la maîtrise
559 Enseignement	Guskey et Pigott	1988	43		78	0,61		Pédagogie de la maîtrise par groupe
560 Enseignement	Hood	1990	23		23	0,56		Pédagogie de la maîtrise
561 Enseignement	Kulik, Kulik et Bangert-Drowns	1990	34		34	0,52		Pédagogie de la maîtrise
Pédagogie de l'enseignement personnalisé de Keller								
562 Enseignement	Kulik, Kulik et Cohen	1979	61		75	0,49		PEP et réussite
563 Enseignement	Willett, Yamashita et Anderson	1983	130		15	0,60		PEP en sciences
564 Enseignement	Kulik, Kulik et Bangert-Drowns	1988	72		72	0,49		PEP et étudiants du collégial
Exemples de problèmes résolus								
565 Enseignement	Crissman	1986	62	3 324	151	0,57	0,042	Exemples de problèmes résolus et réussite
Stratégies mettant l'accent sur la rétroaction								
Rétroaction								
566 Enseignement	Lysakowski et Walberg	1980	39	4 842	102	1,17		Renforcement en classe
567 Enseignement	Wilkinson	1981	14		14	0,12		Félicitations de l'enseignant
568 Enseignement	Walberg	1982	19		19	0,81		Indices et renforcement
569 Enseignement	Lysakowski et Walberg	1982	54	15 689	94	0,97		Indices, participation et rétroaction corrective
570 Enseignement	Yeany et Miller	1983	49		49	0,52		Rétroaction diagnostique en sciences au collégial
571 Enseignement	Schimmel	1983	15		15	0,47	0,034	Rétroaction et enseignement assisté par ordinateur
572 Enseignement	Getsie, Langer et Glass	1985	89		89	0,14		Récompenses et punitions
573 Enseignement	Skiba, Casey et Center	1985	35		315	0,68		Procédures non aversives

574	Enseignement	Miller	2003	8		8	1,08	0,024	Rétroaction verbale négative et apprentissage
575	Enseignement	Lyster et Saito	2010	15		28	0,74	0,115	Évaluation des élèves comme rétroaction
576	Enseignement	Menges et Brinko	1986	27		31	0,44		Récompenses et motivation intrinsèque
577	Enseignement	Rummel et Feinberg	1988	45		45	0,60		Moment choisi pour la rétroaction
578	Enseignement	Kulik et Kulik	1988	53		53	0,49		Indices et renforcement
579	Enseignement	Tenenbaum et Goldring	1989	15	522	15	0,72		Rétroaction fondée sur l'évaluation des étudiants du collégial
580	Enseignement	L'Hommedieu, Menges et Brinko	1990	28	1 698	28	0,34		Rétroaction fondée sur les évaluations
581	Enseignement	Bangert-Drowns, Kulik, Kulik et Morgan	1991	40		58	0,26	0,060	Récompenses intrinsèques vs extrinsèques
582	Enseignement	Wiersma	1992	20	865	17	0,50	0,086	Connaissance des résultats
583	Enseignement	Travlos et Pratt	1995	17		17	0,71	0,010	Rétroaction présentée par ordinateur
584	Enseignement	Azevedo et Bernard	1995	22		22	0,80		Musique comme renforcement
585	Enseignement	Standley	1996	98		208	2,87		Rétroaction
586	Enseignement	Kluger et DeNisi	1996	470	12 652	470	0,38		Objectifs avec rétroaction
587	Enseignement	Neubert	1998	16	744	16	0,63	0,028	Évaluation dynamique (rétroaction)
588	Enseignement	Swanson et Lussier	2001	30	5 104	170	1,12	0,093	Indépendance vs dépendance du champ
589	Enseignement	Baker et Dwyer	2005	11	1 341	122	0,93		Immédiateté de la rétroaction de l'enseignant
590	Enseignement	Witt, Wheeless et Aooen	2006	81	24 474	81	1,15		

Fréquence/effets des évaluations

591	Enseignement	Kulik, Kulik et Bangert	1984	19		19	0,42	0,080	Tests d'entraînement
592	Enseignement	Fuchs et Fuchs	1986	22	1 489	34	0,28		Effets de la connaissance de l'examinateur
593	Enseignement	Bangert-Drowns, Kulik et Kulik	1991	35		35	0,23		Évaluations fréquentes

N° domaine		Auteur	Année	Nombre d'études	Nombre total	Nombre d'effets	Moyenne	ET	Variable
594	Enseignement	Gocmen	2003	78		233	0,40	0,047	Évaluations fréquentes
595	Enseignement	Kim	2005	148		644	0,39	0,016	Évaluation formative
596	Enseignement	Kim	2005	148		622	0,39		Évaluation du rendement et réussite
597	Enseignement	Lee	2006	12		55	0,36	0,061	Évaluation externe fondée sur les tests à grands enjeux
598	Enseignement	Hausknecht, Halpert, Di Paolo et Moriarty-Gerrard	2007	107	134 436	107	0,26	0,016	Effets de la répétition et de la reprise des tests
Préparation aux tests									
599	Enseignement	Messick et Jungeblut	1981	12		12	0,15		Encadrement en vue du SAT*
600	Enseignement	Bangert-Drowns, Kulik et Kulik	1983	30		30	0,25		Préparation aux tests
601	Enseignement	DerSimonian et Laird	1983	36	15 772	36	0,07		Encadrement en vue du SAT-M/V
602	Enseignement	Haynie	2007	8		8	0,76		Passation de tests et rétention des apprentissages
603	Enseignement	Samson	1985	24		24	0,33	0,039	Préparation aux tests
604	Enseignement	Scruggs, White et Bennion	1986	24		65	0,21		Préparation aux tests
605	Enseignement	Kalaian et Becker	1986	34		34	0,34	0,010	Encadrement en vue du SAT
606	Enseignement	Powers	1986	10		44	0,21		Encadrement en vue de l'admission au collégial
607	Enseignement	Becker	1990	48		70	0,30		Encadrement en vue du SAT
608	Enseignement	Witt	1993	35		35	0,22		Préparation aux tests
609	Enseignement	Kulik, Bangert-Drowns et Kulik	1994	14		14	0,15		Encadrement en vue du SAT
Fournir des évaluations formatives aux enseignants									
610	Enseignement	Fuchs et Fuchs	1986	21	3 835	21	0,70		Évaluation formative

#	Domaine	Auteur(s)	Année					Description
611	Enseignement	Burns et Symington	2002	9	57	1,10	0,079	Utilisation d'équipes d'intervention préalable à l'aiguillage vers les services spécialisés
Réponse à l'intervention								
612	Enseignement	Tran, Sanchez, Arellano et Swanson	2011	13	107	1,07		Programmes de réponse à l'intervention
Questionnement								
613	Enseignement	Redfield et Rousseau	1981	14	14	0,73		Questionnement de l'enseignant
614	Enseignement	Lyday	1983	65	65	0,57		Questions complémentaires
615	Enseignement	Hamaker	1986	61	121	0,13	0,009	Questions complémentaires factuelles
616	Enseignement	Samson, Strykowski, Weinstein et Walberg	1987	14	14	0,26	0,086	Questionnement de l'enseignant
617	Enseignement	Gliesmann, Pugh, Dowden et Hutchins	1988	26	26	0,82		Questionnement de l'enseignant
618	Enseignement	Berkeley, Scruggs et Mastropieri	2009	30	30	0,68		Questionnement/enseignement de stratégies en lecture
619	Enseignement	Gayle, Preiss et Allen	2006	13	13	0,31	0,108	Questionnement de l'enseignant
620	Enseignement	Randolph	2007	18	18	0,38		Cartes-réponses pour questionnement
Discussions en classe								
621	Enseignement	Murphy, Wilkinson, Soter et Hennessey	2011	42	42	0,82		Favoriser les discussions en classe
Immédiateté des réactions de l'enseignant								
622	Enseignement	Allen, Witt et Wheeless	2007	16	5 437	0,16		Immédiateté et résultats cognitifs
Stratégies mettant l'accent sur le point de vue des élèves en matière d'apprentissage								
Temps consacré à la tâche								
623	Enseignement	Bloom	1976	11	28	0,75		Temps consacré à la tâche
624	Enseignement	Fredrick	1980	35	35	0,34		Temps consacré à la tâche
625	Enseignement	Catts	1992	18	37	0,19	0,101	Temps consacré à la tâche

* NDT: Test normalisé utilisé pour l'admission dans les collèges aux États-Unis.

Nº domaine	Auteur	Année	Nombre d'études	Nombre total	Nombre d'effets	Moyenne	ET	Variable
626 Enseignement	Shulruf, Keuskamp et Timperley	2006	36		36	0,24		Suivre davantage de cours
Apprentissage distribué ou massé								
627 Enseignement	Lee et Genovese	1988				0,96		Apprentissage distribué ou massé
628 Enseignement	Donovan et Radosevich	1999	63		112	0,46		Apprentissage distribué ou massé
Tutorat par les pairs								
629 Enseignement	Hartley	1977	29		50	0,63	0,089	Effets sur les tutorés en mathématiques
630 Enseignement	Hartley	1977	29		18	0,58	0,201	Effets sur les tuteurs en mathématiques
631 Enseignement	Cohen, Kulik et Kulik	1982	65		52	0,40	0,069	Effets sur les tutorés
632 Enseignement	Cohen, Kulik et Kulik	1982	65		33	0,33	0,090	Effets sur les tuteurs
633 Enseignement	Phillips	1983	302		302	0,98		Enseignement tutoriel du concept de conservation
634 Enseignement	Cook, Scruggs, Mastropieri et Casto	1985	19		49	0,53	0,106	Élèves handicapés comme tuteurs
635 Enseignement	Cook, Scruggs, Mastropieri et Casto	1985	19		25	0,58	0,120	Élèves handicapés comme tutorés
636 Enseignement	Mathes et Fuchs	1991	11		74	0,36		Tutorat par les pairs en lecture
637 Enseignement	Batya, Vaughn, Hughes et Moody	2000	32	1 248	216	0,41		Tutorat par les pairs en lecture
638 Enseignement	Elbaum, Vaughn, Hughes et Moody	2000	29	325	216	0,67	0,067	Programmes de tutorat individuel en lecture
639 Enseignement	Rohrbeck, Ginsburg-Block, Fantuzzo et Miller	2003	90		90	0,59	0,095	Formation par les pairs des élèves du primaire
640 Enseignement	Erion	2006	32		32	0,82	0,156	Tutorat des enfants par les parents
641 Enseignement	Ginsburg-Block, Rohrbeck et Fantuzzo	2006	28		26	0,35	0,040	Formation par les pairs

		Auteur	Année	Nb études	Nb personnes	Nb effets	d		
642	Enseignement	Kunsch, Jitendra et Sood	2007	17	1 103	17	0,47		Enseignement par les pairs en mathématiques et élèves en difficulté d'apprentissage

Tutorat par des bénévoles

		Auteur	Année	Nb études	Nb personnes	Nb effets	d		
643	Enseignement	Ritter, Barnett, Denny et Albin	2009	21	2 180	28	0,26		Bénévoles adultes

Mentorat

		Auteur	Année	Nb études	Nb personnes	Nb effets	d		
644	Enseignement	Eby, Allen, Evans, Ng et DuBois	2007	31	10 250	31	0,16	0,04	Mentorat et mesures de rendement
645	Enseignement	du Bois, Holloway, Valentine et Cooper	2008	43		43	0,13	0,05	Mentorat et résultats scolaires

Stratégies mettant l'accent sur l'apprentissage métacognitif/autorégulé des élèves

Stratégies métacognitives

		Auteur	Année	Nb études	Nb personnes	Nb effets	d		
646	Enseignement	Haller, Child et Walberg	1988	20	1 553	20	0,71	0,181	Programmes d'entraînement métacognitif en lecture
647	Enseignement	Chiu	1998	43	3 475	123	0,67		Interventions métacognitives en lecture

Techniques d'étude

		Auteur	Année	Nb études	Nb personnes	Nb effets	d		
648	Enseignement	Sanders	1979	28	6 140	28	0,37		Programmes de lecture et d'étude
649	Enseignement	Kulik, Kulik et Shwalb	1983	57		57	0,27	0,042	Programmes de préparation aux techniques d'étude
650	Enseignement	Crismore	1985	100		100	1,04		Stratégies de synthèse
651	Enseignement	Henk et Stahl	1985	21		25	0,34	0,129	Prise de notes
652	Enseignement	Rolhelser-Bennett	1987	12	1 968	78	1,28		Entraînement de la mémoire
653	Enseignement	Runyan	1987	32	3 698	51	0,64		Programme de mémorisation par la technique mnémonique des mots clés
654	Enseignement	Mastropieri et Scruggs	1989	19		19	1,62	0,18	Programme de mémorisation par la technique mnémonique des mots clés
655	Enseignement	Burley	1994	27	7 285	40	0,13		Programmes collégiaux pour les étudiants insuffisamment préparés
656	Enseignement	Hattie, Biggs et Purdie	1996	51	5 443	270	0,45	0,030	Techniques d'étude
657	Enseignement	Purdie et Hattie	1999	52		653	0,28	0,007	Techniques d'étude

N° domaine		Auteur	Année	Nombre d'études	Nombre total	Nombre d'effets	Moyenne	ET	Variable
658	Enseignement	Robbins, Lauver, Le, Davis, Langley et Carlstrom	2004	109	476	279	0,41	0,240	Techniques d'étude au collégial
659	Enseignement	Lavery	2005	30	1 937	223	0,46	0,060	Apprentissage autorégulé
660	Enseignement	Benz et Schmitz	2009	28		28	0,78		Apprentissage autorégulé
661	Enseignement	Sitzmann et Ely	2011	369	90 380	855	0,37		Stratégies d'autorégulation
662	Enseignement	Kim, Kim, Lee, Park, Hong et Kim	2008	50		97	0,96		Enseignement de stratégies d'apprentissage
663	Enseignement	Mesmer-Magnus et Viswesvaran	2010	128	13 684	159	0,62		Enseignement de stratégies d'apprentissage
664	Enseignement	Scruggs, Mastropieri, Berkeley et Graetz	2010	35	2 403	94	1,00		Enseignement de stratégies d'apprentissage aux élèves du secondaire en difficulté d'apprentissage
665	Enseignement	Kobayashi	2005	57		131	0,22		Effets de la prise de notes
666	Enseignement	Dignath, Buettner et Langfeldt	2008	30	2 364	263	0,69	0,030	Stratégies d'autorégulation
Autoverbalisation/autoquestionnement									
667	Enseignement	Rock	1985	47	1 398	684	0,51	0,060	Entraînement à l'autoapprentissage des élèves en difficulté
668	Enseignement	Duzinski	1987	45		377	0,84		Entraînement à l'autoverbalisation
669	Enseignement	Huang	1991	21	1 700	89	0,58		Autoquestionnement des élèves
Contrôle de l'élève sur l'apprentissage									
670	Enseignement	Niemiec, Sikorski et Walberg	1996	24		24	-0,03	0,149	Contrôle de l'élève sur l'apprentissage et EAO
671	Enseignement	Patall, Cooper et Robinson	2008	41		14	0,10	0,027	Contrôle sur l'apprentissage et résultats subséquents
Enseignement centré sur l'élève									
672	Enseignement	Preston	2007	19		19	0,54	0,149	Approche centrée sur l'élève vs sur l'enseignant

Interactions aptitude-traitement

No	Domaine	Auteur(s)	Année	Nbre d'études	Nbre de personnes	Nbre d'effets	d	EÉ	Variable
673	Enseignement	Kavale et Forness	1987	39		318	0,28		Évaluation et enseignement selon la modalité
674	Enseignement	Whitener	1989	22	1 434	22	0,11	0,070	
Adaptation aux styles d'apprentissage									
675	Enseignement	Tamir	1985	54		13	0,02		Préférence cognitive
676	Enseignement	Garlinger et Frank	1986	7	1 531	7	-0,03		Indépendance vs dépendance du champ et réussite
677	Enseignement	Sullivan (méta-analyse exclue, voir Visible Learning)	1993	42	3 434	42	0,75		Adaptation aux styles d'apprentissage de Dunn et Dunn, et réussite
678	Enseignement	Iliff	1994	101		486	0,33	0,026	Adaptation au style d'apprentissage de Kolb et réussite
679	Enseignement	Dunn, Griggs, Olson, Beasley et Gorman	1995	36	3 181	65	0,76		Interventions pour une meilleure adaptation au style d'apprentissage et réussite
680	Enseignement	Slemmer	2002	48	5 908	51	0,27		Styles d'apprentissage dans les hyperenvironnements ou les environnements soutenus par les technologies
681	Enseignement	Salvione	2007	34	7 093	677	0,28		Styles d'apprentissage de Dunn et Dunn pour les élèves
682	Enseignement	Mangino (méta-analyse exclue, voir Visible Learning)	2004	47	8 661	386	0,54	0,006	Styles d'apprentissage de Dunn et Dunn pour les adultes
683	Enseignement	Lovelace (méta-analyse exclue, voir Visible Learning)	2005	76	7 196	168	0,67		Styles d'apprentissage de Dunn et Dunn et réussite
Enseignement individualisé									
684	Enseignement	Hartley	1977	51		139	0,16	0,091	Individualisation en mathématiques
685	Enseignement	Kulik et Kulik	1980	213		213	0,33	0,034	Enseignement collégial individualisé et réussite
686	Enseignement	Horak	1981	60		129	-0,07		Individualisation en mathématiques

Nº domaine		Auteur	Année	Nombre d'études	Nombre total	Nombre d'effets	Moyenne	ET	Variable
687	Enseignement	Willett, Yamashita et Anderson	1983	130		131	0,17		Programme de sciences individualisé
688	Enseignement	Bangert, Kulik et Kulik	1983	49		49	0,1	0,053	Enseignement individualisé au secondaire
689	Enseignement	Waxman, Wang, Anderson et Walberg	1985	38	7 200	309	0,45		Méthodes adaptatives (évaluation individuelle continue, évaluation périodique)
690	Enseignement	Mitchell	1987	38		39	0,19	0,071	Enseignement individualisé en mathématiques
691	Enseignement	Atash et Dawson	1986	10	2 180	30	0,09	0,046	Programme de sciences individualisé
692	Enseignement	Decanay et Cohen	1992	30		30	0,37		Enseignement individualisé en médecine
693	Enseignement	Elbaum, Vaughn, Hughes et Moody	1999	19		116	0,43		Adaptation scolaire et lecture
Programmes de psychothérapie									
694	Enseignement	Baskin, Slaten, Merson, Sorenson et Glover-Russell	2010	83		102	0,38		Psychothérapie et résultats scolaires

Mesures mettant l'accent sur les stratégies d'enseignement

Stratégies d'enseignement

Nº domaine		Auteur	Année	Nombre d'études	Nombre total	Nombre d'effets	Moyenne	ET	Variable
695	Enseignement	Rosenbaum	1983	235		99	1,02		Programmes de traitement pour les élèves présentant des troubles affectifs
696	Enseignement	O'Neal	1985	31		96	0,81	0,155	Avec les élèves atteints de paralysie cérébrale
697	Enseignement	Baenninger et Newcombe	1989	26		26	0,51		Stratégies spatiales et résultats spatiaux
698	Enseignement	Forness et Kavale	1993	268	8 000	819	0,71	0,122	Enseignement aux élèves ayant des aptitudes inférieures
699	Enseignement	Fan	1993	41	3 219	223	0,56		Entraînement métacognitif et compréhension en lecture
700	Enseignement	Scheerens et Bosker	1997	228		545	0,20	0,030	Stratégies diverses et réussite

No	Domaine	Auteur	Année						Description
701	Enseignement	White	1997	222	15 080	1 796	0,39	0,046	Stratégies d'apprentissage cognitives en lecture avec les élèves en difficulté d'apprentissage
702	Enseignement	White	1997	72	8 527	831	0,20	0,039	Stratégies d'apprentissage cognitives en mathématiques avec les élèves en difficulté d'apprentissage
703	Enseignement	Marzano	1998	4 000	1 237 000	4 000	0,65	0,014	Techniques d'enseignement en classe
704	Enseignement	Norris et Ortega	2000	49		78	0,96		Enseignement ciblé vs exposition minimale pour l'apprentissage d'une langue seconde
705	Enseignement	Swanson et Hoskyn	1998	180	38 716	1 537	0,79	0,013	Enseignement aux élèves ayant des aptitudes inférieures
706	Enseignement	Xin et Jitendra	1999	14	653		0,89	0,013	Résolution de problèmes écrits en lecture
707	Enseignement	Swanson	2000	180	180 827	1 537	0,79	0,013	Stratégies d'apprentissage pour les élèves en difficulté
708	Enseignement	Swanson	2001	58		58	0,82	0,087	Programmes pour améliorer la résolution de problèmes
709	Enseignement	Seidel et Shavelson	2007	112		1 352	0,07		Processus d'enseignement et d'apprentissage
Enseignement réciproque									
710	Enseignement	Rosenshine et Meister	1994	16		31	0,74		Enseignement réciproque
711	Enseignement	Galloway	2003	22	677	22	0,74		Enseignement réciproque et compréhension en lecture
Enseignement direct (ED)									
712	Enseignement	White	1988	25		24	0,83	0,133	ED en adaptation scolaire
713	Enseignement	Adams et Engelmann	1996	37		372	0,75		ED et lecture
714	Enseignement	Borman, Hewes, Overman et Brown	2003	232	42 618	182	0,21	0,020	ED et autres modèles de réforme complète
715	Enseignement	Haas	2005	10		19	0,55	0,135	Méthodes d'enseignement en algèbre

N° domaine	Auteur	Année	Nombre d'études	Nombre total	Nombre d'effets	Moyenne	ET	Variable
Aides complémentaires								
716 Enseignement	Readence et Moore	1981	16	2 227	122	0,45	0,020	Illustrations complémentaires en lecture
717 Enseignement	Levie et Lentz	1982	23	7 182	41	0,55		Illustrations du texte
718 Enseignement	Catts	1992	8		19	0,01	0,067	Aides complémentaires
719 Enseignement	Hoeffler, Sumfleth et Leutner	2006	26		76	0,46		Animation *vs* images statiques pour l'apprentissage
Enseignement inductif								
720 Enseignement	Lott	1983	24		24	0,06		Enseignement inductif en sciences
721 Enseignement	Klauer et Phye	2008	73	3 595	79	0,59	0,035	Enseignement inductif
Pédagogie par investigation								
722 Enseignement	Sweitzer et Anderson	1983	68		19	0,44	0,154	Pédagogie par investigation en sciences
723 Enseignement	Shymansky, Hedges et Woodworth	1990	81		320	0,27	0,030	Méthodes fondées sur l'investigation en sciences
724 Enseignement	Bangert-Drowns	1992	21		21	0,37		Effets de la pédagogie par investigation sur l'esprit critique
725 Enseignement	Smith	1996	35	7 437	60	0,17		Méthode fondée sur l'investigation en sciences
Enseignement de la résolution de problèmes								
726 Enseignement	Marcucci	1980	33		237	0,35		Résolution de problèmes en mathématiques
727 Enseignement	Curbelo	1984	68	10 629	343	0,54	0,037	Résolution de problèmes en sciences et en mathématiques
728 Enseignement	Almeida et Denham	1984	18	2 398	18	0,72	0,136	Résolution de problèmes interpersonnels
729 Enseignement	Mellinger	1991	25		35	1,13	0,060	Amélioration de la flexibilité cognitive
730 Enseignement	Hembree	1992	55		55	0,33		Méthodes d'enseignement de la résolution de problèmes
731 Enseignement	Tocanis, Ferguson-Hessler et Broekkamp	2001	22	2 208	31	0,59	0,070	Résolution de problèmes en sciences

Apprentissage par résolution de problèmes

732	Enseignement	Albanese et Mitchell	1993	11	2 208	66	0,27	0,043	ARP en médecine
733	Enseignement	Walker et Leary	2008	82		201	0,13		ARP dans toutes les matières
734	Enseignement	Vernon et Blake	1993	8		28	-0,18		ARP au collégial
735	Enseignement	Dochy, Segers, Van den Bossche et Gijbels	2003	43	21 365	35	0,12		Effets de l'ARP sur les connaissances et les compétences
736	Enseignement	Smith	2003	82	12 979	121	0,31		ARP en médecine
737	Enseignement	Newman	2004	12		12	-0,30		ARP en médecine
738	Enseignement	Haas	2005	7	1 538	34	0,52	0,187	Méthodes d'enseignement en algèbre
739	Enseignement	Gijbels, Dochy, Van den Bossche et Segers	2005	40		49	0,32		ARP et résultats d'évaluation
740	Enseignement	Walker	2008	82		201	0,13	0,025	ARP dans différentes disciplines

Apprentissage coopératif

741	Enseignement	Johnson, Maruyama, Johnson, Nelson et Skon	1981	122		183	0,73		Apprentissage coopératif
742	Enseignement	Rohrbeck-Bennett	1987	23	4 002	78	0,48		Apprentissage coopératif
743	Enseignement	Hall	1988	22	10 022	52	0,31		Apprentissage coopératif
744	Enseignement	Stevens et Slavin	1991	4		4	0,48		Apprentissage coopératif
745	Enseignement	Spuler	1993	19	6 137	19	0,54		Apprentissage coopératif en mathématiques
746	Enseignement	Othman	1996	39		39	0,27		Apprentissage coopératif en mathématiques
747	Enseignement	Howard	1996	13		42	0,37		Apprentissage coopératif scénarisé
748	Enseignement	Bowen	2000	37	3 000	49	0,51	0,050	Apprentissage coopératif en chimie au secondaire
749	Enseignement	Suri	1997	27		27	0,63		Apprentissage coopératif en mathématiques
750	Enseignement	Romero	2009	32		52	0,31		Apprentissage coopératif en mathématiques

N° domaine	Auteur	Année	Nombre d'études	Nombre total	Nombre d'effets	Moyenne	ET	Variable
Apprentissage coopératif								
751 Enseignement	Neber, Finsterwald et Urban	2001	12		314	0,13		Apprentissage coopératif et élèves doués
752 Enseignement	McMaster et Fuchs	2002	15	864	49	0,30	0,070	Apprentissage coopératif
Apprentissage coopératif vs compétitif								
753 Enseignement	Johnson, Maruyama, Johnson, Nelson et Skon	1981	122		9	0,56		Apprentissage coopératif et compétition intergroupe
754 Enseignement	Johnson, Johnson et Marayama	1983	98		83	0,82	0,093	Apprentissage coopératif vs apprentissage compétitif
755 Enseignement	Johnson et Johnson	1987	453		36	0,59	0,165	Apprentissage coopératif vs apprentissage compétitif
756 Enseignement	Hall	1988	18		83	0,28		Apprentissage coopératif et apprentissage compétitif
757 Enseignement	Qin, Johnson et Johnson	1995	46		63	0,55		Apprentissage coopératif vs apprentissage compétitif
758 Enseignement	Johnson, Johnson et Stanne	2000	158		66	0,55	0,059	Apprentissage coopératif vs apprentissage compétitif
759 Enseignement	Roseth, Johnson et Johnson	2008	129	17 000	593	0,46	0,130	Apprentissage coopératif vs apprentissage compétitif
Apprentissage coopératif vs individuel								
760 Enseignement	Johnson et Johnson	1987	453		70	0,68	0,139	Apprentissage coopératif vs apprentissage individuel
761 Enseignement	Hall	1988	15		77	0,26		Apprentissage coopératif vs apprentissage individuel
762 Enseignement	Johnson, Johnson et Stanne	2000	158		82	0,88	0,066	Apprentissage coopératif vs apprentissage individuel
763 Enseignement	Roseth, Fang, Johnson et Johnson	2006	148		55	0,55	0,060	Apprentissage coopératif vs apprentissage individuel au niveau scolaire intermédiaire

Apprentissage compétitif vs individuel

N°		Auteurs	Année						Facteur
764	Enseignement	Johnson, Maruyama, Johnson, Nelson et Skon	1981	122		163	0,09		Apprentissage compétitif
765	Enseignement	Johnson, Johnson et Marayama	1983	98		16	0,45	0,288	Apprentissage compétitif *vs* apprentissage individuel
766	Enseignement	Johnson et Johnson	1987	453		12	0,36	0,271	Apprentissage compétitif *vs* apprentissage individuel
767	Enseignement	Johnson, Johnson et Stanne	2000	158		12	0,04	0,138	Apprentissage compétitif *vs* apprentissage individuel

Mesures mettant l'accent sur les stratégies d'enseignement à l'échelle de l'école

Réformes scolaires complètes

N°		Auteurs	Année						Facteur
768	Enseignement	Borman et D'Agostino	1996	17	41 706 196	657	0,12		Évaluation des programmes fédéraux Title I*
769	Enseignement	Friedrich	1998	33		50	0,38		Programmes alternatifs pour les jeunes à risque
770	Enseignement	Borman, Hewes, Overman et Brown	2003	232	222 956	1 111	0,15		Réforme scolaire complète

Effets de l'enseignement sur la créativité

N°		Auteurs	Année						Facteur
771	Enseignement	Abrami, Bernard, Borokhovski, Wade, Surkes, Tamim et Zhang	2008	117	20 698	161	0,34	0,005	Interventions à l'égard des habiletés et des aptitudes en matière d'esprit critique

Interventions globales pour les élèves en difficulté d'apprentissage

N°		Auteurs	Année						Facteur
772	Enseignement	Swanson, Carson et Sachse-Lee	1996	78		324	0,85	0,065	Programmes pour élèves en difficulté d'apprentissage
773	Enseignement	Swanson, Hoskyn et Lee	1999	180	4 871	1 537	0,56	0,017	Protocoles intergroupes
774	Enseignement	Swanson, Hoskyn et Lee	1999	85	793	793	0,90	0,008	Protocoles à sujet unique

Programmes collégiaux spéciaux

N°		Auteurs	Année						Facteur
775	Enseignement	Kulik, Kulik et Shwalb	1983	60		60	0,27	0,040	Programmes collégiaux pour étudiants à risque élevé

* NDT : Aux États-Unis, programmes destinés à soutenir les élèves issus de familles à faible revenu.

N° domaine	Auteur	Année	Nombre d'études	Nombre total	Nombre d'effets	Moyenne	ET	Variable
776 Enseignement	Valentine, Hirschy, Bremer, Novillo, Castellano et Banister	2011	33		33	0,07		Programmes collégiaux pour étudiants à risque élevé
777 Enseignement	Cohn	1985	48		48	0,20		Méthodes d'enseignement innovatrices vs classes magistrales traditionnelles en économie
Coenseignement/enseignement en équipe								
778 Enseignement	Murawski et Swanson	2001	6	1 617	6	0,31	0,057	Coenseignement
779 Enseignement	Willett, Yamashita et Anderson	1983	130		41	0,06		Coenseignement en sciences
Mesures faisant appel aux technologies								
Enseignement assisté par ordinateur (EAO)								
780 Enseignement	Hartley	1977	33		89	0,41	0,062	EAO et réussite
781 Enseignement	Aiello et Wolfe	1980	115		182	0,08		EAO en sciences au secondaire
782 Enseignement	Kulik, Kulik et Cohen	1980	312		278	0,48	0,030	EAO au collégial
783 Enseignement	Burns et Bozeman	1981	40		40	0,40		EAO en mathématiques
784 Enseignement	Leong	1981	22		106	0,08		EAO en mathématiques au secondaire
785 Enseignement	Athappilly, Smidchens et Kofel	1983	134		810	0,10		Mathématiques modernes vs mathématiques traditionnelles
786 Enseignement	Kulik, Kulik et Bangert-Drowns	1983	51		51	0,32		EAO au secondaire
787 Enseignement	Kulik, Kulik et Williams	1983	97		97	0,36	0,035	EAO au secondaire
788 Enseignement	Willett, Yashashita et Anderson	1983	130		130	0,13		EAO en sciences
789 Enseignement	Kulik et al.	1984	25		25	0,48	0,063	EAO au primaire
790 Enseignement	Bangert-Drowns	1985	74		74	0,33		EAO et étudiants de niveau précollégial

#	Domaine	Auteur(s)	Année						Description
791	Enseignement	Bangert-Drowns, Kulik et Kulik	1985	42		42	0,26	0,063	EAO au secondaire
792	Enseignement	Clark	1985	42		42	0,09		EAO dans les écoles
793	Enseignement	Kulik, Kulik et Bangert-Drowns	1985	32		32	0,47	0,055	EAO au primaire
794	Enseignement	Kulik et Kulik	1986	48		48	0,32	0,061	EAO au collégial
795	Enseignement	Kulik, Kulik et Shwalb	1986	23		23	0,42	0,110	EAO avec les adultes
796	Enseignement	Schmidt, Weinstein, Niemic et Walberg	1986	18		48	0,67	0,048	EAO avec les enfants en difficulté
797	Enseignement	Shwalb, Shwalb et Azuma	1986	104		4	0,74	0,069	EAO au Japon
798	Enseignement	Gillingham et Guthrie	1987	13		13	1,05		Enseignement assisté par ordinateur
799	Enseignement	Kulik et Kulik	1987	199		199	0,31	0,093	EAO et réussite
800	Enseignement	Mitchell	1987	12		16	0,24		EAO en mathématiques
801	Enseignement	Slavin, Cheung, Groff et Lake	2007	12		12	0,23		EAO en lecture
802	Enseignement	Camnalbur et Erdogan	2008	78	5 096	78	0,95	0,030	EAO en Turquie
803	Enseignement	Koufogiannakis et Wiebe	2006	8	408	8	0,09		EAO et maîtrise de l'information
804	Enseignement	Larwin et Larwin	2011	70	40 125	70	0,57		EAO dans les cours de statistiques postsecondaires
805	Enseignement	Means, Toyama, Murphy, Bakia et Jones	2009	51		51	0,24		Effets de l'apprentissage en ligne sur les élèves
806	Enseignement	Moran, Ferdig, Pearson, Wardrop et Blomeyer	2008	20		89	0,49		Outils numériques et apprentissage
807	Enseignement	Li et Ma	2010	46	36 793	85	0,28		Informatique et mathématiques
808	Enseignement	Cheung et Slavin	2011	85	60 721	85	0,16	0,020	Technologie de l'éducation

N° domaine	Auteur	Année	Nombre d'études	Nombre total	Nombre d'effets	Moyenne	ET	Variable
809 Enseignement	Yun	2010	10	866	10	0,31	0,070	Annotations hypertextes et réussite
810 Enseignement	Schmid et al.	2009	231	25 497	310	0,28		Technologie au secondaire
811 Enseignement	Tokpah	2008	31	7 342	102	0,38		EAO en algèbre et réussite
812 Enseignement	Woolf et Regian	2002	177		177	0,33		Technologie dans les écoles
813 Enseignement	Zucker, Moody et McKenna	2009	7	401	7	0,41		Livres numériques et réussite
814 Enseignement	Sosa, Berger, Saw et Mary	2011	45	9 639	45	0,33		EAO en statistiques
815 Enseignement	Schenker	2007	46		117	0,24		EAO en statistiques
816 Enseignement	Zhao	2003	38	1 464	38	0,88		EAO et apprentissage d'une langue
817 Enseignement	Jahng, Krug et Zhang	2007	20	1 617	20	0,02		Enseignement à distance en ligne
818 Enseignement	Keany	2011	85	60 000	85	0,16		Technologie et rendement en lecture
819 Enseignement	Niemiec, Samson, Weinstein et Walberg	1987	48		224	0,32		EAO au primaire
820 Enseignement	Cunningham	1988	37		37	0,33		Illustrations produites par ordinateur et réussite
821 Enseignement	Roblyer, Castine et King	1988	85		85	0,26		EAO et réussite
822 Enseignement	Wise	1988	26		26	0,30		EAO en sciences
823 Enseignement	Kuchler	1989	65		65	0,44	0,068	EAO pour l'enseignement des mathématiques au secondaire
824 Enseignement	McDermid	1989	15		15	0,57		Effets de l'EAO sur les enfants en difficulté d'apprentissage et les enfants ayant une déficience mentale légère
825 Enseignement	Bishop	1990	40		58	0,55		Ordinateurs dans les écoles primaires
826 Enseignement	Wen-Cheng	1990	72		243	0,38	0,037	EAO dans les écoles primaires et secondaires

827	Enseignement	Gordon	1991	84		83	0,26	0,030	Images créées par ordinateur, et mathématiques et résolution de problèmes
828	Enseignement	Jones	1991	40		58	0,31		EAO et élèves du primaire
829	Enseignement	Kulik et Kulik	1991	248	240	248	0,30	0,029	EAO et réussite
830	Enseignement	Liao et Bright	1991	65		432	0,41	0,020	Programmation informatique et réussite
831	Enseignement	Palmeter	1991	37		144	0,48	0,055	EAO/Logo et processus cognitif de niveau supérieur
832	Enseignement	Ryan	1991	40		58	0,31		Applications microinformatiques
833	Enseignement	Schramm	1991	12	836	12	0,36	0,110	Traitement de texte et écriture
834	Enseignement	Cohen et Dacanay	1992	37		37	0,41		Enseignement assisté par ordinateur en éducation sanitaire
835	Enseignement.	Liao	1992	31		207	0,48	0,163	EAO et réussite
836	Enseignement	Bangert-Drowns	1993	32		32	0,39		Traitement de texte et écriture
837	Enseignement	Ouyang	1993	79		267	0,50	0,038	EAO dans les écoles primaires
838	Enseignement	Chen	1994	76		98	0,47	0,071	Enseignement assisté par ordinateur en mathématiques
839	Enseignement	Kulik	1994	97		32	0,35	0,04	EAO et réussite
840	Enseignement	Kulik et Kulik	1994	97		97	0,32		EAO au secondaire
841	Enseignement	Christmann	1995	35	3 476	35	0,23		EAO et ensemble des milieux éducatifs
842	Enseignement	Fletcher-Flynn et Gravatt	1995	120		120	0,17		EAO et réussite
843	Enseignement	Hamilton	1995	41		253	0,66	0,033	EAO dans les écoles
844	Enseignement	Ianno	1995				0,31		EAO et rendement en lecture des élèves en difficulté d'apprentissage
845	Enseignement	Cassil	1996	21		349	0,29		Ordinateurs portables, et attitude et résultats des élèves
846	Enseignement	Chadwick	1997	41	8 170	41	0,51		EAO en mathématiques au secondaire
847	Enseignement	Christmann, Badgett et Lucking	1997	27		27	0,21		EAO au secondaire
848	Enseignement	King	1997	30		68	0,20		EAO en mathématiques au collégial

N° domaine		Auteur	Année	Nombre d'études	Nombre total	Nombre d'effets	Moyenne	ET	Variable
849	Enseignement	Christmann et Badgett	1999	11	5 020	11	0,28		EAO au secondaire
850	Enseignement	Soe, Koki et Chang	2000	17		33	0,27	0,022	EAO en lecture
851	Enseignement	Wolf et Regian	2000	233		233	0,39		EAO et réussite
852	Enseignement	Lou, Abrami et d'Apollonia	2001	100	11 317	178	0,16	0,041	EAO en petits groupes
853	Enseignement	Lou, Abrami et d'Apollonia	2001	22		39	0,31	0,117	EAO en petits groupes
854	Enseignement	Yaakub et Finch	2001	21	2 969	28	0,35		EAO en formation technique
855	Enseignement	Akiba	2002	21		21	0,37		EAO et réussite
856	Enseignement	Bayraktar	2002	42		108	0,27		EAO en sciences
857	Enseignement	Blok, Oostdam, Otter et Overmaat	2002	42		42	0,19		EAO et apprentissage de la lecture
858	Enseignement	Roberts	2002	31	6 388	165	0,69		EAO et réussite
859	Enseignement	Torgerson et Elbourne	2002	7		7	0,37		EAO et orthographe
860	Enseignement	Waxman, Connell et Gray	2002	20	4 400	138	0,39		Technologie vs enseignement traditionnel et réussite
861	Enseignement	Chambers	2003	57	64 766	125	0,51		EAO au primaire et au secondaire
862	Enseignement	Chambers et Schreiber	2003	25		25	0,40		EAO au primaire et au secondaire
863	Enseignement	English Review Group	2003	212		43	0,26	0,094	EAO et littératie
864	Enseignement	Goldberg	2003	26	1 507	26	0,50		Effets de l'EAO sur l'écriture
865	Enseignement	Hsu	2003	25		31	0,43		EAO en statistiques
866	Enseignement	Kroesbergen et Van Luit	2003	58	10 223	58	0,75		EAO en mathématiques et adaptation scolaire
867	Enseignement	Kulik	2003	12		12	0,88		EAO au collégial
868	Enseignement	Torgerson et Zhu	2003	17		17	0,36		EAO et résultats en littératie

N°	Domaine	Auteurs	Année						Sujet
869	Enseignement	Waxman, Lin, Michko	2003	29	7 728	167	0,54	0,061	EAO et réussite
870	Enseignement	Bernard, Abrami, Wade, Borokhovski et Lou	2004	232	3 831 888	688	0,20		EAO et enseignement à distance
871	Enseignement	Lou	2004	71		399	0,15		Apprentissage en petits groupes vs apprentissage individuel avec l'EAO et effets sur les tâches entreprises
872	Enseignement	Liao	2005	52	4 981	134	0,55		EAO à Taïwan
873	Enseignement	Pearson, Ferdig, Blomeyer et Moran	2005	20		89	0,49	0,078	Technologie et lecture
874	Enseignement	Abrami, Bernard, Wade, Schmid, Borokhovski, Tamin, Surkes, Lowerison, Zhang, Nicolaidou, Newman, Wozney et Peretiatkowics	2006	17		29	0,17		Formation en ligne au Canada
875	Enseignement	Sandy-Hanson	2006	23	9 897	23	0,28		EAO et réussite
876	Enseignement	Shapiro, Kerssen-Griep, Gayle et Allen	2006	12		16	0,26		PowerPoint dans la classe
877	Enseignement	Timmerman et Kruepke	2006	118	12 398	118	0,24	0,020	EAO et étudiants du collégial
878	Enseignement	Onuoha	2007	38	3 824	67	0,26		Laboratoires informatisés en sciences
879	Enseignement	Rosen et Salomon	2007	32		32	0,46		Milieu d'apprentissage constructiviste à prédominance technologique
Simulations									
880	Enseignement	Dekkers et Donatti	1981	93		93	0,33		Simulations et réussite
881	Enseignement	Remmer et Jernsted	1982	21		21	0,20		Simulations informatiques
882	Enseignement	Szczurek	1982	58		58	0,33		Jeux de simulation
883	Enseignement	VanSickle	1986	42		42	0,43		Jeux de simulation pédagogiques
884	Enseignement	Sitzmann et Ely	2011	65	4 518	68	0,30	0,060	Simulations informatiques
885	Enseignement	Lee	1990	19		34	0,28	0,114	Simulations et réussite

Nº domaine	Auteur	Année	Nombre d'études	Nombre total	Nombre d'effets	Moyenne	ET	Variable
886 Enseignement	McKenna	1991	26		118	0,38	0,070	Simulations en économie
887 Enseignement	Armstrong	1991	43		43	0,29		Ordinateurs et simulations et jeux
888 Enseignement	Lee	1999	19		19	0,40		Simulations informatiques
889 Enseignement	LeJeune	2002	40	6 416	54	0,34		Expériences simulées par ordinateur en sciences
Enseignement basé sur l'Internet								
890 Enseignement	Olson et Wisher	2002	15		15	0,24	0,150	Enseignement basé sur l'Internet
891 Enseignement	Sitzman, Kraiger, Stewart et Wisher	2006	96	19 331	96	0,15		Classes basées sur l'Internet et classes traditionnelles
892 Enseignement	Mulawa	2007	25	3 223	25	0,14	0,099	Principes de l'enseignement basé sur l'Internet
Méthodes vidéo-interactives								
893 Enseignement	Clark et Angert	1980	23	4 800	1 000	0,65		
894 Enseignement	Angert et Clark	1982	181		2 607	0,51		Méthodes fondées sur les médias et réussite
895 Enseignement	Shwalb, Shwalb et Azuma	1986	104		33	0,49	0,055	Technologie au Japon
896 Enseignement	Fletcher	1989	24		47	0,50	0,080	Vidéodisque interactif
897 Enseignement	McNeil et Nelson	1991	63		100	0,53	0,097	Technologies multimédias
898 Enseignement	Liao	1999	46		143	0,41	0,073	Hypermédia vs enseignement traditionnel
Méthodes audiovisuelles								
899 Enseignement	Kulik, Kulik et Cohen	1979	42		42	0,20		Méthode d'enseignement audio
900 Enseignement	Cohen, Ebeling et Kulik	1981	65		65	0,15		Méthode d'enseignement visuelle
901 Enseignement	Willett, Yamashita et Anderson	1983	130		100	0,02		Aides visuelles en sciences
902 Enseignement	Shwalb, Shwalb et Azuma	1986	104		6	0,09	0,110	Méthode d'enseignement audio au Japon
903 Enseignement	Blanchard, Stock et Marshall	1999	10	2 760	10	0,16	0,030	Programme multimédia, ordinateurs personnels et jeux vidéo

904	Enseignement	Baker et Dwyer	2000	8	8		0,71		Utilisation d'aides visuelles pour l'apprentissage

Enseignement programmé

905	Enseignement	Hartley	1977	40	81		0,11	0,111	EP en mathématiques
906	Enseignement	Kulik, Cohen et Ebeling	1980	57	57		0,24		EP et étudiants du collégial
907	Enseignement	Kulik, Kulik et Cohen	1980	56	56		0,24		EP au collégial
908	Enseignement	Kulik, Schwalb et Kulik	1982	47	47		0,08	0,070	EP au secondaire
909	Enseignement	Willett, Yamashita et Anderson	1983	130	52		0,17		EP en sciences
910	Enseignement	Shwalb, Shwalb et Azuma	1986	104	39		0,43	0,028	EP au Japon
911	Enseignement	Mitchell	1987	29	29		0,15	0,063	EP en mathématiques
912	Enseignement	Boden, Archwamety et MacFarland	2000	30	30		0,40	0,146	EP au secondaire

Mesures faisant appel à l'apprentissage extrascolaire

Enseignement à distance

913	Enseignement	Machtmes et Asher	1987	19	19		-0,01		Efficacité du téléenseignement
914	Enseignement	Cavanaugh	1999	19	19		0,13		Apprentissage à distance interactif et réussite
915	Enseignement	Cavanaugh	2001	19	19	929	0,15	0,106	Enseignement à distance interactif
916	Enseignement	Bernard *et al.*	2009	34	74		0,39	0,030	Enseignement à distance le plus interactif vs enseignement à distance le moins interactif
917	Enseignement	Shachar et Neumann	2003	72	86	15 300	0,37	0,035	Enseignement à distance vs enseignement traditionnel
918	Enseignement	Allen, Mabry, Mattrey, Bourhis, Titsworth et Burrell	2004	25	39	71 731	0,10		Classes à distance vs traditionnelles
919	Enseignement	Cavanaugh, Gillan, Kromrey, Hess et Blomeyer	2004	14	116	7 561	-0,03	0,045	Enseignement à distance pour tous les niveaux

N° domaine	Auteur	Année	Nombre d'études	Nombre total	Nombre d'effets	Moyenne	ET	Variable
920. Enseignement	Williams	2004	25		34	0,15		Enseignement à distance dans les programmes de sciences paramédicales
921 Enseignement	Bernard, Abrami, Lou, Wozney, Borokhovski, Wallet, Wade et Fiset	2004	232	3 831 888	688	0,01	0,010	Enseignement à distance
922 Enseignement	Bernard, Lou, Abrami, Wozney, Borokhovski, Wallet, Wade et Fiset	2004	155		155	-0,02	0,015	Présence ou non : asynchrone et synchrone
923 Enseignement	Allen, Bourhis, Mabry, Burrell et Timmerman	2006	54	74 275	54	0,09		Enseignement à distance *vs* enseignement traditionnel
924 Enseignement	Lou, Bernard et Abrami	2006	103		218	0,02		Enseignement à distance et étudiants de premier cycle
925 Enseignement	Zhao, Lei, Yan, Lai et Tan	2008	51	11 477	98	0,10	0,090	Classes à distance *vs* traditionnelles
Programmes de développement du lien entre la maison et l'école								
926 Enseignement	Penuel, Kim, Michalchik, Lewis, Means, Murphy, Korbak, Whaley et Allen	2002	14		14	0,16		Programmes d'ordinateurs portables pour l'école et la maison
Devoirs								
927 Enseignement	Paschal, Weinstein et Walberg	1984	15		81	0,36	0,027	Devoirs et apprentissage
928 Enseignement	Cooper	1989	20	2 154	20	0,21		Devoirs et réussite
929 Enseignement	DeBaz	1994	77	41 828	77	0,39		Devoirs en sciences
930 Enseignement	Cooper	1994	17	3 300	48	0,21		Devoirs et apprentissage
931 Enseignement	Cooper, Robinson et Patall	2006	32	58 000	69	0,28		Devoirs et études de 1987 à 2004

Facteurs qui influencent le rendement scolaire des élèves

Rang	Facteur d'influence	TE*
1	Prédictions/attentes des élèves	1,44
2	Programmes de type piagétien	1,28
3	Réponse à l'intervention	1,07
4	Crédibilité de l'enseignant	0,90
5	Évaluation formative	0,90
6	Microenseignement	0,88
7	Discussions en classe	0,82
8	Interventions globales pour les élèves en difficulté d'apprentissage	0,77
9	Clarté de l'enseignement	0,75
10	Rétroaction	0,75
11	Enseignement réciproque	0,74
12	Relations maître-élèves	0,72
13	Apprentissage distribué plutôt que massé	0,71
14	Stratégies métacognitives	0,69
15	Accélération	0,68
16	Comportements en classe	0,68
17	Programmes de vocabulaire	0,67
18	Programmes de lecture répétée	0,67
19	Programmes de créativité	0,65
20	Résultats antérieurs/acquis des élèves	0,65
21	Autoverbalisation/autoquestionnement	0,64
22	Techniques d'étude	0,63
23	Stratégies pédagogiques	0,62
24	Enseignement de la résolution de problèmes	0,61
25	Absence d'étiquetage des élèves	0,61
26	Programmes de compréhension	0,60
27	Schématisation conceptuelle	0,60
28	Apprentissage coopératif *vs* individuel	0,59
29	Enseignement direct	0,59
30	Programmes de stimulation tactile	0,59

* NDT : taille d'effet.

Rang	Facteur d'influence	TE
31	Pédagogie de la maîtrise	0,58
32	Exemples de problèmes résolus	0,57
33	Programmes de perception visuelle	0,55
34	Tutorat par les pairs	0,55
35	Apprentissage coopératif vs compétitif	0,54
36	Enseignement phonétique	0,54
37	Enseignement centré sur l'élève	0,54
38	Cohésion dans la classe	0,53
39	Poids des enfants prématurés	0,53
40	Pédagogie de l'enseignement personnalisé de Keller	0,53
41	Influence des pairs	0,53
42	Gestion de classe	0,52
43	Programmes de plein air et d'aventure	0,52
44	Milieu familial	0,52
45	Statut socioéconomique	0,52
46	Méthodes vidéo-interactives	0,52
47	Développement professionnel	0,51
48	Objectifs ambitieux	0,50
49	Programmes de jeux	0,50
50	Programmes de deuxième/troisième chance	0,50
51	Engagement parental	0,49
52	Apprentissage par petits groupes	0,49
53	Questionnement	0,48
54	Concentration/persévérance/engagement	0,48
55	Effets de la scolarisation	0,48
56	Motivation	0,48
57	Qualité de l'enseignement	0,48
58	Intervention précoce	0,47
59	Concept de soi	0,47
60	Programmes préscolaires	0,45

Rang	Facteur d'influence	TE
61	Programmes d'écriture	0,44
62	Attentes de l'enseignant	0,43
63	Taille de l'école	0,43
64	Programmes de sciences	0,42
65	Apprentissage coopératif	0,42
66	Exposition à la lecture	0,42
67	Objectifs comportementaux/questions complémentaires	0,41
68	Programmes de mathématiques	0,40
69	Réduction de l'anxiété	0,40
70	Programmes d'habiletés sociales	0,39
71	Programmes scolaires intégrés	0,39
72	Enrichissement	0,39
73	Directions/leaders scolaires	0,39
74	Interventions relatives au choix de carrière	0,38
75	Temps consacré à la tâche	0,38
76	Programmes de psychothérapie	0,38
77	Enseignement assisté par ordinateur	0,37
78	Aides complémentaires	0,37
79	Programmes bilingues	0,37
80	Programmes de théâtre et d'arts	0,35
81	Créativité	0,35
82	Attitude envers les mathématiques/sciences	0,35
83	Fréquence/effets des évaluations	0,34
84	Diminution des comportements perturbateurs	0,34
85	Effets de l'enseignement sur la créativité	0,34
86	Simulations	0,33
87	Enseignement inductif	0,33
88	Ethnicité	0,32
89	Effets de l'enseignant	0,32
90	Traitements médicamenteux des élèves en difficulté d'apprentissage	0,32

Rang	Facteur d'influence	TE
91	Pédagogie par investigation	0,31
92	Obligation de rendre compte des systèmes scolaires	0,31
93	Regroupement en fonction des capacités des élèves doués	0,29
94	Devoirs	0,29
95	Visites à domicile	0,28
96	Exercices physiques/relaxation	0,28
97	Déségrégation	0,27
98	Préparation aux tests et accompagnement	0,27
99	Utilisation de calculatrices	0,27
100	Tutorat par des bénévoles	0,26
101	Absence de maladie	0,25
102	Intégration scolaire	0,24
103	Programmes d'éducation aux valeurs/enseignement moral	0,24
104	Apprentissage compétitif *vs* individuel	0,24
105	Enseignement programmé	0,23
106	Cours d'été	0,23
107	Financement de l'éducation	0,23
108	Écoles confessionnelles	0,22
109	Enseignement individualisé	0,22
110	Méthodes visuelles/audiovisuelles	0,22
111	Réformes scolaires complètes	0,22
112	Habileté verbale de l'enseignant	0,22
113	Taille de la classe	0,21
114	Écoles à charte	0,20
115	Interactions aptitude-traitement	0,19
116	Programmes parascolaires	0,19
117	Hiérarchies d'apprentissage	0,19
118	Coenseignement/enseignement en équipe	0,19
119	Personnalité de l'élève	0,18
120	Regroupement des élèves à l'intérieur de la classe	0,18

Rang	Facteur d'influence	TE
121	Programmes collégiaux spéciaux	0,18
122	Structure familiale	0,18
123	Effets des conseillers en orientation	0,18
124	Enseignement basé sur l'Internet	0,18
125	Adaptation aux styles d'apprentissage	0,17
126	Immédiateté des réactions de l'enseignant	0,16
127	Programmes de développement du lien entre la maison et l'école	0,16
128	Apprentissage par résolution de problèmes	0,15
129	Programmes de combinaison de phrases	0,15
130	Mentorat	0,15
131	Regroupement par habiletés	0,12
132	Habitudes alimentaires des élèves	0,12
133	Sexes	0,12
134	Formation de l'enseignant	0,12
135	Enseignement à distance	0,11
136	Connaissances disciplinaires de l'enseignant	0,09
137	Modification du calendrier ou de l'horaire scolaire	0,09
138	Activités parascolaires	0,09
139	Programmes de formation perceptivomotrice	0,08
140	Méthode globale	0,06
141	Diversité ethnique des élèves	0,05
142	Vie en résidence	0,05
143	Classes multiniveaux/multiâges	0,04
144	Contrôle de l'élève sur l'apprentissage	0,04
145	Classes ouvertes *vs* traditionnelles	0,01
146	Vacances d'été	−0,02
147	Politiques en matière d'aide sociale	−0,12
148	Redoublement	−0,13
149	Télévision	−0,18
150	Mobilité scolaire	−0,34

Rangs et tailles d'effet des facteurs d'influence, d'après les exercices à la fin des chapitres 2 et 6

Exercice du chapitre 2

Facteur d'influence	TE*	Rang	Impact
Redoublement	−0,13	148	Faible
Contrôle de l'élève sur l'apprentissage	0,04	144	Faible
Méthode globale	0,06	140	Faible
Connaissances disciplinaires de l'enseignant	0,09	136	Faible
Sexes (différences entre garçons et filles)	0,12	133	Faible
Regroupement par habiletés/parcours/classes homogènes	0,12	131	Faible
Adaptation de l'enseignement aux styles d'apprentissage des élèves	0,17	125	Faible
Regroupement des élèves à l'intérieur de la classe	0,18	120	Faible
Réduction de la taille des classes	0,21	113	Faible
Enseignement individualisé	0,22	109	Faible
Utilisation de simulations et de jeux	0,33	86	Moyen
Attentes de l'enseignant	0,43	62	Moyen
Développement professionnel	0,51	47	Moyen
Milieu familial	0,52	44	Moyen
Influence des pairs	0,53	41	Moyen
Enseignement phonétique	0,54	36	Moyen
Fournir des exemples résolus	0,57	32	Moyen
Enseignement direct	0,59	29	Moyen
Apprentissage coopératif vs individuel	0,59	28	Moyen
Schématisation conceptuelle	0,60	27	Élevé
Programmes de compréhension	0,60	26	Élevé
Programmes de vocabulaire	0,67	17	Élevé
Accélération (par exemple, sauter une année)	0,68	15	Élevé
Stratégies métacognitives	0,69	14	Élevé
Relations maître-élèves	0,72	12	Élevé
Enseignement réciproque	0,74	11	Élevé
Rétroaction	0,75	10	Élevé
Fournir des évaluations formatives aux enseignants	0,90	5	Élevé
Crédibilité de l'enseignant aux yeux des élèves	0,90	4	Élevé
Prédictions et attentes des élèves	1,44	1	Élevé

* NDT : taille d'effet.

Exercice 4 du chapitre 6

Grande influence	TE	Rang
Comment amener chaque élève à avoir des attentes élevées par rapport à ses résultats	1,44	1
Fournir des évaluations formatives aux enseignants	0,90	4
Comment améliorer la rétroaction	0,75	10
Relations maître-élèves	0,72	12
Comment améliorer l'enseignement des stratégies métacognitives	0,69	14
Comment accélérer l'apprentissage	0,68	15
Enseigner les techniques d'étude	0,63	20
Enseigner les stratégies d'apprentissage	0,62	22
Moyens de stopper l'étiquetage des élèves	0,61	25
Influence moyenne	**TE**	**Rang**
Influence des pairs	0,53	41
Milieu familial	0,52	44
Comment amener chaque enseignant à avoir des attentes élevées envers les élèves	0,43	62
Programmes scolaires intégrés	0,39	71
Enseignement assisté par ordinateur	0,37	77
Diminution des comportements perturbateurs	0,34	84
Pédagogie par investigation	0,31	91
Devoirs	0,29	94
Préparation aux tests et accompagnement	0,27	98
Influence faible	**TE**	**Rang**
Financement de l'éducation	0,23	107
Enseignement individualisé	0,22	109
Réduction de la taille des classes	0,21	113
Programmes parascolaires	0,19	116
Programmes de développement du lien entre la maison et l'école	0,16	127
Regroupement par habiletés/parcours	0,12	131
Sexes (différences entre garçons et filles)	0,12	133
Contrôle de l'élève sur l'apprentissage	0,04	144
Classes ouvertes vs traditionnelles	0,01	145

Calcul des tailles d'effet

Il existe différentes façons d'utiliser la taille d'effet, mais dans ce cas-ci, je mets l'accent sur les *progrès réalisés* – pas sur la comparaison entre les groupes, les méthodes d'enseignement, etc.

Imaginons un groupe d'élèves ayant subi une épreuve similaire ou identique liée au programme d'études en février et en juin. Il est possible d'utiliser les résultats à ces deux épreuves pour calculer une taille d'effet. Cette mesure nous aide à cerner l'impact de notre enseignement au cours de cette période.

La manière la plus facile de calculer une taille d'effet est d'utiliser la formule suivante dans Excel :

$$\text{Taille d'effet} = \frac{\text{Moyenne (post-test)} - \text{Moyenne (prétest)}}{\text{Dispersion (écart type ou } sd\text{)}}$$

Prenons l'exemple suivant :

	A	B	C
1	**Élève**	**Épreuve de février**	**Épreuve de juin**
2	David	40	35
3	Anne	25	30
4	Samuel	45	50
5	Thomas	30	40
6	Corine	35	45
7	Félix	60	70
8	Juliette	65	75
9	Chloé	70	80

	A	B	C
10	Gabriel	50	75
11	Abigaëlle	55	85
12			
13	Moyenne	48 = MOYENNE (B2:B11)	59 = MOYENNE (C2:C11)
14	Dispersion (écart type ou *sd*)	15 = ECARTYPE (B2:B11)	21 = ECARTYPE (C2:C11)
15	Écart moyen		18 = MOYENNE (B14:C14)
16	Taille d'effet		**0,6** = (C13–B13)/C15

Si nous récapitulons, le calcul de la taille d'effet est donc :

$$\text{Taille d'effet} = \frac{58 - 48}{18} = 0{,}60$$

Interprétation des tailles d'effet

Nous disposons ainsi d'une première information importante : la taille d'effet moyenne du groupe est de 0,60. Comment l'interpréter ? Pour établir une mesure indépendante des progrès attendus, nous avons tenu compte de deux considérations principales.

a. Lorsque nous examinons plusieurs bases de données longitudinales importantes – le Progress in International Reading Literacy Study/*Programme international de recherche en lecture scolaire* (PIRLS) ; le Programme international pour le suivi des acquis des élèves (PISA) ; les Trends in International Mathematics and Science Study (TIMSS)/Tendances de l'enquête internationale sur la mathématique et les sciences (TEIMS) ; la National Assessment of Educational Progress (NAEP) ; le National Assessment Program – Literacy and Numeracy (NAPLAN) –, nous obtenons dans tous les cas une taille d'effet estimative de 0,4 pour une formation scolaire d'une année. Par exemple, selon les données de la NAPLAN (évaluations nationales en Australie) en lecture, en écriture et en mathématiques pour les élèves qui passent d'une année à l'autre, la taille d'effet moyenne pour l'ensemble des élèves est de 0,40.

b. La moyenne des 900 et quelques méta-analyses englobant 240 millions d'élèves représente une intervention ayant une taille d'effet moyenne de 0,40.

Il s'ensuit donc qu'un effet supérieur à 0,40 est perçu comme plus important que la normale et propice à la réalisation de progrès dépassant les attentes au cours d'une année.

En un an, les progrès devraient être de 0,40. Par conséquent, si l'on calcule une taille d'effet pour une période de cinq mois, la moyenne devrait tout de même être de 0,40 – notamment parce que les enseignants adaptent souvent la difficulté d'un test afin de tenir compte du temps écoulé et parce qu'ils créent plus souvent des évaluations portant sur des sujets particuliers d'un programme d'études réparti sur une année. Donc, au cours d'une année, la cible est supérieure à 0,40 ; sur deux ans, supérieure à 0,8 ; sur trois ans, supérieure à 1,2 ; et ainsi de suite.

Tailles d'effet individuelles

Nous pouvons aussi calculer les tailles d'effet de chaque élève. Pour ce faire, nous supposons que chaque élève a la même contribution à la variance globale et nous utilisons la dispersion (écart type) comme estimateur pour chaque élève. Soit la formule suivante :

$$\text{Taille d'effet} = \frac{\text{Résultat individuel (post-test)} - \text{Résultat individuel (prétest)}}{\text{Dispersion (écart type ou } sd\text{)} \text{ pour l'ensemble du groupe}}$$

Revenons à notre exemple. La dispersion moyenne pour le groupe était de **18**. La taille d'effet pour David correspond à :

$$\frac{35 - 40}{18} = -0,28$$

Pour Anne, elle correspond à :

$$\frac{35 - 25}{18} = 0,28$$

Et ainsi de suite...

Élève	Épreuve de février	Épreuve de juin	Taille d'effet
David	40	35	−0,28
Anne	25	30	0,28
Samuel	45	50	0,28
Thomas	30	40	0,56
Corine	35	45	0,56
Félix	60	70	0,56
Juliette	65	75	0,56
Chloé	70	80	0,56
Gabriel	50	75	1,39
Abigaëlle	55	85	1,67

Le cas qui précède soulève maintenant d'importantes questions pour les enseignants. Pourquoi Gabriel et Abigaëlle ont-ils fait des gains aussi importants, et pourquoi les gains de David, Anne et Samuel ont-ils été si faibles? Les données ne précisent manifestement pas les raisons, mais elles fournissent les meilleurs éléments probants pour en expliquer les causes. (Soulignons que dans ce cas-ci, ce ne sont pas nécessairement les élèves faibles qui ont enregistré les gains les plus bas et les élèves les plus brillants qui ont obtenu les gains les plus élevés.)

Compte tenu de notre postulat (à savoir que chaque élève a la même contribution à la dispersion), ce sont les *questions* suscitées par ces données qui constituent l'aspect le plus important : Qu'est-ce qui pourrait expliquer que la taille d'effet de ces élèves est inférieure à 0,40 et que celle de ces autres élèves est supérieure à 0,40? Nous pouvons alors nous servir des données probantes pour énoncer les bonnes questions. Seuls les enseignants peuvent trouver les raisons, faire une triangulation pour confirmer celles-ci et élaborer des stratégies pour ces élèves.

Il faut tenir compte de certaines choses.

a. La prudence est de mise avec les échantillons de petite taille : plus l'échantillon est petit, plus il est important de contre-valider les constatations. Tout échantillon composé de moins de 30 élèves peut être considéré comme «petit».

b.   La clé est de repérer les élèves discordants. Dans un échantillon de petite taille, quelques élèves discordants peuvent fausser les tailles d'effet et nécessiter une attention particulière (pouvant se traduire par des questions comme : « Pourquoi ont-ils enregistré des gains si élevés par rapport aux autres élèves ? » ou « Pourquoi n'ont-ils pas enregistré des gains aussi importants que les autres élèves ? ») ; il pourrait même être nécessaire de recalculer les tailles d'effet en excluant ces élèves.

Tels sont les périls des échantillons de petite taille !

Conclusions

Les tailles d'effet ont l'avantage de pouvoir être interprétées d'un test à l'autre, d'un groupe à l'autre, d'une période à l'autre, etc. Bien qu'il semble indiqué d'utiliser la même épreuve comme prétest et comme post-test, ce n'est pas toujours nécessaire. Par exemple, dans les tests longitudinaux mentionnés précédemment, les épreuves sont toujours différentes, mais elles ont été conçues pour mesurer la même dimension à chaque fois. Certaines formes de résultats se prêtent moins à une interprétation comme celle proposée ci-dessus : les rangs centiles, les stanines et les ÉCN ont des propriétés si particulières que le calcul des tailles d'effet de la manière proposée ci-dessus pourrait donner des résultats trompeurs.

L'utilisation des tailles d'effet incite les enseignants à penser à l'évaluation comme moyen pour estimer les progrès réalisés et pour recadrer leur enseignement en fonction de l'apprentissage de l'élève ou du groupe d'élèves. Cette méthode invite les enseignants à envisager que certains élèves ont fait des progrès et d'autres non à cause de leur enseignement. Voilà un exemple de ce que signifie « utiliser les données pour l'action ».

Quelques références (gratuites)

Pour mieux comprendre les tailles d'effet ainsi que la façon de les calculer et de les interpréter, vous pouvez consulter les références suivantes :

- SCHAGEN, I. et HODGEN, E. (2009). *How much difference does it make ? Notes on understanding, using, and calculating effect sizes for schools*, accessible en ligne à <http://www.nzcer.org.nz/research/publications/how-much-difference-does-it-make-notes-understanding-using-and-calculating-eff> (consulté le 10 janvier 2017).

- BECKER, L.E. (2009). *Effect size calculators*, accessible en ligne à <http://www.uccs.edu/~faculty/lbecker/> (consulté le 10 janvier 2017).

- COE, R. (2002). *It's the effect size, stupid : what effect size is and why it is important*, accessible en ligne à <http://www.leeds.ac.uk/educol/documents/00002182.htm> (consulté le 10 janvier 2017).

Pour obtenir de plus amples renseignements sur le calcul de l'écart type, vous pouvez consulter les références suivantes en ligne :

- <http://standard-deviation.appspot.com/>

- <http://easycalculation.com/statistics/learn-standard-deviation.php>

- <https://fr.wikipedia.org/wiki/Écart_type>

Grille d'évaluation de l'enseignement par les élèves d'Irving

La reproduction de cette annexe est autorisée.

Enseignante/enseignant : _____

Matière : _____

Niveau : _____

Indique À QUEL POINT tu es d'accord ou non avec les énoncés, en fonction de l'échelle suivante :

Pas du tout d'accord	Généralement en désaccord	Partiellement en désaccord	Partiellement en accord	Généralement en accord	Tout à fait d'accord
1	2	3	4	5	6

Cette enseignante ou cet enseignant...

Engagement envers les élèves et leur apprentissage

1. se préoccupe de l'apprentissage de tous les élèves de la classe.	1 2 3 4 5 6
2. adapte la leçon lorsque nous éprouvons des difficultés à comprendre.	1 2 3 4 5 6
3. permet aux élèves d'améliorer leur confiance et leur estime de soi dans cette matière.	1 2 3 4 5 6
4. accorde de l'aide ou du temps supplémentaire aux élèves qui en ont besoin d'après les résultats obtenus aux évaluations.	1 2 3 4 5 6
5. établit un climat positif en classe qui nous donne le sentiment de faire partie d'une équipe d'apprenants.	1 2 3 4 5 6
6. nous donne le temps de réfléchir aux concepts que nous étudions et d'en discuter.	1 2 3 4 5 6

Enseignement de la matière

7. nous encourage à tester des idées et à découvrir les principes liés à la matière.	1 2 3 4 5 6
8. stimule notre capacité de réflexion et de raisonnement dans cette matière.	1 2 3 4 5 6
9. nous encourage à essayer différentes techniques pour résoudre les problèmes.	1 2 3 4 5 6
10. nous incite à accorder une grande importance à la matière.	1 2 3 4 5 6
11. nous indique le but de chaque leçon.	1 2 3 4 5 6
12. connaît les problèmes auxquels nous faisons souvent face lorsque nous apprenons de nouvelles choses et en tient compte.	1 2 3 4 5 6
13. nous aide à comprendre le langage et les procédés associés à la matière.	1 2 3 4 5 6

Engagement des élèves dans le programme d'études

14.	incite les élèves à bien réfléchir aux problèmes et à les résoudre, aussi bien de façon individuelle qu'en groupe.	1	2	3	4	5	6
15.	rend cette matière intéressante pour moi.	1	2	3	4	5	6
16.	rend l'apprentissage de cette matière satisfaisant et stimulant.	1	2	3	4	5	6
17.	rend cette matière vivante en classe.	1	2	3	4	5	6
18.	nous montre des façons intéressantes et utiles de résoudre les problèmes.	1	2	3	4	5	6
19.	est le meilleur de tous les enseignants que j'ai eus.	1	2	3	4	5	6

Relation entre la matière et le monde réel

20.	aide la classe à comprendre le lien qui existe entre la matière et le monde réel.	1	2	3	4	5	6
21.	nous aide à faire des liens entre les différents sujets de la matière et d'autres aspects de nos vies.	1	2	3	4	5	6
22.	nous prépare à la vie adulte en nous aidant à comprendre l'importance de cette matière pour nos carrières futures et notre vie de tous les jours.	1	2	3	4	5	6
23.	nous enseigne comment cette matière contribue à l'évolution de la société et comment la société a fait évoluer cette matière.	1	2	3	4	5	6
24.	nous aide à prendre conscience que cette matière évolue sans cesse afin de nous aider à comprendre le monde.	1	2	3	4	5	6

Bibliographie

ABSOLUM, M., FLOCKTON, L., HATTIE, J. A. C., HIPKINS, R. et REID, I. (2009). *Directions for assessment in New Zealand: Developing students' assessment capabilities*. Wellington: ministère de l'Éducation, accessible en ligne à <http://assessment.tki.org.nz/Assessment-in-the-classroom/Assessment-position-papers> (consulté le 10 janvier 2017).

ADAMS, G. L. et ENGELMANN, S. (1996). *Research on direct instruction: 20 years beyond DISTAR*. Seattle, WA: Educational Achievement Systems.

ALEXANDER, P. A. (2006). *Psychology in learning and instruction*. Columbus, OH: Prentice-Hall.

ALEXANDER, R. J. (2008). *Towards dialogic teaching: Rethinking classroom talk* (4e éd.). York: Dialogos.

ALRIERI, L., BROOKS, P. J., ALDRICH, N. J. et TENENBAUM, H. R. (2011). Does discovery-based instruction enhance learning? *Journal of Educational Psychology, 103*(1), p. 1-18.

ALTON-LEE, A. (2003). *Quality teaching for diverse students in schooling: Best evidence synthesis iteration*. Wellington: ministère de l'Éducation, accessible en ligne à <http://www.educationcounts.govt.nz/publications/series/2515/5959> (consulté le 10 janvier 2017).

ALTON-LEE, A. et NUTHALL, G. A. (1990). Pupil experiences and pupil learning in the elementary classroom: An illustration of a generative methodology. *Teaching and Teacher Education: An International Journal of Research and Studies, 6*(1), p. 27-46.

AMABILE, T. S. et KRAMER, S. J. (2011). The power of small wins. *Harvard Business Review, 89*(5), p. 70-90.

ANDERMAN, L. H. et ANDERMAN, E. M. (1999). Social predictors of changes in students' achievement goal orientations. *Contemporary Educational Psychology, 24*(1), p. 21-37.

ANDERSON, K. (2010). *Data team success stories, Vol. 1*. Englewood, CO: The Leadership and Learning Center.

ANDERSON, K. (2011). *Real-time decisions: Educators using formative assessment to change lives now!* Englewood, CO: The Leadership and Learning Center.

ANDERSSON, H. et BERGMAN, L. R. (2011). The role of task persistence in young adolescence for successful educational and occupational attainment in middle adulthood. *Developmental Psychology, 47*(4), p. 950-960.

ANGUS, M., MCDONALD, T., ORMOND, C., RYBARCYK, R., TAYLOR, A. et WINTERTON, A. (2009). *Trajectories for classroom behaviour and academic progress.* Perth : Edith Cowan University, accessible en ligne à <http://www.bass.edu.au/files/5413/9925/8294/Pipeline_Report_Dec_2009.pdf> (consulté le 10 janvier 2017).

ARONSON, E. (2008). *Jigsaw classroom*, accessible en ligne à <http://www.jigsaw.net>.

AU, R., WATKINS, D. W., HATTIE, J. A. C. et ALEXANDER, P. (2009). Reformulating the depression model of learned hopelessness for academic outcomes. *Educational Research Review, 4*, p. 103-117.

AUSUBEL, D. P. (1968). *Educational psychology : A cognitive view.* New York : Holt, Rinehart, and Winston.

AYERS, W. (2010) *To teach : The journey of a teacher* (3e éd.). New York : Teachers College Press.

BAKHTIN, M. M. (1981) *The dialogic imagination : Four essays.* Michael Holquist (dir.). Caryl Emerson et Michael Holquist (trad.). Austin, TX, et Londres : University of Texas Press.

BARBER, M. (2008). *Instruction to deliver : Fighting to transform Britain's public services* (2e éd.). Londres : Methuen.

BARBER, M., MOFFIT, A. et KIHN, P. (2011). *Deliverology : A field guide for educational leaders.* Thousand Oaks, CA : Corwin Press.

BAUSMITH, J. M. et BARRY, C. (2011). Revisiting professional learning communities to increase college readiness : The importance of pedagogical content knowledge. *Educational Researcher, 40*(40), p. 175-178.

BECKER, L. E. (2009). *Effect size calculators*, accessible en ligne à <http://www.uccs.edu/~faculty/lbecker/> (consulté le 10 janvier 2017).

BENDIKSON, L., ROBINSON, V. M. J. et HATTIE, J. A. (2011). Identifying the comparative academic performance of secondary schools. *Journal of Educational Administration, 49*(4), p. 433-449.

BEREITER, C. (2002). *Education and mind in the knowledge age.* Hillsdale, NJ : Lawrence Erlbaum Associates.

BERTHOLD, K., NÜCKLES, M. et RENKL, A. (2007). Do learning protocols support learning strategies and outcomes ? The role of cognitive and metacognitive prompts. *Learning and Instruction, 17*(5), p. 564-577.

BIGGS, J. B. et COLLIS, K. F. (1982). *Evaluating the quality of learning : The SOLO taxonomy (structure of the observed learning outcome).* New York : Academic Press.

BISHOP, R. (2003). Changing power relations in education : Kaupapa Māori messages for "mainstream" education in Aotearoa/New Zealand. *Comparative Education, 39*(2), p. 221-238.

BLACK, P., HARRISON, C., HODGEN, J., MARSHALL, M. et SERRET, N. (2010). Validity in teachers' summative assessments. *Assessment in Education, 17*(2), p. 215-232.

BLACK, P., HARRISON, C., LEE, C., MARSHALL, B. et WILIAM, D. (2003). *Assessment for learning : Putting it into practice.* Maidenhead : Open University Press.

BLACK, P. et WILIAM, D. (1998). Assessment and classroom learning. *Assessment in Education, 5*(1), p. 7-73.

BLACK, P. et WILIAM, D. (2009). Developing the theory of formative assessment. *Educational Assessment, Evaluation and Accountability, 21*(1), p. 5-31.

BOYD, D., GROSSMAN, P., ING, M., LANKFORD, H., LOEB, S. et WYCKOFF, J. (2011). The influence of school administrators on teacher retention decisions. *American Educational Research Journal, 48*, p. 303-333.

BRANSFORD, J., BROWN, A. L. et COCKING, R. R. (2000). *How people learn : Brain, mind, experience, and school* (éd. augmentée). Washington, DC : National Academy Press.

BROCK, P. (2004). *A passion for life*. Sydney : Australian Broadcasting Corporation.

BROOKS, G. (2002). *What works for children with literacy difficulties ? The effectiveness of intervention schemes (RR380)*. Londres : HMSO.

BROWN, G., IRVING, S. E. et PETERSON, E. R. (août 2009). *The more I enjoy it the less I achieve : The negative impact of socio-emotional purposes of assessment and feedback on academic performance*. Communication présentée dans le cadre de la conférence EARLI, Amsterdam.

BRUALDI, A. C. (1998). *Classroom questions : ERIC/AE Digest*, ERIC Digest Series No. EDO-TM-98-02, Los Angeles, CA : ERIC Clearinghouse for Community Colleges, University of California at Los Angeles.

BRUTUS, S. et GREGURAS, G. J. (2008). Self-construals, motivation, and feedback-seeking behaviors. *International Journal of Selection and Assessment, 16*(3), p. 282-291.

BRYAN, W. L. et HARTER, N. (1898). Studies in the physiology and psychology of the telegraphic language. *Psychological Review, 4*, p. 27-53.

BRYK, A. S. et SCHNEIDER, B. L. (2002). *Trust in schools : A core resource for improvement*. New York : Russell Sage Foundation.

BURNETT, P. C. (2003). The impact of teacher feedback on student self-talk and self-concept on reading and mathematics. *Journal of Classroom Interaction, 38*(1), p. 11-16.

BURNS, C. et MYHILL, D. (2004). Interactive or inactive ? A consideration of the nature of interaction in whole class teaching. *Cambridge Journal of Education, 34*(1), p. 35-49.

BURNS, M. K. (2002). Comprehensive system of assessment to intervention using curriculum-based assessments. *Intervention in School and Clinic, 38*(1), p. 8-13.

BUTLER, R. (2007). Teachers' achievement goal orientations and associations with teachers' help seeking : Examination of a novel approach to teacher motivation. *Journal of Educational Psychology, 99*(2), p. 241-252.

CARLESS, D. (2006). Differing perceptions in the feedback process. *Studies in Higher Education, 31*(2), p. 219-233.

CARROLL, A., HOUGHTON, S., DURKIN, K. et HATTIE, J. A. C. (2009). *Adolescent reputations and risk : Developmental trajectories to delinquency*. New York : Springer.

CASE, R. (1987). The structure and process of intellectual development. *International Journal of Psychology, 5*(6), p. 571-607.

CASE, R. (1999). Conceptual development in the child and the field : A personal view of the Piagetian legacy. Dans E. Scholnick, K. Nelson, S. Gelman et P. Miller (dir.), *Conceptual development : Piaget's legacy* (p. 23-51). Hillsdale, NJ : Lawrence Erlbaum Associates.

CAZDEN, C. (2001). *Classroom discourse : The language of teaching and learning.* Portsmouth, NH : Heinemann.

CHAN, C. Y. J. (2006). *The effects of different evaluative feedback on student's self-efficacy in learning.* Thèse de doctorat non publiée, Université de Hong Kong.

CLARKE, D. J. (2010). The cultural specificity of accomplished practice : Contingent conceptions of excellence. Dans Y. Shimizu, Y. Sekiguchi et K. Hino (dir.), *In search of excellence in mathematics education* (p. 14-38). Actes de la 5th East Asia Regional Conference in Mathematics Education. Tokyo : Japan Society of Mathematical Education.

CLARKE, S. (2011). *Active learning through formative assessment.* Londres : Hodder.

CLARKE, S., TIMPERLEY, H. et HATTIE, J. A. C. (2003). *Unlocking formative assessment : Practical strategies for enhancing students' learning in the primary and intermediate classroom* (1re éd. Nouvelle-Zélande). Auckland : Hodder Moa Beckett.

CLEMENTS, D. H. et SARAMA, J. (2009). *Learning and teaching early math : The learning trajectories approach.* New York : Routledge.

CLINTON, J., HATTIE, J. A. C. et DIXON, R. (2007). *Evaluation of the Flaxmere Project : When families learn the language of school.* Wellington : ministère de l'Éducation.

COE, R. (2002). *It's the effect size, stupid' : What effect size is and why it is important,* accessible en ligne à <http://www.leeds.ac.uk/educol/documents/00002182.htm> (consulté le 10 janvier 2017).

COFFIELD, F., MOSELEY, D. V. M., ECCLESTONE, K. et HALL, E. (2004). *Learning styles and pedagogy : A systematic and critical review.* Londres : Learning and Skills Research Council.

COHEN, J. (1977). *Statistical power analysis for the behavioral sciences* (éd. rev.). New York : Academic Press.

COMMUNAUTÉ D'APPRENTISSAGE PROFESSIONNELLE (CAP) (2014). *7 indicateurs de l'évolution d'une école,* accessible en ligne à <http://cap.ctreq.qc.ca/wp-content/uploads/2014/09/CRETQ-CAP-Fiche-7-indicateurs-12062.pdf> (consulté le 1er février 2017).

CONFREY, J. et MALONEY, A. (octobre 2010). *The building of formative assessments around learning trajectories as situated in the CCSS.* Communication présentée à la rencontre automnale du SCASS FAST, Savannah, GA.

COOGAN, P., HOBEN, N. et PARR, J. (2003). *English writing curriculum framework and map : Levels 5-6.* (rapp. tech. no 37 du projet asTTle). Auckland : Université d'Auckland, accessible en ligne à <http://www.tki.org.nz/r/asttle/pdf/technical-reports/techreport37.pdf>.

COOPER, H. M. (1989). *Homework.* New York : Longman.

COOPER, H. M. (1994). *The battle over homework.* Thousand Oaks, CA : Corwin Press.

COOPER, H. M., ROBINSON, G. C. et PATALL, E. A. (2006). Does homework improve academic achievement ? A synthesis of research, 1987-2003. *Review of Educational Research, 76*(1), p. 1-62.

CORNELIUS-WHITE, J. (2007). Learner-centered teacher-student relationships are effective : A meta-analysis. *Review of Educational Research, 77*(1), p. 113-143.

DARLING-HAMMOND, L. (2006). *Powerful teacher education : Lessons from exemplary programs.* San Francisco, CA : Jossey-Bass.

DARLING-HAMMOND, L. (2010). *The flat world and education : How America's commitment to equity will determine our future.* New York : Teachers College Press.

DARO, P., MOSHER, F. A. et CORCORAN, T. (2011). *Learning trajectories in mathematics : A foundation for standards, curriculum, assessment, and instruction.* Philadelphia, PA : Consortium for Policy Research in Education (CRPE).

DAVIS, E. A. (2003). Prompting middle school science students for productive reflection : Generic and directed prompts. *The Journal of Learning Sciences, 12*, p. 91-142.

DAVIS, E. A. et LINN, M. C. (2000). Scaffolding students' knowledge integration : Prompts for reflection in KIE. *International Journal of Science Education, 22*(8), p. 819-837.

DAY, C. (2004). *A passion for teaching.* Londres : Routledge Falmer.

DEBAZ, T. P. (1994). *A meta-analysis of the relationship between students' characteristics and achievement and attitudes toward science.* Thèse de doctorat non publiée, Ohio State University, États-Unis.

DINHAM, S. (2008). *How to get your school moving and improving.* Camberwell : ACER Press.

DUFOUR, R., DUFOUR, R. et EAKER, R. (2008). *Revisiting professional learning communities at work.* Bloomington, IN : Solution Tree Press.

DUFOUR, R. et MARZANO, R. J. (2011). *Leaders of learning : How district, school, and classroom leaders improve student achievement.* Bloomington, IN : Solution Tree Press.

DUNNING, D. (2005). *Self-insight : Roadblocks and detours on the path to knowing thyself.* New York : Psychology Press.

DUSCHL, R. A. et OSBORNE, J. (2002). Supporting and promoting argumentation discourse in science education. *Studies in Science Education, 38*, p. 39-72.

DWECK, C. (2006). *Mindset.* New York : Random House.

ELMORE, R. F. (2004). *School reform from the inside out : Policy, practice, and performance.* Cambridge, MA : Harvard Education Press.

ELMORE, R. F., FIARMEN, S. et TEITAL, L. (2009). *Instructional Rounds in Education.* Cambridge, MA : Harvard Education Press.

ENGLISH, L. D. (dir.). (2002). *Handbook of International Research in Mathematics Education.* Hillsdale, NJ : Lawrence Erlbaum Associates.

ERICSSON, K. A. (2006). The influence of experience and deliberate practice on the development of superior expert performance. Dans K. A. Ericsson, N. Charness, P. Feltovich et R. R. Hoffman (dir.), *Cambridge handbook of expertise and expert performance* (p. 685-706). Cambridge : Cambridge University Press.

FALCHIKOV, N. et GOLDFINCH, J. (2000). Student peer assessment in higher education : A meta-analysis comparing peer and teacher marks. *Review of Educational Research, 70*(3), p. 287-322.

FLETCHER, R. B. et HATTIE, J. A. C. (2011). *Intelligence and intelligence testing*. Londres : Routledge.

FULLAN, M. (2011). *Choosing the wrong drivers for whole system reform*. Melbourne : Centre for Strategic Education.

FULLAN, M. (2012). *Change leader : Learning to do what matters most*. New York : John Wiley.

FULLAN, M., HILL, P. et CRÉVOLA, C. (2006). *Breakthrough*. Thousand Oaks, CA : Corwin Press.

GAGE, N. L. et BERLINER, D. C. (1998). *Educational psychology* (6e éd.). Boston, MA : Houghton Mifflin.

GALTON, M., MORRISON, I. et PELL, T. (2000). Transfer and transition in English schools : Reviewing the evidence. *International Journal of Educational Research, 33*, p. 341-363.

GALTON, M. et PATRICK, H. (dir.). (1990). *Curriculum provision in small primary schools*. Londres : Routledge.

GAN, M. (2011). *The effects of prompts and explicit coaching on peer feedback quality*. Thèse de doctorat non publiée, Université d'Auckland, accessible en ligne à <https://researchspace.auckland.ac.nz/handle/2292/6630> (consulté le 10 janvier 2017).

GARDNER, H. (2009). Reflections on my works and those of my commentators. Dans B. Shearer (dir.), *MI at 25* (p. 113-120). New York : Teachers College Press.

GATES FOUNDATION (2010). *Learning about teaching : Initial findings from the Measures of Effective Teaching Project*, accessible en ligne à <http://www.gatesfoundation.org/college-ready-education/Documents/preliminary-findings-research-paper.pdf> (consulté le 10 janvier 2017).

GAWANDE, A. (2009). *The checklist manifesto*. New York : Henry Holt Publishers.

GICKLING, E. E. (octobre 1984). *Operationalizing academic learning time for low achieving and handicapped mainstreamed students*. Communication présentée à la rencontre annuelle de la Northern Rocky Mountain Educational Research Association, Jackson Hole, WY.

GLADWELL, M. (2008). *Outliers : The story of success*. New York : Little, Brown, and Company.

GLASS, G. V., MCGAW, B. et SMITH, M. L. (1981). *Meta-analysis in social research*. Beverly Hills, CA : Sage.

GLASSWELL, K., PARR, J. et AIKMAN, M. (2001). *Development of the asTTle writing assessment rubrics for scoring extended writing tasks*. (Rapp. tech. no 6). Auckland : Université d'Auckland, Projet asTTle.

GOLDSTEIN, L. (2006). Feedback and revision in second language writing : Contextual, teacher, and student variables. Dans K. Hyland et F. Hyland (dir.), *Feedback in second language writing : Contexts and issues* (p. 185-205). New York : Cambridge University Press.

GORE, J. M., GRIFFITHS, T. et LADWIG, J. G. (2004). Towards better teaching : Productive pedagogy as a framework for teacher education. *Teaching and Teacher Education, 20*(4), p. 375-387.

GREASSER, A. C., HALPERN, D. F. et HAKEL, M. (2008). *25 principles of learning*. Washington, DC : Taskforce on Lifelong Learning at Work and at Home.

GRIFFIN, P. (2007). The comfort of competence and the uncertainty of assessment. *Studies in Educational Evaluation*, *33*(1), p. 87-99.

HARDMAN, F., SMITH, F. et WALL, K. (2003). Interactive whole class teaching in the National Literacy Strategy. *Cambridge Journal of Education*, *33*(2), p. 197-215.

HARELLI, S. et HESS, U. (2008). When does feedback about success at school hurt ? The role of causal attributions. *Social Psychology in Education*, *11*, p. 259-272.

HARGREAVES, A. (2010). Presentism, individualism, and conservatism : The legacy of Dan Lortie's 'Schoolteacher : A Sociological Study'. *Curriculum Inquiry*, *40*(1), p. 143-154.

HARKS, B., ROKOCZY, K., HATTIE, J. A. C., KLIEME, E. et BESSER, M. (2011). Self regulation mediates the impact of feedback, publication à paraître.

HASTIE, S. (2011). *Teaching students to set goals : Strategies, commitment, and monitoring*. Thèse de doctorat non publiée, Université d'Auckland, Nouvelle-Zélande.

HATTIE, J. A. C. (1992). *Self-concept*. Hillsdale, NJ : Lawrence Erlbaum Associates, p. 304.

HATTIE, J. A. C. (2007). The status of reading in New Zealand schools : The upper primary plateau problem (PPP3). *Reading Forum*, *22*(2), p. 25-39.

HATTIE, J. A. C. (2008). Processes of integrating, developing, and processing self information. Dans H. W. Marsh, R. Craven et D. M. McInerney (dir.), *Self-processes, learning, and enabling human potential : Dynamic new approaches* (Vol. 3). Greenwich, CN : Information Age Publishing.

HATTIE, J. A. C. (2009). *Visible learning : A synthesis of 800+ meta-analyses on achievement*. Londres : Routledge.

HATTIE, J. A. C. (mai 2010). *The differences in achievement between boys and girls*. Présentation dans le cadre de la Boys Schools Annual Conference, Wellington.

HATTIE, J. A. C., BIGGS, J. et PURDIE, N. (1996). Effects of learning skills interventions on student learning : A meta-analysis. *Review of Educational Research*, *66*(2), p. 99-136.

HATTIE, J. A. C. et BROWN, G. T. L. (2004). *Cognitive processes in asTTle : The SOLO taxonomy*. Rapport technique asTTle (n° 43). Auckland : Université d'Auckland et ministère de l'Éducation.

HATTIE, J. A. C. et CLINTON, J. M. (2011). School leaders as evaluators. Dans *Activate : A leader's guide to people, practices and processes* (p. 93-118). Englewood, CO : The Leadership and Learning Center.

HATTIE, J. A. C., CLINTON, J. M., NAGLE, B., KELKOR, V., REID, W., SPENCE, K., BAKER, W. et JAEGER, R. (1998). *The first year evaluation of Paideia*. Guilford County : Bryan Foundation et écoles de Guilford County.

HATTIE, J. A. C. et ÉQUIPE (2009). *Generation II : e-asTTle. An Internet computer application*. Wellington : ministère de l'Éducation.

HATTIE, J. A. C. et MASTERS, D. (2011). *The evaluation of a student feedback survey*. Auckland : Cognition.

HATTIE, J. A. C. et PURDIE, N. (1998). The SOLO model : Addressing fundamental measurement issues. Dans B. C. Dart et G. M. Boulton-Lewis (dir.), *Teaching and learning in higher education* (p. 145-176). Camberwell, Victoria, Australie : Australian Council of Educational Research.

HATTIE, J. A. C., ROGERS, H. J. et SWAMINATHAN, H. (2011). The role of meta-analysis in educational research. Dans A. Reid, P. Hart, M. Peters et C. Russell (dir.), *A companion to research in education*. R.-U. : Springer.

HATTIE, J. A. C. et TIMPERLEY, H. (2006). The power of feedback. *Review of Educational Research, 77*(1), p. 81-112.

HAYS, M. J., KORNELL, N. et BJORK, R. A. (2010). Costs and benefits of feedback during learning. *Psychonomic Bulletin and Review, 17*(6), p. 797-801.

HEDGES, L. V. et OLKIN, I. (1985). *Statistical methods for meta-analysis*. Orlando, FL : Academic Press.

HEIMBECK, D., FRESE, M., SONNENTAG, S. et KEITH, N. (2003). Integrating errors into the training process : The function of error management instructions and the role of goal orientation. *Personnel Psychology, 56*, p. 333-362.

HEUBUSCH, J. D. et LLOYD, J. W. (1998). Corrective feedback in oral reading. *Journal of Behavioral Education, 8,* p. 63-79.

HIGGINS, R., HARTLEY, P. et SKELTON, A. (2001). Getting the message across : The problem of communicating assessment feedback. *Teaching in Higher Education, 6*(2), p. 269-274.

HIGGINS, S., KOKOTSAKI, D. et COE, R. (2011) *Toolkit of strategies to improve learning : Summary for schools spending the pupil premium*. Londres : Sutton Trust, accessible en ligne à <http://www.letterboxclub.org.uk/usr/library/documents/main/toolkit-of-strategies-spending-pp.pdf> (consulté le 10 janvier 2017).

HILL, C. J., BLOOM, H. S., BLACK, A. R. et LIPSEY, M. W. (2008). Empirical benchmarks for interpreting effect sizes in research. *Child Development Perspectives, 2*(3), p. 172-177.

HOLT, C. R., DENNY, G., CAPPS, M. et DE VORE, J. (2005). Teachers' ability to perceive student learning preferences : 'I'm sorry, but I don't teach like that.' *Teachers College Record*.

HYDE, J. (2005). The gender similarities hypothesis. *American Psychologist, 60*(6), p. 581-592.

HYLAND, F. et HYLAND, K. (2001). Sugaring the pill : Praise and criticism in written feedback. *Journal of Second Language Writing, 10*(3), p. 185-212.

HYLAND, K. et HYLAND, F. (dir.), (2006). *Feedback in second language writing : Contexts and issues*. Cambridge : Cambridge University Press.

INGVARSON, L. et HATTIE, J. (dir.). (2008). *Assessing teachers for professional certification : The first decade of the National Board for Professional Teaching Standards*. Advances in Program Evaluation Series #11, Oxford : Elsevier.

INOUE, N. (2007). Why face a challenge ? The reason behind intrinsically motivated students' spontaneous choice of challenging tasks. *Learning and Individual Differences, 17*(3), p. 251-259.

IRVING, S. E. (2004). *The development and validation of a student evaluation instrument to identify highly accomplished mathematics teachers*. Thèse de doctorat non publiée, Université d'Auckland.

JACKSON, P. W. (1968). *Life in classrooms*. New York : Holt, Rinehart and Winston.

JAMES, W. (1897/1927). *The will to believe*. Londres : Longmans, Green and Co.

JOYCE, B. et SHOWERS, B. (1995). *Student achievement through staff development: Fundamental of school renewal* (2e éd.). New York: Longman Press.

KAMINS, M. L. et DWECK, C. (1999). Person versus process praise and criticism: Implications for contingent self-worth and coping. *Developmental Psychology, 35*(3), p. 835-847.

KANG, S., MCDERMOTT, K. B. et ROEDIGER, H. L. (2007). Test format and corrective feedback modulate the effect of testing on memory retention. *The European Journal of Cognitive Psychology, 19*, p. 528-558.

KENNEDY, M. M. (2010). Attribution error and the quest for teacher quality. *Educational Researcher, 39*(8), p. 591-598.

KESSELS, U., WARNER, L. M., HOLLE, J. et HANNOVER, B. (2008). Threat to identity through positive feedback about academic performance. *Zeitschrift für Entwicklungspsychologie und Pädagogische Psychologie, 40*(1), p. 22-31.

KLUGER, A. N. et DENISI, A. (1996). The effects of feedback interventions on performance: A historical review, a meta-analysis, and a preliminary feedback intervention theory. *Psychological Bulletin, 119*(2), p. 254-284.

KOBAYASHI, K. (2005). What limits the encoding effect of note-taking? A meta-analytic examination. *Contemporary Educational Psychology, 30*(2), p. 242-262.

KOHN, A. (2006). *The homework myth: Why our kids get too much of a bad thing.* Cambridge, MA: Da Capo Press.

KULHAVY, R. W. (1977). Feedback in written instruction. *Review of Educational Research, 47*(2), p. 211-232.

KUNG, M. C. (2008). *Why and how do people seek success and failure feedback? A closer look at motives, methods and cultural differences.* Thèse de doctorat non publiée, Florida Institute of Technology.

LADD, H. F. (2011). Teachers' perceptions of their working conditions: How predictive of planned and actual teacher movement? *Educational Evaluation and Policy Analysis, 33*(2), p. 235-261.

LAVERY, L. (2008). *Self-regulated learning for academic success: An evaluation of instructional techniques.* Thèse de doctorat non publiée, Université d'Auckland.

LEAHY, S. et WILIAM, D. (2009). *Embedding assessment for learning: A professional development pack.* Londres: Specialist Schools and Academies Trust.

LEVIN, B. (2008). *How to change 5 000 schools.* Cambridge, MA: Harvard Education Press.

LEVIN, H., BELFIELD, C., MUENNIG, P. et ROUSE, C. (2006). *The costs and benefits of an excellent education for all of America's children.* New York: Teachers College.

LINGARD, B. (2007). Pedagogies of indifference. *International Journal of Inclusive Education, 11*(3), p. 245-266.

LIPSEY, M. W. et WILSON, D. B. (2001). *Practical meta-analysis.* Applied Social Research Methods Series (Vol. 49). Thousand Oaks, CA: Sage.

LORTIE, D. C. (1975). *School teacher: A sociological study.* Chicago, IL: University of Chicago Press.

LUQUE, M. F. et SOMMER, S. M. (2000). The impact of culture on feedback-seeking behavior : An integrated model and propositions. *The Academy of Management Review*, *25*(4), p. 829-849.

MAGUIRE, T. O. (décembre 1988). *The use of the SOLO taxonomy for evaluating a program for gifted students*. Communication présentée à la conférence annuelle de l'Australian Association for Research in Education, Armidale, Nouvelle-Galles du Sud.

MANSELL, W. (21 novembre 2008). Pupil self-assessment is top way to improve. *Times Educational Supplement*, p. 21.

MARSH, H. W., SEATON, M., TRAUTWEIN, U., LÜDTKE, O., HAU, K. T., O'MARA, A. J. et CRAVEN, R. G. (2008). The big-fish-little-pond-effect stands up to critical scrutiny : Implications for theory, methodology, and future research. *Educational Psychology Review*, *20*, p. 319-350.

MARTIN, A. (2006). Personal bests (PBs) : A proposed multidimensional model and empirical analysis. *British Journal of Educational Psychology*, *76*, p. 803-825.

MAYER, R. E. (2004). Should there be a three-strikes rule against pure discovery learning ? The case for guided methods of instruction. *American Psychologist*, *59*, p. 14-19.

MAYER, R. E. (2009). Constructivism as a theory of learning versus constructivism as a prescription for instruction. Dans S. Tobias et T. M. Duffy (dir.), *Constructivist theory applied to instruction : Success or failure ?* (p. 184-200). New York : Taylor & Francis.

MAYER, R. E., STULL, A., DELEEUW, K., ALMEROTH, K., BIMBER, B., CHUN, D., BULGER, M., CAMPBELL, J., KNIGHT, A. et ZHANG, H. (2009). Clickers in college classrooms : Fostering learning with questioning methods in large lecture classes. *Contemporary Educational Psychology*, *34*(1), p. 51-57.

MCINTYRE, D., PEDDER, D. et RUDDUCK, J. (2005). Pupil voice : Comfortable and uncomfortable learnings for teachers. *Research Papers in Education*, *20*(2), p. 149-168.

MCNULTY, B. A. et BESSER, L. (2011). *Leaders make it happen ! An administrator's guide to data teams*. Englewood, CO : The Leadership and Learning Center.

MEEHAN, H. (1979). *Learning lessons*. Cambridge, MA : Harvard University Press.

MERCER, N. et LITTLETON, K. (2007). *Dialogue and the development of children's thinking*. Londres : Routledge.

MILLER, P. (2010). *The smart swarm : How understanding flocks, schools, and colonies can make us better at communicating, decision making, and getting things done*. Londres : Penguin Group.

MOSELEY, D., BAUMFIELD, V., HIGGINS, S., LIN, M., MILLER, J., NEWTON, D., ROBSON, S., ELLIOTT, J. et GREGSON, M. (2004). *Thinking skill frameworks for post-16 learners : An evaluation*. Londres : Learning and Skills Research Centre.

MURPHY, P. K., WILKINSON, I. A. G., SOTER, A. O., HENNESSEY, M. N. et ALEXANDER, J. F. (2009). Examining the effects of classroom discussion on students' comprehension of text : A meta-analysis. *Journal of Educational Psychology*, *101*(3), p. 740-764.

NEIDERER, K. (2011). *The BFLPE : Self-concepts of gifted students in a part-time, gifted program*. Thèse de doctorat non publiée, Université d'Auckland.

NEUMANN, A. (2006). Professing passion : Emotion in the scholarship of professors at research universities, *American Educational Research Journal*, *43*(3), p. 381-424.

NEWTON, P., DRIVER. R. et OSBORNE, J. (1999). The place of argumentation in the pedagogy of school science. *International Journal of Science Education*, *21*(5), p. 553-576.

NICKERSON, R. S. (1998). Confirmation bias : A ubiquitous phenomenon in many guises. *Review of General Psychology*, *2*, p. 175-220.

NUCKLES, M., HUBNER, S. et RENKL, A. (2009). Enhancing self-regulated learning by writing learning protocols. *Learning and Instruction*, *19*, p. 259-271.

NUSSBAUM, E. S. (2010). *Not for profit : Why democracy needs the humanities*. Princeton, NJ : Princeton University Press.

NUTHALL, G. A. (2005). The cultural myths and realities of classroom teaching and learning : A personal journey. *Teachers College Record*, *107*(5), p. 895-934.

NUTHALL, G. A. (2007). *The hidden lives of learners*. Wellington : New Zealand Council for Educational Research.

ORNSTEIN, P., COFFMAN, J., MCCALL, L., GRAMMER, J. et SAN SOUCI, P. (2010). Linking the classroom context and the development of children's memory skills. Dans J. L. Meece et J. S. Eccles (dir.), *Handbook on research on schools, schooling, and human development* (p. 42-59). New York : Routledge.

PARKER, W. B. (2006). Public discourses in schools : Purposes, problems, possibilities. *Educational Researcher*, *35*(8), p. 11-18.

PASCHAL, R. A., WEINSTEIN, T. et WALBERG, H. J. (1984). The effects of homework on learning : A quantitative synthesis. *Journal of Educational Research*, *78*(2), p. 97-104.

PASHLER, H., MCDANIEL, M., ROHRER, D. et BJORK, R. (2009). Learning styles : Concepts and evidence. *Psychological Science in the Public Interest*, *9*(3), p. 105-119.

PEECK, J., VAN DEN BOSCH, A. B. et KREUPELING, W. J. (1985). Effects of informative feedback in relation to retention of initial responses. *Contemporary Educational Psychology*, *10*(4), p. 303-313.

PEKRUL, S. et LEVIN, B. (2007). Building student voice for school improvement. Dans D. Thiessen et A. Cook-Sather (dir.), *International handbook of student experience in elementary and secondary school* (p. 711-726). Dordrecht : Springer.

PETTY, G. (2009a). *Evidence-based teaching : A practical approach* (2e éd.). Cheltenham : Nelson Thornes.

PETTY, G. (2009b). *Teaching today : A practical guide* (4e éd.). Cheltenham : Nelson Thornes.

PIAGET, J. (1970). *Genetic epistemology*. New York : Columbia University Press.

PLANT, E. A., ERICSSON, K. A., HILL, L. et ASBERG, K. (2005). Why study time does not predict grade point average across college students : Implications of deliberate practice for academic performance. *Contemporary Educational Psychology*, *30*, p. 96-116.

POPHAM, J. (avril 2011). *How to build learning progressions : Keep them simple, Simon*. Communication présentée à la rencontre annuelle de l'American Educational Research Association, New Orleans, LA.

PRATT, S. et GEORGE, R. (2005). Transferring friendship: Girls' and boys' friendships in the transition from primary to secondary school. *Children & Society, 19*(1), p. 16-26.

PURKEY, W. (1992). An introduction to invitational theory. *Journal of Invitational Theory and Practice, 1*(1), p. 5-15.

REEVES, D. (2009). Level-five networks: Making significant changes in complex organizations. Dans A. Hargreaves et M. Fullan (dir.), *Change wars* (p. 185-200). Bloomington, IN: Solution Tree Press.

REEVES, D. (2010). *Transforming professional development into student results.* Alexandria, VA: ACSD.

REEVES, D. (2011). *Finding your leadership focus.* New York: Teachers College Press.

RETELSDORF, J., BUTLER, R., STREBLOW, L. et SCHIEFELE, U. (2010). Teachers' goal orientations for teaching: Associations with instructional practices, interest in teaching, and burnout. *Learning and Instruction, 20*(1), p. 30-46.

RIENER, C. et WILLINGHAM, D. (2010). The myth of learning styles. *Change,* sept./oct., p. 32-36.

ROBERTS, T. et BILLINGS, L. (1999). *The Paideia classroom: Teaching for understanding.* Larchmont, NY: Eye on Education.

ROBINSON, V. M. J. (2011). *Student-centred leadership.* San Francisco, CA: Jossey Bass.

ROBINSON, V. M. J., LLOYD, C. et ROWE, K. J. (2008). The impact of educational leadership on student outcomes: An analysis of the differential effects of leadership types. *Education Administration Quarterly, 41,* p. 635-674.

ROSETH, C. J., FANG, F., JOHNSON, D. W. et JOHNSON, R. T. (avril 2006). *Effects of cooperative learning on middle school students: A meta-analysis.* Communication présentée à la rencontre annuelle de l'American Educational Research Association, San Francisco, CA.

RUBIE-DAVIES, C. M. (2007). Classroom interactions: Exploring the practices of high- and low-expectation teachers. *British Journal of Educational Psychology, 77,* p. 289-306.

RUBIE-DAVIES, C., HATTIE, J. A. C. et HAMILTON, R. (2006). Expecting the best for students: Teacher expectations and academic outcomes. *British Journal of Educational Psychology, 76,* p. 429-444.

SADLER, D. R. (1989). Formative assessment and the design of instructional systems. *Instructional Science, 18*(2), p. 119-144.

SADLER, D. R. (2008). Beyond feedback: Developing student capability in complex appraisal. *Assessment and Evaluation in Higher Education, 35*(5), p. 535-550.

SCHAGEN, I. et HODGEN, E. (2009). *How much difference does it make? Notes on understanding, using, and calculating effect sizes for schools,* accessible en ligne à <www.educationcounts.govt.nz/publications/schooling/36097/36098> (consulté le 10 janvier 2017).

SCHUNK, D. H. (1996). Goal and self-evaluative influences during children's cognitive skill learning. *American Educational Research Journal, 33,* p. 359-382.

SCHUNK, D. H. (2008). *Learning theories: An educational perspective* (4e éd.). Upper Saddle River, NJ: Merrill/Prentice Hall.

SCRIVEN, M. (1991). Pros and cons about goal-free evaluation. *American Journal of Evaluation, 12*(1), p. 55-62.

SCRIVEN, M. (2005). *The logic and methodology of checklists*, accessible en ligne à <www.wmich.edu/evalctr/checklists> (lien périmé).

SHAYER, M. (2003). Not just Piaget ; not just Vygotsky, and certainly not Vygotsky as alternative to Piaget. *Learning and Instruction, 13*, p. 465-485.

SHAYER, M. et ADEY, P. S. (1981). *Towards a science of science teaching*. Londres : Heinemann Educational Books.

SHERMAN, S. et FREA, A. (2004). The Wild West of executive coaching. *Harvard Business Review, 82*(11), p. 82-90.

SHERNOFF, D. J. et CSIKSZENTMIHALYI, M. (2009). Flow in schools : Cultivating engaged learners and optimal learning environments. Dans R. C. Gilman, E. S. Heubner et M. J. Furlong (dir.), *Handbook of positive psychology in schools* (p. 131-145). New York : Routledge.

SHIELDS, D. L. (2011). Character as the aim of education. *Phi Delta Kappan, 92*(8), p. 48-53.

SHUTE, V. J. (2008). Focus on formative feedback, *Review of Educational Research, 78*(1), p. 153-189.

SIMON, H. A. et CHASE, W. G. (1973). Skill in chess. *American Scientist, 61*(4), p. 394-403.

SITZMANN, T. et ELY, K. (2011). A meta-analysis of self-regulated learning in work-related training and educational attainment : What we know and where we need to go. *Psychological Bulletin, 137*(3), p. 421-442.

SKIPPER, Y. et DOUGLAS, K. (2012). Is no praise good praise ? Effects of positive feedback on children's and university students' responses to subsequent failures. *British Journal of Educational Psychology, 82*(2), p. 327-339.

SLATER, H., DAVIES, N. et BURGESS, S. (2009). *Do teachers matter ? Measuring the variation in teacher effectiveness in England*. Centre for Market and Public Organisation Working Series No. 09/212, accessible en ligne à <www.bristol.ac.uk/cmpo/publications/papers/2009/wp212.pdf> (consulté le 10 janvier 2017).

SLUIJSMANS, D. M. A., BRAND-GRUWEL, S. et VAN MERRIENBOER, J. J. G. (2002). Peer assessment training in teacher education : Effects on performance and perceptions. *Assessment and Evaluation in Higher Education, 27*(5), p. 443-454.

SMITH, S. (2009). *Academic target setting : Formative use of achievement data*. Thèse de doctorat non publiée, Université d'Auckland.

SMITH, T. W., BAKER, W. K., HATTIE, J. A. C. et BOND, L. (2008). A validity study of the certification system of the National Board for Professional Teaching Standards. Dans L. Ingvarson et J. A. C. Hattie (dir.), *Assessing teachers for professional certification : The first decade of the National Board for Professional Teaching Standards* (p. 345-380). Advances in Program Evaluation Series #11, Oxford : Elsevier.

SNOWLING, M. J. et HULME, C. (2010). Evidence-based interventions for reading and language difficulties : Creating a virtuous circle. *British Journal of Educational Psychology, 81*(1), p. 1-23.

STEEDLE, J. T. et SHAVELSON, R. J. (2009). Supporting valid interpretations of learning progression level diagnoses. *Journal of Research in Science Teaching, 46*(6), p. 699-715.

STEELE, C. F. (2009). *The inspired teacher: How to know one, grow one, or be one.* Alexandria, VA: ASCD.

TABER, K. S. (6 juillet 2010). Constructivism and direct instruction as competing instructional paradigms: An essay review of Tobias and Duffy's constructivist instruction: Success or failure? *Education Review, 13*(8), accessible en ligne à <http://edrev.asu.edu/index.php/ER/article/view/1418> (consulté le 10 janvier 2017).

TIMPERLEY, H. (2012). *Realising the power of professional learning.* Maidenhead: Open University Press.

TIMPERLEY, H., WILSON, A., BARRAR, H. et FUNG, I. (2007). *Teacher professional learning and development: Best evidence synthesis on professional learning and development.* Wellington: ministère de l'Éducation, accessible en ligne à <http://www.educationcounts.govt.nz/publications/series/2515/15341> (consulté le 10 janvier 2017).

TOMLINSON, C. A. (1995). *How to differentiate instruction in mixed-ability classrooms.* Alexandria, VA: ASCD.

TOMLINSON, C. A. (2005). *Differentiation in practice: A resource guide for differentiating curriculum, grades 9-12.* Alexandria, VA: ASCD.

VAN DEN BERGH, L., ROS, A. et BEIJAARD, D. (2010). *Feedback van basisschoolleerkrachten tijdens actief leren: de huidige praktijk.* ORD-paper ORD, Enschede.

VAN DE POL, J., VOLMAN, M. et BEISHUIZEN, J. (2010). Scaffolding in teacher-student interaction: A decade of research. *Educational Psychological Review, 22*, p. 271-296.

VAN GOG, T., ERICSSON, K. A., RIKERS, R. M. J. P. et PAAS, F. (2005). Instructional design for advanced learners: Establishing connections between theoretical frameworks of cognitive load and deliberate practice. *Educational Technology Research and Development, 53*(3), p. 73-81.

WEINSTEIN, R. S. (2002). *Reaching higher: The power of expectations in schooling.* Cambridge, MA: Harvard University Press.

WETZELS, S. A. J., KESTER, L., VAN MERRIENBOER, J. J. G. et BROERS, N. J. (2011). The influence of prior knowledge on the retrieval-directed function of note taking in prior knowledge activation. *British Journal of Educational Psychology, 81*(2), p. 274-291.

WICKENS, C. (2002). Situation awareness and workload in aviation. *Current Directions in Psychological Science, 11*(4), p. 128-133.

WIGGINS, G. P. et MCTIGHE, J. (2005). *Understanding by design* (2e éd. augmentée). Alexandria, VA: ASCD.

WILIAM, D. (2011). *Embedded formative assessment.* Bloomington, IN: Solution Tree Press.

WILIAM, D., LEE, C., HARRISON, C. et BLACK, P. (2004). Teachers developing assessment for learning: Impact on student achievement. *Assessment in Education: Principles, Policy, and Practice, 11*(1), p. 49-65.

WILIAM, D. et THOMPSON, M. (2008). Integrating assessment with instruction: What will it take to make it work? Dans C. A. Dwyer (dir.), *The future of assessment: Shaping teaching and learning* (p. 53-92). Hillsdale, NJ: Lawrence Erlbaum Associates.

WILKINSON, I. A. G., PARR, J. M., FUNG, I. Y. Y., HATTIE, J. A. C. et TOWNSEND, M. A. R. (2002). Discussion : Modeling and maximizing peer effects in school. *International Journal of Educational Research*, *37*(5), p. 521-535.

WILKINSON, S. S. (1980). *The relationship of teacher praise and student achievement : A meta-analysis of selected research*. Thèse de doctorat non publiée, University of Florida.

WILLINGHAM, D. T. (2009). *Why don't students like school ? A cognitive scientist answers questions about how the mind works and what it means for the classroom*. San Francisco, CA : John Wiley & Sons.

WILSON, B. L. et CORBETT, H. D. (2007). Students' perspectives on good teaching : Implications for adult reform behavior. Dans D. Thiessen et A. Cook-Sather (dir.), *International handbook of student experience in elementary and secondary school* (p. 283-314). Dordrecht : Springer.

WINNE, P. H. et HADWIN, A. F. (2008). The weave of motivation and self-regulated learning. Dans D. H. Schunk et B. J. Zimmerman (dir.), *Motivation and self-regulated learning : Theory, research, and applications* (p. 297-314). Hillsdale, NJ : Lawrence Erlbaum Associates.

WITTGENSTEIN, L. (1958). *Philosophical investigations* (G. E. M. Anscombe, trad., 2e éd.). Oxford : Blackwell.

YAIR, G. (2000). Educational battlefields in America : The tug-of-war over students' engagement with instruction. *Sociology of Education*, *73*(4), p. 247-269.

YEH, S. S. (2011). *The cost-effectiveness of 22 approaches for raising student achievement*. Charlotte, NC : Information Age.

ZEHM, S. J. et KOTTLER, J. A. (1993). *On being a teacher : The human dimension*. Thousand Oaks, CA : Corwin Press.

Index onomastique

A

Absolum, M., 182, 194
Adams, G.L., 93
Adey, P.S., 136
Aikman, M., 78
Alexander, R.J., 64, 103, 107, 133, 242
Alrieri, L., 238, 239
Alton-Lee, A., 25, 179, 251
Amabile, T.S., 224, 229
Anderman, L.H., 112
Anderson, K., 87
Andersson, H., 157
Angus, M., 160
Aronson, E., 143
Au, R., 64
Ausubel, D.P., 54

B

Bakhtin, M.M., 106
Barber, M., 229, 231
Barry, C., 226
Bausmith, J.M., 226
Beijaard, D., 127
Beishuizen, J., 187
Bereiter, C., 111
Bergman, L.R., 157
Berliner, D.C., 144
Berthold, K., 190
Besser, L., 86, 188
Biggs, J.B., 77, 78, 114, 148
Billings, L., 109, 130, 144
Bishop, R., 33, 235
Bjork, R.A., 114, 169

Black, P., 18, 85, 169, 183-185
Boyd, D., 224
Brand-Gruwel, S., 189
Bransford, J., 138, 144, 147, 149
Brooks, G., 95, 238
Brown, A.L., 138
Brown, G.T.L., 48, 77, 188
Brualdi, A.C., 107
Brutus, S., 187
Bryan, W.L., 154
Bryk, A.S., 101, 102, 129
Burgess, S., 32
Burnett, P.C., 190
Burns, C., 105
Burns, M.K., 73
Butler, R., 71, 72

C

Carless, D., 176
Carroll, A., 58, 75, 112
Case, R., 55
Cazden, C., 108
Chan, C.Y.J., 171
Chase, W.G., 154
Clarke, D.J., 241
Clarke, S., 67, 251
Clements, D.H., 84
Clinton, J., 24, 127, 244
Cocking, R.R., 138
Coffield, F., 115
Cohen, J., 14
Collis, K.F., 77
Confrey, J., 84

Coogan, P., 78
Cooper, H.M., 13
Corbett, H.D., 206
Corcoran, T., 84
Cornelius-White, J., 21, 204, 205
Crévola, C., 95

D

Darling-Hammond, L., 88, 144, 248
Daro, P., 84
Davies, N., 32, 118
Davis, E.A., 190
Day, C., 38
DeBaz, T.P., 13
den Berg, L., 127
DeNisi, A., 173
Dickens, C., 111, 129
Dixon, R., 244
Douglas, K., 174
Driver, R., 104
DuFour, R., 88, 89, 251
Dunning, D., 197
Duschl, R.A., 103
Dweck, C., 37, 174

E

Eaker, R., 88
Elmore, R.F., 88, 219
Ely, K., 150
Engelmann, S., 93
English, L.D., 106
Ericsson, K.A., 158

F

Falchikov, N., 189
Fiarmen, S., 88
Fletcher, R.B., 117
Frea, A., 92
Fullan, M., 95, 221, 229, 247

G

Gage, N.L., 144
Galton, M., 83, 113, 143
Gan, M., 189, 191, 193
Gardner, H., 117
Gates Foundation, 38
Gawande, A., 10
George, R., 113
Gickling, E.E., 73
Gladwell, M., 154

Glass, G.V., 6
Glasswell, K., 78
Goldfinch, J., 189
Goldstein, L., 176
Greguras, G.J., 187
Griffin, P., 166

H

Hadwin, A.F., 138
Hakel, M., 145
Halpern, D.F., 145
Hamilton, R., 118
Hardman, F., 104, 106
Harelli, S., 189
Hargreaves, A., 227
Harks, B., 188
Harter, N., 154
Hartley, P., 176
Hastie, S., 68, 167, 208
Hattie, J.A.C., XXVII, 4, 6, 12, 20, 24,
    34, 40, 48, 57, 58, 64, 67, 76, 77,
    82, 93, 109, 112, 114, 117, 118,
    127, 148, 165, 181, 182, 184, 188,
    211, 222, 226, 244, 246
Hays, M.J., 169
Hedges, L.V., 6
Heimbeck, D., 179
Hess, U., 189
Heubusch, J.D., 170
Higgins, R., 176, 189
Hill, C.J., 18
Hill, P., 95
Hoben, N., 78
Hodgen, E., 6, 85
Holt, C.R., 115
Hubner, S., 185
Hulme, C., 95
Hyde, J., 115
Hyland, F., 174, 187
Hyland, K., 174, 187

I

Ingvarson, L., 34
Inoue, N., 74
Irving, S.E., 188, 206, 213

J

Jackson, P.W., 227
James, W., 179
Joyce, B., 92

K

Kamins, M.L., 174
Kang, S., 178
Kennedy, M.M., 45, 111
Kessels, U., 174
Kluger, A.N., 173
Kobayashi, K., 152
Kohn, A., 195
Kornell, N., 169
Kramer, S.J., 224, 229
Kreupeling, W.J., 179
Kulhavy, R.W., 178
Kung, M.C., 187

L

Ladd, H.F., 224
Lavery, L., 150, 151
Leahy, S., 184
Levin, B., 206, 218, 219
Levin, H., 6, 7
Lingard, B., 51
Linn, M.C., 190
Lipsey, M.W., 6, 18
Littleton, K., 104, 106
Lloyd, C., 225
Lloyd, J.W., 170
Lortie, D.C., 227
Luque, M.F., 187

M

Maguire, T.O., 78
Maloney, A., 84
Mansell, W., 11
Marsh, H.W., 64
Martin, A., 70, 71
Martin, S., 78, 95
Mayer, R.E., 108, 238
McDermott, K.B., 178
McGaw, B., 6
McIntyre, D., 46
McNulty, B.A., 86
McTighe, J., 152
Meehan, H., 103
Mercer, N., 104, 106
Miller, P., 86
Morrison, I., 83, 113
Moseley, D., 115, 134
Mosher, F.A., 84
Murphy, P.K., 242
Myhill, D., 105

N

Neiderer, K., 64
Newton, P., 104
Nickerson, R.S., 178
Nuckles, M., 185
Nussbaum, E.S., 7
Nuthall, G.A., 46, 159, 176, 179, 189

O

Olkin, I., 6
Ornstein, P., 134, 157
Osborne, J., 104

P

Parker, W.B., 105
Parr, J., 78, 112
Paschal, R.A., 13
Pashler, H., 114
Patall, E.A., 13
Patrick, H., 143
Pedder, D., 46
Peeck, J., 179
Pekrul, S., 206
Pell, T., 83, 113
Peterson, E.R., 188
Piaget, J., 54-56, 133, 135, 136, 137, 161, 163
Plant, E.A., 158
Popham, J., 84, 85
Pratt, S., 113
Purdie, N., 77, 114, 148
Purkey, W.W., 59, 202

R

Reeves, D., 23, 27, 86, 87, 92
Renkl, A., 185, 190
Retelsdorf, J., 72
Riener, C., 114

Roberts, T., 109, 130, 144
Robinson, G.C., 13
Robinson, V.M.J., 225, 226, 252
Roediger, H.L., 178
Rogers, C., 242
Rogers, H.J., 6
Ros, A., 127
Roseth, C.J., 113
Rowe, K.J., 225
Rubie-Davies, C.M., 118
Rudduck, J., 46

S

Sadler, D.R., 165, 197
Sarama, J., 84
Schagen, I., 6
Schneider, B.L., 101, 102, 129
Schunk, D.H., 66, 133
Scriven, M., 10, 209
Shavelson, R.J., 83
Shayer, M., 56, 136, 137
Sherman, S., 92
Shernoff, D.J., 75
Shields, D.L., 7
Showers, B., 92
Shute, V.J., 194, 196
Simon, H.A., 154
Sitzmann, T., 150
Skelton, A., 176
Skipper, Y., 174
Slater, H., 32
Sluijsmans, D.M.A., 189
Smith, F., 104
Smith, M.L., 6
Smith, S., 32, 168
Smith, T.W., 40, 78
Snowling, M.J., 95
Sommer, S.M., 187

Steedle, J.T., 83
Steele, C.F., 42, 43, 206, 251
Swaminathan, H., 6

T

Taber, K.S., 238
Teital, L., 88
Thompson, M., 169
Timperley, H., 67, 165, 226
Tomlinson, C.A., 74, 142

V

Van de Pol, J., 187
Van den Bosch, A.B., 179
Van Merrienboer, J.J.G., 152, 189
Volman, M., 187

W

Walberg, H.J., 13
Wall, K., 104
Weinstein, R.S., 118, 119
Weinstein, T., 13
Wetzels, S.A.J., 152
Wickens, C., 159
Wiggins, G.P., 152
Wiliam, D., 169, 183, 184
Wilkinson, I.A.G., 112, 173, 242
Willingham, D., 114, 128, 251
Wilson, B.L., 206
Wilson, D.B., 6
Winne, P.H., 138
Wittgenstein, L., 58

Y-Z

Yair, G., 103
Yeh, S.S., 182
Zehm, S.J., 38

Index thématique

A

Accélération cognitive 56, 136

Accompagnement XXVII, 92, 123, 131, 164, 223, 226

Acquisition des connaissances 120
multiples méthodes d' – 145, 162

Activateurs 24, 190
enseignants en tant qu' – 9, 24, 124, 126, 238, 239

Agents de changement 24, 32
enseignants en tant qu' – 9, 24, 124, 205, 232, 234, 237-239

Ambivalence 160

Amélioration
de l'école 101, 102, 218, 219
du rendement XVII, 4, 5, 14, 18, 23, 27, 64, 70, 76, 77, 87, 92, 112-114, 140, 152, 155, 179, 184, 196, 219, 227, 228, 230, 238, 242

Apprentissage
actif 108, 127
ciblé 53, 66
compétitif 113, 123
coopératif 28, 113, 114, 122, 153
de surface 39, 40, 42, 48, 67, 77, 110, 111
de surface et en profondeur 9, 21, 24, 35, 38, 40, 41, 48, 96, 110, 111, 120, 143, 241, 246, 250
individuel 113
intentions d' – 21, 26, 36, 37, 48, 66-68, 72, 73, 76-79, 85, 88, 93, 94, 96, 97, 100, 107, 119, 120, 135, 138, 142, 144, 152, 153, 156, 160, 167, 169, 183, 187, 188, 191, 194, 203, 204, 208-213, 218, 221, 238, 242, 244, 246, 250
langage de l' – 243, 244
objectifs d' – 23, 66, 67, 75, 92, 144, 171, 173, 174, 186, 192, 197
phases de l' – 134, 138, 170
processus d' – 36, 38, 47, 99, 101, 108, 127, 134, 135, 147, 152, 156, 160, 169, 174, 183-185, 190, 196, 203, 204
stratégies d' – 21, 22, 24, 39, 57, 58, 64, 114, 115, 134, 137, 139, 141, 145, 149, 150, 152, 153, 156, 161-164, 171, 190, 208, 212, 237, 241
tout au long de la vie 148
trajectoires d' – *voir* Trajectoires d'apprentissage
visible à l'intérieur 3, 16, 32

Approche
éducative invitante 203
de la compétence 71
de la maîtrise 62, 71
d'évitement de la compétence 71
d'évitement du travail 71, 72

Aptitudes 135, 48
cognitives 135, 161
disparité des – 141

Aspirations 51, 120

AsTTle 80-82, 222

Attentes 6, 9, 28, 29, 31, 32, 44, 45, 51, 52, 73, 76, 77, 87, 90, 96, 117-120, 139, 159, 163, 178, 199, 203-205, 211, 220, 224-226, 228, 230, 233, 235, 237, 238, 244
   des écoles 6, 45, 90, 118
Attributs 3, 25, 32, 35, 41, 114, 187
Autoefficacité 34, 58, 59, 64, 73, 74, 97, 171, 173
Autoévaluation 19, 69, 150, 151, 182, 185, 194, 213
Autohandicap 59, 60, 97, 110
Auto-instruction 150, 151, 156, 241
Automotivation 59-61, 97
Autonomie 46, 47, 92, 191, 221, 224, 249
Autoquestionnement 120
Autorégulation 4, 13, 19, 24, 66, 124, 131, 134, 136, 148, 153, 156, 161, 167, 170, 172, 173, 177, 179, 186, 191-193, 197, 237
Autosurveillance 19, 150-152, 162
Avoir pleinement conscience de ce qui se passe en classe 100, 206

B
Balises 25, 26
Baromètre 16, 17
   d'influence 16, 17
But
   d'approche 194
   de maîtrise 58, 61, 68, 70, 72, 96, 114, 167, 168, 194
   de performance 58, 61, 68, 70, 96, 167, 194
   d'évitement 194
   d'interaction sociale 61
   personnel 59, 61, 97

C
Capacité 7, 8, 10, 13, 25, 36-38, 41, 45, 51, 55-57, 59, 61, 70, 75-77, 90, 95, 99, 102, 103, 108, 111, 114, 115, 118, 119, 127, 133-137, 139-141, 148-150, 153, 156, 157, 159, 161, 164, 171, 172, 193, 205, 207, 208, 210, 219, 220, 225, 232, 241, 250
   d'adaptation 75
   d'autoévaluation de l'élève 172, 182, 194

Caractère 7, 74
Certification NBC 40, 207
Changement 5, 9, 14, 15, 24, 32, 34, 87, 91, 92, 108, 111, 121, 124, 126, 178, 180, 195, 205, 208, 218-220, 227-229, 231-239, 243, 245, 247, 249
   culturel 219
   modèle pour le – 229
Clarté 66, 110
   des intentions d'apprentissage 67, 169
   des objectifs 66, 169
Classe
   dialogique 107
   climat de – 3, 23, 36, 39, 41, 99, 102, 109, 144, 150, 202, 243
Collaboration 10, 27, 45, 46, 53, 86-90, 100, 136, 182, 185, 203, 211, 221, 226, 247
Comment y parvenir ? 167, 169, 184, 236
Communautés d'apprentissage professionnelles 52, 69, 88, 90
Comparaison sociale 59, 64, 65, 97, 110, 112, 188
Compétence 22, 27, 43, 46, 59-62, 65, 66, 70-72, 74, 82, 88, 89, 91, 92, 94, 102, 109, 112, 117, 121, 124, 125, 127, 135, 139, 140, 144, 147, 154, 157, 161-163, 167, 185, 194, 198, 223, 226, 227, 236, 241, 244, 246, 250, 251
Compréhension
   conceptuelle 21, 42, 73, 74, 77, 80, 111, 148
   de surface 42, 77, 111, 137, 139, 153
   de surface et en profondeur 77, 137, 141, 148, 242
   en profondeur 40-42, 54, 77, 111, 112, 130, 139, 146
Concentration 9, 23, 133, 157, 158, 162
Concept de soi 57, 58, 64, 65
Conception à rebours 134, 152, 153, 162, 222
Confiance
   climat de – 9, 36, 87, 102, 227
   relationnelle 101, 213

Confirmation 178, 195, 196
Conflit cognitif 56, 136
Connaissance 8, 22-26, 34, 35, 39, 47, 55, 57, 58, 71, 72, 74, 78, 80, 84, 89, 94, 99, 101, 103, 104, 106, 108, 110-113, 117, 120, 127, 128, 130, 131, 137, 139, 141, 144-149, 153, 162, 163, 165, 167, 170, 172, 175, 179, 186, 187, 190-192, 202, 217, 219, 224, 226, 230, 233, 236, 239, 240, 243, 244, 246
   de la matière 8, 22
      voir aussi Connaissance, disciplinaire
   de surface 24, 106, 110-113, 120, 128, 146, 149, 170, 217
   de surface et en profondeur 139, 163, 244
   disciplinaire 29, 35
      voir aussi Connaissance, de la matière
   en profondeur 25, 111, 130
Connaître son impact 9, 230, 245, 250
Construction sociale 136
Critères de réussite 4, 9, 21, 26, 37, 43, 44, 48, 57, 66, 68, 72, 73, 76, 77-79, 85, 87, 88, 93, 94, 96, 97, 100, 101, 107, 120, 125, 131, 135, 140-142, 147, 152, 153, 157, 160, 162, 164, 165, 167, 169, 172, 178, 181, 183, 184, 186, 188, 191, 192, 194, 202, 203, 208, 209, 211-213, 218, 221, 238, 242, 244, 246, 250
Culture
   de l'école 219, 221, 232-234, 249
   des élèves 31, 33, 45, 89, 131, 187, 194-196, 230

D
Défi 9, 16, 19, 23, 26, 39, 40, 42, 43, 51, 53, 56, 58, 59, 73-75, 80, 83, 95, 97, 100-103, 130, 136, 139, 144, 147, 155, 157, 162, 168, 169, 194, 208, 209, 211-213, 225, 230, 231, 233, 234, 237, 238, 242, 244, 246
Déformation 59, 63, 97
Deliverology voir Science de la prestation

Dépendance aux directives d'autrui 59, 62, 97

Désespoir 64-66
  acquis 66

Développement 7, 8, 21, 22, 26-28, 33-35, 42, 47, 55-57, 72, 75, 84, 90, 92, 111, 121, 124, 133-136, 139, 149, 154, 156, 163, 182, 187, 219, 221, 223, 225, 226, 231, 237, 239, 245, 248
  cognitif 55, 56, 135, 136
  professionnel 26, 28, 34, 35, 42, 47, 133, 221, 223, 226, 239
    voir aussi Enseignants, apprentissage des

Devoirs 12-14, 16, 17, 33, 44, 111, 151, 163, 168, 217, 243, 244

Dialogue 9, 56, 86, 103-109, 129, 130, 162, 203, 234, 240, 241

Direction d'école voir Leader, scolaire

Discours 31, 102-107, 109, 160, 166, 167, 176, 238, 242
  de l'enseignant 104
    voir aussi Enseignement magistral ; Temps de parole de l'enseignant
  dialogique 106
  monologique 106

Données probantes XXVIII, 4, 8, 10, 12, 19, 20, 26, 42, 47, 80, 87-90, 92, 95, 109, 118, 121, 122, 127, 134, 159, 163, 164, 166, 183, 205, 218, 223-228, 230-232, 236, 237, 244, 245, 247-250

Dynamique 196, 233

E
Écoles
  attentes des – voir Attentes, des écoles

Écoute 99, 103, 105, 109, 125, 213, 240, 242
  active 242
  en classe 130
  type d' – 242

Educational Review Office (ERO) 224

Effet enseignant 32

Efficience cognitive 212

Élèves
  désengagés 160, 161
  issus des minorités 33, 76, 121, 235
  non coopératifs 160, 161

Empathie 144, 204, 205, 243

Engagement
  des élèves 22, 37, 51, 59, 70, 75, 88, 94, 97, 103, 105, 131, 160, 207, 213, 244
  des enseignants 32, 37, 43, 207, 228, 247
  des leaders scolaires 225

Enseignants
  apprentissage des – 240
    voir aussi Développement, professionnel
  croyances des – 32, 33, 35, 53, 85, 91, 125, 163, 178, 235, 245
  engagement des – 32, 37, 43, 207, 208, 213, 225, 228, 247
  expérimentés 34, 35, 40-42
  experts 34-38, 40-42, 78, 144, 145, 159, 246
  influence des – 15, 17, 19, 23, 25, 32, 38, 41, 44, 89
  passion des – 9, 19, 22, 23, 25, 27, 33-35, 37, 38, 41-43, 45, 47, 48, 58, 100, 205, 208, 219, 250
  rôle des – 1, 19, 20, 24, 26, 56, 74, 119, 124, 127, 137, 199, 228, 238, 239, 242, 243, 247

Enseignement
  centré sur l'apprenant 204
  de stratégies XXVIII, 35, 46, 134, 161, 196
  différencié 140, 142, 162
  direct 28, 93, 94, 120-122
  inspiré 33, 35, 42, 44, 45
  magistral 103, 106, 140, 177, 240
    voir aussi Discours, de l'enseignant ; Temps de parole de l'enseignant
  passion de l' – 219
  passionné 208
  pratique de l' – 9

Environnement d'apprentissage
  voir Classe, climat de

Équipe 44, 51, 82, 84, 86, 88, 90, 97, 100, 101, 110, 123, 142, 211, 221, 226
  travail en – voir Travail en équipe
    voir aussi Équipes de collaboration centrées sur les données

Équipes de collaboration centrées sur les données 86-88, 90, 211, 226
  voir aussi Travail en équipe

ERO voir Educational Review Office (ERO)

Erreur 13, 16, 17, 21, 22, 24, 26, 27, 36, 37, 39, 43, 44, 58, 69, 71, 72, 74, 84, 100, 102, 107, 109, 112, 139-141, 143, 145, 147, 156, 158, 166, 171-173, 175, 179, 180, 188, 189, 191, 193, 195-198, 203, 210, 212, 219, 228, 234, 237, 240, 243, 249-251

Estime de soi 58, 64, 183

Établissement de cibles 32, 96

Étayage 75, 186, 187, 190, 197, 238

Étiquetage des élèves 114, 115, 117, 164, 238

Évaluateurs 9, 20, 24, 43, 109, 124, 136, 127, 145, 154, 212, 219, 234, 239, 240, 244, 245
  enseignants en tant qu' – 9, 20, 24, 43, 124, 126, 127, 145, 219, 234, 240, 245

Évaluation
  critique 7, 8, 212
  de l'enseignement 213, 225
  formative 67, 166, 182-184, 195, 198, 235
  grille d' – 128, 152, 213
  indépendante des objectifs 209
  par les élèves 185, 189
    voir aussi Monitorer ; Résultats ; Rétroaction

Excellence 23, 25, 34, 46, 87, 219, 236, 245

Exercice normatif faisant appel à des « signets » 90

Experts 9, 34-38, 40-42, 44, 45, 78, 88, 96, 144, 145, 154, 246
  adaptatifs 144, 145

F

Facteurs d'influence 4, 6, 14, 17, 23, 25, 236

Faire son possible 40

Félicitations 60, 61, 63, 173-175, 191, 197

Flaxmere *voir* Projet Flaxmere

Focalisation 27, 47, 80, 86, 92, 96, 157, 194, 226

Formation 18, 22, 32, 45, 51, 52, 58, 92, 123, 149, 179, 191, 217, 218, 226

des maîtres 45, 125, 129, 163, 217

H

How People Learn 147

How to Change 5 000 Schools 218

Hypothèse de similarité des genres 115

I

Incitations 93, 185, 186, 190, 191, 193, 208

axées sur l'approfondissement 185

axées sur le suivi 185

axées sur l'organisation 185

dirigées 190, 191

Infirmation 178, 195, 196

Inside the black box 183

Intelligences multiples 116, 117

Intentionnalité 202, 203

Intentions

d'apprentissage 21, 26, 37, 48, 66-68, 73, 76-79, 85, 88, 93, 94, 96, 97, 100, 107, 119, 120, 135, 142, 144, 152, 153, 156, 160, 167, 169, 183, 187, 188, 191, 194, 203, 204, 208-213, 218, 221, 238, 242, 244, 246, 250

importance des – 167

Interaction 9, 11, 35, 45, 46, 61, 62, 86, 100, 104, 106, 145, 146, 160, 162, 171, 194, 197, 236, 237, 241, 243

multiples méthodes d' – 145, 146, 162

IRE 103, 104, 130

J

Jeux vidéo 155

Journal de travail 208

Juste assez *voir* Principe du « juste assez »

L

Leader

pédagogique 225, 226

scolaire XXVIII, 3, 7-9, 23, 26, 32, 45, 118, 126, 127, 217-219, 223-225, 227, 229, 231, 233, 235, 237, 239, 240, 242, 243, 247, 250

transformationnel 225

Leadership 224-226, 233

Leçon XXVII, 8, 9, 20, 24, 26, 27, 35-37, 39, 43, 46, 49, 51, 53, 54, 56, 57, 62, 66-69, 71-73, 75, 78, 80, 82, 92-97, 99-101, 103-105, 107-112, 114, 117, 119, 120, 124-126, 128, 130, 131, 133-141, 144, 145, 149, 152, 153, 155, 156, 159, 161-165, 167, 170, 173-175, 177, 180, 182, 184, 185, 188, 189, 193-195, 198, 201-206, 208-213, 221, 226, 235, 236, 246, 248, 250

Liste de vérification 10, 33, 35, 42, 45, 53, 57, 66, 73, 78, 85, 99, 101, 103, 107, 109, 110, 112, 114, 117, 119, 120, 124, 135, 137, 140, 144, 145, 149, 152, 153, 159, 167, 170, 173, 175, 182, 193, 202, 205, 208, 209, 250

M

Measures of Effective Teaching Project 38

Méta-analyses XXVIII, 4, 5, 11-18, 76, 115, 148, 204, 225, 238

Métacognition *voir* Autorégulation

Méthode

d'enseignement 26, 95, 121, 124-126, 128, 153, 236

jigsaw 143, 164

voir aussi Stratégie de la classe en puzzle

Modèle

de la corde 57

de « réponse à l'intervention » 88

piagétien 136

SOLO 48, 77-79, 135, 137

Monitorer 34, 42, 43, 53, 60, 62, 66, 86, 88, 96, 114, 139, 142, 156, 159, 168, 172, 177, 186, 190, 192, 193, 211, 227, 228, 233, 248, 250

l'apprentissage 34, 42, 43, 60, 86, 139, 156, 172, 177, 190

le rendement 114, 233

voir aussi Évaluation ; Résultats

Monologue 9, 103, 104, 109, 177, 195, 240, 241

Moteur 178, 211, 221, 222, 227

de génération de rapports 211, 222, 227

du changement *voir* Changement

Motivation XXVIII, 16, 31, 34, 57, 60, 66, 70-72, 116, 125, 134, 135, 138, 141, 155, 165, 183, 187, 220, 221, 229, 230

à la performance 155

des élèves XXVIII, 16, 138, 220

extrinsèque 60

intrinsèque 60

phases de – 138

Multiples méthodes 145, 146, 162

d'acquisition des connaissances *voir* Acquisition des connaissances, multiples méthodes d'

d'interaction *voir* Interaction, multiples méthodes d'

Multiples occasions d'apprendre 94, 145, 146, 162, 213, 219, 250

N

National Board for Professional Teaching Standards (NBPTS) 34, 47, 182, 206

NBC *voir* Certification NBC

NBPTS *voir* National Board for Professional Teaching Standards (NBPTS)

Niveau

de pensée 56, 239

de rendement 14, 53, 54, 67, 70, 76, 85, 91, 119, 168, 188, 189, 197

d'implantation 110, 229

O

Objectifs
d'apprentissage 23, 66, 67, 75, 92, 144, 173, 174, 186, 192, 197
de la leçon 27, 138, 167
des élèves 33
des enseignants 133
de surface et en profondeur 34
de surpassement de soi 69, 70, 96, 194
progressifs 86, 87
SMART 69
Observation 36, 40, 42, 88, 104, 129, 134, 151, 156, 166, 189, 201, 227
en classe 40, 42, 104, 129
pédagogique 88
voir aussi Tournées d'observation pédagogique
Opinion des élèves 47, 188
Optimisme 202-204

P

Paideia *voir* Programme Paideia
Pairs
pouvoir des – 9, 112, 189, 195, 243
rétroaction des – 171
voir aussi Rétroaction, progressive par les pairs
rôle des – 112
Parcours fondamentaux d'enseignement et d'apprentissage (PFEA) 95
Parents 12, 16, 28, 31, 33, 101, 205, 212, 217, 220, 223, 231, 234, 239, 243, 244, 251
Parole 99, 103, 106, 109, 242
Passion 9, 19, 22, 23, 25, 27, 32-35, 37, 38, 41-43, 45, 47, 48, 58, 100, 205, 206, 208, 219, 250
Pédagogie productive 130
Perceptions 76, 188, 206, 229
des élèves 47, 57, 58, 245
de soi 57, 96
Perfectionnisme 59, 63, 64, 97
PFEA *voir* Parcours fondamentaux d'enseignement et d'apprentissage (PFEA)

Pipeline Project 160
Planification 45, 51, 53, 57, 67, 73, 75, 78, 81, 138, 150, 151, 185, 190, 212, 233, 246
des enseignants 51-53, 66, 85, 86, 94, 125, 191, 225, 248, 249
des leçons 51, 53, 54, 93, 95, 96, 99, 120, 209, 221, 226
Point charnière 5, 6, 16, 18, 19, 23
(d = 0,40) 23
Point de vue XXVII, 8, 19-22, 25, 27, 51, 55, 66, 99, 105, 126, 133, 135, 136, 142, 144, 159, 162, 196, 198, 201, 202, 205, 208, 211, 236
des élèves 19, 25, 27, 66, 105, 126, 133, 144, 159, 162, 198, 201, 205, 208, 236
des enseignants 22, 51, 106, 205
Postures 4, 8, 9, 19, 20, 25, 32, 46, 51, 118, 124, 130, 139, 143, 160, 217-219, 221, 229, 234-237, 239, 240, 242-245, 247
des enseignants 8, 32, 219, 235, 243, 245, 247
des leaders scolaires 9, 219, 229, 235, 243, 247
Pratique
autonome 94
délibérée 9, 19, 22-24, 27, 59, 94, 139, 146, 147, 153-158, 160, 162, 172, 195, 244
d'enseignement 6
guidée 94
Prédictions 28, 35, 76, 118, 119, 168, 197
Préparation aux tests 15, 123, 164
Présentisme 227, 249
Preuves 8, 18, 34, 47, 52, 73, 85, 89, 95, 121, 125, 159, 166, 174, 175, 183, 190, 202, 204, 208-211, 223, 234, 239, 251
voir aussi Traduction des preuves en actions
Principe du « juste assez » 119
Prise de notes 152
Profession 12, 22, 43, 45, 46, 239, 246, 249

Programme
d'études XXVIII, 47, 66, 67, 78, 80, 83, 86, 91, 207, 208, 210, 222, 225
de type « apprendre à apprendre » 149
Programme Paideia 109, 110, 129, 144
Progrès 26, 27, 32, 47, 53, 54, 64-66, 68, 78, 83-85, 95, 117-120, 127, 142, 153, 161, 167-169, 184, 185, 193, 194, 198, 202-204, 208, 209, 211, 212, 218, 223, 233, 237, 240, 248, 250
Progression 14, 18, 27, 33, 37, 44, 47, 53, 54, 74, 78, 80, 82-85, 90-93, 95-97, 118, 121, 127, 139, 142, 145, 149, 153, 155, 161, 166, 168, 175, 177, 181, 185, 195, 196, 211, 223, 229, 233, 236, 244, 246, 248, 250
d'apprentissage 84, 85, 95, 137, 223
de type « *lowercase* » 84
de type « *uppercase* » 84
notion de – 32, 86, 95
Projet Flaxmere 244

Q-R

Questionnement 107-109, 129
Redoublement 28, 52
Réflexion 15, 21, 24, 26, 54, 67, 72, 79, 92, 104, 107, 110, 111, 117, 128, 145, 147, 148, 159, 189-191, 201, 218, 247
Réforme systémique 221
Regroupement des élèves 3, 29, 142, 143
Rejet ou déformation de la rétroaction 59, 63, 97
Relation 23, 29, 55, 100, 101, 104, 149, 159, 164, 189, 204-206, 220, 224, 225, 244
chaleureuse 204
facilitatrice 204
famille-école 244
maître-élèves 29, 164

Rendement 4-7, 12-16, 18, 19, 23-25, 27, 28, 33, 34, 38, 41, 44, 46, 64, 65, 67, 68, 70, 73, 75-77, 81-83, 85, 87, 88, 91-93, 112-115, 118, 119, 125, 137, 140, 150-152, 155, 166, 168, 173, 174, 177, 179, 194-196, 211, 219, 229, 231, 233, 248
    antérieur 169, 231
    de l'élève XXVII, 6, 33, 52-54, 65, 83, 86, 90, 97, 118, 179, 181, 183, 184, 188, 189, 197, 212, 225-228, 230, 235, 236, 238, 242, 244, 247, 248
    voir aussi Résultats
Résilience 58, 75, 96, 152, 180
Résolution de problèmes 27, 36, 41, 86, 120, 122, 123, 130, 144, 145, 190
Respect 37-39, 41-43, 87, 100, 101, 110, 117, 130, 168, 202-204, 213, 219, 229
Ressources 3, 5, 14, 15, 20, 23, 31, 33, 46, 52, 63, 64, 78, 81, 82, 96, 97, 112, 133, 141, 144, 147, 152, 156, 167, 169, 180, 183, 221, 223-228, 231, 235-238, 245, 247-249
Résultats
    acquis 9, 18, 21, 22, 25, 35, 36, 47, 54, 57, 73, 85, 94, 96, 100, 105, 108, 118, 130, 135, 138, 139, 143, 146, 147, 153, 165, 178, 194, 230
    antérieurs 25, 53, 54, 73, 96, 144, 188, 194, 211, 230
    de la scolarisation *voir* Scolarisation, résultats de la
    de l'élève 35, 38, 52, 53, 73, 86, 92, 115, 163, 180, 219, 225, 249
    mesures des – 6
    voir aussi Évaluation ; Monitorer ; Rendement ; Rétroaction
Rétroaction
    fondée sur l'évaluation 166, 181
    formative 128, 141, 142, 154, 169, 198, 242
    immédiate 108, 197
    niveaux de – 9, 167, 170, 175, 178, 191, 193, 194
    par les pairs 189, 193, 196

    par rapport au processus 171
    personnelle 187
    progressive par les pairs 191
        voir aussi Pairs, rétroaction des
    sommative 236
    sur la tâche 170, 179, 193, 196
    sur les progrès 193, 194
    terminale 191
    types de – 178, 188, 194, 196
    voir aussi Évaluation ; Résultats
Revenu 7
Rôle 1, 19, 20, 24, 26, 56, 74, 101, 102, 112, 118, 119, 124, 126, 127, 135-137, 154, 169, 180, 194, 196, 199, 204, 206, 213, 217, 218, 221, 223, 224, 226, 228, 232-234, 238, 239, 241-243, 245, 247

S

Scénarios de leçon 95
Science de la prestation 230
Scolarisation 3, 6, 7
    résultats de la – 6
Sept facteurs ayant une influence sur le climat de classe 38, 39
Sexe 28, 117, 164
SMART *voir* Objectifs, SMART
Sollicitation d'aide 71, 72, 151, 237
Soutien social 101, 112, 131
    rôle du – 112, 131
Stade
    opératoire concret de Piaget 135, 136
    opératoire formel de Piaget 56, 57, 135, 136
    préopératoire de Piaget 55, 136
    sensorimoteur de Piaget 55, 135
Stratégie de la classe en puzzle 143
    voir aussi Méthode, *jigsaw*
Stratégie
    d'apprentissage 21, 22, 24, 39, 57, 58, 64, 114, 115, 134, 137, 139, 141, 145, 149, 150, 152, 153, 156, 161-164, 171, 190, 208, 212, 237, 241
    d'enseignement XXVII, XXVIII, 35, 46, 82, 120, 125, 250
    des élèves 54, 138

Styles d'apprentissage 28, 31, 54, 114, 115
Surapprentissage 23, 24, 112
Systèmes d'évaluation 77, 85

T

Taille
    d'effet 4-6, 13-15, 40, 41, 70, 93, 108, 126, 166, 173, 223, 228
    de la classe 15, 103
Techniques d'étude 78, 122, 148, 149, 164
Télévoteurs 108
Temps de parole de l'enseignant 99, 242
    voir aussi Discours, de l'enseignant ; Enseignement, magistral
Théories 8, 33, 54, 95, 111, 133, 134, 166, 234, 235, 239
    de l'apprentissage 133, 239
Tournées d'observation pédagogique 88
    voir aussi Observation, pédagogique
« tout fonctionne » 4
Traduction des preuves en actions 125 *voir aussi* Preuves
Trajectoires d'apprentissage 54, 84
Travail en équipe 44, 110, 142
    voir aussi Équipes de collaboration centrées sur les données
Tutorat 112-114
    par les pairs 114, 122, 182

V-W

Vantardise 65
Variance 17, 20, 25, 31, 32, 218, 246
Visible Learning XXVII, 4-6, 8, 11-14, 16, 17, 19, 20, 22, 25, 26, 35, 46, 51, 76, 85, 89, 94, 99, 103, 119, 120, 166, 217, 228, 239, 246
What Next 81, 82

**L'intervention psychosociale
par la nature et l'aventure**
Fondements, processus et pistes d'action
*Sous la direction de Sébastien Rojo
et Geneviève Bergeron*
2017, ISBN 978-2-7605-4481-9, 244 pages

Les 16-24 ans à l'éducation des adultes
Besoins et pistes d'intervention
Michelle Dumont et Nadia Rousseau
2016, ISBN 978-2-7605-4448-2, 186 pages

Les dyslexies-dysorthographies
Sous la direction de Brigitte Stanké
2016, ISBN 978-2-7605-4436-9, 240 pages

La pédagogie de l'inclusion scolaire, 3e éd.
Un défi ambitieux et stimulant
Sous la direction de Nadia Rousseau
2015, ISBN 978-2-7605-3995-2, 544 pages

**Les aides technologiques
à l'apprentissage pour soutenir
l'inclusion scolaire**
*Sous la direction de Nadia Rousseau
et Valérie Angelucci*
2014, ISBN 978-2-7605-4033-0, 176 pages

**Données d'observation
et gestion de l'apprentissage**
Guide à l'intention des communautés
d'apprentissage professionnelles
Roger Prud'Homme et Martine Leclerc
2014, ISBN 978-2-7605-3940-2, 266 pages

Soutenir le goût de l'école
Histoires de passion
Sous la direction de Sylvie Ouellet
2013, ISBN 978-2-7605-3686-9, 230 pages

**Communauté d'apprentissage
professionnelle**
Guide à l'intention des leaders scolaires
Martine Leclerc
2012, ISBN 978-2-7605-3531-2, 228 pages

Les transitions à l'école
*Sous la direction de Pierre Curchod,
Pierre-André Doudin et Louise Lafortune*
2012, ISBN 978-2-7605-3368-4, 332 pages

La santé psychosociale des élèves
*Sous la direction de Denise Curchod-Ruedi,
Pierre-André Doudin, Louise Lafortune
et Nathalie Lafranchise*
2011, ISBN 978-2-7605-3224-3, 372 pages

**Pour une collaboration école-université
en science et techno**
Des pistes pour l'apprentissage
*Sous la direction de Ghislain Samson,
Abdelkrim Hasni, Diane Gauthier et Patrice Potvin*
2011, ISBN 978-2-7605-3031-7, 220 pages

**La santé psychosociale des enseignants
et des enseignantes**
*Sous la direction de Pierre-André Doudin,
Denise Curchod-Ruedi, Louise Lafortune
et Nathalie Lafranchise*
2011, ISBN 978-2-7605-3004-1, 326 pages

La pédagogie de l'inclusion scolaire, 2e éd.
Pistes d'action pour apprendre
tous ensemble
Sous la direction de Nadia Rousseau
2010, ISBN 978-2-7605-2643-3, 504 pages

**Régulation et évaluation
des compétences en enseignement**
Vers la professionnalisation
Sous la direction de Louise M. Bélair,
Christine Lebel, Noëlle Sorin, Anne Roy
et Louise Lafortune
2010, ISBN 978-2-7605-2584-9, 350 pages

**Approches affectives, métacognitives
et cognitives de la compréhension**
Sous la direction de Louise Lafortune,
Sylvie Fréchette, Noëlle Sorin,
Pierre-André Doudin et Ottavia Albanese
2010, ISBN 978-2-7605-2552-8, 226 pages

Littératie et inclusion
Outils et pratiques pédagogiques
Sous la direction de Manon Hébert
et Lizanne Lafontaine
2010, ISBN 978-2-7605-2545-0, 214 pages

**Les écritures en situations
professionnelles**
Sous la direction de Françoise Cros,
Louise Lafortune et Martine Morisse
2009, ISBN 978-2-7605-2378-4, 270 pages

**Leadership et compétences
émotionnelles**
Dans l'accompagnement au changement
Sous la direction de Bénédicte Gendron
et Louise Lafortune
2009, ISBN 978-2-7605-1607-6, 246 pages

L'articulation oral-écrit en classe
Une diversité de pratiques
Sous la direction de Lizanne Lafontaine,
Réal Bergeron et Ginette Plessis-Bélair
2008, ISBN 978-2-7605-1583-3, 240 pages

Jugement professionnel en évaluation
Pratiques enseignantes au Québec
et à Genève
Sous la direction de Louise Lafortune
et Linda Allal
2007, ISBN 978-2-7605-1529-1, 272 pages

L'organisation du travail scolaire
Sous la direction de Monica Gather Thurler
et Olivier Maulini
2007, ISBN 978-2-7605-1503-1, 468 pages

Observer les réformes en éducation
Sous la direction de Louise Lafortune,
Moussadak Ettayebi et Philippe Jonnaert
2006, ISBN 978-2-7605-1464-5, 248 pages

**L'innovation en formation
à l'enseignement**
Pistes de réflexion et d'action
Sous la direction de Jean Loiselle,
Louise Lafortune et Nadia Rousseau
2006, ISBN 2-7605-1428-5, 262 pages

**Intervenir auprès d'élèves
ayant des besoins particuliers**
Quelle formation à l'enseignement ?
Sous la direction de Pierre-André Doudin
et Louise Lafortune
2006, ISBN 2-7605-1386-6, 264 pages

Pédagogie des poqués
Antoine Baby
2005, ISBN 2-7605-1340-8, 300 pages

**Pour l'apprentissage d'une pensée
critique au primaire**
Marie-France Daniel, avec la collaboration
de Monique Darveau, Louise Lafortune
et Ricardo Pallascio
2005, ISBN 2-7605-1330-0, 180 pages

Le questionnement en équipe-cycle
Questionnaires, entretiens,
journaux de réflexion
Sous la direction de Louise Lafortune
2004, ISBN 2-7605-1320-3, 368 pages

**Travailler en équipe-cycle
entre collègues d'une école**

*Sous la direction de Louise Lafortune,
avec la collaboration de Stéphane Cyr
et Bernard Massé*

2004, ISBN 2-7605-1313-0, 336 pages

La prévention du suicide à l'école

*Sous la direction de Ghyslain Parent
et Denis Rhéaume*

2004, ISBN 2-7605-1292-4, 228 pages

Les émotions à l'école

*Sous la direction de Louise Lafortune,
Pierre-André Doudin, Dawson R. Hancock
et Francisco Pons*

2004, ISBN 2-7605-1290-8, 192 pages

L'accompagnement en éducation
Un soutien au renouvellement
des pratiques

*Sous la direction de Monique L'Hostie
et Louis-Philippe Boucher*

2004, ISBN 2-7605-1278-9, 208 pages

Constructivisme – Choix contemporains
Hommage à Ernst von Glasersfeld

*Sous la direction de Philippe Jonnaert
et Domenico Masciotra*

2004, ISBN 2-7605-1280-0, 340 pages

La pédagogie de l'inclusion scolaire

*Sous la direction de Nadia Rousseau
et Stéphanie Bélanger*

2004, ISBN 2-7605-1272-X, 428 pages

Femmes et maths, sciences et technos

*Sous la direction de Louise Lafortune
et Claudie Solar*

2003, ISBN 2-7605-1252-5, 294 pages

Chères mathématiques
Susciter l'expression des émotions
en mathématiques

*Louise Lafortune et Bernard Massé,
avec la collaboration de Serge Lafortune*

2002, ISBN 2-7605-1209-6, 156 pages

Les cycles d'apprentissage
Une autre organisation du travail
pour combattre l'échec scolaire

Philippe Perrenoud

2002, ISBN 2-7605-1208-8, 218 pages

**Les enjeux de la supervision
pédagogique des stages**

*Sous la direction de Marc Boutet
et Nadia Rousseau*

2002, ISBN 2-7605-1170-7, 260 pages

Accompagnement socioconstructiviste
Pour s'approprier une réforme
en éducation

Louise Lafortune et Colette Deaudelin

2001, ISBN 2-7605-1129-4, 232 pages

**L'école alternative
et la réforme en éducation**
Continuité ou changement ?

*Sous la direction de Richard Pallascio
et Nicole Beaudry*

2000, ISBN 2-7605-1115-4, 204 pages

Pour guider la métacognition

*Louise Lafortune, Suzanne Jacob
et Danièle Hébert*

2000, ISBN 2-7605-1082-4, 126 pages

(

MARQUIS

Québec, Canada